T4-AJT-153

Peter Stuhlmacher
Versöhnung, Gesetz und Gerechtigkeit

Hartmut Gese
in Dankbarkeit gewidmet

PETER STUHLMACHER

Versöhnung, Gesetz und Gerechtigkeit

Aufsätze zur biblischen Theologie

VANDENHOECK & RUPRECHT
IN GÖTTINGEN

CIP-Kurztitelaufnahme der Deutschen Bibliothek

Stuhlmacher, Peter:
Versöhnung, Gesetz und Gerechtigkeit:
Aufsätze zur bibl. Theologie/Peter Stuhlmacher. –
Göttingen: Vandenhoeck und Ruprecht, 1981.
ISBN 3-525-53568-6

Umschlag: Karlgeorg Hoefer

Satz und Druck: Gulde-Druck GmbH, Tübingen. Bindearbeit: Hubert & Co., Göttingen.

Vorwort

Die von Tübingen ausgehenden biblisch-theologischen Versuche sind in den letzten Jahren dankbar begrüßt, aber auch massiv und z.T. sogar in der Absicht kritisiert worden, dem angeblich in diesen Versuchen wirksamen wissenschaftsfeindlichen pietistischen Ungeist die Maske vom Gesicht zu reißen. Die Leidenschaftlichkeit der kritischen Einwände zeigt, daß es um Problemlösungen geht, die aus den verschiedensten Gründen für bedrohlich gehalten werden. Die Kritiker fürchten um die wissenschaftsgeschichtlich gebotene unbestechliche historische Kritik, um das ihrer Auffassung nach erst im Gegenüber zum Alten Testament und Frühjudentum klar hervortretende Proprium des Neuen Testaments, um die Freiheit exegetischer Argumentation gegenüber dogmatischer Bevormundung, um die Unterscheidung von wissenschaftlicher Erörterung und Predigt, um die Abkehr von der Theologie des Wortes Gottes zu einer heilsgeschichtlichen Betrachtungsweise usw. usf. Solche Kritik macht nachdenklich. Sie zeigt aber auch, daß die Tübinger Position mancherorts herhalten muß, um die eigenen unerledigten Fragen durch polemische Projektion nach außen zu bewältigen.

Sofern es anderen gelingt, historisch klarer und theologisch überzeugender von Jesus und seiner Verkündigung, von der Auferstehung, vom Gesetz, von Versöhnung und Gerechtigkeit zu sprechen, werde ich ihnen bereitwillig das Feld überlassen. Aber gegenwärtig schon um der uns entgegenschlagenden Kritik willen auf überlieferungsgeschichtliche biblisch-theologische Untersuchungen zu verzichten oder gar das Thema der biblischen Theologie ganz fallenzulassen, halte ich nicht für ratsam. Meiner exegetischen Erfahrung nach gewinnen gerade die zentralen biblischen Traditionen von Jesu Verkündigung und Hoheitsanspruch, von der Auferweckung der Toten, von Sühne und Versöhnung, vom Gesetz und von der Gerechtigkeit bei gesamtbiblischer Betrachtungsweise ein ungeahntes historisches Profil und werden so zur echten theologischen Herausforderung. Wenn dies richtig gesehen ist, dann müssen die Bemühungen um eine biblische Theologie des Neuen Testaments, die zum Alten hin offen ist, noch eine Weile fortgesetzt werden. Die Aporien und Probleme einer solchen Theologie sind m.E. nicht größer oder kleiner als die der exegetischen Theologie überhaupt.

Ich wage es darum, die nachstehende Sammlung von älteren und neuen Aufsätzen zur Diskussion zu stellen. Meine Bitte ist, daß man die eben genannten neutestamentlichen Themen nicht behandeln möge, ohne vom Neuen Testament aus sehr genau ins Alte Testament und Frühjudentum zurückzufragen und sich von dort wieder zu den neutestamentlichen Aussagen zurückzutasten. Wenn man ohne traditionelle oder auch dogmatische Voreingenommenheit das Alte Testament in Gestalt der „Schriften" so differenziert sieht wie die neutestamentlichen Autoren selbst, dann erkennt man, daß Altes und Neues Testament z.B. im Bereich der Weisheitstradition und der Apokalyptik unmittelbar aneinander anschließen und daß es historisch unrichtig ist, das Alte Testament vom Neuen grundsätzlich durch den Graben des Frühjudentums zu trennen. Im Horizont des Frühjudentums vom Neuen Testament ins Alte zurückzufragen, bedeutet, den Sprach- und Erfahrungszusammenhang zu rekonstruieren, aus dem die Hauptthemen der neutestamentlichen Theologie und Verkündigung erwachsen sind. Faßt man nämlich diesen komplexen Zusammenhang ins Auge, dann ergibt sich, daß das Neue Testament keineswegs zufällig von Gottes Gerechtigkeit und der Rechtfertigung vor Gott, von Sühne und Versöhnung, von Glaube und Gesetz, von der Auferweckung der Toten und von Jesu Würde als messianischem Menschensohn spricht. Es greift damit vielmehr im Lichte der Erscheinung Jesu die religiösen Grundfragen auf, die in der israelitischen Glaubensgeschichte von grundlegender Bedeutung waren und sind. Was diese historische Feststellung theologisch bedeutet, muß trotz aller uns daran hindernden exegetischen und theologischen Gewohnheiten weitererörtert werden.

Allen, die zum Zustandekommen des Sammelbandes beigetragen haben, möchte ich herzlich danken. Frau Gisela Kienle hat geduldig Manuskript um Manuskript geschrieben. Karl Theodor Kleinknecht und Ulrich Mack haben sie durchgesehen. Heinz-Peter Hempelmann hat die Register erstellt und die Hauptlast der Korrekturen getragen. Dr. Arndt Ruprecht und seine Mitarbeiter haben freundlich und bereitwillig für den Druck gesorgt. Nachdem eine Vorform des Aufsatzes über „Die neue Gerechtigkeit in der Jesusverkündigung" Teil einer Privatfestschrift für H. Gese zu dessen 50. Geburtstag war, möchte ich ihm die ganze Aufsatzsammlung widmen. Von Geses Rat habe ich über Jahre hinweg gelernt.

Tübingen, den 20. März 1981 Peter Stuhlmacher

Inhalt

Jesus als Versöhner

Überlegungen zum Problem der Darstellung Jesu im Rahmen einer Biblischen Theologie des Neuen Testaments

Es gibt theologische Probleme, die selbst dann nicht liegenbleiben dürfen, wenn die Arbeit von Generationen zu ihrer Bewältigung erforderlich ist. Ein solches Problem ist die Frage, in welcher Weise und in welchem Umfang Jesu Verkündigung und Geschick in die Darstellung einer Theologie des Neuen Testaments einbezogen werden sollen.

I.

Hans Conzelmann hat uns eben diese Frage zur Weiterarbeit anvertraut. Schon in seinem 1959 erschienenen großen Artikel „Jesus Christus" im 3. Band der RGG³ (Sp. 619—653) hatte er zwar eine eingehende Darstellung von Werk und Verkündigung Jesu gegeben, aber abschließend betont, theologische Relevanz erhalte solche historische Rekonstruktion nur als Illustration und Konkretion der Christuspredigt, d. h. als Erinnerung und Einübung in die Geschichtlichkeit der Offenbarung[1]. In seinem 1967 vorgelegten „Grundriß der Theologie des Neuen Testaments" bestand er dann „nicht aus Eigensinn, sondern aus methodischer Konsequenz und auf Grund der Aufnahme des exegetischen Bestandes" darauf, „daß der ‚historische Jesus' kein Thema der neutestamentlichen Theologie ist"[2], weil die Neutestamentliche Theologie speziell das Kerygma der neutestamentlichen Texte darzustellen und verständlich zu machen hat. Da eben dieses Kerygma aber vor allem in den Synoptikern auf der Identität des erhöhten Christus mit dem irdischen Jesus insistiert, bezog Conzelmann nicht nur das synoptische Kerygma ausdrücklich in seinen Theologie-Entwurf mit ein, sondern bot in dem diesem Kerygma gewidmeten

---

[1] RGG³ III 648—651.

[2] AaO. 16.

zweiten Hauptteil seines Buches dann auch eine Skizze der Verkündigung Jesu. Conzelmann trug mit diesem Vorgehen der theologischen und historischen Frage Rechnung, „warum der Glaube nach den Erscheinungen des Auferstandenen an der Identität des Erhöhten mit Jesus von Nazareth fest(hielt)“[3]. Über den Ansatz seines Lehrers Rudolf Bultmann hinausgehend, hat Conzelmann also die Verkündigung des irdischen Jesus als Substanz des synoptischen Kerygmas in die Darstellung der neutestamentlichen Theologie miteinbezogen, und zwar so, daß vom Kerygma, d. h. der Verkündigung des gekreuzigten und auferstandenen Christus als des Herrn aus nach Wort und Werk des irdischen Jesus zurückgefragt wird.

Speziell im Rahmen der Ausarbeitung einer Theologie des Neuen Testaments ist diese Entscheidung Conzelmanns ein Fortschritt und ein unvollendetes Programm gleichzeitig. Ein Fortschritt insofern, als die glaubenschaffende Christuspredigt des Neuen Testaments vor spiritueller Verflüchtigung bewahrt und gleichzeitig davor geschützt wird, aufgesogen und aufgehoben zu werden hinein in eine mit dem Wechsel der Zeiten und Methoden unterschiedlich erscheinende hypothetische Rekonstruktion, welche der sog. historische Jesus seit eh und je dargestellt hat und noch immer darstellt. Ein Fortschritt aber auch insofern, als dem Kerygma der synoptischen Evangelien ein theologisches Recht zurückgegeben wird, welches es in Bultmanns berühmter Theologie des Neuen Testaments nicht mehr besaß, obwohl die Christuspredigt der Kirche sich seit Jahrtausenden gerade auf die Jesuserzählungen der Evangelisten abstützt, und zwar auch dort, wo sie Predigt der Rechtfertigung sola fide propter Christum ist und sein will.

Ein unvollendetes Programm stellt Conzelmanns Entscheid vor allem aus zwei Gründen dar. Bei seiner Plazierung der Verkündigung Jesu als Fundament und Konkretion des synoptischen Kerygmas kommt noch nicht hinreichend zur Darstellung, daß sich ja nicht erst die drei Synoptiker auf die Identität des gekreuzigten und auferstandenen Christus mit Jesus berufen und deshalb von ihm kerygmatisch erzählen, sondern daß diese Berufung schon mit dem Kerygma der Urgemeinde und der ersten urchristlichen Missionare gesetzt ist. Sie gehen sowohl in ihrem Formelgut als auch in ihrer Christuspredigt davon aus, daß Jesus von Nazareth der von Gott gesandte messianische Retter war und wurde (vgl. 1Kor 15, 3—5; Apg 10,36 ff; Röm 1,3 f). Will man in einem traditionsgeschichtlich gegliederten Entwurf einer Theologie des Neuen Testaments, welche

[3] AaO. 16.

das neutestamentliche Kerygma in Genese und Anspruch offenzulegen versucht, zurückfragen nach Jesus, ist es ratsam, solche Frage gleich an den Anfang zu setzen, um so erweisen zu können, in welcher Weise und weshalb der Glaube sich von Anfang, d. h. von Ostern an auf Jesus berufen, sein Werk rezipiert und sich als Glaube an Jesus Christus verstanden hat. Ferdinand Hahn hat die methodologischen und theologischen Möglichkeiten und Probleme einer solchen Analyse erst kürzlich glänzend erörtert[4], und Eduard Lohse hat ihr in seinem „Grundriß der neutestamentlichen Theologie" (1974) zum Durchbruch verholfen. Nach zwei Eingangsparagraphen über „Aufgabe und Methode der neutestamentlichen Theologie" sowie „Das Evangelium als kirchengründende Predigt" setzt Lohse sogleich mit der Darstellung der Verkündigung Jesu ein und geht dabei von folgendem Leitsatz aus: „Die Evangelien enthalten keine Berichte über den Lebensgang Jesu, sondern bezeugen in Übereinstimmung mit dem urchristlichen Kerygma Jesus als den Christus, zu dem sich die Gemeinde glaubend bekennt. Da die christliche Predigt sich auf den Anfang des Evangeliums bezieht, hat die n(eu)t(estament)liche Theologie die unlösliche Bindung des Kerygmas an die ihm vorgegebene Geschichte Jesu aufzuzeigen"[5].

Unvollendet ist Conzelmanns Ansatz aber auch insofern, als in ihm noch nicht hinreichend reflektiert wird, in welchem Ausmaß das Alte Testament gerade diese Anfangsplazierung der Jesusproblematik erforderlich macht. Nicht nur, daß der biblische Kanon uns die theologische Frage aufdrängt, wie und aus welchen Gründen das mit der Jesuserzählung der Evangelien einsetzende Neue Testament auf das Alte Testament angewiesen bleibt. Sondern auch die Anfangsformulierungen des Kerygmas beziehen sich implizit und explizit auf das Alte Testament zurück, um von ihm aus verständlich und hörbar zu machen, wer Jesus war und für den Glauben wurde. Vom Kerygma aus nach Jesus zurückzufragen, heißt deshalb gleichzeitig, vom Kerygma aus zurückzufragen, weshalb Jesus von Anfang an als Vollender und Verkörperung des im Alten Testament verkündigten Heilswillens Gottes verkündigt wurde. Die sich heute immer mehr durchsetzende Einsicht in den noch offenen, unabgeschlossenen Traditionsprozeß, den das Alte Testament zu Beginn der neutestamentlichen Zeit darstellt[6], drängt ebenfalls dazu, die Frage nach

[4] Methodologische Überlegungen zur Rückfrage nach Jesus, in: Rückfrage nach Jesus, hrsg. von K. Kertelge, Quaestiones Disputatae 63, 1974, 11—77.

[5] AaO. 18.

[6] *H. Frhr. von Campenhausen* stellt mit Recht fest: „Es gilt, die alttestamentliche

Jesus im Rahmen einer neutestamentlichen Theologie nicht bis zur Behandlung der Synoptiker aufzuschieben, sondern gleich an den Anfang zu stellen, d. h. auf Reflexionen folgen zu lassen, welche dem urchristlichen Kerygma und dem von diesem Kerygma gesetzten Verhältnis von Altem und Neuem Testament gelten. Was diesen zweiten Sachverhalt anbelangt, ist noch einmal auf Lohses Grundriß zu verweisen, der gleich in jenem der Verkündigung Jesu noch vorangehenden Paragraphen über das Evangelium hervorhebt, das Christusgeschehen werde von Anfang an „als Gottes eschatologische Heilstat ausgerufen, in der die Verheißungen der Schrift erfüllt sind"[7], und die christliche Gemeinde gehe von Anfang an davon aus, daß „der Sinn des Leidens und Sterbens Jesu Christi (allein mit Hilfe der Schrift) begriffen und als Gottes Wille verstanden werden (kann)"[8]. Vor allem aber kann man auf Leonhard Goppelts Theologie des Neuen Testaments rekurrieren, deren erster Teil über „Jesu Wirken in seiner theologischen Bedeutung" von dem hermeneutischen Grundsatz ausgeht, es sei für die Botschaft des Neuen Testaments grundlegend, daß sie „ein von dem Gott des AT herkommendes Erfüllungsgeschehen bezeugen will, das von Jesus als seiner Mitte ausgeht"[9], und sich deshalb von dem glauben- und kirchenbegründenden Osterkerygma der Gemeinde auf das Wirken des irdischen Jesus als solchem Erfüllungsgeschehen zurückfragt.

Wenn man sich nicht aus theologischen und historisch-methodologischen Gründen gezwungen sieht, bei Bultmanns Ursprungsposition, nach welcher die Verkündigung Jesu nur zu den Voraussetzungen der Theologie des Neuen Testaments gehört und noch kein Teil dieser selbst ist, zu verharren[10], oder allen theologischen Einsichten der dialektischen Theolo-

Geschichte als wirkliche Geschichte zu sehen, die sich fortbewegt und die in eine gewisse innere Reife, Krise und Dialektik hineinführt, an deren Ende Jesus steht, der Gekreuzigte und Auferstandene" (Tod und Auferstehung Jesu als ‚historische Fakten', in: Moderne Exegese und historische Wissenschaft, hrsg. von J. M. Hollenbach und H. Staudinger, 1972, [94—103] 101). Vgl. zum Problem ferner neben der in meinem Aufsatz: Das Bekenntnis zur Auferweckung Jesu von den Toten und die Biblische Theologie, ZThK 40, 1973, (365—403) 374 ff genannten alttestamentlichen Literatur jetzt auch den schönen Aufsatz von *T. Holtz*, Zur Interpretation des Alten Testaments im Neuen Testament, ThLZ 99, 1974, 19—32.

[7] AaO 14.

[8] AaO. 15.

[9] *L. Goppelt*, Theologie des Neuen Testaments I, hrsg. von J. Roloff, 1975, 50.

[10] Theologie des Neuen Testaments, [5]1965, 1. Auf dieser Position insistieren heute z. B. *W. Schmithals*, Jesus Christus in der Verkündigung der Kirche, 1972, 60 ff 80 ff und mit differenzierter Begründung *G. Strecker*, Die historische und theologische Problematik der Jesusfrage, EvTh 29, 1969, 453—476.

gie zum Trotz den Glauben an eine wie immer geartete, positive oder kritische Rekonstruktion der Gestalt Jesu binden bzw. ausliefern will[11], ist es heute theologisch und historisch geboten, die Jesus-Verkündigung in eine Darstellung der neutestamentlichen Theologie einzubeziehen, hier — nach einer Besinnung auf Aufgabe und Ziel einer NT-Theologie und die am Alten Testament orientierte Gestalt und Dimension der urchristlichen Christuspredigt — an den Anfang zu stellen und dann zu versuchen, ein Bild von der Selbstfindung und Explikation des neutestamentlichen Kerygmas als der Botschaft von Jesus Christus zu entwerfen. So vorzugehen heißt, in der von Conzelmann gewiesenen Richtung weiterzuarbeiten.

II.

Fragt man nach konkreten kerygmatischen Texten, welche der historischen Rückfrage nach Jesus Anhalt und Maßstab geben können, fällt der Blick auf das von Paulus selbst ausdrücklich als „Evangelium" bezeichnete, vorpaulinische (Jerusalemer) Credo aus 1Kor 15,3b—5 einerseits und die summarisch von Jesu Sendung, Werk und Geschick berichtende Christuspredigt aus Apg 10,34 ff andererseits. Während 1Kor 15,3 ff von der Forschung heute fast einhellig als ältestes Überlieferungsgut angesprochen wird, beginnt sich die Einsicht in den Traditionscharakter der kerygmatischen Erzählung von Apg 10,34 ff erst wieder durchzusetzen[12]. Beide Texte gehören sicherlich nicht getrennten Überliefe-

[11] In recht unterschiedlicher theologischer Ausrichtung geschieht dies m. E. bei *J. Jeremias,* Neutestamentliche Theologie. Erster Teil: Die Verkündigung Jesu, ²1973, 295 (und passim) ebenso wie bei *H. Braun*, Jesus, 1969, 10 ff (und passim) und *S. Schulz,* Die neue Frage nach dem historischen Jesus, in: Neues Testament und Geschichte, Festschrift für Oscar Cullmann zum 70. Geburtstag, hrsg. von H. Baltensweiler und B. Reicke, Zürich 1972, 33—42.

[12] Während *U. Wilckens,* Die Missionsreden der Apostelgeschichte, WMANT 5, ²1963, 70 u. ö. von einer im wesentlichen lukanischen Komposition sprach, betonte schon *H. Conzelmann,* Die Apostelgeschichte, HNT 7, ²1972, 10. 71—73 den Traditionsbezug der (auch seiner Meinung nach) von Lukas stark ausgestalteten Petrus-Rede. Ich selbst habe dann in meinem Buch: Das paulinische Evangelium I, FRLANT 95, 1968, 277—279 auf die starken traditionellen Elemente in Apg 10,34 ff aufmerksam gemacht. *O. H. Steck* hat zur gleichen Zeit im Anschluß an *F. Hahn,* Christologische Hoheitstitel, 1963, 116 f 385 ff auf den Traditionscharakter des christologischen Vorstellungsgutes der Missionsreden verwiesen und die interessante Vermutung ausgesprochen, daß das Schema der lukanischen Umkehrpredigten vor Juden, das in Apg 10,34 ff modifiziert wiederkehrt, nicht erst von Lukas gebildet worden sei, sondern zurückgeführt werden müsse auf jüdische Bekehrungspredigten in Palästina und der Diaspora,

rungsbereichen zu, sondern geben zusammen einen ungefähren Eindruck davon, wie man anfänglich (in Jerusalem und in der Mission) von Jesus in Katechese, Predigt und Bekenntnis sprach.

Während das summarische, gegenüber zweiteiligen Formulierungen wie Röm 4,25 oder Lk 24,34 bereits auf ausgewogene Ganzheit bedachte Bekenntnis von 1Kor 15,3b—5 den Blick auf das stellvertretende Sterben und die Auferweckung Jesu als des Christus (d. h. als des Messias) konzentriert, beide Ereignisse als in Gottes in der Schrift geoffenbarten Heilswillen gefaßt erklärt und nur andeutungsweise berichtet, Jesus sei begraben worden und nach seiner Auferweckung am dritten Tage Petrus (dem Begründer der Urgemeinde von Jerusalem) erschienen, stellt die „Predigt“ von Apg 10,34 ff die Sendung Jesu ins Licht der prophetischen Verheißung von Jes 52,7; Nah 2,1[13], läßt Jesus nach der Taufe durch Johannes von Galiläa als messianischen Retter und Helfer aufbrechen, in Jerusalem gemäß Dt 21,22 den Tod am Kreuz finden, von Gott am dritten Tage auferweckt und anschließend einer bestimmten Schar von auserwählten Zeugen offenbar werden, so daß diese ihn als den von Gott bestellten Weltenrichter und als den von den Propheten angekündigten messianischen Retter verkündigen, der allen Glaubenden die Vergebung ihrer Sünden eröffnet und, so wird man hinzufügen dürfen, damit zugleich die Gottesgemeinschaft der Endzeit. Während im Credo von 1Kor 15,3b—5 Jesu ganzes Sein in seinen Sühntod und seine Auferweckung hinein versammelt wird, stellt die fast wie eine Skizze des Markusevangeliums erscheinende Überlieferung von Apg 10,34 ff das Wirken Jesu insgesamt als ein den von Gott verheißenen endzeitlichen Frieden heraufführendes Heilswerk dar, das mit der Kreuzigung endet, von Gott aber kraft der Auferweckung zum Ermöglichungsgrund des Glaubens erhoben wird, der die Vergebung der Sünden erfährt und damit teilgewinnen kann am eschatologischen Heil als Gottesgemeinschaft.

---

vgl. sein Buch: Israel und das gewaltsame Geschick der Propheten, WMANT 23, 1967, 267 ff. Dann haben auch *H. Schürmann*, Das Lukasevangelium I, HThKNT III 1, 1969, 16.180 und *E. Kränkl*, Jesus der Knecht Gottes, 1972, 78 ff auf die traditionelle Form unseres Textes hingewiesen. Unter diesen Umständen scheint es mir legitim zu sein, unseren Text und in ihm zumindest die Verse 37—43 mit *E. Lohse*, Die Entstehung des Neuen Testaments, 1972, 74 und Grundriß der ntl. Theologie, 20 (wieder) als wohl von Lukas aufgegriffene und bearbeitete, in Aufriß und Grundaussage aber vorlukanische Paradosis zu behandeln, aus welcher man ersehen kann, wie man schon früh Jesus als den Christus (erzählend) verkündigt hat.

[13] Zum Übersetzungsproblem und Traditionscharakter von Apg 10,36 vgl. mein Paulinisches Evangelium I, 148.162 und 279 Anm. 1.

Es ist hier nicht der Ort, Identität und Differenz beider Überlieferungstexte Stück für Stück zu untersuchen. Genug, wenn Übereinstimmung und gemeinsame kerygmatische Tendenz in folgender Hinsicht festgehalten werden kann: Beide Texte sprechen von Jesus als dem verheißenen Messias. Seine Sendung soll nach Apg 10,34 ff das Heil in Gestalt des „Friedens" zwischen Gott und Menschen, d. h. dem Anteil der Menschen an der endzeitlichen Gottesgemeinschaft durchsetzen und heraufführen. Von solchem Heil gilt, daß es die Propheten des Alten Testaments verheißen haben. Zweitens herrscht Übereinstimmung zwischen beiden Texten in der Annahme, daß Jesu Werk in seinem Tode gipfelt. Beide Male wird dieser Tod als schriftgemäß, d. h. als in Gottes Absicht stehend verkündigt. Während Apg 10,39.40 mit dem m. E. in das Arsenal ältester christlicher Apologetik gehörigen Kontrastschema arbeitet: Ihr (Juden) habt Jesus (zwar gemäß Dt 21,22) ans Kreuz gebracht (und angenommen, daß Jesus ein von Gott Verfluchter sei) — Gott aber hat ihn auferweckt (d. h. hat sich mit dem Gekreuzigten identifiziert und so das Unheil zum Grund des Heils gemacht)[14], stellt das Summarium von 1Kor 15,3b—5 die Tatsache der Kreuzigung nicht ausdrücklich heraus, sondern betont sogleich, Jesus sei als Messias „für unsere Sünden gestorben" und bezieht sich zur Begründung dieser Aussage aller Wahrscheinlichkeit nach nicht nur pauschal auf das Alte Testament, sondern auch direkt auf die Buß- und Stellvertretungstradition von Jes 53. Die Zusammenordnung von Sühntod Jesu und seiner Auferweckung in unserem Credo wird man verstehen dürfen wie in Röm 4,25 auch. Die Auf-

[14] Dt 21,23 ist wahrscheinlich von jüdischer Seite herangezogen worden, um Jesu Kreuzigung als Fluch über den Gotteslästerer und Pseudomessias zu deuten. Vgl. *G. Jeremias,* Der Lehrer der Gerechtigkeit, StUNT 2, 1963, 133—135, meinen Aufsatz, Das Ende des Gesetzes, ZThK 67, 1970, 14—39, bes. 28 ff, *E. Lohse,* Grundriß d. ntl. Theologie, 82 und mit gutem, neuem Quellenmaterial *H. W. Kuhn,* Jesus als Gekreuzigter in der frühchristlichen Verkündigung bis zur Mitte des 2. Jahrhunderts, ZThK 72, 1975, (1—46) 33 ff. Unter diesen Umständen ist es möglich und historisch sinnvoll, das mit demselben Textzusammenhang arbeitende Kontrastschema, das nicht nur in Apg 10,39 f, sondern auch in 2,36; 5,30 f auftaucht, in den Zusammenhang der frühchristlichen Reaktion auf jene gefährliche jüdische Deutung des Kreuzestodes einzuordnen. Ich tue dies — wie in der obigen Paraphrase angedeutet — so, daß ich die Kontrastantwort: „Ihr habt gekreuzigt — Gott aber hat auferweckt" als ältere Vorstufe jener gesetzeskritischen Replik ansehe, die Paulus selbst entwickelt und dann in Gal 3,13 soteriologisch geäußert hat. Sprach die vorpaulinisch-christliche Apologetik nur erst davon, daß Gott mit der Auferweckung die Kreuzigung selbst zum Heil gewendet habe, interpretiert Paulus gesetzeskritisch und soteriologisch zugleich: Jesus hat den Fluchtod am Kreuz stellvertretend erlitten, um uns von der Sünde zu befreien und die Fluchherrschaft des Gesetzes zu beenden.

erweckung als Werk und Identifikation Gottes mit dem in den Tod gegebenen Christus ratifiziert das Opfer seines Lebens und erhebt Jesu Tod zum Ermöglichungsgrund der Sündenvergebung, oder, direkt mit Röm 4,25 formuliert, zum Ermöglichungsgrund der (in der Weise der Vergebung der Sünden) Leben schaffenden Rechtfertigung. Zeichnet man den Gedanken des Credo-Textes damit richtig nach und beachtet man, daß auch in Apg 10 von einer im Namen Jesu, des Gekreuzigten und Auferstandenen, eröffneten Vergebung der Sünden für „jeden, der glaubt", gesprochen wird (V 43), sieht man, daß beide Texte auch soteriologisch nicht zu weit voneinander abgerückt werden dürfen[15]. Dies gilt schließlich auch von den Erscheinungsaussagen. In Apg 10,40 f wird durch die Epiphanie des Auferweckten vor den erwählten Zeugen und das mit ihnen gehaltene Erscheinungsmahl das Kerygma von Jesus als dem messianischen Versöhner inauguriert, und die Kurzaussage von der Ersterscheinung des für uns in den Tod gegebenen und am dritten Tage auferweckten Christus in 1Kor 15,5 dürfte über die bloße Zeugenschaft für Jesu Auferweckung hinaus ähnliche Aussagefunktion haben.

Fassen wir zusammen, so verkündigt und bekennt also schon die vorpaulinische Ur- und Missionsgemeinde Jesus als den Messias, dessen Sendung und Werk, gipfelnd im stellvertretenden Sterben am Kreuz, den Sinn hatte, den von Gott verheißenen „Frieden" zwischen Gott und den Menschen, die ewige Gottesgemeinschaft, heraufzuführen; Gott hat sich in der Auferweckung des Gekreuzigten zu diesem Werk ein für allemal bekannt, hat Jesu Sühntod zum Ermöglichungsgrund der Sündenvergebung für die Glaubenden erhoben und in der Offenbarung des Auf-

---

[15] Wollte man dies bestreiten, müßte man erst der Paradosis und dann Lukas unterstellen, sie hätten nicht darauf reflektiert, wie Jesu Tod und Auferweckung zum Ermöglichungsgrund der Sündenvergebung geworden sind. Ich halte diese heute weitverbreitete Unterstellung angesichts ältesten Formelgutes wie Röm 4,25; 1Kor 15,3—5 oder des im Abendmahlszusammenhang fest verankerten „für uns (gestorben)" gegenüber der Paradosis für ebenso ungerechtfertigt, wie ich die immer wieder, zuletzt von *Kränkl*, aaO. (Anm. 12) 119 f.209.213 f und *G. Delling*, Der Kreuzestod Jesu in der urchristlichen Verkündigung, 1972, 83—97 geäußerte Meinung, die Christusverkündigung der Apostelgeschichte sei soteriologisch defizient, für stark modifikationsbedürftig halte. Bei solcher Sicht bleibt nicht nur unbeachtet bzw. unterinterpretiert, daß Lukas nicht nur eine ausführliche Abendmahlsparadosis bringt (Lk 22,14 ff), sondern auch in den Acta die Eröffnung des Heils durch Sündenvergebung mit besonderer Intensität hervorhebt, Apg 2,38; 10,43; 13,37 f; 22,16; 26,18 (vgl. *Delling*, aaO. 88 f). Vgl. zum Problem auch die vorsichtige Stellungnahme von *W. G. Kümmel*, Lukas in der Anklage der heutigen Theologie, ZNW 63, 1972, (149—165) 159.

erstandenen vor einigen erwählten (apostolischen) Zeugen das heilschaffende Kerygma von Jesus als dem Christus Gottes in Kraft gesetzt.

III.

Blickt man von diesem Kerygma und seiner Jesu Werk als messianische Versöhnung definierenden Grundaussage zurück auf Jesus selbst, ergibt sich auch für den historisch-kritisch rekonstruierenden Blick eine erstaunliche Kongruenz. So wenig die vom Kerygma gegebene eschatologische „Definition" der Sinnhaftigkeit der Sendung Jesu von einer historischen Rekonstruktion eingeholt werden kann, so ermutigend ist es zu sehen, daß unsere historische Rekonstruktion auffällig genau auf das Kerygma, von dem wir sprachen, zuführt. Die historische Rückfrage leistet also genau das, was F. Hahn ihr zumuten will, sie erlaubt es uns, den zum biblischen Kerygma führenden Rezeptions- und Ereignisprozeß offenzulegen und nachzuvollziehen: „Wir sind nicht mehr darauf angewiesen, nur das Endergebnis dieser urchristlichen Rezeption der Jesusüberlieferung in seinen verschiedenen Spielarten zu konstatieren, sondern es gelingt uns, auch das Zustandekommen dieser Rezeption im einzelnen aufzuzeigen"[16]. Oder jetzt inhaltlich von uns aus formuliert: Die Rückfrage verhilft uns dazu, zu sehen und nachzuvollziehen, daß das urchristliche Kerygma Jesus mit Recht als den messianischen Versöhner proklamiert.

Zum Erweis dieser These sei zunächst — ohne Rücksicht auf Vollständigkeit — auf eine Reihe theologischer Jesusdarstellungen der Gegenwart verwiesen. Hatte schon Günther Bornkamm im 4. Kapitel seines 1956 erstmalig aufgelegten Jesusbuches eindrücklich von Jesu Verkündigung der nahenden Gottesherrschaft als Heil für die Armen und Elenden gesprochen und gleichzeitig gezeigt, daß Jesu Tischgemeinschaften Konkretionen dieses Heilsrufes, Sinnbild der engstmöglichen Gemeinschaft zwischen Gott und den Menschen und Vorausdarstellungen des Gemeinschaftsmahles der messianischen Freudenzeit seien[17], prägte Conzelmann in seinem Artikel Jesus Christus ebenfalls ein, das primäre Element der Verkündigung und des in diese Verkündigung ganz einbezogenen Wirkens Jesu sei „die Absolutheit der Heilszusage. Sie kommt zur Geltung in der Darstellung Gottes als des Vaters, d. h. in der Herstellung der Unmittelbarkeit zu ihm durch die Verkündigung der Vergebung", und er

[16] *F. Hahn*, aaO. (Anm. 4) 68.

[17] AaO. 68—74.

fügte hinzu, die Bindung dieser Heilszusage an Jesu Person liege „einfach darin, daß *er* dieses Heil als jetzige, letzte Möglichkeit darbietet, daß er jetzt die Armen tröstet, die Sünder zu sich ruft. Indirekte Christologie und Theo-logie sind zur Deckung gebracht“[18]. Ebenso wie Bornkamm und Conzelmann bezeichnet aber auch Joachim Jeremias die Verkündigung des Heils für die Armen als „das Herzstück der Verkündigung Jesu“[19], nennt den „in der Tischgemeinschaft vollzogenen Einschluß der Sünder in die Heilsgemeinde“ den „sinnenfälligsten Ausdruck der Botschaft von der rettenden Liebe Gottes“[20] und betont, daß sich der Widerstand gegen Jesus gerade an dieser bedingungslosen Heilsverkündigung entzündet habe. Ähnlich stellt Norman Perrin die Botschaft von der Sündenvergebung als die Grunderfahrung heraus, in der nach Jesu Botschaft die Herrschaft Gottes begegnet und bezeichnet die Tischgemeinschaften mit Zöllnern und Sündern als „das Moment im Wirken Jesu, das seinen Nachfolgern am wichtigsten und seinen Kritikern am anstößigsten gewesen sein muß“[21]. In den beiden neuesten Theologien des Neuen Testaments schließlich, dem Grundriß von Lohse und Goppelts Darstellung des Wirkens Jesu, sind unabgesprochen die Paragraphen über das von Jesus verkündigte und zeichenhaft dokumentierte Erbarmen Gottes Mittelpunkte der jeweiligen Rekonstruktion. Geht Lohse dabei von dem Grundsatz aus: „Jesus nennt Gott den Vater und bezeugt die Nähe des barmherzigen Gottes, der die Sünder annimmt, sie zu befreiten Kindern macht, die voller Zuversicht zu ihm rufen, und ihnen das neue Leben schenkt, das sie im Vertrauen zu ihm führen sollen“[22], so Goppelt von der These, daß die Annahme der Sünder durch Jesus der zentrale Sinn seines irdischen Wirkens gewesen sei: „In Jesu Person wendet sich Gott selbst, der jetzt seine endzeitliche Herrschaft aufrichtet, dem Menschen zu. Das ist die Basis der n(eu)t(estament)l(ichen) Christologie“[23].

Als Ergebnis dieser gar nicht einmal auf Vollständigkeit bedachten und quer zu den sog. Schulen vollzogenen Durchsicht darf also festgehalten werden, daß ein maßgebender Teil der neutestamentlichen Forschung von heute in Jesu Werk historisch eben die zeichenhafte Verwirklichung des endzeitlichen Heils als Gottesgemeinschaft sieht, von welcher dann das Kerygma spricht. Das eigentlich historisch Neue am Auftreten und Wirken Jesu war sein Bemühen um die Aufrichtung des endzeitlichen Friedens zwischen Gott und den Menschen.

---

[18] AaO. 633 und 634.
[19] AaO. (Anm. 11) 111.
[20] AaO. (Anm. 11) 117.
[21] Was lehrte Jesu wirklich?, 1972, 112.
[22] Grundriß d. ntl. Theologie, 35.
[23] AaO. (Anm. 9) 182.

Was die Übersicht über die Forschermeinungen ergab, läßt sich auch im direkten Blick gerade auf das exegetische Material erhärten, das für Jesus selbst dann als charakteristisch gelten kann, wenn man der synoptischen Tradition historisch äußerst kritisch gegenübersteht (ein forschungsgeschichtlich bedingter Standpunkt, über dessen Recht oder Unrecht hier nicht entschieden werden muß). Auch wenn man nämlich nur von Jesu sich im Vaterunser zusammenfassender Verkündigung Gottes als des Vaters ausgeht, wenn man sieht, wie sich diese Verkündigung Gottes in seinen markanten Gleichnissen vom verlorenen Sohn (Lk 15,11 ff), von den Arbeitern im Weinberg (Mt 20,1 ff), vom barmherzigen Samaritaner (Lk 10,30 ff), von Pharisäer und Zöllner (Lk 18,10 ff) oder auch vom Schalksknecht (Mt 18,23 ff) einen neuen, eigenständigen Ausdruck verschafft, wie dann weiter eben diese neue Verkündigung von dem ungeheuren Wagnis begleitet wird, in eigener Vollmacht Vergebung der Sünden zuzusprechen (Mk 2,5; Lk 18,10 ff), solche Vergebung in der Symbolhandlung von Tischgemeinschaften mit Sündern im Vorausblick auf die endzeitliche Mahlgemeinschaft des Menschensohnes mit den Seinen (äthHen 62,14) zu konkretisieren, die Heilung von Kranken und deshalb als nicht kultfähig Geltenden über das Sabbatgebot zu stellen und überhaupt die kultische Tora zugunsten der unmittelbaren Begegnung mit den als verloren und gesetzlos Geltenden zu durchbrechen (Mk 1,21 ff; 3,1 ff; 7,14 f), ja sogar den Wortlaut der Tora mitsamt ihrer pharisäischen Interpretation zu hinterfragen und als den ursprünglichen Willen Gottes die Liebe als Feindesliebe zu erklären (Mt 5,43 ff), ergibt sich das Bild eines Verkündigers der Gottesherrschaft, „der alle Schemen sprengt“ (E. Schweizer). Das Bild eines prophetischen Gotteszeugen ergibt sich, der über dem Tatzeugnis von Gottes Nähe, von Gottes Vergebungsbereitschaft selbst gegenüber den *outcasts* und seiner den Menschen restlos einfordernden Liebe, mit allen maßgeblichen jüdischen Gruppen seiner Zeit in Konflikt geraten mußte, und zwar nicht aus bloßem provokativem Elan heraus, sondern um seiner ureigensten Sache willen, der Verkündigung und Manifestation der durch ihn selbst von Gott den Menschen eröffneten messianischen Versöhnung.

IV.

Wir stehen damit unmittelbar vor dem Problem der Passion und des Todes Jesu, von welchen das Kerygma schon der vorpaulinischen Gemeinden sagt, Jesu Wirken habe konsequent auf sie zugeführt und in seinem Sterben käme seine messianische Sendung zum Ziel.

Bekanntlich sind die überlieferungsgeschichtliche Schichtung, die historische Glaubwürdigkeit und der theologische Stellenwert der (synoptischen) Passionstradition noch immer sehr umstritten. Erstaunlich aber ist, daß dennoch ein historisches Urteil wie das von Lohse gewagt werden kann: „Jesu Predigt und sein Tun, durch die die Allverbindlichkeit des Gesetzes in Frage gestellt wurde, hatten ihn in scharfen Gegensatz zu den maßgebenden Vertretern des damaligen Judentums gebracht. Die Pharisäer und Schriftgelehrten, aber auch die Sadduzäer und Priester wurden daher einig in ihrer Ablehnung Jesu. Die Vollmacht, die er in Anspruch nahm, wurde entweder anerkannt oder rief entschlossene Gegnerschaft hervor, so daß Jesu Kreuz in unlöslichem Zusammenhang mit seiner Botschaft steht. Jesus wurde zum Tod verurteilt unter der Anklage, er habe βασιλεὺς τῶν Ἰουδαίων (Mk 15,26 Par.) sein wollen. Dabei ist seine Botschaft von der kommenden Gottesherrschaft offensichtlich dahin mißdeutet worden, er habe ein politischer Messiasprätendent sein wollen, um vom römischen Statthalter die Verurteilung zu erreichen“[24]. Wenn sich auch nur dieses Urteil, das z. B. von M. Hengel[25] oder F. Hahn[26] durchaus unterstützt und bestärkt wird, halten läßt, kann man sagen, daß sich auch in bezug auf Jesu Tod eine Konvergenz von Kerygma und historischer Rekonstruktion feststellen läßt.

Mir scheint in der Tat alles für die geäußerte Sicht zu sprechen. Denkt man nämlich an die z. Z. Jesu einflußreichen jüdischen Gruppierungen, konnte keine von ihnen Jesu Wirken auf die Dauer tolerieren. Den Pharisäern mußte Jesu freier Umgang mit der Tora und seine Unbekümmertheit gegenüber dem Ideal der levitischen Reinheit unerträglich sein. Für die Zeloten war das den religiösen Gegner mitumschließende Gebot der Feindesliebe, Jesu Unvoreingenommenheit selbst römischen Militärs gegenüber (Lk 7,1 ff par) und sein Votum zur kaiserlichen Kopfsteuer (Mk 12,13 ff) mehr als eine Provokation. Die Sadduzäer und der hohepriesterliche Adel mußten sich durch Jesu freie, von der kultischen Sühne unabhängige Sündenvergebung, sein (dunkles) Wort von der Zerstörung des Tempels (Mk 14,58 par; Joh 2,18 ff) und dann natürlich durch die — allerdings von vielen für unhistorisch gehaltene — Stellungnahme gegen den Opfertierhandel und den Geldwechsel bei der Tempelreinigung

[24] Grundriß, 49.

[25] War Jesus Revolutionär?, CH 110, 1970, 14 und *ders.*, Gewalt und Gewaltlosigkeit, CH 118, 43 f.

[26] AaO. (Anm. 4) 41 ff.

aufs äußerste herausgefordert fühlen. Der Zulauf, den Jesus zeitweilig im Volke fand, dürfte schließlich auch die politischen Kräfte im Lande, die Herodianer, das Synhedrium und dann natürlich die Römer, mit Verdacht erfüllt haben. Daß es unter diesen Umständen zur Katastrophe kam, als Jesus sich entschloß, nach Jerusalem hinaufzuziehen, „um sein Volk im Zentrum, am Sitz des Tempels und der obersten Behörde, vor die letzte Entscheidung zu stellen"[27], ist geschichtlich unvermeidlich und wohlverständlich zugleich. Jesu Tod liegt also in der Konsequenz seiner Sendung und seines messianischen Wirkens. Jesus hat diesen Tod offenbar sehenden Auges und ohne den Versuch von Flucht oder Gegenwehr auf sich genommen.

Laufen bisher historische Rekonstruktion und kerygmatische Aussage über Jesu Wirken als messianischer Versöhner genau aufeinander zu, erreichen wir mit den beiden Thesen des Kerygmas, Jesus sei in Erfüllung seiner Sendung als Messias gestorben, und zwar um Sühne für die Sünden der Menschen zu leisten, den Aussagenbereich, in dem sich die von uns erkennbare geschichtliche Realität mit der österlichen Erkenntnis des Glaubens verwebt zur Ansage neuer, eschatologischer Wirklichkeit. Interessanterweise aber besteht auch hier kein Grund, von einer inhaltlichen Divergenz des Kerygmas und der historischen Realitäten zu sprechen. Es ist vielmehr möglich, die Genese der kerygmatischen Proklamation verstehend nachzuvollziehen.

Was zunächst den messianischen Anspruch Jesu anbelangt, ist folgendes beachtenswert: Zunächst kann es kaum einen Zweifel leiden, daß Worte und Handlungen Jesu wie seine souveräne Torainterpretation, die Rede von der Zerstörung des Tempels, die Wahl des Zwölferkreises, Jesu Einzug in Jerusalem und vollends der Akt der prophetischen Tempelreinigung messianisch deutbar waren und einen Vollmachtsanspruch sonder-

[27] *H. Conzelmann,* RGG³ III 647. C. spricht aaO. über den historischen Grundbestand der Passionsgeschichte und beurteilt ihn folgendermaßen: „An einzelnen Stellen sind vielleicht noch Spuren eines Augenzeugenberichtes vorhanden (Mk 14,51; 15,21. 40?). Nicht festzustellen ist allerdings die Dauer des Aufenthaltes Jesu in der Stadt. Nach Markus spielt sich alles in einer Woche ab; das ist ein redaktionelles Schema. Sicher ist jedenfalls, daß J(esus) nach Jerusalem zog ..., um sein Volk im Zentrum, am Sitz des Tempels und der obersten Behörde, vor die letzte Entscheidung zu stellen. Natürlich mußte sein Auftreten von der Führung des Volkes als Angriff auf die Grundlagen der Religion und des Volkes aufgefaßt werden. So bemächtigte sie sich seiner Person, wie erzählt wird, mit Hilfe eines der Jünger ... und lieferte ihn dem römischen Prokurator Pontius Pilatus aus, der gerade in der Stadt weilte. Es steht fest, daß J(esus) durch die Römer (und nicht durch die Juden) hingerichtet wurde, da die Kreuzigung eine römische und keine jüdische Form der Todesstrafe ist."

gleichen zu erkennen geben. Mk 8,27—30, deutlich älter und ursprünglicher als die Parallelperikope Mt 16,13—20, läßt denn auch noch erkennen, daß Jesus selbst aus seinem Jüngerkreis heraus messianische Erwartungen entgegengetragen wurden. Wenn Jesus solche Erwartungen im selben Zusammenhang von sich abzuweisen sucht, muß man beachten, daß die Kategorie „Messias" in neutestamentlicher Zeit mehrschichtig war. Sie reichte vom Ideal des Messias, der kommen soll, um Israel vom Joch der Fremdherrschaft zu befreien, über den Gedanken des Märtyrermessias nach Sach 13,7 ff[28] bis in jene apokalyptische Dimension, welche jetzt die Veröffentlichung des aramäischen Qumranfragmentes 4 Q 243 mit seinen erstaunlichen Formulierungsparallelen zu Lk 1,32.35 aufstößt[29] und uns als Forscher zu dem Eingeständnis zwingt, daß wir die jüdische Eschatologie und Messianologie noch lange nicht genau und differenziert genug sehen. Wir können aus Mk 8,27 ff also nur entnehmen, daß Jesus es abgelehnt hat, sich zum politischen Befreiungskönig erheben zu lassen und den mehrdeutbaren Messias-Titel möglichst vermied. Die neue Forschungssituation, in der wir stehen, läßt es aber nicht mehr geraten erscheinen, den sich durch den Prozeß Jesu bis hin zum römischen titulus am Kreuz „wie ein roter Faden"[30] durchziehenden Vorwurf, Jesus habe sich zum Messias aufgeschwungen, allein der Gemeindedogmatik zuzuweisen. Gerade die Mehrschichtigkeit des Messias-Bildes konnte es den, wie wir gesehen haben, durch Jesu Wirken aufgebrachten Synhedristen möglich machen, Jesus als „Antimessias" zu entlarven, den Römern als messianischen Prätendenten auszuliefern und damit der sicheren Hinrichtung zu überantworten. Die Gemeinde wiederum konnte im Licht der Osterereignisse und durch Sach 13,7 ff bestärkt die Sicht des Märtyrermessias vollends ausgestalten und so zu ihrer soteriologischen Messiasproklamation kommen. Auch wenn diese Linienführung für den historischen Blick derzeit nur eine von mehreren Möglichkeiten darstellt, läßt sich gleichwohl mit einiger Sicherheit erkennen, daß die Frage, in welcher Weise Jesus der Messias sei, den Nazarener bis hin zu seinem Tode begleitet hat. Wie die synoptische Versuchungsgeschichte und Lk 24,21; Apg 1,6 zeigen, hat eben diese Frage die Gemeinde auch noch über

---

[28] Vgl. dazu *H. Gese*, Anfang und Ende der Apokalyptik, dargestellt am Sacharjabuch, in: Vom Sinai zum Zion, Ges. Aufs., BevTh 64, 1974, (202—230) 228 ff.

[29] *J. A. Fitzmyer*, The Contribution of Qumran Aramaic to the Study of the New Testament, NTSt 20, 1973/74, (382—407) 391—394.

[30] *M. Hengel*, War Jesus Revolutionär? (Anm. 25), 14. Zum Folgenden vgl. *Hengel*, Gewalt und Gewaltlosigkeit (Anm. 25), 44.

den Ostertag hinaus umgetrieben. Stellt man darüber hinaus in Rechnung, daß die Frage nach Jesu Messianität keineswegs vom Messias-Titel allein her entschieden werden kann, vielmehr in diese Frage die Problematik der Menschensohn-Titulatur Jesu ebenso einbezogen werden muß[31] wie die forschungsgeschichtliche Einsicht zu berücksichtigen ist, daß über Jesu Vollmachtsanspruch gar nicht nur von den promiscue und funktional gebrauchten Titulaturen (Messias, Menschensohn, Sohn Gottes etc.) her entschieden werden kann, sondern Jesu geschichtliches Wirken als Ganzes in den Blick genommen werden muß[32], wird man zu der Einsicht gedrängt, daß das Kerygma mit seiner Rede von Jesus als dem in Verfolg seiner Sendung in den Tod gehenden Messias auf Jesu tatsächlichem Vollmachtsanspruch aufruht, diesen aber in einer Weise titularisch zusammenfaßt, wie es ohne die Osterereignisse so definitiv kaum denkbar ist. Die Proklamation des Kerygmas ist somit geschichtlich verständlich und eigenständig zugleich.

Dies gilt vollends, wenn im Kerygma von Jesu stellvertretendem Sterben gesprochen wird. Auch hier läßt sich historisch nachzeichnen, wie das Kerygma zu seiner soteriologischen Aussage gekommen ist, und gerade durch solche Analyse tritt die Eigenwertigkeit des Kerygmas deutlich hervor.

Von den zahlreichen synoptischen Worten, in denen Jesu Tod gedeutet wird, läßt sich nach dem derzeitigen Forschungsstand keines mit Sicherheit auf Jesus selbst zurückführen. Überall, in den Leidensweissagungen, der Abendmahlsüberlieferung oder auch in Mk 10,45, dem berühmten Wort vom Lösegeld, scheint der deutende Glaube der Gemeinde mit am

---

31 Ich kann mich ebensowenig wie *M. Hengel,* Gewalt und Gewaltlosigkeit, 65 f (= Anm. 109) und *C. Colpe,* ThW VIII 440, 17 ff 442—444 oder *J. Jeremias,* aaO. (Anm. 11) 245 ff davon überzeugen, daß sämtliche synoptischen Menschensohnworte nachträgliche Bildungen der Gemeinde sind, wie jetzt auch *Lohse,* Grundriß, 45 ff behauptet, vgl. meinen in Anm. 6 genannten Aufsatz, S. 392 ff, doch kann das Problem hier natürlich nicht ausdiskutiert werden.

32 Obwohl sie alle sog. Hoheitstitel in der synoptischen Tradition auf die Theologie der Gemeinde zurückführen, bestreiten z. B. weder *G. Bornkamm,* Jesus von Nazareth, 158, noch *E. Käsemann,* Das Problem des historischen Jesus, Exegetische Versuche und Besinnungen I, (187—214) 206, oder *E. Lohse,* Grundriß, 49, daß, wie G. Bornkamm es formuliert: „Jesus tatsächlich durch sein Auftreten und Wirken messianische Erwartungen geweckt und den Glauben, er sei der verheißene Heilbringer, gefunden hat" (158). *Käsemann* meint sogar, „die einzige Kategorie, die seinem Anspruch gerecht wird", sei „völlig unabhängig davon, ob er sie selber benutzt und gefordert hat oder nicht, diejenige, welche seine Jünger ihm denn auch beigemessen haben, nämlich die des Messias" (206).

Werk zu sein[33]. Die Frage ist deshalb bei diesen Worten genau dieselbe wie beim Kerygma auch, mit welchem Recht und aus welchen Gründen Jesu Tod als Sühneereignis bezeichnet wird. Die Antwort muß lauten: Das Recht zu solcher Formulierung ergibt sich aus dem Rückblick auf Jesu Werk und aus der Erfahrung der österlichen Neubegegnung mit dem Gekreuzigten und Auferweckten.

Was Jesu Werk anbelangt, haben wir uns bereits klargemacht, daß Jesus um der von ihm intendierten Aufrichtung des messianischen Friedens willen in Konflikt mit den jüdischen und römischen Autoritäten geriet und zum Kreuzestod verurteilt wurde. Sieht man das, wird man nicht gut leugnen können, daß eben dieser bedrohliche Konflikt, der sich offenbar schon früh in Galiläa anbahnte, von Jesus als solcher gesehen wurde, zumal ihm nicht nur das Schicksal seines Lehrers, Johannes des Täufers, vor Augen stand, sondern ihn nach Lk 13,31—33 offenbar auch der jüdisch weitverbreitete Gedanke an das gewaltsam endende Geschick der Propheten bewegte. Jesus ist dennoch hinaufgezogen nach Jerusalem. In welcher Weise ihm dabei sein Tod vor Augen stand, ist uns nicht bekannt. Man sollte aber auch nicht leugnen, daß Jesus für eine mögliche Sinndeutung seines Sterbens eine ganze Reihe von alttestamentlichen Schemata zu Gebote standen, kraft welchen ihm sein Tod als in Gottes Absicht liegend und zugleich als stellvertretende Lebenshingabe für seine Sache und sein Volk erscheinen konnte. Diese Schemata reichen von Jes 53 über den Gedanken an den Märtyrermessias von Sach 13,7 ff und das stellvertretende Martyrium des Frommen überhaupt bis hin zum Vorstellungskomplex des leidenden Gerechten als des Sohnes Gottes und seinem zeichenhaften Sterben. Unter diesen Umständen ist es nicht einfach von der Hand zu weisen, daß Jesus mit den Seinen bei seinem Abschiedsmahl in Jerusalem über sein drohendes Ende gesprochen und sich willens erklärt hat, für seine Sendung und die Seinen in den Tod zu gehen. Nur ist eben dies historisch nicht gewiß, und wir gelangen erst dann zu einer entwicklungsgeschichtlich akzeptablen Analyse der soteriologischen Pro-

[33] Die Tübinger Dissertation von *Werner Grimm*, Weil ich dich lieb habe. Der Einfluß der deuterojesajanischen Prophetie auf die Botschaft Jesu, Diss. Theol. 1973 (Masch.) hat (mit Schlußfolgerungen, die hier nicht zur Debatte stehen) u. a. aufgezeigt, daß hinter Mk 10,45 nicht in erster Linie Jes 53, sondern vor allem Jes 43,3 ff steht (aaO. 261—316). Das berühmte Wort vom Lösegeld fußt also auf einer kombinierten Auslegung von Jes 43,3 ff und 53,11 f und reflektiert überdies die Herrenmahlstradition (vgl. *J. Roloff*, Anfänge der soteriologischen Deutung des Todes Jesu, NTSt 19, 1972/73, [38—64] 50 ff). Überlieferungsgeschichtlich ist es deshalb m. E. leichter aus nachösterlicher als aus vorösterlicher Perspektive heraus zu begreifen.

klamation des Todes Jesu im Kerygma, wenn wir auch die Osterereignisse noch in Rechnung stellen.

Denn wohin immer die Jünger in der Prozeßnacht geflohen waren, die synoptische Überlieferung läßt keinen Zweifel daran, daß alle Vertrauten mit Einschluß des Petrus Jesus schließlich enttäuscht und verängstigt verlassen haben. Unter diesen Umständen mußten die Ostererscheinungen vor Petrus, den Zwölfen und anderen ehemaligen Jesusjüngern für die Betroffenen u. a. auch den Charakter der Wieder- und Neubegegnung mit Jesus haben, und zwar der Wieder- und Neubegegnung über den Abgrund des Kreuzestodes und ihres eigenen schuldhaften Versagens hinweg. Anders ausgedrückt: In den Ostererscheinungen erfuhren die ehemaligen Jesusjünger, daß Jesus sie durch seinen Tod hindurch und trotz ihrer Schuld neu und definitiv in jene endzeitliche Gemeinschaft aufnahm, deren Realität sie schon gemeinsam mit dem irdischen Jesus in den Tischgemeinschaften bedacht und erfahren hatten. Erwies sich aber die österliche Epiphanie Jesu vor Petrus usw. als die Neuaufnahme und Stiftung definitiver Versöhnungsgemeinschaft — ein Tatbestand, der sowohl durch den manchen Erscheinungslegenden inhärenten Friedensgruß (Lk 24,36 v. l.; Joh 20,19.21) als auch die hierher gehörige Erzählung von den sog. Erscheinungsmahlen (Lk 24,28 ff; Apg 1,4; 10,41) bestätigt wird —, dann lag es ausgesprochen nahe, den Sinn des Sterbens Jesu am Kreuz in bezug auf diese neue Versöhnungsrealität zu bedenken und vom alttestamentlichen Sühne- und Stellvertretungsgedanken her kerygmatisch transparent zu machen. Die Rede vom Sühntod Jesu geht also von der österlichen Versöhnungserfahrung aus und deutet im Blick auf die Schrift und im Rückblick auf Jesu Werk seinen Tod als ein die Versöhnung definitiv heraufführendes Werk Gottes.

V.

Läßt sich in der von uns skizzierten Weise sowohl die Genese des formelhaften als auch des erzählenden Kerygmas von Jesus als dem messianischen Versöhner nachvollziehen und steht uns vor Augen, daß ohne die lebendige Tradition des Alten Testaments weder ein vorösterliches noch nachösterlich-kerygmatisches Verständnis Jesu möglich gewesen wäre, können wir die Summe ziehen.

Es war und ist die Frage, in welcher Weise und in welchem Umfang Jesu Verkündigung und Geschick in die Darstellung einer Theologie des

Neuen Testaments einbezogen werden sollen. Unser Ergebnis lautet: *Jesu Wirken in Wort und Tat sind in eine Theologie des Neuen Testamentes einzubeziehen als Darstellung seiner Sendung als des messianischen Versöhners, der er selbst sein wollte und kraft seines Todes und seiner Auferweckung für den Glauben ein für alle Mal geworden ist.* Eberhard Jüngel hat einmal den schönen hermeneutischen Satz geprägt, „das Besondere der Existenz des irdischen Jesus (liegt darin), daß sein Leben ein Sein in der Tat des Wortes von der Gottesherrschaft war"[34]. Wir können jetzt diesen Satz inhaltlich konkretisieren und sagen: Jesus hat gewirkt und gelitten als das persongewordene Wort Gottes von der Versöhnung und wurde eben deshalb vom Kerygma schon der vorpaulinischen Gemeinde mit gutem Grund als Versöhner verkündigt. Diese Proklamation hat in ihrer Glaubenssicht von Ostern her ihre eigene eschatologische Wertigkeit. Sofern aber eine Biblische Theologie des Neuen Testaments die Aufgabe hat, historisch und theologisch aufzuzeigen, wie die christlichen Missionare zu ihrer Verkündigung von Jesus Christus kamen und wie diese Verkündigung dann entfaltet worden ist, gehört die Darstellung von Sendung, Werk, Tod und Auferweckung Jesu als des messianischen Versöhners in die Entfaltung solcher Theologie mit hinein, und zwar zu Beginn, damit man erkennen und nachvollziehen kann, wie das Kerygma zu dem wurde, was es ist, zum Versöhnungsevangelium.

[34] Jesu Wort und Jesus als Wort Gottes. Ein hermeneutischer Beitrag zum christologischen Problem, in: Unterwegs zur Sache (Ges. Aufs.), BevTh 61, (126—142) 129.

Existenzstellvertretung für die Vielen: Mk 10,45 (Mt 20,28)

Mit einer historisch einleuchtenden Antwort auf die Frage, wer Jesus von Nazareth war und wie er seinen Tod verstanden hat, tut sich die kritische neutestamentliche Wissenschaft bis zur Stunde schwer. Die Debatte um Mk 10,45 (Mt 20,28) ist dafür symptomatisch. Noch immer ist umstritten, ob das bis auf die Eingangspartikel *kai gar* bei Markus und *hōsper* bei Matthäus in beiden Evangelien wortgleich überlieferte Logion: „Der Menschensohn ist nicht gekommen, um sich bedienen zu lassen, sondern um zu dienen und sein Leben zu geben als Lösegeld für viele" ein (in der Substanz) authentisches Jesuswort oder eine frühe nachösterliche Bildung der hellenistisch-judenchristlichen Gemeinde ist. Schenkt man dem Urteil der Mehrheit unter den Exegeten Glauben, dann handelt es sich um ein auf Jesu Kreuzestod zurückblickendes Deutewort der Gemeinde.

Über den derzeitigen Stand der Debatte und die umfängliche Literatur zu Mk 10,45 kann man sich am besten in dem glänzenden Markuskommentar von Rudolf Pesch[1] informieren. Während Pesch mit bedenkenswerten Argumenten für die historische Glaubwürdigkeit der markinischen Abendmahlsüberlieferung (= Mk 14,22–25) eintritt und dementsprechend betont, Jesus habe „durch die Deutung seines Todes als Sühnetod seine Sendung als Heilssendung bis in seinen Tod" festgehalten[2], hält er Mk 10,45 für eine sekundäre Bildung, die wahrscheinlich erst in der griechischsprechenden judenchristlichen Gemeinde entstanden ist.

Pesch begründet dieses Urteil mit folgenden Argumenten[3]. Bei Mk 10,45 handelt es sich nicht um eine Kombination aus einem ursprünglich

[1] R. Pesch, Das Markusevangelium, HThK II, 1. Teil (= Mk 1,1–8,26) 1976; 2. Teil (= 8,27–16,20) 1977 (abgek.: Pesch, Markus II 2).

[2] Pesch, Markus II 2, 362; vgl. auch R. Pesch, Wie Jesus das Abendmahl hielt, 1977, 69ff.

[3] Vgl. zum folgenden Pesch, Markus II 2, 162–167.

selbständigen Dienstwort = „Der Menschensohn ist nicht gekommen, um sich bedienen zu lassen, sondern um zu dienen", und einem ursprünglich davon unabhängigen Lösegeldwort = „(Der Menschensohn) ist gekommen, um sein Leben zu geben als Lösegeld für viele"; die isolierte Existenz dieser zwei Worte läßt sich überlieferungsgeschichtlich nicht wahrscheinlich machen. Es geht bei V. 45 vielmehr um eine einheitliche sekundäre Bildung, welche die (in der Sache authentische) Gemeinderegel von Mk 10,41–44 unter Verweis auf Jesu Vorbild abschließen soll. Der Anschluß von 10,45 an die Verse 41–44 durch *kai gar* entspricht z. B. dem christologischen Begründungszusammenhang in Röm. 15,2f., ist aber Markus schon vorgegeben, der *kai gar* nicht als redaktionelle Verbindungspartikel benutzt. Wie in anderen urchristlich gebildeten Jesuslogien (Mt 11,19/Lk 7,34; 19,10) auch, wird mit *ēlthen* auf Jesu abgeschlossene Sendung als Menschensohn zurückgeblickt; der Menschensohntitel gehört also zu dieser nachträglichen Kommentierung hinzu. Obwohl Abendmahlstradition und Abendmahlsfeier nach Pesch sicher auf die Bildung von V. 45 eingewirkt haben, ist das Stichwort vom Dienen nicht auf die Bedeutung des Tischdienstes eingeschränkt, sondern hat umfassenden Sinn und weist auf V. 43 zurück: Die hoheitliche Gestalt des Menschensohnes sucht nicht die ihr eigentlich zustehende Bedienung; ihr stellvertretender Lebenseinsatz soll der Gemeinde zum Vorbild dienen. V. 45b = *kai dounai tēn psychēn autou lytron anti pollōn* setzt die Dienstaussage von V. 45a epexegetisch fort. Die Formulierung läßt sich nicht zwingend auf ein semitisches Original zurückführen, steht aber „gewiß unter dem Einfluß der Abendmahlstradition und der christologischen Rezeption der durch Jesu neu qualifizierten Sühnevorstellung von Jes 53,10–12 im frühen hellenistischen Judenchristentum"[4]. Mit *dounai tēn psychēn autou* ist wie in Sir 29,15; 1.Makk 2,50 u.ö. der Einsatz des Lebens gemeint; in der Vorstellung der ersatzweisen und sühnenden Hingabe der Existenz stehen die Märtyrertraditionen von 2.Makk 7,37 und vor allem 4.Makk 6,29 unserem Text besonders nahe. Das neutestamentlich einzigartige *lytron* ist „mit der Idee der Äquivalenz und der Substitution eher an *kōfær*" als direkt an *ʾašam* von Jes 53,10 „orientiert"[5]. Die Wendung *anti pollōn* lehnt sich an Jes 53 und Mk 14,24 an. In dem Mk 10,41–45 (Par. Mt 20,24–28) flankierenden Paralleltext Lk 22,24–27 sieht Pesch „eine (l(u)k(anische) Transposition von Mk 10,41–45 in die Abendmahlssituation" mit deutlichen Kennzeichen „l(u)k(anischer) M(ar)k(us)-Redaktion"[6]. 1.Tim. 2,6 liegt eine gräzisierte Variante von Mk 10,45b vor.

---

[4] Pesch, Markus II 2, 163.
[5] Pesch, Markus II 2, 164.
[6] Pesch, Markus II 2, 163. 165.

Peschs Beobachtungen und Analysen sind vorzüglich. Die Frage ist nur, ob sein Schluß auf eine Sekundärtradition zwingend ist. Mir will eher scheinen, als handele es sich bei Mk 10,45 (Mt 20,28) um eine weder aus urchristlicher Gemeindetheologie noch einfach aus alttestamentlich-jüdischer Märtyrertradition ableitbare, sondern vielmehr (in der Grundaussage) authentische Jesusüberlieferung[7]; sie flankiert und stützt Peschs historisches Verständnis von Jesu Sinndeutung seines Todes aufgrund der (markinischen) Abendmahlstradition, ist aber nicht aus der Abendmahlstheologie der frühen Gemeinde hervorgegangen. In dieser Sicht der Dinge bestärkt mich das Alte Testament. Es ist für das Verständnis der Sendung des irdischen Jesus schlechterdings unentbehrlich, und es erlaubt, Mk 10,45 (Mt 20,28) nicht nur von Jes 53,10–12 her, sondern vor allem von Jes 43,3f. und Dan 7,9–14 aus einheitlich zu deuten.

Das Recht, mich im folgenden allein auf Mk 10,45 (Mt 20,28) zu konzentrieren, entlehne ich der von Pesch erneut hervorgehobenen Einsicht, daß der Spruch mit der vormarkinischen Verbindungspartikel *kai gar* erst an den jetzigen Kontext angefügt[8], zuvor also doch wohl unabhängig von Mk 10,41–44 tradiert worden ist[9].

II

Die vor allem von Joachim Jeremias[10] herausgearbeitete Einsicht, daß in 1.Tim 2,5f. eine gräzisierte Variante von Mk 10,45 (Mt 20,28) vorliegt, ist heute Allgemeingut der Forschung. Vergleicht man 1.Tim 2,5f. zunächst mit den Formulierungen und Traditionen der Paulusbriefe, erkennt man Gemeinsamkeiten und Unterschiede. 1.Tim 2,5f. ruht auf akklamatorischen Wendungen wie 1.Kor 8,6 und Eph 4,5f. auf, ist ihnen gegenüber aber um Aussagen ergänzt, die bei Paulus noch nicht auftauchen. Wenn es im 1.Timotheusbrief heißt: „Denn einer ist Gott, und ei-

---

[7] Ich versuche hiermit, meine noch sehr vorläufige Ansicht über Mk 10,45 (Mt. 20,28) zu präzisieren und zu korrigieren, die ich in dem Aufsatz: Jesus als Versöhner, in: Jesus Christus in Historie und Theologie, Ntl. Festschrift für H. Conzelmann zum 60. Geburtstag, hrsg. von G. Strecker, 1975, (87–104) 101f. geäußert habe.

[8] Vgl. Pesch, Markus II 2, 162 und H.-W. Kuhn, Ältere Sammlungen im Markusevangelium, StUNT 8, 1971, 174f.

[9] „Wir haben es . . . in Mk 10,45 mit einem ursprünglich isolierten Logion zu tun, das durch Stichwortanschluß (*diakonos* V. 43 – *diakonēthēnai* bzw. *diakonēsai* V. 45) mit der ‚Jüngerbelehrung' / = V. 41–44; P.St./ verbunden wurde", H. Thyen, Studien zur Sündenvergebung, FRLANT 96, 1970 (abgek.: Thyen), 155.

[10] Das Lösegeld für Viele (Mk 10,45), Jud 3, 1947–1948, 249–264, jetzt in: ders., Abba, 1966, 216–229; (abgek.: Lösegeld); zusammengefaßt und präzisiert in: ders., Neutestamentliche Theologie. Erster Teil: Die Verkündigung Jesu, ²1973 (abgek.: Jeremias, Theol.), 277–279.

ner ist Mittler Gottes und der Menschen, der Mensch Christus Jesus, der sich zum Lösegeld für alle gegeben hat ...", wird „der semitisierende Wortlaut des Markus" in Ergänzung der Pauluschristologie „(Wort für Wort) gräzisiert"[11]. Dem für die Ohren geborener Griechen dogmatisch mißverständlichen „Menschensohn" entspricht das inkarnatorisch richtige „Mensch"; für den Semitismus *dounai tēn psychēn autou* hat der 1.Timotheusbrief *ho dous heauton;* das hapax legomenon *lytron* wird mit dem (im Neuen Testament ebenfalls einzig dastehenden) hellenisierenden Kompositum *antilytron* wiedergegeben, und an die Stelle des semitisierenden *anti pollōn* tritt die sachgemäß interpretierende Wendung *hyper pantōn.* Wie in Mk 10,45 (Mt 20,28) wird auch in 1.Tim 2,5f. eine Gesamtdeutung der heilsmittlerischen Sendung Jesu vorgenommen. Vergleicht man beide Texte genau, zeigt sich auch, daß in 1.Tim 2,5f. nicht nur Mk 10,45b aufgenommen worden ist. Nachdem wir, wie Pesch richtig feststellt, keinerlei Anzeichen dafür besitzen, daß je ein Lösegeldwort wie „Der Menschensohn ist gekommen, um sein Leben zu geben als Lösegeld für viele" isoliert tradiert wurde[12], muß man folgern, daß zumindest die Rede vom „Menschen" Christus Jesus in 1.Tim 2,5f. aus Mk 10,45a stammt. Auch die Rede von dem sich aufopfernden „Mittler" zwischen Gott und den Menschen könnte sich in der Sachaussage auf Mk 10,45a/b stützen, doch mag dies in unserem Zusammenhang offenbleiben. Genug, wenn wir festhalten, daß Mk 10,45 (a und) b in 1.Tim 2,5f. einen formelhaften gräzisierten Nachhall findet und zu den Quellen gehört, aus denen sich die Christologie der Pastoralbriefe speist, und zwar zusätzlich zur angestammten Paulustradition. Anders formuliert: Aus 1.Tim 2,5f. ergibt sich, daß Mk 10,45 (Mt 20,28) zu den Überlieferungen rechnet, die für die deuteropaulinische Christologie über Paulus hinaus maßgeblich geworden sind.

III

Woher stammt diese in semitisierendem Griechisch abgefaßte und dem 1.Timotheusbrief christologisch unverzichtbar erscheinende Überlieferung? Die heute so geläufige kritische Antwort: Sie stammt aus dem Umkreis der urchristlichen Abendmahlstheologie, steht auf recht schwachen Füßen. Weder das für Mk 10,45 (Mt 20,28) so besonders kennzeichnende Stichwort *lytron,* noch die prägnante Formulierung *anti pollōn* sind für die neutestamentlichen Abendmahlstexte typisch. Diese sprechen von dem (Bundes-)Blut Jesu, das *hyper pollōn* (auch: *peri pollōn*) vergossen worden ist; das Stichwort *lytron* (oder *antilytron*) meiden

[11] Jeremias, Theol. 279.
[12] Vgl. neben Pesch, Markus II 2, 162 schon Thyen, 156 Anm. 1.

sie. Es fehlen im Abendmahlszusammenhang ferner der Menschensohntitel und das Stichwort vom „Dienen“ (= *diakonein*) Jesu[13]. Bei einer angeblich aus der urchristlichen Abendmahlsüberlieferung herausgewachsenen christologischen Formulierung sollte man aber erwarten, daß sie die Sprache dieser Überlieferung deutlich reflektiert! Die Abendmahlstexte und Mk 10,45 (Mt 20,28) überschneiden sich nur mit einem Wort, dem m. E. auf Jes. 53,10–12 verweisenden *pollōn.* Für eine Herleitung von Mk 10,45 aus dem Abendmahlszusammenhang gibt es keine wirklich stichhaltige Begründung; Mk 10,45 (Mt 20,28) zeigt nur eine sachliche Verwandtschaft zur Abendmahlstradition.

Man könnte nun ausweichen und sagen, es handele sich bei Mk 10,45 (Mt 20,28) eben um eine auf Jes 53,10–12, d. h. dem typisch urchristlichen Schriftbeweis, beruhende Formulierung der hellenistisch-judenchristlichen Gemeinde. Das Mißliche an dieser Antwort ist nur, daß auch für diese Behauptung die entscheidenden Stützen fehlen. Das Menschensohnprädikat stammt nicht aus Jes. 52,13–53,12; ebensowenig das *diakonein* unseres Textes. Die in der hellenistisch-judenchristlichen Gemeinde vorauszusetzende Septuaginta bezeichnet den Gottesknecht als *ho pais mou* und hat für seinen Knechtsdienst *douleuein.* Auch das Stichwort *lytron* fehlt in der Septuaginta. Berührungen zwischen Mk 10,45 (Mt 20,28) und dem Septuagintatext von Jes 52,13–53,12 finden sich nur insofern, als die Septuaginta den Gottesknecht in V. 11 als einen *eu douleuonta pollois* bezeichnet und in V. 12 von dem großen Erbe des Gottesknechts spricht, das er dafür erhält, daß sein Leben (von Gott) in den Tod gegeben wurde (= *paredothē eis thanaton hē psychē autou*), er die Sünden der Vielen getragen hat und wegen ihrer Sünden (von Gott) preisgegeben worden ist (= *kai autos hamartias pollōn anēnegken kai dia*

[13] J. Roloff entwickelt in seinem Aufsatz: Anfänge der soteriologischen Deutung des Todes Jesu (Mk X.45 und Lk XXII.27), NTS 19, 1972/73, 38–64 (abgek.: Roloff), die These, „daß *erstens* das Motiv des Dienens Jesu in einer sehr alten Schicht der Herrenmahlstradition seinen Sitz hat und daß es *zweitens* innerhalb dieses Traditionszusammenhanges ursprünglich im Sinne der Lebenshingabe Jesu gedeutet worden ist“ (S. 62). Mk 10,45 erscheint ihm von hier aus als eine formelhafte Abbreviatur und dogmatische Zusammenfassung der Herrenmahlstradition, und er meint, in Mk 10,45 die entscheidende Belegstelle vor sich zu haben, von der aus der in der Gräzität vor allem den Tischdienst und die persönliche Dienstleistung meinende Wortstamm *diak-* seinen uns aus dem Neuen Testament bekannten spezifisch kirchlichen Sinn angenommen habe. Roloffs Doppelthese scheint mir nicht durchführbar zu sein. Wie ich oben auszuführen versuche, ist Mk 10,45 nicht aus dem Abendmahlszusammenhang ableitbar. Hätte der Abendmahlszusammenhang (mitsamt Mk 10,45,) das entscheidende Motiv zur neutestamentlichen Umprägung des Stammes *diak-* abgegeben, wäre eine betonte Verwendung dieses Stammes im Abendmahlskontext zu erwarten; aber eben dafür fehlen alle Belege. So wichtig unser Logion für die Begründung des urchristlichen Dienstgedankens auch sein mag, es gewinnt dieses Gewicht direkt von Jesus her und nicht erst über den Umweg einer eucharistisch-dogmatischen Reflexion der frühen palästinischen Gemeinde.

tas hamartias autōn paredothē). Die Gemeinsamkeiten zwischen unserem Logion und der Septuagintaübersetzung des Liedes vom leidenden Gottesknecht beschränken sich also, genau genommen, auf folgende drei Stichworte: *(para-)didonai, psychē autou, polloi.* Diese Stichworte reichen m. E. zwar hin, um eine Anlehnung von Mk 10,45 (Mt 20,28) an Jes 53 zu konstatieren, aber sie können die These von der Herleitung des ganzen Logions aus der Gemeindeinterpretation von Jes 53 nicht tragen.

Als eine Bildung der hellenistisch-judenchristlichen Gemeinde kann man demnach Mk 10,45 (Mt 20,28) nicht bezeichnen; es fehlen die hierfür notwendigen Herleitungsmerkmale.

IV

Greift man hinter den griechischen Text des Logions auf eine mögliche aramäische (oder hebräische?) Urfassung zurück, betritt man umstrittenes Gelände. Jeremias hat die Authentizität von Mk 10,45 (b) gerade damit begründet, „daß sie Wort für Wort auf Jes 53,10f., und zwar den hebräischen Text, Bezug nimmt“[14]. Jeremias fährt fort: „Dementsprechend wird *lytron,* das in der Septuaginta (20 Belege) das Loskaufgeld für die Erstgeburt, für freizulassende Sklaven, für Grund und Boden, für verwirktes Leben bezeichnet, Mk 10,45b den weiteren Sinn von Ersatzleistung, Sühngabe haben, den *ʾašam* Jes 53,10 hat.“[15] Viele Exegeten haben sich Jeremias in dieser Deutung von *lytron* als freier Wiedergabe von *ʾašam* aus Jes 53,10 angeschlossen. Das Problem ist nur, daß *ʾašam* in der Septuaginta nirgends (!) mit *lytron* übersetzt wird; seine Grundbedeutung ist „Schuldopfer“, während *lytron* einem hebräischen *kōfær* entspricht. *kōfær* aber fehlt in Jes 53! Der Verweis auf Jes 53 trägt also auch dann nicht, wenn man auf den hebräischen Text zurückgreift[16].

Soll man also den Rekurs auf ein semitisches Original unseres Spruches unterlassen? Ich meine nicht. Denn es fällt auf, daß sich Mk 10,45 (Mt 20,28) anstandslos sowohl ins Hebräische als auch ins Aramäische

[14] Jeremias, Theol. 277/278.

[15] Jeremias, Theol. 278.

[16] Daß die These von Jeremias auch bei einem Rückgriff auf den hebräischen Text von Jes 53 linguistisch nicht durchführbar ist, hat C. K. Barrett, The Background of Mark 10:45, in: New Testament Essays. Studies in Memory of T. W. Manson, ed. by A. J. B. Higgins, Manchester 1959, 1–18 (abgek.: Barrett) bereits 1959 gezeigt. W. J. Moulder, The Old Testament Background and the Interpretation of Mark X.45, NTS 24, 1977/78, 120–127 (abgek.: Moulder), hat kürzlich versucht, Jeremias zu verteidigen, kommt aber wieder nur zu der (nicht zufällig) unscharfen Formulierung, Mark 10,45 liege eine ähnlich ungewöhnliche Wiedergabe von Jes 53,12 vor wie in Phil 2,6–11 bzw. eine Adaption an das gesamte Lied vom leidenden Gottesknecht wie im Philipperhymnus auch.

zurückübersetzen läßt. Diese klare Rückübersetzungsmöglichkeit besteht nur an wenigen Stellen der synoptischen Tradition und kann kein bloßer Zufall sein. In der hebräischen Übersetzung des Neuen Testaments von Franz Delitzsch lautet Mk. 10,45: *kī bæn-hā'adām . . . lō'bā' l^{e}ma'an j^{e}šāratūhū kī'īm-l^{e}šārēt w^{e}lātēt 'æt-nafšō kōfær taḥat rabbīm.* Als aramäische Übersetzung hat Gustaf Dalman[17] vorgeschlagen: *bar nāšā lā' 'ātā d^{e}jištammas 'ēllā dišammēš w^{e}jittēn nafšēh purkān ḥulāf saggīn.* Mit *purkān* wird in den Targumen regelmäßig *kōfær* übersetzt, *saggīn* entspricht dort dem hebräischen *rabbīm.* Daß Dalman auch im Recht ist, wenn er für das griechische *diakonein* die Wurzel *šmš* verwendet, zeigt ein Blick in die syrischen Übersetzungen von Mk 10,45 (Mt 20,28)[18].

Aus den Rückübersetzungen ergibt sich wieder, daß sich das Logion zwar mit Jes 53 berührt, aber nicht einfach von dort hergeleitet werden kann; der masoretische Text und Delitzschs Übersetzung haben ganze zwei Worte gemeinsam: *nafšō* und *rabbīm.* Um eine palästinische Gemeindebildung aufgrund des hebräischen Textes von Jes 53 kann es sich also auch nicht handeln. Es geht aber um ein einwandfrei ins Aramäische (Hebräische) rückübersetzbares Menschensohnlogion mit Berührungen zu Jes 53.

V

Da verschiedentlich bestritten worden ist, daß der Menschensohntitel in Mk 10,45 (Mt 20,28) zum ursprünglichen Textbestand gehört[19] und Pesch die ganze Formulierung „der Menschensohn ist . . . gekommen" als sekundäres Kennzeichen wertet (s. o.), müssen wir noch einmal ansetzen, aber ohne die semitischen Textversionen aus dem Auge zu lassen.

Es ist bekannt, daß sich der Menschensohntitel „im Neuen Testament, abgesehen von den Worten Jesu und von drei alttestamentlichen Zitaten [von Dan 7,13 in Apk 1,13; 14,14 und von Ps 8,5 in Hebr 2,6; P. St.] nur Apg 7,56 im Munde des Stephanus findet, sonst nie"[20]. Historisch

---

[17] Jesus – Jeschua, 1922, 110.

[18] Vgl. J. A. Emerton, Some New Testament Notes: III. The Aramaic background of Mark X.45, JThS N.S. XI, 1960, 334–335; Emerton sieht in der Übertragung von *diakonein* mit *šmš* in der altsyrischen Übersetzung, der Peschitta und einem palästinisch-syrischen Evangelienlektionar eine Bestätigung dafür, daß es den Übersetzern nicht darum ging, die Wurzel *'bd* aus Jes 53 wiederzugeben.

[19] Ich nenne exemplarisch C. Colpe, ThWNT VIII, 451, 20ff.; J. Jeremias, Die älteste Schicht der Menschensohn-Logien, ZNW 58, 1967, (159–172) 166 und Theol. 278; K. Kertelge, Der dienende Menschensohn (Mk 10,45), in: Jesus und der Menschensohn. Für A. Vögtle, hrsg. von R. Pesch und R. Schnackenburg in Zusammenarbeit mit O. Kaiser, 1975, (225–239) 235 (abgek.: Kertelge).

[20] Jeremias, Theol. 252.

läßt sich dieser Befund m. E. mit Jeremias nur so erklären, daß sich die Gemeinde nach Ostern an Jesu Selbstbezeichnung als messianischer Menschensohn erinnert, selbst aber aus verschiedenen, hier nicht näher zu diskutierenden Gründen so gut wie ganz auf die Bildung neuer Menschensohnlogien außerhalb der Evangelientradition verzichtet hat. Sämtliche von Jeremias oben aufgeführten Stellen sprechen von der Herrlichkeit des Menschensohnes Jesus Christus. Mk 10,45 (Mt 20,28) aber ist die Rede von dem Menschensohn, der den Dienst der Anbetung ausschlägt und selbst zum Diener wird. Die Differenz zwischen jenen nachösterlichen Belegen und dem Lösegeldwort ist beachtenswert!

Vergleicht man das Logion mit Dan 7,9–14 und der auf diesem Danieltext aufruhenden Menschensohnüberlieferung im äthiopischen Henoch, ergibt sich noch einmal ein eigentümlicher Kontrast. Bei Daniel und im 1.Henoch wird der Menschensohn zum Herrscher und Gerichtsherrn eingesetzt. Als solchem gebührt ihm der Dienst der Engel und die Anbetung der Völker. In Mk 10,45 weist der Menschensohn eben diese Würdestellung zurück und bezeichnet es als Ziel seiner Sendung, selbst Lösegeld für die vielen vor Gott (im Gericht) Verlorenen zu sein[21]. Man hat sich immer wieder gefragt, woher in Mk 10,45 (Mt 20,28) das von der Septuaginta gemiedene Verbum *diakonein* stamme, das, wie wir sahen, nicht dem *douleuein* des Gottesknechtes von Jes. 53,11, sondern, durch die syrische Übersetzungstradition bestätigt, einer aramäischen Wurzel *šmš* entspricht. Diese Wurzel taucht im Alten Testament nur an einer einzigen Stelle auf, nämlich in Dan 7,10, wo vom Dienst der vielen Tausend Engel vor Gott die Rede ist, der auf seinem Gerichtsthron Platz genommen hat. In Ps 103,21 ist ganz parallel von den Engeln als den Dienern = *m^{e}šartīm* Jahwes die Rede. In Dan 9,13f. wird der Menschensohn in die Herrschaft über alle Völker eingesetzt; diese haben ihm dienstbar zu sein. In äthHen 45,3f.; 61,8f.; 62,2 erscheint der Menschensohn dann selbst auf Gottes Gerichtsthron, die Völker fallen vor ihm nieder und die (Straf-)Engel sind ihm bei dem Gericht zu Diensten[22]. Der traditionsgeschichtliche Ort des *diakonein* von Mk 10,45 (Mt 20,28), das von Delitzsch und Dalman ganz richtig mit den Wurzeln *šrt* und *šmš* übersetzt wird, ist die hoheitliche Menschensohnüberlieferung von Dan 7 und der äthiopischen Henochapokalypse! Das Wortspiel: „nicht um sich bedienen zu lassen – sondern um zu dienen" meint, daß der Menschensohn freiwillig den Dienst der stellvertretenden Selbst-

[21] Auf diesen Kontrast haben vor allem Barrett, 8ff., und Thyen, 156f., aufmerksam gemacht.

[22] J. Theison, Der auserwählte Richter, StUNT 12, 1975 (abgek.: Theison) 15ff., zeigt, daß die Vision des Menschensohnes in äthHen 46,1f. bis in die Einzelheiten hinein auf Dan 7,9f. 13f. rekurriert; die von uns gezogene Verbindungslinie in Hinsicht auf das „Dienen" läßt sich also traditionsgeschichtlich genau verfolgen.

preisgabe der himmlischen Würdestellung des angebeteten Gerichtsherrn vorzieht[23]. Die Wiedergabe beider Verbformen mit *diakonein* entspricht zwar nicht dem Sprachgebrauch der Septuaginta. Die vielfältige Verwendung des Verbums bei Josephus aber ist Beleg genug dafür, daß das Wort im hellenistisch-jüdischen Raum gebräuchlich war, und zwar nicht nur speziell für den Tischdienst, sondern auch für die jüdische Lebenshaltung vor Gott[24], für den Priesterdienst am Volk (beim Passah)[25], für die Lebensbestimmung Samuels[26] und die Nachfolge des Elisa[27]. Der Menschensohntitel und das Verbum *diakonein = šrt / šmš* gehören in Mk 10,45 (Mt 20,28) sehr eng zusammen und stehen in unübersehbarem Gegensatz zur biblisch-jüdischen Menschensohnüberlieferung. Geht dieser Gegensatz auf die Gemeinde zurück? Trotz der in diese Richtung weisenden Meinung von Hartwig Thyen[28] haben wir dafür keine wirklichen historischen Anhaltspunkte.

Innerhalb der synoptischen Überlieferung ist mit einem sekundären Menschensohnwort (nur) dann zu rechnen, wenn zwei Bedingungen erfüllt sind. Es muß eine eindeutig ältere synoptische Parallele ohne den Menschensohntitel aufweisbar sein, und Sprache sowie Gesamttendenz des fraglichen Spruches müssen in die Gemeindetheologie weisen. Diese Bedingungen treffen auf Mk 10,45 (Mt 20,28) nicht zu. Von dem lukanischen Bildwort Lk 22,27: „Wer ist denn größer: der (zu Tisch) Liegende oder der (bei Tisch) Bedienende? Nicht der (zu Tisch) Liegende? Ich aber bin in eurer Mitte wie der (bei Tisch) Bedienende" führt kein direkter Weg zu Mk 10,45 noch umgekehrt[29]. Das Wort ist fester mit seinem Kontext (= Lk 22,24–27) verbunden als unser erst redaktionell an die Verse 41–44 angeschlossenes Logion; es weist trotz seines semitischen

---

[23] Moulder, 122 f., vergleicht Mk 10,45 zutreffend mit Phil 2,6 ff.: „Der göttlichen Wesens war, hielt nicht gierig daran fest, Gott gleich zu sein, sondern entäußerte sich selbst, nahm Sklavengestalt an, wurde Menschen gleich und wie ein Mensch gestaltet, er erniedrigte sich selbst, wurde gehorsam bis zum Tode, ja zum Tode am Kreuz" (Übersetzung von M. Hengel, Der Sohn Gottes, 1975, 9).

[24] Josephus, Ant 18, 280.

[25] Ant 10,72.

[26] Ant 5,344: Samuel wird der *diakonia tou theou* geweiht.

[27] Ant 8,354: Elisa ist *mathētēs* und *diakonos* des Elia.

[28] Thyen, 157: „Sollte . . . in Mk 10,45 eine Kritik ‚hellenistischer' Kreise an der urgemeindlichen Messianologie vorliegen? Solche polemische Absicht erklärt jedenfalls am besten und einleuchtendsten den exzeptionellen Gebrauch des Menschensohntitels in unserem Logion." Thyen kann diesen Schluß nur ziehen, weil er zuvor unter Berufung auf P. Vielhauer, Gottesreich und Menschensohn in der Verkündigung Jesu, in: ders., Aufsätze zum Neuen Testament, TB 31, 1965, 55–91, deklariert hat, „daß *alle* synoptischen Menschensohnworte nachösterliche Gemeindebildungen sind" (156; Hervorhebung bei Thyen).

[29] Zu welchen Komplikationen und hypothetischen Staffelungen die Ableitung von Mk 10,45 aus dem lukanischen Dienstlogion führt, zeigt z. B. Roloff, 59 Anm. 2.

Stils[30] Spuren lukanischer Stilisierung auf[31], und es hat außerdem in Sir 32,1 und der rabbinischen Literatur Analogien[32]. Mk 10,45 (Mt 20,28) ist statt dessen analogielos und von der für Lk 22,24–27 konstitutiven Situation der Tischgemeinschaft und des Tischdienstes unabhängig. – Daß mit der Formulierung *ho hyios tou anthrōpou . . . ēlthen* in V. 45a (ebenso wie in Mt 11,19 / Lk 7,34) auf die abgeschlossene Sendung Jesu zurückgesehen werde (Pesch), leuchtet vor allem im Blick auf die Rückübersetzungen nicht ein. In der Tat ist V. 45 ein programmatisches Wort. Wie aber Jeremias gezeigt hat[33], hat *bāʾ lᵉ / ʾatāʾ lᵉ* einfach den Sinn von „die Aufgabe haben", „beabsichtigen", „sollen" oder „wollen", so daß in V. 45a sinngemäß zu übersetzen ist: „Der Menschensohn will nicht . . ." Damit soll natürlich nicht bestritten werden, daß die griechische Formulierung *ouk ēlthen* in nachösterlicher Situation im Sinne eines Rückblicks auf Jesu Wirken gelesen und verstanden werden konnte; nur hat sie diesen Sinn im Fall von Mk 10,45 (und m. E. auch Mt 11,19 Par.) erst später angenommen. – Sicherlich steht Mk 10,45 den Worten vom leidenden Menschensohn nahe[34]. Doch ist dies noch kein Argument gegen die Ursprünglichkeit des (mit dem *diakonein* verbundenen) Menschensohntitels! Unter den Worten vom leidenden Menschensohn ist mindestens das Rätselwort: „Der Menschensohn wird in die Hände der Menschen gegeben werden" ursprünglich[35]. Das könnte auch für Mk 10,45 (Mt 20,28) gelten, da die von der Gemeinde vervollständigten synoptischen Leidensweissagungen (Mk 8,31 ff. Par.) hier gerade nicht fortgeführt oder reproduziert werden.

Da unser Logion insgesamt weder aus der urchristlichen Gemeindetheologie, noch aus der biblisch-jüdischen Menschensohntradition ableitbar ist, da es auch nicht einfach aus Jes 53 folgt oder das Schema der Leidensweissagungen Jesu reproduziert, vielmehr eine in sich unver-

---

[30] Vgl. M. Black, An Aramaic Approach to the Gospels and Acts, Oxford, ³1967, 228 f. und Jeremias, Theol. 278 f.

[31] J. Wanke, Beobachtungen zum Eucharistieverständnis des Lukas auf Grund der lukanischen Mahlberichte, EThS 8, 1973, 65 Anm. 222 nennt gerade für Lk 22,27 „eine Reihe lukanischer Spracheigentümlichkeiten *en mesō; ho diakonōn, egō de*" und verweist zur Begründung dessen auf H. Schürmann, Jesu Abschiedsrede Lk 22,21–38, NTA XX/5, 1957, 79 ff. Daß Lk 22,24–26 gegenüber Mk 10,41–44 hellenisierend redigiert sind, ist allgemein anerkannt, vgl. z. B. Jeremias, Lösegeld (s. Anm. 10) 226 f. und Schürmann, aaO., 65 ff. Schürmann beurteilt Lk 22,24–26.27 insgesamt als „nur eine entferntere Überlieferungsvariante zu Mk 10,41–44.45" (aaO., 92).

[32] Vgl. Bill II 257 (zu Lk 22,27).

[33] Die älteste Schicht der Menschensohn-Logien (s. Anm. 19) 166 f.

[34] Vgl. Schürmann (s. Anm. 31), 85 f. mit ausdrücklicher Warnung vor einer Unechtheitserklärung von Mk 10,45, und Colpe, ThWNT VIII, 451, 20 f.; 458,14 ff.; auch Colpe hält V. 45 b für ein substantiell echtes Jesuswort.

[35] Jeremias, Theol. 268.

gleichliche, gleichzeitig aber ganz semitische Bildung darstellt, können wir folgern: Bei Mk 10,45 (Mt 20,28) handelt es sich aller Wahrscheinlichkeit nach um ein echtes Jesuslogion[36].

Für die Authentizität dieses Logions gibt es auch einen positiven Beweis. Er wurde von Werner Grimm in seiner Tübinger Dissertation: „Weil ich dich liebe. Die Verkündigung Jesu und Deuterojesaja"[37] erbracht. Grimm hat auf die erstaunlichen Formulierungsparallelen zwischen Jes 43,3f. und Mk 10,45 (Mt 20,28) aufmerksam gemacht. Während die Verbindung zwischen unserem Logion und Jes 53 partiell bleibt, sind die Gemeinsamkeiten zwischen dem hebräischen Text von Jes 43,3f. und Mk 10,45 erstaunlich groß. Jes 43,3f. spielt aber im urchristlichen Schriftbeweis keine tragende Rolle; die Formulierungsparallelen zwischen Jes 43,3f. und Mk 10,45 bestätigen also die Einsicht in die Unableitbarkeit des Lösegeldworts. Die Verse lauten nach der Übersetzung von Claus Westermann[38]: „(3) denn ich, Jahwe, bin dein Gott, / der Heilige Israels, dein Retter. / Ich gebe *(nātatī)* Ägypten als Lösegeld *(kofr^ekā)* für dich, / Kuš und Seba statt deiner *(taḥtækā)*, / (4) weil du teuer bist in meinen Augen, / wert bist und ich dich liebe. / Und ich gebe Menschen[39] für dich *w^e'ættēn 'ādām taḥtækā)*, / und Nationen für dein Leben *(taḥat nafšækā)*." Vergleicht man die in Klammern angegebenen hebräischen Ausdrücke mit Mk 10,45, erkennt man leicht die Parallelaussagen. In Jes 43,3f. findet sich das sprachlich echte Äquivalent von *lytron*, nämlich *kōfær;* dem *anti (pollōn)* entspricht das wiederholte *taḥat* genau, und die auffällige Wendung vom Menschensohn, der sein Leben dahingeben will, findet in dem *w^e'ættēn 'adām* Jahwes eine interessante Entsprechung: Der Menschensohn von Mk 10,45 nimmt die Stelle der Menschen ein, die Jahwe als Lösegeld für Israels Leben *(taḥtækā bzw. taḥat nafšækā)* dahingeben will[40].

---

[36] Zur Methodik des damit zur Anwendung gebrachten Unableitbarkeitskriteriums vgl. R. Bultmann, Die Geschichte der synoptischen Tradition, FRLANT 29, ³1957, 291 und E. Käsemann, Das Problem des historischen Jesus (1954), jetzt in: ders., Exegetische Versuche und Besinnungen I, 1960, (187–214) 205: „Einigermaßen sicheren Boden haben wir nur in einem einzigen Fall unter den Füßen, wenn nämlich Tradition aus irgendwelchen Gründen weder aus dem Judentum abgeleitet noch der Urchristenheit zugeschrieben werden kann . . ."

[37] Arbeiten zum Neuen Testament und Judentum, hrsg. von O. Betz, Bd. 1, 1976, 231–277, (abgek.: Grimm).

[38] Das Buch Jesaja: Kapitel 40–66, ATD 19, 1966, (abgek.: Westermann) 94.

[39] Westermann, 94, rät, in V. 4 mit BH³ *'ādām* in *'adāmōt* = „Länder" zu ändern; angesichts der Bezeugung von *'ættēn hā'ādām* (sic!) in 1QJes^a und *wæ'ættēna 'ādām* (sic!) in 1QJes^b halte ich diese Konjektur nicht für erforderlich.

[40] Grimm, 254, meint, daß mit dem auffälligen *hā'ādām* in 1QJes^a an einen bestimmten Menschen gedacht sei, den Jahwe preisgeben wolle, „da vom Kontext her ausgeschlossen ist, daß der eingefügte Artikel ẖ hier generische Bedeutung hat"; der Vergleich von

Die Berührungen zwischen Jes 43,3f. und Mk 10,45 (Mt 20,28) sind fundamentaler als die uns bereits bekannten Gemeinsamkeiten zwischen Jes 53,10–12 und unserem Logion. Oder anders formuliert: Mk 10,45 (Mt 20,28) steht im Schnittpunkt beider deuterojesajanischer Textstellen; Jes 43,3f. liefert dabei aber den Hauptakzent. Gleichzeitig kontrastiert das Lösegeldwort die Menschensohnüberlieferung von Dan 7,9–14 und der äthiopischen Henochapokalypse.

VI

Nachdem dieser überlieferungsgeschichtlichtliche Standort des Logions und seine uns auf Jesus selbst zurückverweisende Unableitbarkeit herausgearbeitet sind, können wir zur positiven Deutung des Lösegeldwortes übergehen.

Die erste Bedingung dafür ist, daß der Sinn von *lytron* präzis geklärt wird. *lytron* entspricht, wie gesagt, dem hebräischen *kōfær*. Dieses kommt im Alten Testament mehrfach vor, z. B. Ex 21,30; 30,12; Num 35,31f.; Ps 49,8; Prov 6,35; 13,8. Das Wort meint im Blick auf das Gottesverhältnis „die Sühneleistung, eine Art Wergeld" und wird „stets als Existenzstellvertretung verstanden. Es ist *pidjōn næpæš,* Loskauf des individuellen Lebens (Ex 21,30)"[41]. Auf Jes 43,3f. bezogen, heißt das: Jahwe, der Schöpfer der Welt, opfert aus freier Liebe zu Israel Menschen und Völker auf, um sein unter die Völker zerstreutes erwähltes Volk neu zu sammeln und ihm das Leben in Gottesgemeinschaft und Freiheit zu geben, das Israel selbst nicht mehr gewinnen kann. Deutet man 43,3ff.

1QJes[a] und 1QJes[b] (s. Anm. 39) legt es aber nahe, doch nur an eine generische Bedeutung des Artikels zu denken. Daß Jesus das hebräische *'ādām* bzw. *hā'ādām* auf seine eigene Sendung als Mensch(ensohn) beziehen konnte, bleibt davon natürlich unberührt.

[41] H. Gese, Die Sühne, in: ders., Zur biblischen Theologie. Alttestamentliche Vorträge, BEvTh 78, 1977, (85–106) 87. Die historisch recht mißliche Diskussion darüber, ob z. Z. Jesu schon ein ausgeprägtes Sühneverständnis vorauszusetzen oder ob nicht erst das hellenistische Judentum in der zweiten Hälfte des 1. Jahrhunderts n. Chr. zur Anschauung vom Sühneleiden der Märtyrer und leidenden Gerechten vorgestoßen sei, sollte man angesichts dieses Aufsatzes (schleunigst) abbrechen. Für das stellvertretende, für andere Vergebung der Sünden erwirkende Leiden des Gerechten und die Wirksamkeit seines Gebetes haben wir mittlerweile im Hiobtargum aus Höhle 11 von Qumran (= 11 QtgHi), Kol 38,2f. (zu Hiob 42,9f.) einen eindeutigen vorchristlichen Beleg: „. . . und Gott hörte auf seine (= Hiobs) Stimme und er vergab (3) ihnen (= den Freunden Hiobs) ihre Sünden um seinet-(= Hiobs)willen . . ." Dieses „um Hiobs willen" entspricht genau dem *dia Iōb* der Septuaginta von Hiob 42,9, auf das mich Martin Hengel aufmerksam macht; es geht über den masoretischen Text hinaus und zeigt, daß 2. Makk 7,37f. und 4.Makk 6,26ff.; 16,16–25 weit ältere Wurzeln haben, als zuweilen angenommen wird. Vgl. zum Problem J. Gnilka, Martyriumsparänese und Sühnetod in synoptischen und jüdischen Traditionen, in: Die Kirche des Anfangs. Für Heinz Schürmann, hrsg. von R. Schnackenburg, J. Ernst und J. Wanke, 1978, 223–246.

von 45,14–17 her, dann denkt der Text konkret daran, daß sich die Völker angesichts des Heilswerkes Jahwes von ihren Götzen abwenden, zu Jahwe bekehren und Israel dienen werden; sie müssen also ihre götzendienerische Existenz aufgeben und werden zum Eigentum Israels und seines Gottes[42]. Der Beweggrund und die treibende Kraft für die Preisgabe der Völker zugunsten Israels ist nach Jes 43,3f. Jahwes erwählende Liebe allein. „Hier ist eine der schönsten und tiefsten Erklärungen dessen, was die Bibel mit ‚Erwählung' meint. An eine kleine, armselige und unbedeutende Gruppe entwurzelter Menschen ergeht die Zusage: Ihr, gerade ihr seid es, denen ich mich in Liebe zugewendet habe; ihr – so wie ihr seid –, seid mir teuer und wert"[43]. Die Erlösung Israels wird durch das von Jahwe aus Liebe dargebrachte Lösegeld in Gestalt des Lebens der Völker ermöglicht. Die spätere jüdische Exegese bezieht Jes 43,3f. auf das Endgericht: Jahwe gibt die Völker dem Gerichtstod preis, um eben dadurch sein geliebtes Volk Israel zu retten[44]. Ich habe in anderem Zusammenhang vorgeschlagen, Jesu Sendung und Wirken als Werk messianischer Versöhnung zu verstehen[45]. Dies läßt sich im Blick auf unser Logion und die eben angestellten Überlegungen sehr schön präzisieren: Jesus selbst tritt mit seinem Leben an die Stelle jener Völker, die für Israel sterben sollen, und zwar tritt er an ihre Stelle in freiwilligem Gehorsam, der ihn mit Gottes Erlösungswillen eint. Jesus übt Existenzstellvertretung für Israel. Die Preisgabe seines Lebens soll all jenen zum Leben vor Gott verhelfen, die dieses Leben verloren und verwirkt haben.

Die Menschen, für die Jesus sein Leben preisgibt, werden in Mk 10,45 (Mt 20,28) in Anlehnung an Jes 53,11f. als „die Vielen" bezeichnet; die Wendung „sein Leben geben" berührt sich ebenfalls nicht nur mit Jes 43,3f., sondern auch mit diesen Versen. Jesu Existenzstellvertretung nimmt also zusätzlich die Dimension und Weite an, die in Jes 52,13–53,12 dem Schuldopfer *('āšām)* des leidenden Gottesknechtes zugemessen wird. Nach der ältesten uns überhaupt greifbaren Deutung ist in dem Gottesknecht Israel selbst zu sehen. Schon in den beiden Jesajarollen von Qumran wird in Jes 49,3 „Israel" gelesen; es ist also zu übersetzen: „Er (= Jahwe) sagte zu mir: Mein Knecht bist du! / Israel, du, durch den ich mich verherrlichen will."[46] Folgt man diesem Hinweis,

[42] Vgl. zu dieser Deutung Gese (s. Anm. 41), 104 Anm. 14.

[43] Westermann, 97.

[44] Vgl. Grimm, 244–246, mit Verweis auf und Zitat von Mekh 21,30; ShemR 11 zu 8,19 und SifDev 333 zu 32,43.

[45] Vgl. den in Anm. 7 genannten Aufsatz.

[46] Übersetzung nach Westermann, 167. *'ašær-bᵉkā 'ætpā'ār* übersetzt W. mit „du, an dem ich mich verherrlichen will", während ich, Westermanns Interpretation und Formulierung von S. 169 folgend, (mit der Jerusalemer Bibel z.St.) lieber sage: „du, durch den ich mich verherrlichen will."

dann wird in Jes 52,13–53,12 Israels stellvertretendes Leiden für die Völker (= die Vielen) beschrieben. Auch in dieses stellvertretende Leiden Israels als Gottesknecht tritt Jesus ein, wenn er sein Leben als Lösegeld für die Vielen preisgibt. Seine Selbstaufopferung ist nicht nur Existenzstellvertretung für Israel, sondern auch für die Völker der Welt, d. h. für alle Menschen in der Gottesferne. *anti pollōn* hat also deutlich inklusiven Charakter.

In der armenischen Übersetzung des Testamentes Benjamin (aus dem 2. oder 1. Jahrhundert v. Chr.) ist uns in 3,8 eine interessante, keiner christlichen Interpolation verdächtige Überlieferung erhalten. Es handelt sich um eine Prophetie Jakobs für Joseph: „Erfüllen soll sich an dir die Prophetie des Himmels, die besagt: Der Unschuldige wird für Gesetzlose befleckt werden, und der Sündlose wird für Gottlose sterben!“[47] Ähnlich wie in Weish 2,12–20; 5,1–7[48] werden hier Formulierungen und der Grundgedanke von Jes 53 auf das stellvertretende Leiden eines einzelnen Gerechten übertragen. Angesichts dieser Übertragung wirft die Beziehung der im Urtext kollektiv verstandenen Aussagen von Jes (43,3f. und) 53 auf Jesus keine traditionsgeschichtlichen Probleme auf. Die Möglichkeit solcher Übertragung stand Jesus bereits vor Augen. Den messianischen Menschensohn als leidenden Gerechten und Gottesknecht zu interpretieren, ist sein persönliches Werk.

Die Jesus von Dan 7,9–14 und dem äthiopischen Henoch her vorgegebene[49] Menschensohntradition ist ein komplexes Phänomen. In ihr reichen sich die Überlieferungen vom göttlichen Weltenrichter, vom Messias als Träger der Weisheit und Gerechtigkeit Gottes und vom Gottesknecht die Hand[50]. Der Menschensohn ist aber stets eine hoheitliche, mit dem universalen Weltgericht beauftragte Figur und keine Leidensgestalt. Außerdem gibt es nach äthHen 98,10 für die Sünder im Endgericht (des Menschensohnes) kein Lösegeld. Ihnen gilt vielmehr der We-

---

[47] Zur Textüberlieferung und Übersetzung der Stelle vgl. J. Becker, Untersuchungen zur Entstehungsgeschichte der Testamente der zwölf Patriarchen, AGJU 8, 1970, 51–57, und ders., Die Testamente der zwölf Patriarchen, JSHRZ III/1, 1974, 132.

[48] Zu den Verbindungen zwischen diesem „Diptychon“ und Jes 53 vgl. L. Ruppert, Jesus als der leidende Gerechte?, SBS 59, 1972, 23f., und G. W. E. Nickelsburg, Jr.: Resurrection, Immortality, and Eternal Life in Intertestamental Judaism, HThS 26, 1972 (abgek.: Nickelsburg), 68–70.

[49] Ich datiere die Bilderreden (= Kapp. 37–71) des äthHen mit J. Jeremias, ThWNT V, 686 Anm. 245, u. a. in das letzte Drittel des 1. Jahrhunderts v. Chr.

[50] Schon Dan 7,15ff. läßt sich als eine Transformation der alten Messiasvorstellung begreifen: H. Gese, Der Messias, in: ders., Zur biblischen Theologie (s. Anm. 41), (128–151) 138ff. Im äthHen heißt der Menschensohn in 38,2; 53,6 u. ö. „der Gerechte“; in 45,3ff.; 49,2 u. ö. „der Auserwählte“; in 48,10; (61,7) „der Gesalbte“; in 48,4 wird Jes 42,6 und 49,6; in 49,3f. und 62,2ff. Jes 11,2–5 auf ihn bezogen. Vgl. zu den traditionsgeschichtlichen Problemen im einzelnen Theison,passim,und Nickelsburg, 68–78.

heruf: „Wisset . . ., daß ihr für den Tag des Verderbens zubereitet seid; hofft nicht, daß ihr Sünder am Leben bleiben werdet, sondern ihr werdet hingehen und sterben. Denn ihr kennt kein Lösegeld; denn ihr seid zubereitet für den Tag des großen Gerichts, den Tag der Trübsal und großen Beschämung für euren Geist." Die Drohung des mangelnden Lösegeldes beruht auf Ps 49,8f.: „Einen Bruder kann keiner loskaufen. Keiner kann Gott ein Lösegeld für sich darbieten. (9) Zu teuer wäre das Lösegeld für ihr Leben, so daß er für immer davon abstehen muß." Ebenso wie Jes 43,3f. wurde auch diese Psalmstelle in der jüdischen Exegese eschatologisch interpretiert[51]. Jesus war diese eschatologische Interpretation nach Mk 8,36f. (Par. Mt 16,26) nachweislich bekannt. Bei ihm freilich ändern sich die Perspektiven der genannten Traditionen.

Wenn Jesus die ihm als dem messianischen Menschensohn eigentlich zukommende Bedienung durch die Engelheere und die Proskynese der Völker ausschlägt und es statt dessen als seinen Sendungsauftrag bezeichnet, sein Leben dem (in der stellvertretenden Selbstpreisgabe gipfelnden) Dienst an den Vielen zu weihen, dann prägt er das ihm überkommene Bild vom Menschensohnweltenrichter entscheidend um. Der Menschensohn ist nach Jesus vorrangig der treue Zeuge des Versöhnungs- und Erlösungswillens Gottes! Sein Weg ist der Weg der Niedrigkeit und der Gemeinschaft mit den Sündern (Mt 11,19/Lk 7,34); zur Kreuzesnachfolge ruft er auf eben diesem Weg, der der Weg der Liebe ist (Mk 8,34f. Par.; Mt 10,38f. Par.); seiner Auferweckung und Erhöhung sieht er als Rechtfertigung auf diesem Wege entgegen (Mk 14,62); seine Herrlichkeit aber wird darin bestehen, der ewige Zeuge der versöhnenden Liebe Gottes und gerade so der Weltenrichter zu sein (Lk 12,8f.; Mk 8,38; Mt 25,31–46). Jesus ist also selbst die Verkörperung jener neuschaffenden und aufopfernden Liebe Gottes, die sich in Jes 43,3f. klassischen Ausdruck verschafft. Indem er sein Leben stellvertretend für die Vielen in den Tod gibt, bewahrt Jesus sie vor dem Tode des Gerichts und schenkt ihnen eine neue Existenz vor Gott. In seiner Existenzstellvertretung für die Vielen ist Jesus das Opfer, das Gott selbst ausersieht, aber auch selbst auf sich nimmt und darbringt, um die Sünder vor der Vernichtung zu bewahren. Eben diese Opferbereitschaft macht den inneren Kern der messianischen Sendung Jesu aus.

Die von Pesch mit Recht neu herausgestellte Tatsache, daß Jesus nach den Abendmahlstexten seine Heilssendung bis in den Tod hinein festgehalten und seinen Tod als Sühne für die Vielen verstanden hat, wird durch Mk 10,45 (Mt 20,28) bestätigt und bestärkt. Die neutestamentliche Wissenschaft braucht demnach auf die wichtige Frage, wie Jesus seine Sendung und seinen Tod verstanden habe, die Antwort nicht

---

[51] Vgl. Grimm, 243f., und Jeremias, Lösegeld (s. Anm. 10), 222.

schuldig zu bleiben. Sie kann vielmehr sagen, daß Jesus gewirkt, gelitten und stellvertretend den Tod erlitten hat als der messianische Versöhner. Der messianische Versöhner aber ist die Verkörperung jener erwählenden und die Verlorenen erlösenden Liebe Gottes, die uns Deuterojesaja besonders eindringlich und verheißungsvoll bezeugt.

Die neue Gerechtigkeit in der Jesusverkündigung

Die neutestamentliche Traditionsbildung setzt in der Jesuszeit ein und hat in Jesus Christus ihren entscheidenden Bezugspunkt. Was das biblisch so wichtige Thema „Gerechtigkeit" anbetrifft, stehen wir allerdings vor einem eigentümlichen Sachverhalt. Die christentumsgeschichtlich so ungeheuer wirksamen und bekannten Belege aus der Bergpredigt vom Hungern und Dürsten nach der Gerechtigkeit (Mt 5,6), von der besseren Gerechtigkeit, die den Jesusnachfolgern abgefordert wird (Mt 5,20), sowie vom Trachten nach Gottes Herrschaft und Gerechtigkeit (Mt 6,33), gehören nicht der ältesten Quellenschicht an; es handelt sich vielmehr erst um Aussagen, die Jesu Predigt mit Hilfe des Stichwortes „Gerechtigkeit" erläutern und für das Matthäusevangelium besonders charakteristisch sind. Dasselbe gilt für Mt 3,15. Matthäus, d.h. das kirchlich eigentlich wirksam gewordene erste Evangelium unter den drei Synoptikern, stellt Jesu Weg und Wort betont unter die Überschrift „Gerechtigkeit", während in der auf Jesus selbst zurückgehenden Primärtradition nur gelegentlich von „den Gerechten" (Mk 2,17 Par.; Lk 15,7; Mt 25,37.46) und von „gerechtfertigt werden" (Lk 18,14; Mt 11,19 Par.) die Rede ist. Programmatische Äußerungen Jesu über das lexikalische Stichwort Gerechtigkeit fehlen.

Man kann aus diesem Befund folgern, daß Gedanken und Taten der Gerechtigkeit für die Jesusverkündigung nicht besonders charakteristisch gewesen seien und daß erst die an Jesus glaubende Christengemeinde neues Interesse am alten biblischen Thema der Gerechtigkeit gefunden habe[1]. Ich möchte vor einer derartigen Folgerung warnen. *Mir scheint es viel wahrscheinlicher zu sein, daß Jesu messianische Gerechtigkeitspraxis der begrifflich-theologischen Reflexion seiner Gemeinde Maß und Richtung gewiesen hat*[2]. Was bei Jesus als neue Wirklichkeit

---

[1] A. Dihle, Artikel: Gerechtigkeit, RAC X, 306: „Soweit man das den synoptischen Evangelien als den Zeugnissen früher Gemeindetradition entnehmen kann, bezeichnet nicht eigentlich G(erechtigkeit) das Neue in Jesu Predigt".

[2] Ganz anders G. Strecker, Biblische Theologie?, in: Kirche. Festschrift für G. Bornkamm zum 75. Geburtstag, hrsg. von D. Lührmann und G. Strecker, 1980, (425–445) 430 Anm. 25. Meine These, man dürfe Jesu Wort und Tat mit guten Gründen unter das Stichwort der „neuen Gerechtigkeit" stellen, hält Strecker für „eine gewagte Konstruktion,

hervorbrach, wird von seinen nachösterlichen Zeugen in erzählende und in terminologisch unverwechselbare Verkündigungssprache gefaßt. Folgende historische und zugleich biblisch-theologische Überlegungen sprechen für diese Sicht.

1. *Jesu Begegnung mit dem Thema „Gerechtigkeit"*

Wir wissen, daß Jesus der Umkehrpredigt Johannes des Täufers gefolgt ist und daß er sich der von Johannes gespendeten Bußtaufe unterzogen hat (Mk 1,9–11 Par.). Die Johannestaufe versiegelte die Bußfertigen vor dem Zorngericht des „Kommenden", den der Täufer ankündigte, und stellte sie, wie Mt 21,32 mit einem alten biblischen, auch vom Frühjudentum gebrauchten Ausdruck sagt, auf „den Weg der Gerechtigkeit" (vgl. z.B. Spr 8,20; 16,31; äthHen 99,10). „Der Weg der Gerechtigkeit" ist der Weg der Abkehr von der Sünde und der Hinkehr zur Tat nach Gottes gerechtem Willen; jüdisch formuliert, zur Tat gemäß den gerechten Geboten Gottes (vgl. Spr 17,23; PsalSal 14,2; äthHen 94,4f.). Jesus hat sich durch den Täufer bewußt auf diesen „Weg der Gerechtigkeit" rufen lassen. Er war bereit, Gott zu dienen in „Heiligkeit und Gerechtigkeit vor Gott" alle Tage seines Lebens (Lk 1,74f.). Durch den Täufer war Jesus also mit der Frage nach der Lebensgerechtigkeit vor Gott konfrontiert, und zwar, wenn man die Umkehr- und Standespredigt des Täufers in Lk 3,7–9 Par. liest, mit letztem Ernst. Jesus konnte dieser Frage nicht ausweichen, und er wollte es auch nicht.

Jürgen Becker[3] und Friedrich Lang[4] haben wahrscheinlich gemacht, daß der vom Täufer angekündigte große nach ihm „Kommende", der Feuer- und Geisttäufer, niemand anderes gewesen ist als der „auf den Wolken des Himmels" kommende messianische Menschensohn. Von

---

wenn man bedenkt, daß kein einziger neutestamentlicher DIKAIOSYNE-Beleg mit einiger Wahrscheinlichkeit auf Jesus selbst zurückgeführt werden kann (natürlich auch nicht das Verb in Lk 18,9.14 ...)". Streckers Skepsis gegenüber allen synoptischen Gerechtigkeitsbelegen teile ich nicht. Zur Begründung verweise ich nur hier auf folgende Arbeiten: H. SCHÜRMANN, Die vorösterlichen Anfänge der Logientradition, in: DERS., Traditionsgeschichtliche Untersuchungen zu den synoptischen Evangelien, 1968, S. 39–65; G. STANTON, Form Criticism Revisited, in: What about in New Testament? Essays in Honour of C. Evans, edd. M. D. Hooker and C. Hickling, London 1975, 13–27; B. GERHARDSSON, Die Anfänge der Evangelientradition, 1977, und die Tübinger Dissertation von R. RIESNER, Jesus als Lehrer. Eine Untersuchung zum Ursprung der Evangelienüberlieferung, Diss. theol., Tübingen 1980, (Masch.).

[3] J. BECKER, Johannes der Täufer und Jesus von Nazareth, BSt 63, 1972, 34ff.

[4] F. LANG, Erwägungen zur eschatologischen Verkündigung Johannes des Täufers, in: Jesus Christus in Historie und Theologie, Ntl. Festschrift für H. Conzelmann zum 60. Geburtstag, hrsg. von G. Strecker, 1975, 459–473, bes. 470f.

ihm ist Dan 7,13f.; äthHen 45,3–6; 46,3ff.; 47,2ff.; 49,2ff.; 61,7ff.; 62,2ff. und 4. Esra 13,3ff.25ff. die Rede. Der Menschensohn hat nach dieser Gesamtüberlieferung die Aufgabe, Gottes Herrschaft über die Welt heraufzuführen. Er ist auf den Gerichtsthron Gottes gesetzt und vollzieht mit Hilfe der Engel, die ihm dienen, das Gericht an den Völkern der Welt. Er wird die Feinde Gottes vernichten, die Ungerechten der verdienten Strafe überantworten und den auf Erden leidenden und getöteten Gerechten Recht und Friede auf immer verschaffen. Er tut dies, weil er nach äthHen 48,4 jener messianische Rechtsbeauftragte Gottes ist und als jenes „Licht der Heiden" wirkt, von dem in Jes 42,6; 49,6 gesprochen wird; weil in ihm „der Geist der Weisheit und der Geist dessen, der Einsicht gibt, und der Geist der Lehre und Kraft und der Geist derer, die in Gerechtigkeit entschlafen sind, (wohnt)" (äthHen 49,3, vgl. mit Jes 11,2ff.); weil er „die Gerechtigkeit hat" und bei ihm „die Gerechtigkeit wohnt" (äthHen 46,3), die nach Jes 9,6; 11,4 und Jer 23,6 den Messias auszeichnen soll. „Menschensohn" und „Messias" sind in der Henochapokalypse denn auch einander überschneidende Prädikate (vgl. äthHen 48,10; 52,4)[5]. Das Gericht des Menschensohnes ist das messianische Gericht von Jes 11,3ff.: „Der Herr der Geister setzte ihn (= den messianischen Menschensohn) auf den Thron seiner Herrlichkeit. Der Geist der Gerechtigkeit war über ihn ausgegossen; die Rede seines Mundes tötete alle Sünder, und alle Ungerechten wurden vor seinem Angesicht vernichtet" (äthHen 62,2; vgl. auch 4. Esra 13,9ff.27ff.). Mit der Umkehrpredigt des Täufers Johannes war Jesus also auch vor die Gestalt des messianischen Menschensohn-Weltenrichters gestellt, der alsbald mit den Wolken des Himmels kommen und die Gottesherrschaft als endzeitliche gerechte Ordnung der Welt aufrichten sollte. Für Jesus, der dem Bußruf des Täufers Johannes folgte, waren „Heiligkeit und Gerechtigkeit vor Gott" (Lk 1,74f.) und die vom Menschensohn-Messias im Endgericht heraufzuführende weltweite Gerechtigkeitsordnung Gottes unausweichliche Themen. Jesus hat sich diesen Themen gestellt und *mit seinem ganzen Verhalten einem neuen Verständnis von Gerechtigkeit Gottes und Gerechtigkeit vor Gott die Bahn gebrochen.*

---

[5] Vgl. dazu und zu unserer Argumentation insgesamt den gewichtigen Aufsatz von M. HENGEL: Jesus als messianischer Lehrer der Weisheit und die Anfänge der Christologie, in: Sagesse et Religion. Colloque de Strasbourg, 1979, 147–188, bes. 177ff. Hengels Argumente werden gestützt und unterfangen von H. GESE, Die Weisheit, der Menschensohn und die Ursprünge der Christologie als konsequente Entfaltung der biblischen Theologie, SEÅ 44, 1979, 77–114.

2. *Die neue Gerechtigkeit im messianischen Wirken Jesu*

Vom Tage seiner öffentlichen Wirksamkeit an ist Jesus aufgetreten als Verkündiger der Gottesherrschaft. Nach der Darstellung aller drei synoptischen Evangelien (aber auch z.B. nach Apg 1,22; 10,37f.) ist Jesus unmittelbar nach seiner Taufe durch Johannes im Jordan zu selbständiger Verkündigung aufgebrochen. Genauer: Jesus trat auf als prophetischer Evangelist der nunmehr anbrechenden Gottesherrschaft (Mk 1,14f.). Die dem Lukasevangelium zugrundeliegende Sondertradition läßt ihn in der Synagoge seiner Heimatstadt Nazareth Jes 61,1f. verlesen und hinzufügen: „Heute ist diese Schriftstelle vor euren Ohren in Erfüllung gegangen" (Lk 4,21). Jesus brach also auf, um den in jenem Prophetenwort genannten „Armen" die Botschaft von dem ihnen geltenden Herrschaftsantritt Gottes zu bringen, um die Blinden sehend zu machen, die Gefangenen zu befreien und die Gebrochenen aufzurichten. Er tat dies in der Vollmacht des ihn beseelenden Geistes Gottes. Indem Jesus sein Verkündigungswerk im Licht von Jes 61,1f. begriff, definierte er gleichzeitig Gottes Herrschaft als Heil für die Armen und die in die Gottesferne Eingeschlossenen.

Gottes Herrschaft hatte für Jesus eine dreifache Dimension. Er lehrte seine Jünger im Vaterunser um den alsbaldigen Anbruch der Gottesherrschaft beten (Mt 6,10/Lk 11,2) und meinte damit die endgültige Durchsetzung des Willens Gottes im Himmel und auf Erden. Die endzeitliche Gottesherrschaft schloß für Jesus aber auch das Reich Gottes, in dem die Gerechten mit Abraham, Isaak und Jakob zu Tisch liegen (Mt 8,11/Lk 13,29) und über die Ungerechten triumphieren sollen (Lk 16,19–31), ein. Die von Jesus erwählten zwölf Jünger waren zur endzeitlichen Regentschaft über die zwölf Stämme Israels und zur eschatologischen Tischgemeinschaft mit Jesus bestimmt (Lk 22,29f.). Er selbst blickte auf die himmlische Mahlfeier voraus (Mk 14,25 Par.). Gottes Königsherrschaft und Gottes kommendes Reich waren für Jesus nicht voneinander zu trennen. Interessanterweise ließ Jesus es aber bei diesen zwei Aspekten nicht bewenden, sondern fügte noch einen dritten hinzu: In seinem eigenen Wirken sah er die Gottesherrschaft bereits anbrechen! Diesen Gegenwartsaspekt formulierte Jesus ganz unmißverständlich: „Wenn ich mit dem Finger Gottes die Dämonen austreibe, dann ist die Gottesherrschaft doch schon bei euch angelangt!" (Lk 11,20). Den Armen sprach er die Gottesherrschaft unmittelbar zu: „Heil euch Armen, denn die Gottesherrschaft ist euer!" (Lk 6,20/Mt 5,3). Selbst die Kinder waren ihm für Gottes Herrschaft nicht zu gering: „Lasset die Kinder zu mir kommen und haltet sie nicht ab, denn solchen gehört die Gottesherrschaft" (Mk 10,14 Par.). Oder ganz kühn: Auf die Frage von Pharisäern, wann denn die Gottesherrschaft anbrechen werde, entgegnete Jesus:

„Die Gottesherrschaft kommt nicht unter berechnender Beobachtung, und man wird auch nicht sagen: ‚Siehe, hier (ist sie)' oder ‚dort'; denn, siehe, die Gottesherrschaft ist (schon) mitten unter euch!" (Lk 17,20f.). „Mitten unter euch" kann im Grunde nur bedeuten: In Jesu Werk und Wort ist die Gottesherrschaft schon im Anbruch und insofern gegenwärtig[6].

Für keinen Juden der neutestamentlichen Zeit war die Gottesherrschaft ohne den Gedanken an Gottes Gerechtigkeit, die diese Herrschaft prägt, vorstellbar. Die Gottes Königtum ausrufenden Psalmen (Ps 97. 98. 99 u.a.) rühmen ausdrücklich Gottes den ganzen Erdkreis zurechtbringende Gerechtigkeit. Das die Gottesherrschaft heraufführende messianische Gericht des Menschensohnes soll nach äthHen 62,13ff. die Zeit der ewigen Tischgemeinschaft der Gerechten mit dem Menschensohn und ihrer Verherrlichung heraufführen. Nach der Erwartung der Qumranessener soll „der Fürst der Gemeinde", d.h. der davidische Messias, die Königsherrschaft für Israel aufrichten als Richter der Armen in Gerechtigkeit, d.h. in jener Kraft, die dem Messias in Jes 11,2ff. verheißen ist (vgl. 1 QSb 5,20ff.). Schließlich heißt es im 11. Lobspruch des schon zu Jesu Zeit in den Synagogen gebeteten sog. 18-Bitten-Gebetes: „Setze unsere Richter wie anfangs und sei König über uns, du allein. Gepriesen seist du, Herr, der das Recht liebt". Ohne heilsam Recht schaffende Gerechtigkeit gab und gibt es für einen Juden kein Gottesreich und keine Gottesherrschaft. Deshalb muß auch Jesu Verkündigung der Gottesherrschaft historisch mit dem für die Gottesherrschaft grundlegenden Gedanken der Gerechtigkeit zusammengedacht werden.

Bemüht man sich um eine derartige Verbindung, wird ein sehr eindeutiges Gefälle sichtbar. Im Alten Testament erweist sich die Gerechtigkeit des im Namen Jahwes herrschenden Königs und später dann des Messias darin, daß er sich der Rechtlosen, d.h. vor allem der Witwen, der Waisen, der Fremden und der Armen, annimmt und ihnen zum Recht verhilft (vgl. Ps 103 mit Ps 72 und Jes 11,1–5; 16,4–5; Jer 23,6 und 1 QSb 5,20ff.). Ganz analog sah sich Jesus vor allem dazu berufen, die in der Gottesferne lebenden Armen und Rechtlosen in die Gemeinschaft mit Gott zu führen. Von seiner Seligpreisung der Armen (Lk 6,20/Mt 5,3) haben wir eben schon gesprochen. Jesu Sendung galt gemäß Mk 2,17 Par.; Lk 15,11–32 nicht so sehr den gesetzestreuen Gerechten als vielmehr den Sündern. Gott freut sich nach Jesus über einen bußfertigen Sünder mehr als über neunundneunzig Gerechte (Lk 15,7). Im Gleichnis von den Arbeitern im Weinberg, Mt 20,1–16, machte Jesus deutlich, daß die freie Güte für Gott fundamentaler ist als das Prinzip der nur

---

[6] Vgl. W. G. Kümmel, Verheißung und Erfüllung, [3]1956, 26ff.

jedem das Seine zumessenden Gerechtigkeit. Im bekannten Gleichnis vom Pharisäer und Zöllner, Lk 18,9–14, sprach Jesus dem angesichts des Gesetzes ungerechten, sich vor Gott schuldig bekennenden Zöllner die Vergebung Gottes zu, während er sie dem Pharisäer, der vor Gott auf seine noch über das Gesetz hinausreichenden Werke und auf seine Vorrangstellung als Gerechter verweisen konnte, absprach. In beiden Gleichnissen deutet sich ein für die Jesusverkündigung kennzeichnender Konflikt an. Während sich Jesu Gegner aus der Pharisäerschaft für ihr Gerechtigkeitsverständnis auf Traditionen stützen konnten, wie sie in Ps 26 oder in Ez 18 und Hiob 31 zutagetreten, beruhte die Hoffnung der von Jesus angesprochenen Sünder auf Gottes Gerechtigkeit als Vergebungsbereitschaft gegenüber den Ungerechten (vgl. z.B. Ps 143). Ein primär am Wortlaut des jüdischen Gesetzes orientiertes, für die Gerechten Segen und die Ungerechten Vergeltung erwartendes Verständnis von Gerechtigkeit steht dem Verständnis von Gottes Gerechtigkeit als seiner zurechthelfenden Barmherzigkeit gegenüber. Jesu Plädoyer galt der Gerechtigkeit Gottes als Hilfe zum Leben. Damit durchbrach er das pharisäische Maß- und Ordnungsdenken und schloß auf seine Weise an die messianische Tradition des Alten Testaments und des antiken Judentums an.

3. *Rechtfertigung als Sündenvergebung*

Verweilen wir noch einen Augenblick bei Lk 18,9–14, so können wir uns an diesem Text verdeutlichen, daß Jesus in seinem messianischen Rechtswillen von einer alttestamentlich-jüdischen Tradition getragen wird, in der es ausdrücklich um Gottes Gerechtigkeit als Hilfe zum Leben geht. Diese Tradition wird greifbar in den individuellen und kollektiven Bußgebeten von Ps 51; Esra 9,6–15; Neh 9,9–37; Dan 9,4–18. Sie erscheint ferner in den Gebetsformularen am Schluß der sog. Sektenregel von Qumran (1 QS 10,9–11,22), in liturgischen Fragmenten aus Höhle 4 von Qumran (4 Q DibHam), in Bittgebeten aus 4. Esra (vgl. 8,36) und z.B. auch in dem auf Rabbi Akiba (gest. 135 n.Chr.) zurückgeführten Bußgebet „Unser Vater, unser König“. In all diesen Bußgebeten eines einzelnen oder einer Gesamtgemeinde werden jeweils die angesichts der Gnadenerweise und der Willensoffenbarung Jahwes offenbarwerdende Schuld der Bittenden, ihre Schwäche und ihr Versagen ausdrücklich genannt und wird Gottes richterliches Nein über diese Schuld in allen Stücken anerkannt; es wird m.a.W. Gott Recht und dem oder den Sündern Unrecht gegeben. Dann aber fahren die erwähnten Texte fort und appellieren an Gottes Treue und Gerechtigkeit, die mehr vermögen und ausrichten, als nur dem Unrecht zu wehren und die Sünder zu strafen. Gott wird um Hilfe für das bedrohte Leben der

Sünder angefleht, und eben diese Hilfeleistung wird als Bestätigung und Krönung der Gerechtigkeit Gottes gepriesen. Nach unseren Gebetstexten erweist sich Gott gerade darin als gerecht, daß er als der gerechte Richter, der er ist und bleibt, den Schuldigen zu neuem Leben verhilft und ihnen ihre Sünde vergibt. Ps 51,3.16.17 lauten: „(3) Erbarme dich meiner, o Gott, der du barmherzig und gnädig; / nach dem Übermaß deiner Gnade lösche aus meine Schuld ... (16) Errette mich vor der Blutschuld, Gott meines Heiles; / und meine Zunge wird deine Gerechtigkeit rühmen. (17) Herr, tu auf meine Lippen, / und mein Mund wird verkünden dein Lob.“ 4. Esra 8,36 heißt es: „Denn dadurch wird deine Gerechtigkeit und Güte, Herr, offenbar, daß du dich derer erbarmst, die keinen Schatz von guten Werken haben“. Das „Unser Vater, unser König“ schließt mit den Worten: „Unser Vater, unser König, sei uns gnädig und erhöre uns, denn wir haben keine (guten) Werke aufzuweisen, erweise an uns Gerechtigkeit und Treue und errette uns!“

Der Zöllner ruft in Lk 18,13 Gott im Stil eben dieser Bußtradition an, und Gott „rechtfertigt“ ihn, d.h. er verhilft ihm als gnädiger Richter zu neuem Existenzrecht durch Vergebung. *Jesus formuliert hier in Erzählform den Grundsatz der Rechtfertigung des Sünders*[7]. Diese Rechtfertigung kommt nach unserem Gleichnis aber nicht dadurch zustande, daß Gott einfach von seinem Nein zur Sünde absieht, sondern daß er durch dieses Nein hindurch zu neuem Leben verhilft! *Gottes Gerechtigkeit ist für Jesus mehr als ein bloß Lohn und Strafe zumessendes richterliches Verhalten; der gerechte Gott verhilft den Bußfertigen durch Sündenvergebung zu neuem Leben.*

Daß wir mit dieser Interpretation dem messianischen Rechtsdenken Jesu wirklich auf der Spur sind, zeigt nichts deutlicher als seine Tischgemeinschaften mit Zöllnern und Sündern (Mk 2,13–17 Par.; Lk 19,1–10). Sie haben Jesus den (wahrscheinlich an Dt 21,18 orientierten) üblen Leumund eingebracht, er sei ein „Freund der Zöllner und Sünder“ (Mt 11,19); oder auch: „Dieser da nimmt die Frevler (freundlich) an und ißt mit ihnen zusammen!“ (Lk 15,2). Tisch- und Mahlgemeinschaft haben im Palästina der Jesuszeit den Sinn, Gemeinschaft, Friede und Versöhnung konkret erfahrbar zu machen. Bei Jesus werden die Tischgemeinschaften mit den Gesetzlosen vollends zur Gleichnishandlung für die Gottesherrschaft[8]. Wir haben schon gesehen, daß auch Jesus auf die endzeitliche Mahlgemeinschaft mit Abraham, Isaak und Jakob vorausschaute. In äthHen 62,14 gilt die Mahlgemeinschaft mit dem Menschen-

---

[7] Dies hat J. Jeremias, Die Gleichnisse Jesu, [7]1965, 140f. mit Recht herausgestellt. Meine Kritik an Jeremias (Gerechtigkeit Gottes bei Paulus, [2]1966, 245f.) bedarf einer Revision.

[8] O. Hofius, Jesu Tischgemeinschaft mit den Sündern, CwH 86, 1967, bes. 19ff.

sohn als Inbegriff des die Gerechten erwartenden Heils: „Der Herr der Geister wird über ihnen wohnen, und sie werden mit jenem Menschensohn essen, sich niederlegen und erheben bis in alle Ewigkeit". Da Jesus wiederholt von sich als dem Menschensohn gesprochen hat, ist es keine Überinterpretation, wenn wir seine Tischgemeinschaften als gezielte Vorausdarstellung eben jener himmlischen Mahlgemeinschaft des Menschensohnes mit den Seinen ansehen, von der in äthHen 62 die Rede ist. Nur ist der neue Akzent, den Jesus setzt, ganz unverkennbar: Als Mahlgenossen Jesu gelten gerade nicht mehr die nach dem Maß ihrer Taten im Gericht als Gerechte Erfundenen, sondern vielmehr diejenigen, die angesichts des Gerichtes als unfromm und frevelhaft erscheinen. Indem Jesus diesem Menschenkreis, den Sündern in der Gottesferne, Vergebung zusprach, indem er sie ausdrücklich zum Mahl bitten ließ (Lk 14,21) und ihnen seine Gemeinschaft gewährte, lebte er das Gleichnis von Pharisäer und Zöllner persönlich vor und machte sich selbst zum Anwalt der über die bloße Ahndung des Unrechts hinausgreifenden, lebenschaffenden Gerechtigkeit Gottes.

4. Die Verpflichtung zum neuen Leben

Dieses Verhalten Jesu gab dem Leben der von ihm neu in die Gemeinschaft mit Gott Gestellten eine neue Dimension. Sie gewannen geschenkweise Teil an einer ihr Leben unverdientermaßen tragenden Gerechtigkeit, auf die sie sich neu verlassen durften, die sie aber auch ganz beanspruchte; eine billige Gnade hat Jesus nie verkündigt. Unverkennbares Zeichen dessen ist zunächst wieder ein Gleichnis Jesu, nämlich das Gleichnis vom sog. Schalksknecht in Mt 18,23–35. Dieses Gleichnis wird bei Matthäus eingeleitet durch ein Logion, das zur uneingeschränkten Vergebung aufruft. Der hemmungslosen Rache im sog. Lamechlied, Gen 4,23f., wird die unbegrenzte Vergebung nach der Weisung Jesu gegenübergestellt (Mt 18,21f.). Im Gleichnis selbst gibt Jesus zu verstehen, daß Gottes alles irdische Maß übersteigende Vergebung für den einzelnen, dem diese Vergebung zugesprochen wird, die letzte Lebenschance vor dem endzeitlichen Gericht ist. Wer sich auf die ihm in der Vergebung erwiesene heilschaffende Gerechtigkeit Gottes nicht einläßt, d.h. wer nicht bereit ist, Vergebung zu üben und dadurch anderen eine neue Lebenschance zu eröffnen, verfällt dem Strafgericht, vor dessen Folgen Jesus die Sünder bewahren wollte. Man kann sich nach Jesus Gottes Gnade durchaus auch verscherzen.

Den im Gesetz vom Sinai geoffenbarten heiligen Willen Gottes hat Jesus denn auch keineswegs einfach aufgehoben. Jesus hat sich vielmehr die Freiheit genommen, in diesem Gesetz des Mose und hinter ihm (vgl. Mt 19,8) den ursprünglichen Willen Gottes sichtbar zu machen und seine Nachfolger nicht mehr einfach auf das Gesetz, sondern auf diesen wahren Gotteswillen zu verpflichten. Mit seinem „Ich aber sage euch" stellte sich Jesus in den sog. Antithesen der Bergpredigt (d.h. in Mt 5,21–48) über die Autorität des Mose. Er faßte Gottes definitiven Willen in das Gebot der Liebe zusammen, und zwar der Liebe, die auch noch den Feinden gilt, die die Jesusjünger verfolgen (Mt 5,43–48 Par.). In solcher Liebe entsprechen die Jesusjünger dem Gott, der Sonne und Regen über die Gerechten und über die Ungerechten kommen läßt, d.h. zu der gnädigen „Verpflichtung" steht, die er Noah gegenüber in Gen 9,12ff. eingegangen ist. Das rechte Tun der Jesusjünger soll sich nach Jesu Verkündigung ganz an dem gerechten Verhalten Gottes orientieren, das in sich mehr ist und gewährt, als daß es den Zusammenhang von Tat und Vergeltung garantiert. *Gottes Gerechtigkeit ist nach Jesus an der Liebe bemessen, und deshalb ist die Liebe für Jesus die Summe des Gesetzes.*

Welch lebensentscheidendes Gewicht Jesus der Praxis dieser neuen Gerechtigkeit beigemessen hat, gibt sein Gleichnis vom großen Weltgericht aus Mt 25,31–46 zu erkennen. Das Gleichnis spricht vom kommenden Gericht des Menschensohn-Weltenrichters und trägt alle Züge authentischer Jesusüberlieferung[9]. Heil oder Unheil entscheiden sich für die einst vor den Weltenrichter gestellten Menschen daran, ob sie sich ihrer notleidenden Mitmenschen wirklich angenommen haben oder nicht. Gerade mit diesen Notleidenden, den Hungernden und von Durst Gepeinigten, den Armen und Kranken, den Gefangenen und den Fremden, identifiziert sich nach unserem Gleichnis (Jesus als) der Menschensohn so sehr, daß alle ihnen erwiesenen Liebestaten als ihm erwiesen oder verweigert gelten. Der Menschensohn gehört mit den Armen und Schwachen aufs engste zusammen. Was die im Gleichnis aufgeführten Hilfeleistungen anbetrifft, wußte jeder Jude der neutestamentlichen Zeit, daß es sich bei der Speisung von Hungernden, der Versorgung von Kranken, der Bekleidung von Armen usw. um „Werke der Barmherzigkeit", d.h. um Werke handelte, die der Güte und Gerechtigkeit Gottes entsprechen. In Jes 58,6ff. werden die Werke des von Gott wirklich anerkannten „Fastens", d.h. der wahren Buße, aufgezählt; es sind: „Ungerechte Fesseln öffnen und des Joches Stricke lösen; die Bedrückten frei entlassen und jegliches Joch zerbrechen; (7) dein Brot dem Hungrigen brechen und obdachlose Arme aufnehmen in dein Haus; den Nackten, den du siehst, bekleiden und dich deinen Mitmenschen nicht entziehen". In V 8 folgt dann eine Segenszusage: Wenn das Volk die

[9] Vgl. J. Friedrich, Gott im Bruder? Eine methodenkritische Untersuchung von Redaktion, Überlieferung und Traditionen in Mt 25,31–46, CThM 7, 1977; bei Friedrich 164ff. auch das einschlägige Material zu den im Folgenden behandelten sog. „Liebeswerken".

Taten dieses von Jahwe wirklich geliebten „Fastens" vollbringt, „dann bricht wie Morgenröte dein Licht hervor, und schnell wird deine Heilung sprossen. Deine Gerechtigkeit geht alsdann vor dir her, und die Herrlichkeit Jahwes wird deine Nachhut bilden" (Jes 58,8). In TestJos 1,4–6 werden eben solche Taten Gott selbst nachgerühmt. „Joseph" bekennt hier von sich und seinem Schicksal: „Meine Brüder, sie haßten mich, aber der Herr liebte mich. Sie wollten mich töten, aber der Gott meiner Väter bewahrte mich. In eine Grube ließen sie mich hinab, aber der Höchste führte mich heraus. (5) Ich wurde als Sklave verkauft, aber der Herr über alles hat mich befreit. In Gefangenschaft wurde ich gebracht, aber der Herr selbst ernährte mich. (6) Allein war ich, aber Gott tröstete mich. In Krankheit lag ich, aber der Herr besuchte mich. Im Gefängnis war ich, aber der Erretter begnadete mich". Das Gleichnis aus Mt 25 ist offenkundig in der Tradition der Werke formuliert, die nach jüdischer Auffassung den Gerechten auszeichnen und Gottes eigener Gerechtigkeit entsprechen. Es erhob gleichzeitig damit die von Jesus gelebte und seinen Nachfolgern zugemutete „neue" Gerechtigkeit zum Maßstab des Endgerichts. Die von Jesus verwirklichte neue Gerechtigkeit hatte nach seiner Auffassung endzeitliche Qualität und Bedeutung.

5. *Die Anfrage Johannes des Täufers*

Johannes der Täufer hatte den bußfertigen Juden am Jordan echte Taten der Gerechtigkeit abverlangt und das baldige Kommen des Feuertäufers, d.h. des Menschensohn-Weltenrichters, angekündigt. Jesus hat wiederholt die Vollmacht des messianischen Menschensohnes schon für sein irdisches Tun in Anspruch genommen (vgl. z.B. Mk 2,10.28 Par.; Mt 11,19 Par.; Lk 12,8 Par.). Er hat das Volk zur Buße gerufen wie der Täufer auch (vgl. Mk 1,15 Par.; Lk 13,1–9). Aber sein Eintreten für die Armen und Gesetzlosen und seine Tischgemeinschaften mit Zöllnern und Sündern waren ganz und gar keine Vorzeichen eines unerbittlichen Endgerichts. Es ist unter diesen Umständen historisch wohl erklärlich, daß der Täufer eines Tages Jesus fragen ließ, ob er denn wirklich der „Kommende" sei (Mt 11,2f. Par.). Die Antwort Jesu ist für seinen verhüllten Stil der Selbstoffenbarung charakteristisch und in unserem Zusammenhang ausgesprochen interessant: „Jesus antwortete und sprach zu ihnen: Geht hin und meldet Johannes, was ihr hört und seht: Blinde sehen und Lahme gehen umher, Aussätzige werden rein und Taube hören, selbst Tote stehen auf und Arme empfangen die Botschaft (von Gottes Herrschaft); und wohl dem, der nicht an mir Ärgernis nimmt!" (Mt 11,4–6 Par.)[10].

---

[10] W. G. Kümmel, Jesu Antwort an Johannes den Täufer. Ein Beispiel zum Methoden-

Daß diese Antwort Jesu wieder von Jes 61,1f. her bestimmt ist, ist von vornherein deutlich. Jesus wollte der prophetische Evangelist der Armen sein und sah sich in der Kraft des hl. Geistes bevollmächtigt, Kranke zu heilen und die vor dem Gesetz Schuldigen, von den gesetzesstrengen jüdischen Kreisen Geächteten, neu in die Gemeinschaft mit Gott aufzunehmen. Was Jesus dem Täufer ausrichten läßt, ist weit mehr als eine allgemeine Deutung seines eigenen Tuns auf dem Hintergrund von Jes 61,1f. (und anderer Schriftstellen, vor allem Jes 35,5f.). Es fehlen im Text ja auffälligerweise Hinweise auf Jesu Exorzismen, während die Aussätzigenheilungen ohne Rückbezug auf die Jesajatradition aufgeführt werden. Jesus weist sich in Mt 11,2–6 Par. als Anwalt einer messianischen Gerechtigkeit aus, die der Auffassung von Gerechtigkeit und Heiligkeit in den frömmsten Kreisen seines Volkes zutiefst widersprach.

In den Essener-Texten aus Chirbet Qumran wird für die Versammlung des endzeitlichen Israel die Bestimmung getroffen, daß keiner, der mit Unreinheit geschlagen ist, eine Stellung in der Gemeinde einnehmen darf: „Und keiner, der mit irgendeiner Unreinheit des Menschen geschlagen ist, darf in die Versammlung Gottes eintreten. Und jeder, der an seinem Fleische geschlagen, ein an Füßen oder Händen Gelähmter oder Hinkender, Blinder, Tauber, Stummer oder einer mit einem sichtbaren Makel an seinem Fleische Geschlagener oder ein alter hinfälliger Mann darf sich nicht (in einer Stellung) in der Gemeinde halten, es dürfen diese (vielmehr) nicht ko[mmen], um sich mitten [in] die Gemeinde der Männer des Namens zu stellen, denn die heiligen Engel sind [in] ihrer [Gemei]nde (1 QSa II 4–9). Nach der Tempelrolle von Qumran darf in der heiligen Stadt, in der Gott Wohnung nimmt, kein Blinder oder Unreiner, kein Aussätziger oder gar ein Toter sein. Die Toten sollen außerhalb der Stadt begraben werden. Für die mit Aussatz Geschlagenen und andere Unreine soll man Ghettos einrichten, um die Stadt vor Verunreinigung zu schützen (45,11–18; 48,10–17). Die Gemeinde der Essener hat diese sich von Num 5,2ff. herleitenden rigorosen Reinheitsvorschriften als praktisch bindend angesehen. Nach der Sektenregel (1 QS 9,6) wollte die Gemeinde am Toten Meer kraft ihres vollkommenen Wandels „ein Allerheiligstes bilden – und ein Haus der Einung für Israel“; in vollendetem Tatgehorsam wollte sie Sühne leisten für das dem Frevel hingegebene sonstige Israel. Die Bestimmungen der Tempelrolle und der Ordnung für das Israel der Endzeit (1 QSa) hatten für die Qumran-Essener die Funktion maßgeblicher Urbilder, an

---

problem in der Jesusforschung, in: ders., Heilsgeschehen und Geschichte II, MThSt 16, 1978, 177–200, hat mich davon überzeugt, daß die seinerzeit in meinem Buch: Das paulinische Evangelium I, FRLANT 95, 1968, 218ff. gegen die Authentizität dieses Textes vorgebrachten Argumente nicht zwingend sind.

denen sich ihr gegenwärtiger Wandel orientierte[11]. Die Jesus gegenüberstehende Pharisäerschaft hatte es zu ihrem religiösen Lebensideal erhoben, im Alltag der jüdischen Welt eine Reinheit zu bewahren, die den an die Leviten gestellten kultischen Anforderungen entsprach. Die Essener überboten dieses pharisäische Ideal noch dadurch, daß sie sich sogar jene Reinheit abverlangten, in der Gottes Gegenwart von Menschen erfahren und des Menschen Gegenwart von Gott geduldet werden konnte, ohne daß der unreine Mensch von Gottes Heiligkeit verzehrt wird; es ging ihnen um die Reinheit des Hohenpriesters im Allerheiligsten (vgl. Lev 16,3 ff. 11 ff.). Blinde und Lahme, Aussätzige und Taube, Tote und Gesetzlose hatten nach essenischem Heiligkeitsverständnis in Gottes Nähe nichts zu schaffen. Noch in der Mischna heißt es (Chagiga 1,1), daß Taubstumme, Blöde, Kinder, Geschlechtslose, Zwitter, Frauen, Sklaven, die nicht freigelassen sind, Lahme, Blinde, Kranke, Greise usw. nicht zum Erscheinen im Tempel verpflichtet sind. Mt 11,5 f. stehen in deutlicher Opposition zur Heiligkeits- und Gerechtigkeitsauffassung von Essenern und Pharisäerschaft.

Jesus hat sich immer wieder mit aller Deutlichkeit gegen diese Auffassung gewandt. Dafür ist nicht nur das uns schon bekannte Gleichnis vom Pharisäer und Zöllner aus Lk 18,9–14 kennzeichnend. Jesu Bußruf in Gestalt von Lk 13,1 ff. läßt in einer für pharisäische Rechtsbegriffe höchst ärgerlichen Weise die geläufige Anschauung hinter sich, Schicksalsschläge seien als Strafe für besondere Einzelsünden anzusehen[12]. Das bekannte Wort Jesu aus Mk 7,15: „Es gibt nichts, das von außen her in den Menschen eingeht, das ihn verunreinigen könnte, sondern das, was vom Menschen ausgeht, das ist es, was den Menschen verunreinigt", klingt sogar wie eine regelrechte Kampfansage an den Pharisäismus der Jesuszeit. Wo aber die Pharisäer Ärgernis an Jesus nahmen, mußten die Essener erst recht aufgebracht sein. Jesu Antwort an Johannes den Täufer zählt jedenfalls genau jenen Menschenkreis als primären Adressaten der Heilsbotschaft Gottes und der messianischen Zuwendung Jesu auf, der nach essenisch-pharisäischem Heiligkeits- und Gerechtigkeitsempfinden in Ghettos abgedrängt gehörte, um die Reinheit Israels vor Gott und seinen heiligen Engeln zu gewährleisten.

Die Reihe der in Mt 11,2–5 Par. aufgezählten Taten ist für Jesu Wirken besonders charakteristisch. Jesus hat ja tatsächlich Blinde

---

[11] Vgl. zu diesen Zusammenhängen den Aufsatz von H. LICHTENBERGER, Atonement and Sacrifice in the Qumran Community, in: Approaches to Ancient Judaism, Vol. II, ed. W. S. Green, Ann Arbor 1980, 159–171. Durch Lichtenberger bin ich auf das mit Mt 11,5 f. vergleichbare Material aus den Sektentexten aufmerksam geworden.

[12] J. JEREMIAS, Neutestamentliche Theologie I, ²1973, 179: „Lk 13,1–5 wendet ... sich ausdrücklich gegen das Dogma, daß Unglück Strafe für die Einzelsünden bestimmter Leute sei. Das Leid ist vielmehr Ruf zur Umkehr, und zwar an alle." Vgl. ebenso Joh 9,1 ff.

sehend gemacht (vgl. nur Mk 8,22–26; 10,46–52). Er hat Lahme geheilt (Mk 2,1–12 Par.) und Menschen, die mit Hautkrankheiten geschlagen waren, sog. Aussätzigen, ihre Reinheit wiedergegeben (Mk 1,40–45 Par.; Lk 17,11–19). Er hat die nach alttestamentlich-jüdischer Auffassung in die Todessphäre abgedrängten Kranken geheilt (Mk 1,32–34 Par.; 3,10ff. Par.; 5,1–10 Par.) und die in die Gottesferne Geratenen an Gottes Statt wieder in die Gottesgemeinschaft aufgenommen (Lk 15,11–32, bes. V 32). Außerdem sind uns ernsthaft zu bedenkende Erzählungen von Jesu Macht über den Tod überliefert (z.B. Mk 5,21–43 Par.; Lk 7,11–17)[13]. Die bereits mehrfach erwähnte Seligpreisung der „Armen“ (Mt 5,3/Lk 6,20) dokumentiert mitsamt dem Verhalten Jesu, daß seine Verkündigung der Gottesherrschaft bevorzugt dem Menschenkreis gegolten hat, der damals vor Gott und den Menschen als besitzlos und ehrlos galt. Hinter Mt 11,5f. verbirgt sich eine echte Summe des messianischen Heilswirkens Jesu. Das macht auch die Funktion der beiden Verse im Zusammenhang der Anfrage des Täufers verständlich. Der „Kommende“, den Jesus verkörpert, der messianische Menschensohn nach Jesu Verständnis, ist der Evangelist und Rechtshelfer der Ausgestoßenen! Eben dies gibt unser Spruch den Täuferjüngern zu erkennen und zu bedenken. Der Gegensatz, in den Jesus durch dieses Sendungsverständnis sowohl zur Erwartung des Feuertäufers bei seinem „Lehrer“ Johannes als auch zum Heiligkeitsdenken der Pharisäer und Essener geriet, ließ ihn wohlweislich hinzufügen: „Und wohl dem, der nicht an mir Ärgernis nimmt!“.

6. *Jesu Bereitschaft zur Sühne*

Jesu zeichenhafte Verkündigung der den „Armen“ neues Leben eröffnenden messianischen Gerechtigkeit hat ihn in tiefen Widerspruch zur Gerechtigkeitsauffassung der Frömmsten in seinem Volk versetzt; einen Widerspruch, der ihn schließlich das Leben gekostet hat. Die synoptische Tradition, die auch in diesem Zusammenhang keinen pauschalen kritischen Zweifel sondern historisch aufmerksame Zuwendung[14] verdient, zeigt, daß Jesus diesen Widerspruch bewußt erfahren und ausgetragen hat.

Wir haben an den beiden Gleichnissen vom Schalksknecht (Mt 18,23–35) und vom großen Weltgericht (Mt 25,31–46) bereits gesehen, daß Jesus seine Zuwendung zu den Sündern und den diese Zuwendung

---

[13] Vgl. dazu KÜMMEL, a.a.O. (Anm. 10), 199f.

[14] KÜMMEL spricht a.a.O. (Anm. 10), 188, sehr einleuchtend davon, daß es „geschichtswissenschaftlich gerechtfertigt erscheint, der synoptischen Jesusüberlieferung mit *kritischer Sympathie* zu begegnen“ (kursiv bei K.).

bestimmenden Gerechtigkeitswillen in eschatologischem Lichte sah. Das sog. Gleichnis von den bösen Winzern, Mk 12,1–9 (10–12) Par., zeigt zusätzlich, daß Jesus die Abweisung seiner Person mit dem Verfall an das Gericht Gottes gleichgesetzt hat[15]. Die endzeitliche Dimension des Gerechtigkeitshandelns Jesu und sein eschatologischer Sendungsanspruch sind nicht gut bestreitbar. Ebenso schwer bestreitbar ist aber auch die Tatsache, daß Jesus von den seinerzeit bestimmenden jüdischen Kreisen, den Pharisäern, den Essenern, den Sadduzäern und der Hochpriesterschaft, scharf abgelehnt und schließlich tödlich angefeindet worden ist. Auch die Parteigänger seines Landesherrn, Herodes Antipas, die in Mk 3,6 so genannten „Herodianer", waren Jesus feindlich gesinnt. Angesichts dieser vielseitigen Anfeindung, deren bedrohlicher Ernst Jesus seit dem Tode Johannes des Täufers deutlich sein mußte, hat er seinen messianischen Weg keineswegs verlassen. Ihm stand aber fortan die Möglichkeit vor Augen, daß er in Jerusalem den Tod erleiden müßte wie viele Propheten Israels vor ihm (Lk 13,33; vgl. mit Neh 9,26; 2 Chr 36,16). Jesus hat denn auch von der ihm bevorstehenden Todestaufe (Lk 12,50; Mk 10,38f.) und in geheimnisvoller Andeutung sogar von der „Auslieferung" des Menschensohnes gesprochen: „Der Menschensohn wird in die Hände von Menschen ausgeliefert" (Mk 9,31 Par.)[16]. Die passivische Formulierung will hier offenkundig, frommem jüdischen Sprachstil folgend, die direkte Nennung des Gottesnamens vermeiden. Gemeint ist also, daß Gott den Menschensohn in die Hände der Menschen ausliefern wird. Das Todesgeschick des Menschensohnes, d.h. Jesu eigenes Geschick, ist von Gott bestimmt. Nach Jesu Verkündigung war aber Gottes Wille auf das Leben und nicht die Vernichtung der Sünder gerichtet. Unter diesen Umständen muß man Mk 9,31 Par. mit Jesu Verständnis des Gotteswillens zusammendenken und sagen: Jesus sah die Stunde kommen, da er nach Gottes Willen mit seinem Leben auch für die noch einzustehen haben würde, die ihn beseitigen wollten. Anders ausgedrückt: *Jesus sah sich gesandt, seine Sendung bis zum*

---

[15] Mit R. Pesch, Das Markusevangelium II, HThK II, 2, 1977, 213–224 bin ich der Meinung, daß V lb–9 Jesus nicht abgesprochen werden dürfen; erst mit V 10 setzt die Deutung der Gemeinde ein, die Ps 118,22f. auf Jesu Auferweckung von den Toten bezog. Ich möchte Pesch auch zustimmen, wenn er in seinem Buch: Das Abendmahl und Jesu Todesverständnis, QD 80, 1978, 105–107, das Gleichnis von den bösen Winzern mit Jesu Todesverständnis in Beziehung setzt: „...den Konflikt zwischen der unbedingten Heilszusage, die Jesus als letzter Bote Gottes Israel überbringt, und der Verweigerung Israels, die scheinbar Gottes Boten, in Wahrheit aber Israel selbst scheitern ließe, löst Jesus, indem er *seine Sendung als Heilssendung bis in den Tod* durchhält und seinen Tod als ... Sühnetod für Israel versteht" (107; kursiv bei Pesch).

[16] Zur Analyse des die synoptischen Leidensweissagungen tragenden Menschensohnwortes Mk 9,31 vgl. J. Jeremias, a.a.O. (Anm. 8), 267–270.

letzten durchzuhalten und einen Tod zu sterben, der auch seine Feinde nicht ausschloß von Gottes lebenschaffender Gerechtigkeit.

In Mk 10,45 Par. ist uns ein in der Forschung vielumstrittenes Jesuswort überliefert, das m.E. nicht erst als Glaubenssatz der nachösterlichen Gemeinde angesprochen werden darf[17]. Das Logion lautet: „Der

---

[17] Ich habe dies in meinem Aufsatz: Existenzstellvertretung für die Vielen: Mk 10,45 (Mt 20,28), in: Werden und Wirken des Alten Testaments, Festschrift für C. Westermann zum 70. Geburtstag, hrsg. von R. Albertz, H.-P. Müller, H. W. Wolff und W. Zimmerli, 1980, 412–427, in Auseinandersetzung mit zahlreichen anderen Positionen zu begründen versucht. So deutlich das Wort die Sühnechristologie der nachösterlichen Gemeinde (und die Erniedrigungsaussagen von Phil 2,6–11) vorbereitet, so wenig kann es einfach als ein historischer Reflex dieser Christologie erklärt werden. Die Sprache des Logions ist gerade in ihren wesentlichen Komponenten vorösterlich. Dieser Ansicht ist auch M. Hengel, der das Logion als jesuanische Deutung der Abendmahlshandlung verstehen will: Der stellvertretende Sühnetod Jesu, IKaZ 9, 1980, (1–25. 135–147), 21.146, und ders., The Atonement, London 1981, 73. Ganz ähnlich wie Hengel urteilt über das Logion T. Holtz in seinem schönen Buch: Jesus aus Nazareth, 1979, 104, zurückhaltender als Hengel, Holtz und ich ist H. Schürmann, Jesu ureigenes Todesverständnis, in: Begegnung mit dem Wort. Festschrift für H. Zimmermann, hrsg. von J. Zmijewski und E. Nellessen, 1979, (273–309) 285f. W. G. Kümmel, Jesusforschung seit 1965: VI Der Prozeß und der Kreuzestod Jesu, ThR 45, 1980, (293–337) 333–337 referiert Schürmanns, Hengels und meine Sicht der Tradition genau, gesteht auch die „genau begründete Beweisführung" zu, hält aber Mk 10,45 dennoch für einen „Fremdkörper in der Verkündigung Jesu" und bezweifelt dementsprechend, „daß Mk 10,45 die authentische Deutung seines Todes durch Jesus wiedergibt". Ich frage mich, ob bei dieser Wertung des Logions noch jene „kritische Sympathie" ausschlaggebend ist, zu der Kümmel selbst den Exegeten der synoptischen Tradition aufgerufen hat (s.o. Anm. 14). Wenn Mk 10,45 nicht einfach aus der jüdischen Menschensohnüberlieferung hergeleitet werden kann, noch eine Rückprojektion urchristlicher Abendmahlsanschauungen darstellt und dazu noch semitisierend formuliert ist, muß man m.E. der synoptischen Tradition rechtgeben, die das Logion als *Jesus*wort überliefert. Auch die Verhaltenheit der Todesprophetie in der Jesusverkündigung erklärt sich am besten historisch: Im Zentrum der Jesusbotschaft steht die Proklamation der Gottesherrschaft. Die sich in den Leidensweissagungen, dem Lösegeldwort und den Abendmahlsworten bekundende Bereitschaft, „den Vielen" durch den Tod der Stellvertretung den Zugang zur Gottesherrschaft zu eröffnen, tritt in Jesu Botschaft erst nach und nach hervor und ist Gegenstand vor allem der internen Jüngerbelehrung gewesen (vgl. Hengel, Atonement, 34f. 49f. 71ff.). Das Logion ist darum weder ein „Fremdkörper" noch (frühe) Gemeindebildung. Wenn ich recht sehe, will Kümmel mit seiner anderslautenden Argumentation den Gedanken abwehren, daß Jesus im Blick auf Jes. 43,3f. und 53,10ff. seinen eigenen Tod als Lösegeld und Schuldopfer für die Vielen verstanden haben könnte (vgl. so schon in: Verheißung und Erfüllung, ³1956, 66f., und dann wieder in: Die Theologie des Neuen Testaments, ³1976, 79, 83f.). Nicht nur Mk 10,45 erscheint Kümmel als Gemeindebildung, sondern auch die vom Wortlaut her schwierigere Fassung des Kelchwortes in Mk 14,24 ist s.M.n. gegenüber 1 Kor 11,25 sekundär. Das markinische Kelchwort kann deshalb (nach Kümmel) nicht als Parallele zu Mk 10,45 herangezogen werden. Historisch ist auch diese Argumentation schwer nachvollziehbar: Welcher urchristliche Autor sollte wohl eine auf Jesus zurückgehende und leicht verständliche Version des (bei Paulus überlieferten) Kelchwortes nachträglich in die komplizierte Markusfassung abgeändert haben? Eine Entwicklung der Markusversion über Lk 22,20 hin zu 1 Kor 11,25 ist m.E. viel leichter vorstellbar als die von Kümmel

Menschensohn ist nicht gekommen, um sich (von Engeln und Menschen) bedienen zu lassen, sondern um (selbst) zu dienen und sein Leben als Lösegeld an Stelle von vielen dahinzugeben". Wenn wir dieses Jesuswort mit der uns bekannten alttestamentlich-jüdischen Tradition vom messianischen Menschensohn-Weltenrichter vergleichen, wird ein deutlicher Kontrast erkennbar. Der Menschensohn-Weltenrichter wird nach Dan 7,13 und der Weiterinterpretation dieser Anfangstradition in der Henochapokalypse (s. o. S. 44 f.) auf den Thron Gottes gesetzt; er hält in messianischer Vollmacht Gericht; die Völker beten ihn an, und die Engel Gottes sind ihm zu Diensten. Jesus hat für die Zeit seines irdischen Weges dieses hoheitsvolle Verständnis der Sendung des Menschensohnes abgewiesen. Statt die Anbetung durch die Völker und den Dienst der Engel zu erwarten, wählte er selbst den Weg des Dienstes, der Niedrigkeit und des Leidens. Jesus wollte Gottes messianischer Sohn gerade in der leidenden Stellvertretung für „die Vielen" sein. Daß der Menschensohn sich freiwillig seiner ihm vor Gott verliehenen Hoheit entäußert und seinen Auftrag darin sieht, „den Vielen" durch stellvertretenden Einsatz seines Lebens zu dienen, ist eine im jüdischen Traditionsraum der damaligen Zeit ganz neuartige Aussage.

Sie besagt in sich mindestens folgendes: Die Wendung „sein Leben zum Lösegeld an Stelle von jemandem geben" dürfte auf Jes 43,3 f. zurückzuführen sein. Dort ist die Rede von Israels Errettung, die von Gott durch den Einsatz von Menschenleben erkauft wird: „Ich gebe Ägypten für dich als Lösegeld hin, Kusch und Saba an deiner Statt. (4) Weil du mir so teuer bist in meinen Augen, so wertgeschätzt, und ich dich liebe, gebe ich Menschen für dich hin und Völker für dein Leben". Um Israels Leben zu retten, müssen Ägypter, Kuschiten und Sabäer in ihrer götzendienerischen Existenz zuschanden werden (vgl. Jes 45,14 ff.). Im aramäischen Targum wird Jes 43,3 f. vom Auszug aus Ägypten her verstanden: Wie Gott beim Durchzug durch das Rote Meer die Ägypter vernichtet hat, um die Israeliten zu erretten, so werden ganze Völkerschaften für Israel preisgegeben, wenn das Volk aus dem Exil versammelt wird. In einem an Prov 21,18 orientierten, mit dieser

---

postulierte umgekehrte Interpretationsbewegung. Insgesamt kann ich mich des Eindrucks nicht erwehren, als solle durch Kümmels (für eine ganze Generation charakteristischen) Versuch, Opfervorstellungen von Jesus fernzuhalten, der Weg zur mittelalterlichen Satisfaktionstheorie schon im Ansatz versperrt werden, weil diese Theorie von der Gott durch das Opfer des Sohnes zuteilwerdenden Genugtuung spricht. Diese Denkweise ist ganz unbiblisch, und KÜMMEL nimmt gegen sie mit Recht pointiert Stellung in seinem bekannten Aufsatz: PARESIS und ENDEIXIS, in: DERS., Heilsgeschehen und Geschichte, Ges. Aufsätze 1933–1964, hrsg. von E. Grässer, O. Merk und A. Fritz, 1965, (260–270) 270. Die Auseinandersetzung mit dieser Theorie sollte aber nicht auf Kosten der Jesustradition, sondern mit Hilfe besserer biblisch-exegetischer Argumentation geführt werden!

Tradition sachlich verwandten liturgischen Fragment aus Qumran heißt es: „...und du wirst die Frevler als unser Lösegeld dahingeben" (1 Qf 34,3; I5); das angesprochene „Du" meint hier sicher Gott, und „uns" meint ebenso deutlich die essenische Heilsgemeinde. Versteht man Mk 10,45 von diesem Hintergrund her, dann ist es die Absicht Jesu gewesen, sein Leben an Stelle der Vielen dahinzugeben. „Die Vielen" sollen vor Gott leben dürfen, weil der Menschensohn sein Leben für sie preisgibt.

Nach Jes 53,10–12 ist es der Auftrag des leidenden Gottesknechtes, sein Leben zum Schuldopfer für „die Vielen" preiszugeben. Das Schuldopfer des gerechten Gottesknechtes soll „viele rechtfertigen", d.h. sie vor Gott von ihrer Schuld entlasten, so daß sie vor Gott bestehen und ihm neu begegnen können. Nicht nur Jes 43,3.4, sondern auch Jes 53,10–12 bilden den Hintergrund der Aussage Jesu, die uns beschäftigt[18]. Er gibt sein Leben zum Schuldopfer für die Vielen, die ihr Leben vor Gott verwirkt und kein eigenes Lösegeld zur Verfügung haben (vgl. Mk 8,37 Par.). „Die Vielen" sind nach dem Kontext von Jes 53,10–12 die Königreiche und die Völkerschaften der Welt. Für sie, die eigentlich dem Menschensohn dienen und von ihm das Gerichtsurteil empfangen sollten, gibt sich der Menschensohn selbst in den Tod.

Hinter unserem Jesuswort steht ganz deutlich die sühnetheologische Konzeption vom Lösegeld und vom Schuldopfer, d.h. der Gedanke, daß schuldverfallenes Leben vor Gott durch die stellvertretende Preisgabe anderen Lebens vom Tode der Vernichtung errettet werden kann. Die hier von Jesus aufgenommene Konzeption von Sühne hat eminent viel mit Gottes Gerechtigkeit und seinem Gericht zu tun. Jesus gibt sich selbst dem Todesgericht Gottes preis, um „die Vielen" vor dem Vernichtungsurteil Gottes im Gericht zu bewahren. Das Gericht Gottes über die Sünder wird von Jesus ausdrücklich als legitim anerkannt! Aber Gottes Gerechtigkeit soll sich dadurch als eine den Sündern neues Leben verschaffende Macht erweisen, daß das die Sünder vernichtende Nein, biblisch gesprochen: der Zorn Gottes, den an die Stelle der Sünder tretenden Menschensohn trifft und nicht die eigentlich Schuldigen. Jesu Gerichtsgleichnisse und unser Spruch zeigen an, daß Jesus, als er von Gottes Gerechtigkeit als Heil für die Armen und die Gesetzlosen ausging, dieses Heil nicht etwa unter Verzicht auf Gottes gerechtes Richtertum meinte und lebte, sondern unter dessen Voraussetzung und Bestätigung. Durch die stellvertretende Preisgabe seines Lebens wollte Jesus Gott in seinem Richtertum bestätigen und ihn zugleich als den erscheinen lassen, der über die Sünde deshalb sein Nein spricht, weil er dem

[18] Die vorpaulinische Rechtfertigungstradition von Röm 4,25 wird von Mk 10,45 ebenso vorbereitet wie von den ebenfalls auf Jes 53,10–12 (u.a. Belegstellen) zurückgreifenden (markinischen) Einsetzungsworten beim Abendmahl, Mk 14,22. 24.

Leben Raum schaffen will. Gottes Gerechtigkeit erschöpft sich nicht im Vollzug des Strafgerichts. Das Strafgericht Gottes wird vielmehr kraft der stellvertretenden Lebenshingabe Jesu zum Quellort neuen gerechten Lebens für „die Vielen“. Mit Jes 53,10ff. gesprochen: Jesus tritt vor Gott für die Sünder ein und verschafft ihnen neues Existenzrecht kraft seines Opfertodes.

Der Menschensohn ist nach der biblisch-jüdischen Tradition der Gesandte und Gesalbte Gottes. Indem Jesus sich mit dem Menschensohn in denkbar enge Beziehung setzte und seinen irdischen Weg als dienender Menschensohn ging, verstand er seine Sendung aus Gott und als Erfüllung von Gottes Willen. Dieses Gehorsamsband zwischen Jesus und seinem himmlischen Vater gibt seinem nach Mk 9,31 aus Gottes Hand kommenden Geschick und der Gerechtigkeitsanschauung, die hinter Mk 10,45 steht, noch einen letzten tieferen Aspekt. Er deutet sich in Jes 43,3f. an, wenn es dort heißt, Gott selbst werde das Lösegeld für Israel entrichten. Liest man unser Lösegeldwort von da aus, gewinnt es seine eigentliche soteriologische Tiefendimension: Gott selbst will, daß die Vielen durch die stellvertretende Lebenspreisgabe des ihm ganz ergebenen Menschensohnes Jesus zum Heil kommen und nicht dem Todesgericht verfallen. *Gottes Gerechtigkeit erweist sich dadurch als Heilswirken Gottes, daß Gott selbst die Sühne für die Vielen herbeiführt, und zwar in der „Existenzstellvertretung“ (H. Gese) des aus Gott lebenden und wirkenden Menschensohnes Jesus.* Mk 10,45 zeigt uns, daß Gottes Gerechtigkeit für Jesus Gottes Richtertum einschließt, aber zugleich weit mehr ist als eine bloß lohnende oder strafende Verhaltensweise Gottes. *Gottes Gerechtigkeit ist in der Jesusverkündigung vorgängig und letztgültig an Gottes Liebe und Barmherzigkeit bemessen.* Das Gericht ist der Ort, da sich Gottes Gerechtigkeit als zurechthelfende Macht erweist, und zwar gerade den Menschen gegenüber, die vor Gott arm und rechtlos sind. Die Abendmahlstexte, Mk 14,22–25 Par.; 1. Kor 11,23–26, zeigen, daß sich Jesus in der Abschiedsnacht noch einmal ausdrücklich für „die Vielen“ zum Opfer geweiht und damit die von uns skizzierte Gerechtigkeitsanschauung bis in seinen Tod hinein durchgetragen hat[19]. Jesus hat Gottes Gerechtigkeit als Heil und Liebe für die Armen verkündigt und verlebendigt. Mit der Preisgabe seines Lebens ist er dafür eingestanden, daß Gott am Leben der Armen und der Sünder mehr gelegen ist als am Tode der Frevler.

---

[19] Mit J. JEREMIAS, Die Abendmahlsworte Jesu, [4]1967, und R. PESCH, Das Abendmahl und Jesu Todesverständnis (s. Anm. 15), sehe ich in den markinischen Einsetzungsworten die historisch früheste und zugleich schwierigste Fassung, in der uns Jesu Stifterworte überkommen sind. Diese Fassung dürfte auf Jesus selbst zurückgehen.

Diese letzten Sätze wurden nicht zufällig im Anschluß an Ez 18,23.32 formuliert. Alle wesentlichen Komponenten der von Jesus vertretenen Gerechtigkeitsanschauung sind alttestamentlich-jüdischen Ursprungs, und Jesu Gerechtigkeitsdenken läßt sich auch nur von seinen Wurzeln in der israelitischen Sprach- und Erfahrungsgeschichte her sachgerecht begreifen. Nicht nur, daß „Gerechtigkeit" an der Mehrzahl der alttestamentlichen Belegstellen ein semantisch positives und gemeinschaftsbezogenes Wort ist und daß sowohl die messianische Gerechtigkeitstradition als auch die Rede von Gottes zurechthelfender Gerechtigkeit in den Bußgebeten Israels auf Jesu Verhalten und Verkündigung vorausweisen. Auch die kultische und außerkultische Sühnetradition, derzufolge Sühne eine heilsame Stiftung Gottes ist und der Sühneakt „ein Zu-Gott-Kommen durch das Todesgericht hindurch"[20] meint, sind Jesus vorgegeben gewesen. Die Deutung von Jes 53 auf das individuelle Leiden des Gerechten wird bereits in Weish 2–5 und in einer vermutlich nicht christlich bearbeiteten (armenischen) Version von TestBenj 3,8 vertreten; die Prophetie Jakobs über Joseph, seinen Sohn, lautet dort: „Erfüllen soll sich an dir die Prophetie des Himmels, die besagt: Der Unschuldige wird für Gesetzlose befleckt werden, und der Sündlose wird für Gottlose sterben!". Vielleicht ist sogar die messianische Deutung des Liedes vom leidenden Gottesknecht im Targum schon in der Jesuszeit vertreten worden, doch muß all dies offenbleiben[21]. Sicher war Jesus aber die Überlieferung vom stellvertretenden Leiden und der Fürbitte der Märtyrer Israels (2. Makk 7,3f.; 4. Makk 6,26ff.), vom gewaltsamen Tod der Propheten (vgl. Neh 9,26; 2 Chr 36,16) und vom Märtyrermessias aus Sach 12,10 bekannt. Geschichtlich neu ist die Kristallisation all dieser einzelnen Überlieferungen in dem messianischen Rechtshandeln des leidenden Menschensohnes Jesus von Nazareth. *Jesus hat durch seine Bereitschaft zur stellvertretenden Sühne der alttestamentlichen Erfahrungs- und Sprachgeschichte gerade in Hinsicht auf die Gerechtigkeit Gottes, die Gerechtigkeit der Menschen vor Gott und ihr Rechttun in der Welt eine neue Richtung gegeben.*

---

[20] H. GESE, Die Sühne, in: ders., Zur biblischen Theologie, 1977, (85–106) 104. Vgl. zur alttestamentlichen Sühneanschauung außerdem K. KOCH, Sühne und Sündenvergebung um die Wende von der exilischen zur nachexilischen Zeit, EvTh 26, 1966, 217–239; DERS., Art. „Versöhnung", RGG³ VI, 1368–1370, und jetzt umfassend B. JANOWSKI, Sühne als Heilsgeschehen, Diss. theol. Tübingen 1979, Masch.

[21] K. KOCH geht zwar in seiner Studie: Messias und Sündenvergebung in Jesaja 53 – Targum, JSJ 3, 1972, 117–148, davon aus, „daß der Profetentargum mit der Hauptmasse seines Materials in vorchristliche Zeit zurückreicht" (121), M. HENGEL aber weist in Atonement (Anm. 17) 57ff. mit Recht darauf hin, daß dies von der uns erhaltenen Quellenbasis her kaum eindeutig zu sagen ist. Daß Jes 53 in aramäischen Textfragmenten aus Qumran sühnetheologisch gedeutet wird (vgl. HENGEL, a.a.O., unter Verweis auf J. STARCKY, RB 70, 1963, 492), ist freilich bedeutsam genug.

7. *Kreuz und Auferstehung*

Jesu Rechtshandeln weist über seine individuelle Lebensgeschichte hinaus. Jesus hat den Auferweckungsglauben weiter Kreise des Frühjudentums geteilt (vgl. Mk 12,18–27 Par.). Von der Ankündigung des „Kommenden“ durch den Täufer ausgehend, hat er sein eigenes irdisches Wirken in die engste nur mögliche Beziehung zum Verhalten des Menschensohnes als des kommenden Gerichtsherrn gesetzt: „Ich sage euch aber, jeder, der sich zu mir vor den Menschen bekennt, zu dem wird sich auch der Menschensohn bekennen vor den Engeln Gottes“ (Lk 12,8). Im Gleichnis vom großen Weltgericht, Mt 25,31–46, spricht er vom Gericht des kommenden Menschensohnes nach dem von Jesus selbst gelebten und geforderten Maßstab der Identifikation mit den Armen und Bedürftigen. In seinem Messiasbekenntnis vor dem Synhedrium, das ihm definitiv den Tod eingetragen hat, hat er selbst auf das Kommen des Menschensohnes mit den Wolken des Himmels verwiesen. Nachdem sich die Funktion von Messias und Menschensohn schon (in Dan 7,13 ff.[22] und) in der Henochapokalypse überschneiden, ist es historisch wenig sinnvoll, bei Jesus etwas anderes als solche Überschneidung zu vermuten. Seine Antwort auf die Frage des Hohenpriesters: „Bist du der Messias, der Sohn des Hochgelobten?“ lautet: „Ja, ich bin es, und ihr werdet schauen den Sohn des Menschen zur Rechten der Kraft sitzen und kommen mit den Wolken des Himmels“ (Mk 14,61 f.)[23]. Diese Antwort kann nur folgendes bedeuten: Jesus hat vor dem jüdischen Gerichtshof seine messianische Sendung bejaht. Er hat gleichzeitig seine endzeitliche Erhöhung zur Rechten Gottes erwartet und schon vor dem jüdischen Gerichtshof sein Kommen als Menschensohn-Weltenrichter angekündigt. Jesus wollte irdisch der dienende und für die Vielen stellvertretend leidende messianische Menschensohn sein; er wollte dies sein im Vertrauen auf seine Annahme und Erhöhung

---

[22] H. GESE, Der Messias, in: DERS., Zur biblischen Theologie (s. Anm. 20), 128–151, zeigt, daß wir wahrscheinlich schon in der Menschensohngestalt von Dan 7,13 „eine Transformation der alten Messiasvorstellung vor uns (haben)“ (140). Auf diesen Zusammenhang weist Gese auch hin in seinem Aufsatz: Die Offenbarung des Gottesreiches und die Erscheinung des Messias, ZW 50, 1979, 205–219.

[23] H. CONZELMANN und A. LINDEMANN halten in ihrem „Arbeitsbuch zum Neuen Testament“, 1975, 368, Mk 14,61 f. für eine bewußt als „Kompendium der Gemeindechristologie“ konzipierte Tradition, mit deren Hilfe „gezeigt werden (soll), daß alle Würdetitel Jesu – Messias, Gottessohn, Menschensohn – gleichwertig sind“. Ich halte dies für ein Fehlurteil. Wesentlich behutsamer und historisch einleuchtender wird Mk 14,61 f. beurteilt von A. STROBEL, Die Stunde der Wahrheit, 1980, 73–76: „Wir stehen ... vor einer ihrem Kern nach eigentümlichen Überlieferung, die Jesu eigene Erhöhungserwartung, ausgesprochen vor dem höchsten Gericht des jüdischen Volkes zu diesem Passatermin, wahrscheinlich in hohem Maße sachgemäß zum Inhalt hat“ (75).

durch den Gott, der kein Gott der Toten, sondern der Lebenden ist (Mk 12,27).

Für Jesu Gerechtigkeitsanschauung bedeutet dies, daß sie erklärtermaßen eschatologisch verankert war. Sein irdisches Rechtshandeln war die Vorausverwirklichung der endzeitlichen Rechtspraxis des himmlischen Menschensohnes vor und auf Gottes Thron. Was Jesu Werk und Anspruch anbetrifft, war die von ihm gelebte Gerechtigkeit wirklich eschatologisch neu. Das bedeutet aber nun keineswegs, daß sie in sich unumstritten gewesen wäre. Im Gegenteil! Jesu Gerechtigkeitspraxis hat ihn ja erst in jenen tödlichen Konflikt mit den jüdischen Autoritäten verwickelt, der schließlich mit seiner Kreuzigung geendet hat! *Die Hinrichtung Jesu am Kreuz war die geschichtliche Konsequenz der messianischen Rechtspraxis Jesu.* Trotz seiner Leidens- und Erhöhungsansage (vgl. Mk 9,31 Par.; 14,62 Par.) ist das Kreuz auch zur großen Krise dieser messianischen Rechtspraxis geworden.

Aus den Synoptikern wissen wir, daß Jesus noch vor seiner Verurteilung durch den jüdischen Gerichtshof und die Römer von sämtlichen seiner Anhänger verlassen worden ist. Wahrscheinlich haben sie die Verfolgung der ganzen Jesusschar befürchtet und sind deshalb aus Furcht untergetaucht. Die jüdischen Gegner Jesu haben in ihm einen sich messianisch verstehenden, das Gesetz verachtenden Verführer und Gotteslästerer gesehen (Dt 13,6.11; 17,12), der aus der Mitte Israels ausgetilgt werden mußte[24]. Politisch nicht ungeschickt, haben sie ihn als potentiellen messianischen Aufrührer an Pilatus übergeben, der Jesus nach kurzem Verfahren geißeln und aus politischer Vorsicht kreuzigen ließ. Für die Römer war die Kreuzigung eine grausame Abschreckungsstrafe. Für die Juden der neutestamentlichen Zeit war sie mehr. Für sie war die Kreuzigung eines Gotteslästerers und Gesetzesverächters der Vollzug des Gottesfluches gemäß der Tora! Dt 21,22f. wird folgendes bestimmt: „(22) Wenn über einen Verbrecher das Todesurteil gefällt ist und er dann hingerichtet wird und du ihn an einem Baume aufhängst, (23) so darf sein Leichnam nicht über Nacht am Baum bleiben, sondern du hast ihn noch am gleichen Tage zu begraben. Denn ein Gehängter ist ein Gottesfluch, du aber darfst dein Land, das dir Jahwe, dein Gott, zum Erbbesitz geben will, nicht verunreinigen". Diese alten Vorschriften sind vom antiken Judentum auf die Kreuzigung bezogen worden. In welcher Art und Weise, lehrt uns jetzt vor allem die Tempelrolle von Qumran. Dort heißt es in Kol 64,6–13: „...Wenn (7) ein Mann Nachrichten über sein Volk weitergibt und er verrät sein Volk an ein fremdes Volk und fügt seinem Volk Böses zu, (8) dann sollt ihr ihn ans Holz hängen, so

---

[24] Vgl. zu diesen Zusammenhängen sehr instruktiv Strobel, a.a.O. (Anm. 23), 81ff.

daß er stirbt. Auf Grund von zwei Zeugen und auf Grund von drei Zeugen (9) soll er getötet werden, und (zwar) hängt man ihn ans Holz. —— Wenn ein Mann ein Kapitalverbrechen begangen hat und er flieht zu (10) den Völkern und verflucht sein Volk, die Israeliten, dann sollt ihr ihn ebenfalls an das Holz hängen, (11) so daß er stirbt. Aber man lasse ihre Leichname nicht am Holz hängen, sondern begrabe sie bestimmt noch am selben Tag, denn (12) Verfluchte Gottes und der Menschen sind ans Holz Gehängte, und du sollst die Erde nicht verunreinigen, die ich (13) dir zum Erbbesitz gebe". Der geschichtliche Hintergrund dieser Bestimmungen ist wahrscheinlich die Massenkreuzigung von Pharisäern durch den jüdischen König Alexander Jannai im Jahre 88 v.Chr.: Die Pharisäer hatten den Seleukidenkönig Demetrius III gegen Alexander zu Hilfe gerufen, und Alexander nahm nach dem Rückzug des Syrers auf grausamste Weise Rache an seinen aufständischen Gegnern. Das Vorgehen Jannais wird im Text der Tempelrolle in gewisser Weise gedeckt. Verräter an Israels religiöser Eigenständigkeit und an seinem Glaubensgut sollen ans Holz gehängt, d.h. gekreuzigt werden; sie sind „Verfluchte Gottes und der Menschen". Wenn Jesus seinen Gegnern als Gotteslästerer und Verführer zum Unglauben galt, der den Tod verdient hatte, ließ sich seine Kreuzigung durch die Römer mit Fug und Recht von Dt 21,22f. her deuten.

Die in Joh 19,31; Gal 3,13 und bei Justin, Dial c. Tryph. 89,2; 90,1 diskutierte Beziehung von Dt 21,23 auf Jesu Kreuzigung ist, von der Tempelrolle her gesehen, wahrscheinlich schon vorchristlich-polemischen Ursprungs. Sie geht vermutlich auf die jüdischen Gegner Jesu zurück. Ist dies richtig gesehen, dann ergibt sich angesichts der Kreuzigung Jesu ein ganz fundamentaler Gegensatz: Während Jesus selbst im stellvertretenden Opfer seines Lebens seine Sendung als Menschensohn vollendete, während er für die Sünder einschließlich seiner Feinde starb und angesichts seines Todes auf seine Erhöhung zur Rechten Gottes hoffte, haben ihn sogar seine engsten Begleiter aus Furcht vor eigener Nachstellung verlassen und waren seine jüdischen Gegner der Auffassung, Jesus ende verdientermaßen unter jenem Fluch, den Gott selbst in der Tora über den Glaubensverräter an Israel verhängt hat. *Jesu Kreuzigung dokumentiert, daß sein messianisches Rechtshandeln umstritten war bis hin zu der Auffassung, daß er gerade mit seinem eschatologischen Gerechtigkeitsanspruch ein von Gott und den Menschen Verworfener, ein gebrandmarkter Feind der hl. jüdischen Glaubenstradition sei!* Die Römer brachten außerdem am Kreuz den titulus, d.h. eine Inschrift an, die jeden Juden warnen sollte: So endet, wer sich zum messianischen König aufzuschwingen versucht! (Mk 15,26 Par.). Die Frage nach der Geltung und Rechtmäßigkeit des messianischen Gerechtigkeitshandelns Jesu konnte geschichtlich nicht radikaler gestellt werden. Vor Ostern gab es auf diese Frage auch keine zwingende Antwort. *Erst die Erhöhung des Gekreuzigten zur Rechten Gottes ließ Jesus als den von Gott ins Recht gesetzten messianischen Gottessohn erscheinen, der seinen Weg der neuen Gerechtigkeit wirklich in Namen Gottes gegangen war (Apg 2,36; Röm 1,3f.; 1Tim 3,16). Erst von Ostern her erscheint Jesus, der Gekreuzigte und von Gott Auferweckte, als die heilschaffende Gerechtigkeit Gottes in Person (1Kor 1,30).*

Jesu Auferweckung und die Gerechtigkeitsanschauung der vorpaulinischen Missionsgemeinden

Die messianische Gerechtigkeitspraxis Jesu ist durch seine Verurteilung und Hinrichtung am Kreuz fundamental in Frage gestellt worden. Sie wäre trotz ihrer geschichtlichen Neuartigkeit ein bloßes Teilstück der israelitischen Glaubensgeschichte geblieben, wenn die Osterereignisse die Jesusjünger nicht zu erneuter Sammlung und zur Begründung der Ur- und Missionsgemeinde von Jerusalem veranlaßt hätten. Die kurze Zeit danach von den Angehörigen des aus Jerusalem vertriebenen Stephanuskreises begründete Missionsgemeinde in Antiochien am Orontes ist eine Tochtergründung der Jerusalemer Gemeinde; sie ist durch Barnabas u. a. stets in Kontakt mit Jerusalem geblieben (vgl. Apg 11,19ff.). Von Antiochien ist dann die Bewegung der eigentlichen Heidenmission ausgegangen. Diese Bewegung erhielt durch Paulus, den Barnabas einige Jahre nach seiner spektakulären Berufung zum Christusapostel nach Antiochien geholte hatte (vgl. Apg 11,22–26), geschichtsmächtigen Auftrieb[1].

Wir müssen uns die alten Texte, in denen sich der Glaube der vorpaulinischen Christengemeinden von Jerusalem und Antiochien äußert, aus den synoptischen Evangelien, der Apostelgeschichte und jenen Traditionszitaten rekonstruieren, die in die Paulusbriefe eingegangen sind. Da diese Texte für das Gerechtigkeitsdenken der beiden ältesten und sicher vorpaulinischen[2] Christengemeinden höchst aufschlußreich sind, kann man den Weg der exemplarischen Rekonstruktion wagen.

---

[1] Für die nachstehenden Überlegungen verdanke ich wichtige Einsichten den Studien von M. Hengel, Zur urchristlichen Geschichtsschreibung, 1979, und dem 1981 erscheinenden Kommentar zur Apostelgeschichte von J. Roloff. Methodologisch weise ich ausdrücklich hin auf T. Holtz, Überlegungen zur Geschichte des Urchristentums, ThLZ 100, 1975, 321–332.

[2] M. Hengel, Christologie und neutestamentliche Chronologie, in: Neues Testament und Geschichte. O. Cullmann zum 70. Geburtstag, 1972, 43–67, hat darauf aufmerksam gemacht, daß man nur das Urchristentum der ersten vier oder fünf Jahre nach Jesu Kreuzigung und der Auferweckungserfahrung als wirklich „vorpaulinisch“ bezeichnen darf.

1. *Die Auferweckung von den Toten*

Wir wissen heute, daß die israelitische Auferstehungserwartung in einem jahrhundertelangen Erfahrungs- und Sprachprozeß gewachsen ist[3]. Dieser Sprachprozeß weist weit über die Grenzen der kanonischen Schriften des Alten Testaments hinaus. Bis auf wenige Ausnahmen hat er alle maßgeblichen jüdischen Gruppierungen der neutestamentlichen Zeit erfaßt. Die Hauptausnahme bildet der traditionalistische Kreis der Sadduzäer. Mit ihnen haben nicht nur die Pharisäer über die Auferwekkung disputiert; auch von Jesus ist eine solche Debatte überliefert (vgl. Mk 12,18–27 Par.).

Der Auferstehungsglaube war für das antike Judentum der klassische Ausdruck des Vertrauens auf die den Tod überwindende Schöpfermacht und Gerechtigkeit Gottes. Seinen volkstümlichsten Ausdruck fand er in der Entstehungszeit des Neuen Testaments im 18-Bitten-Gebet. Dieses ist eine klassische Summe des jüdischen Glaubens. In den jüdischen Synagogen ist es „die Tefillah“ (d.h. das Gebet) schlechthin gewesen und geblieben. Die zweite Bitte dieses Gebetes lautet: „Du (= Gott) bist mächtig, erniedrigst Stolze, stark, und richtest Gewaltige, du lebst ewig, läßt Tote auferstehen, den Wind wehen, den Tau herabfallen, du ernährst die Lebenden und machst die Toten lebendig. In einem Augenblick möge uns Hilfe sprossen. Gepriesen seist du, Herr, der du die Toten lebendig machst“. Das ganze Vertrauen Israels auf den einen Gott, der als Schöpfer und Erhalter der Welt Israel zu seinem Eigentumsvolk erwählt hat, faßt sich hier in den Lobspruch zusammen: „Gepriesen seist du, Herr, der die Toten lebendig macht“. Nimmt man nämlich diese Benediktion mit den anderen Lobsprüchen unseres Gebetes zusammen, z.B. „Heilig bist du und furchtbar ist dein Name, es gibt keinen Gott außer dir. Gepriesen seist du, Herr, heiliger Gott“; oder: „Verzeihe uns, unser Vater, denn wir haben gegen dich gesündigt. Tilge und entferne unsere Frevel vor deinen Augen, denn groß ist dein Erbarmen. Gepriesen seist du, Herr, der viel verzeiht“; und schließlich: „Über die gerechten Proselyten rege sich dein Erbarmen, und gib uns guten Lohn mit denen, die deinen Willen tun. Gepriesen seist du, Herr, Zuversicht der Gerechten“, dann sieht man sogleich, in welchem Rahmen Gott als Auferwecker der Toten gepriesen wird: Es ist der klassische biblische Rahmen seiner Heiligkeit, Gnade und schöpferischen Gerechtigkeit.

In diesem Rahmen hat die Auferstehungserwartung eine doppelte Ausrichtung. Gott macht die Toten lebendig, um ihnen endgültig

[3] Vgl. dazu meinen Aufsatz: Das Bekenntnis zur Auferweckung Jesu von den Toten und die Biblische Theologie, in: ders., Schriftauslegung auf dem Wege zur biblischen Theologie, 1975, 128–166, und H. Gese, Der Tod im Alten Testament, in: ders., Zur biblischen Theologie, 1977, 31–54.

Gerechtigkeit widerfahren zu lassen. Für die Frevler und Feinde Gottes bedeutet dies, daß sie sich vor dem heiligen Gott verantworten und die Folgen ihrer Unrechtstaten tragen müssen. Für die auf Erden verfolgten Gerechten und vor allem die Märtyrer des jüdischen Glaubens bedeutet Auferweckung, daß ihnen nun endlich von Gott her Gerechtigkeit widerfährt. Sie werden vor ihren ehemaligen Peinigern ins Recht gesetzt und dürfen in die ewige Herrlichkeit der Gottesherrschaft eingehen. Es gibt nach jüdischem Denken also eine Auferstehung zum Heil und zum Unheil, und beides bemißt sich nach Gottes Gerechtigkeit. Es ist dabei fast überflüssig zu betonen, daß „Auferstehung" immer meint, von Gott ins Leben vor seinem Thron berufen zu werden. Auferstehung und Auferweckung sind nach israelitischer Auffassung nicht wirklich zu trennen und nur aus der schöpferischen Kraft Gottes heraus möglich, die stärker ist als der Tod[4].

2. *Die ältesten christlichen Auferweckungsformeln*

Vor diesem Hintergrund und angesichts der schmachvollen Kreuzigung Jesu erscheinen die ersten kurzen Sätze, in denen sich die Ostererfahrung der ersten christlichen Glaubenszeugen zu Wort meldet, als buchstäblich weltenwendende Aussagen. Wenigstens zwei von ihnen, die aller Wahrscheinlichkeit nach schon in Jerusalem geprägt worden sind, seien angeführt: „Der Herr ist wahrhaftig auferstanden und Simon (d.h. Petrus) erschienen!" (Lk 24,34); oder ausführlicher: „Christus ist gestorben für unsere Sünden nach den Schriften, und er wurde begraben, und er ist auferweckt worden am dritten Tage nach den Schriften, und er ist Kephas (d.h. Petrus) erschienen, danach den Zwölfen" (1Kor 15,3–5). Daß diese ersten Glaubenssätze nur innerhalb der alttestamentlich-jüdischen Sprachgeschichte formuliert werden konnten, ist auf den ersten Blick deutlich. „Auferstanden" oder „auferweckt", „Christus", „für unsere Sünden gestorben", „nach den Schriften" (d.h. nach der Juden und Christen gemeinsamen Bibel des Alten Testaments) sind sämtlich Ausdrücke, die innerhalb des israelitischen Sprachraumes von ganz spezifischer Bedeutung und bestimmtem Gewicht sind. Ohne die israelitische Sprachgeschichte gäbe es die eben zitierten christlichen Bekenntnissätze nicht.

Die drei wichtigsten Aussagen, die in den Auferstehungsformeln gemacht werden, sind folgende: (1) Jesus von Nazareth ist von Gott auferweckt worden; er ist der Herr und Christus, d.h. der Messias. (2) Er ist als der aus der Kraft Gottes heraus Auferweckte und Bestätigte dem Petrus und danach den Zwölfen erschienen. (3) Jesu Sterben

[4] Dies betont J. JEREMIAS, Neutestamentliche Theologie I, [2]1973, 264 Anm. 2.

geschah um unserer Sünden willen; Sterben und Auferweckung Jesu haben sich nach dem in den Schriften niedergelegten hl. Willen Gottes ereignet. Jeder dieser drei Grundaussagen ist im Gerechtigkeitszusammenhang von erheblicher Bedeutung.

Die erste Aussage ist die gewaltigste; sie ist für den christlichen Glauben und das Missionsevangelium der Christen schlechthin grundlegend: Gott hat Jesus von Nazareth als seinen Christus von den Toten auferweckt. Der Gott Israels und Schöpfer der Welt hat den vom jüdischen Gerichtshof angeklagten und von Pilatus zum Kreuz verurteilten messianischen Menschensohn nicht dem Todesgericht überlassen, sondern er hat ihn ins ewige Leben vor seinem Thron berufen. Statt am Kreuz unter dem Fluch Gottes und der Menschen zu enden (Dt 21,22f.), ist Jesus aus Gottes Schöpfermacht heraus von den Toten auferweckt und gegenüber seinen Bedrängern ins Recht gesetzt worden. Er war und ist der Herr und Messias. Der „Weg der Gerechtigkeit" (Mt 21,32), den der Menschensohn bis zur stellvertretenden Selbstpreisgabe am Kreuz ging, hat ihn bis hinauf zu Gottes Thron und an Gottes Seite geführt. *Gott hat Jesus zu seiner Rechten erhöht; der irdisch Umstrittene, am Kreuz Gepeinigte und Geschmähte, ist der wahrhaft Gerechte. Was Gerechtigkeit im Namen Gottes ist, ist hinfort an Jesus, dem Herrn, zu ermessen.*

Wir haben eine ganze Anzahl von alten christologischen Texten, die dieses Verständnis der Auferweckung Jesu illustrieren. Alten judenchristlichen Ursprungs ist zunächst die von Paulus gleich zu Beginn des Römerbriefes angeführte Formel von dem Gottessohn Jesus Christus, „der dem Fleische nach aus dem Samen Davids stammt, (und) eingesetzt wurde zum Sohn Gottes in Macht nach dem Geist der Heiligkeit auf Grund der Auferstehung der Toten" (Röm 1,3f.). Mit dieser auf den ersten Blick merkwürdig anmutenden Formulierung wird anschaulich zum Ausdruck gebracht, daß Jesus der aus der Davidssippe stammende Messias und mit seiner Auferweckung zum Herrscher eingesetzte Gottessohn ist. Dabei steht vermutlich die sog. Nathanweissagung aus 2 Sam 7,12–14 im Hintergrund, die schon von den Qumranessenern auf den kommenden Messias gedeutet worden ist (vgl. 4 Qflor I 10f.)[5].

Neben Röm 1,3f. darf man an Apg 2,30–36, den Schlußabschnitt der Pfingstpredigt des Petrus, erinnern. Hier werden außer der Nathanweissagung auch Ps 16,10 und vor allem der für das Auferstehungsverständnis der Urchristenheit hochbedeutsame Psalm 110 auf Jesu Auferweckung bezogen. Schon Jesus selbst hatte seinen Gegnern mit Hilfe einer für die jüdische Schriftexegese typischen Verbindung von Ps 110,1 und

[5] Zum Hintergrund von Röm 1,3f. s. vor allem U. Wilckens, Der Brief an die Römer, EKK VI, 1, 1978, 58–61.

Ps 8,7 zu demonstrieren versucht, daß der messianische Menschensohn mehr ist als ein bloßer Sohn Davids (vgl. Mk 12,35–37 Par.). Auch Jesu Ankündigung seiner Erhöhung zur Rechten Gottes und seiner Wiederkunft als richtender Menschensohn vor dem Synhedrium (Mk 14,62) stützte sich auf Ps 110,1 ab. Jetzt verdeutlichen sich die ersten christlichen Zeugen mit Hilfe derselben Psalmstelle, was in und mit der Auferweckung Jesu geschehen ist: Gott hat Jesus zu seiner Rechten auf den Thron gesetzt, und Jesus soll als Messias herrschen bis Gott alle seine Widersacher zum Schemel seiner Füße gemacht hat. Die Pfingstpredigt in Apg 2 schließt mit dem markanten Satz: „Das ganze Haus Israel möge nunmehr als untrüglich wahr zur Kenntnis nehmen, daß Gott eben den Jesus, den ihr gekreuzigt habt, zum Herrn und Christus gemacht hat!" (Apg 2,36; vgl. auch 5,30f.). Die von Jesus erwartete Erhöhung und Einsetzung in seine wahren Rechte hat sich tatsächlich ereignet! Mit Ostern wurde Jesus gegenüber der ihn mißachtenden Welt „gerechtfertigt im Geist" (1 Tim 3,16)[6]. Er ist von Gott als der „Messias der Gerechtigkeit" inthronisiert worden, von dem Jer 23,5f.; TgJer23,5f. und 4 Q PB 3 als dem Retter Israels sprechen. Jesus, der Christus, ist von Gott den Christusgläubigen „zur Gerechtigkeit, zur Heiligung und zur Erlösung gesetzt worden" (1 Kor 1,30). Diese von Paulus gebrauchte Wendung geht inhaltlich schon in die Zeit vor seiner Berufung zum Apostel zurück.

Das Bekenntnis zu Gott und das Verständnis dessen, was Gottes Gerechtigkeit ist und dem Menschen zumutet, bestimmte sich für die ersten Christen nunmehr von Jesus her. Hieß es bisher in den Synagogen: „Gepriesen seist du, Herr, der die Toten lebendig macht!", bekannten sich die Christen jetzt zu dem Gott, der als der Gott Israels und als Schöpfer und Erhalter der Welt „Jesus, unseren Herrn, von den Toten auferweckt hat" (Röm 4,24; vgl. mit Apg 3,15; 4,10; 4,30; 1 Petr 1,21 u.a.). *In diesen christologischen Bekenntnissen mündet die israelitische Glaubens- und Sprachgeschichte in die Anfangsformulierungen des christlichen Gottes- und Messiasverständnisses ein; umgekehrt erhalten die angeführten frühen Bekenntnisse der Christen erst von dieser Glaubens- und Sprachgeschichte her ihre präzise, „schriftgemäße" Aussagekraft.*

---

[6] In der Septuaginta wird der hebräische Text von Jes 53,11: „...es schafft Recht der Gerechte, mein Knecht, für die Vielen, und ihre Vergehen nimmt er auf sich" auf den Gottesknecht hin gewendet: Gott wird „gerecht machen einen Gerechten, der vielen trefflich dient; und ihre Sünden wird er (= der Gerechte) fortnehmen." Die hymnische Aussage aus 1 Tim 3,16 könnte sich an diese Septuagintaversion anlehnen; als Hintergrund des Hymnus ist außerdem äthHen 61–63 zu vergleichen.

3. Die Ostererscheinungen

Die zweite Aussage, die für das christliche Auferweckungsbekenntnis grundlegend ist, tritt in 1 Kor 15,3ff. zur ersten hinzu und benennt die Zeugen, die sich der gekreuzigte und von den Toten auferweckte Jesus auf Erden geschaffen hat. „...und er ist dem Kephas erschienen, danach den Zwölfen" (1 Kor 15,5). Das Verbum „erscheinen" drängt dazu, sich die Erscheinung Jesu im biblischen Sprachhorizont nicht nur von den Erscheinungsgeschichten der Evangelien her zu verdeutlichen, sondern auch von Ex 3,1–6 aus. Jesus hat sich zuerst dem Petrus, wahrscheinlich in Galiläa (vgl. Mk 16,7; Joh 21,1ff.), und dann dem von Petrus erneut nach Jerusalem zusammengerufenen Zwölferkreis als der lebendige Gottessohn gezeigt. Dies geschah sichtbar und hörbar, aber, wie Apg 10,41 ausdrücklich bemerkt, nicht öffentlich vor allem Volk, sondern in besonderen Begegnungen, die, wie für Mose vor dem brennenden Dornbusch, für die Betroffenen von Glauben weckender Bedeutung waren.

Ein Aspekt ist an diesen Erscheinungen in unserem Zusammenhang besonders bedeutsam. Petrus und die Zwölf waren von Jesus als seine Begleiter, als Apostel (= Sendboten) und als künftige Regenten des endzeitlichen israelitischen Zwölf-Stämme-Volkes erwählt worden (Lk 22,29f.); sie hatten Jesus aber nach dem Abschiedspassah in Jerusalem einer nach dem anderen verlassen. Jakobus, der Herrenbruder, den Paulus in 1 Kor 15,7 als einen weiteren noch vor ihm berufenen Erscheinungszeugen aufführt, hatte Jesus während seines irdischen Wirkens sogar abgelehnt. Zusammen mit Maria und seinen Brüdern hatte er gemeint, Jesus sei „von Sinnen" (Mk 3,21)[7]. Indem all diese Menschen in ihren Ostererscheinungen von Jesus, dem auferstandenen Sohn Gottes, berufen und vorbehaltlos angenommen wurden, ereignete sich für sie neu und endgültig eben die Annahme der Sünder und Rechtlosen in die Gottesgemeinschaft, die schon für das Rechtshandeln des irdischen Jesus kennzeichnend gewesen war.

Wenn es in Apg 10,41 heißt: „Wir (d.h. die Erscheinungszeugen) haben nach seiner Auferstehung von den Toten mit ihm zusammen gegessen und getrunken", kann man sich diese Szene von Lk 24,30ff.;

---

[7] Es ist nicht unwahrscheinlich, daß zwischen Jesu Distanzierung von seiner Familie, die zu der in Mk 3,21 angedeuteten Reaktion geführt hat, dem Vorwurf, er sei ein „Fresser und Weinsäufer" (Mt 11,19) und der Anweisung aus Dt 21,18–21 ein Sachzusammenhang besteht. Dt 21,18–21 ist bis in die Tempelrolle von Qumran (Kol 64,1–6) und die Mischna (Sanhedrin 8,1–5) hinein intensiv bedacht und interpretiert worden. Vor dem Hintergrund dieses Textes erscheinen sowohl Jesu Ungehorsam gegenüber seiner Familie als auch seine Tischgemeinschaften (vgl. dazu speziell Sanh 8,2!) als todeswürdige Vergehen. Vgl. zu diesem Problem N. Perrin, Was lehrte Jesus wirklich? 1972, 112ff., und E. Schweizer, Jesus Christus im vielfältigen Zeugnis des Neuen Testaments, 1968, 28.

Joh 21,12f. her sehr schön verdeutlichen: Die Zeugen der Ostererscheinungen sahen sich durch den auferstandenen Christus neu in jene Versöhnungsgemeinschaft aufgenommen, die schon die Tischgemeinschaften des irdischen Jesus mit Zöllnern und Sündern erfahrbar machen wollten. In den Ostererscheinungen vor Petrus, den Zwölfen, vor Jakobus usw., nahm Jesus die Menschen, die sich von ihm abgewandt hatten, wieder in die Gemeinschaft mit sich und seinem himmlischen Vater auf. Mit dem Friedensgruß: „Friede sei mit euch!" sprach Jesus ihnen den Frieden der Versöhnung zu (vgl. Lk 24,36; Joh 20,19) und gab ihnen so jenes Recht auf Leben vor Gott zurück, das sie während seines irdischen Wirkens entweder ganz ausgeschlagen oder in der Verratsnacht wieder verwirkt hatten. *In den österlichen Erscheinungen begegnete der von Gott ins Recht gesetzte Menschensohn als Versöhner der Rechtlosen! Ostererfahrung und Versöhnungserfahrung, Ostern und die Rechtfertigung der Sünder durch Jesus Christus, gehören unmittelbar zusammen.* Die Erscheinungszeugen zogen, von Jesus neu in Dienst genommen, hinauf nach Jerusalem und bildeten dort eine erste Christen- und Missionsgemeinde. Für sie hatte sich Jes 53,11 in Christus erfüllt: Jesus hatte als der Gottesknecht die Sünden der Vielen getragen und ihnen eben dadurch vor Gott zum Recht verholfen. Als Gerechtfertigte verkündigten sie Christus, den auferstandenen Messias, als Gottes ihnen zugewandte Gerechtigkeit in Person (vgl. 1 Kor 1,30).

4. Der Sühnetod des Gottesknechtes

In diesem Zusammenhang erklärt sich nun auch die dritte Grundaussage in den alten Osterbekenntnissen ganz ohne Schwierigkeiten. Sie lautet: Jesu Sterben geschah „um unserer Sünden willen", und zwar „gemäß den Schriften" (1 Kor 15,3). In dieser formelhaften Ausdrucksweise faßt sich dreierlei zusammen. Zunächst und vor allem schafft sich hier die Grunderfahrung Ausdruck, von der wir eben gesprochen haben. Die Osterzeugen hatten erfahren, daß Jesus ihnen über den Abgrund ihres Versagens, ihres Zweifels und seiner Hinrichtung am Kreuz hinweg wieder als Versöhner begegnete. Kraft dieser Versöhnungserfahrung blickten sie nun auf Jesu Sterben zurück und erkannten in seinem Tode endgültig ein von Gott zu ihrem Heil verfügtes Ereignis. Sie erkannten dies im Blick auf die Schrift[8] und auf Jesu eigene Todespro-

[8] R. RIESNER hat in seinem Aufsatz: Jüdische Elementarbildung und Evangelienüberlieferung, in: R. T. FRANCE – D. WENHAM, Gospel Perspectives: Studies of History and Tradition in the Four Gospels, Vol. I, Sheffield 1980, 209–223, und in seiner Dissertation: Jesus als Lehrer, Diss. theol. Tübingen 1980, (Masch.), 93–183, auf die Bedeutung der vom Elternhaus, der Schule und der Synagoge getragenen jüdischen Erziehung in der Kenntnis der Schrift, im Lesen und im Schreiben aufmerksam gemacht. Er vermutet mit

phetie, deren Zeugen sie gewesen waren. Die Schrift lehrte vom leidenden Gottesknecht in Jes 52,13–53,12, er werde „erhöht und gar sehr verherrlicht werden" (52,13); er, der Gerechte, werde viele rechtfertigen, weil „er sein Leben in den Tod verströmte und er unter die Frevler gerechnet wurde, während er doch die Schuld der Vielen getragen hat und für die Frevler eingetreten ist" (53,11f.). Jesus hatte eben diese Gottesknechtstradition vielleicht schon in Mk 9,31, sicher aber in seinem Wort vom dienenden Menschensohn, Mk 10,45, und dann noch einmal in den Stifterworten des Abendmahls aufgegriffen. Er hatte sich Gott als das Lösegeld von Jes 43,3 zur Verfügung gestellt und sich beim Abschiedspassah in Jerusalem noch einmal zugunsten „der Vielen" dem Tode geweiht (Mk 14,28 Par.; 1 Kor 11,24). Jetzt erkannten die Osterzeugen sich als Teil jener „Vielen", für die Jesus in den Tod gegangen war; sie bekannten im Blick auf Jes 52,13–53,12 und Jesu Todesgeschick, „er ist für unsere Sünden gestorben nach den Schriften". Mit diesem Bekenntnis wurde Jesu eigenes implizites Rechtfertigungs- und Sühneverständnis von den österlichen Christuszeugen als ausdrückliches Glaubenserbe übernommen. Dieses Verständnis aber schloß eine ganz bestimmte Auffassung von Gottes Gerechtigkeit ein. Auch diese ging von Jesus an seine Jünger über.

Daß die uns von Jesus her bekannte Auffassung von Sühne und Gerechtigkeit tatsächlich Besitz schon der ersten Glaubensgemeinde war, lehrt eine von Paulus in Röm 4,25 angeführte traditionelle Christusformel. Sprachliche Gründe legen es sehr nahe anzunehmen, daß die Formel schon in Jerusalem geprägt worden ist[9]. Sie lautet: „Er wurde wegen unserer Übertretungen dahingegeben und wegen unserer Rechtfertigung auferweckt". Hinter dem Passiv steht sicher der Gedanke, daß Gott in der Preisgabe Jesu und in seiner Auferweckung am Werk war[10].

guten Gründen, daß nicht nur Jesus selbst durch diese drei Institutionen geprägt worden ist, sondern daß auch „eine Reihe der Jünger aus dem religiös wachen Teil des jüdischen Volkes kam und sie deshalb wie Jesus ... durch Elternhaus, Synagoge und Elementarschule über eine gute Elementarausbildung verfügten". Die Berufung auf „die Schriften" schon im frühesten Stadium der Jerusalemer Traditionsbildung erklärt sich von hier aus sehr gut. Apg 4,13 werden Petrus und Johannes nur deshalb als AGRAMMATOI und IDIŌTAI eingestuft, weil ihnen die höhere Ausbildung in der Schriftgelehrsamkeit fehlt, die Paulus zusätzlich genossen hat.

[9] Zur semitisierenden Formulierung von Röm 4,25 vgl. J. Jeremias, a.a.O. (Anm. 4), 281f. und zu den hinter dem formelhaften Text stehenden Traditionen Wilckens, a.a.O. (Anm. 5), 279f. Während Wilckens in Röm 4,25 einen Satz sehen möchte, den „... Paulus ... unter Aufnahme traditioneller Motive ... selbst gebildet hat", erwägt F. Hahn, Taufe und Rechtfertigung. Ein Beitrag zur paulinischen Theologie in ihrer Vor- und Nachgeschichte, in: Rechtfertigung, FS für E. Käsemann zum 70. Geburtstag, hrsg. von J. Friedrich, W. Pöhlmann und P. Stuhlmacher, 1976, (95–124) 108, ob nicht in vorpaulinischer Zeit mit Hilfe dieses Satzes „bei der Taufe die christologische Begründung gegeben werden" sollte.

[10] W. Popkes, Christus Traditus, 1967, 228ff. 263ff.; J. Jeremias, a.a.O. (Anm. 4),

Der Text ist wieder auf dem Hintergrund von Jes 52,13–53,12 formuliert und macht Gottes Heilswirken in Jesus mit Hilfe der Schrift sichtbar: Gott hat Jesus in den Tod gegeben und von den Toten auferweckt, um im Schuldopfer des Lebens Jesu den Rechtsgrund für die Rechtfertigung derer zu legen, die sich zu Jesus als ihrem Herrn bekennen. Unser Text ist ein recht aufschlußreicher Beleg dafür, daß schon und warum bereits in Jerusalem von „Rechtfertigung" kraft des Sühnetodes Jesu gesprochen worden ist; dies geschah im Blick auf Jes 53 und Jesu Todesprophetie in Mk 9,31 Par.; 10,45 und 14,24 Par. Das gottgewollte Schuldopfer des Sündlosen, d.h. Jesu stellvertretende Lebenshingabe, macht es Gott möglich, die Sünder vor seinem Richterstuhl freizusprechen und ihnen das Leben zu schenken, ohne von seinem Nein zur Sünde irgendwelche Abstriche zu machen. *Gottes Gerechtigkeit legt den Grund des neuen Lebens! Wie schon in der Jesusverkündigung ist sie mehr als bloße Strafgerechtigkeit, weil Gott selbst in der Preisgabe des Lebens Jesu jene Sühne heraufgeführt hat, die die Sünder nicht leisten können.* Gottes Gerechtigkeit ist die Macht der Sündenvergebung, und Jesus ist ihr Garant. „Sitz im Leben" der Formel könnte die Taufe gewesen sein (F. Hahn).

5. Die Lebensgemeinschaft in Jerusalem

Jesu neues Gerechtigkeitsverständnis hatte sich in seiner messianischen Rechtspraxis geäußert. Als ein Widerschein dieser seinen ehemaligen Begleitern vor Augen stehenden Rechtspraxis dürfte es zu beurteilen sein, daß die Urgemeinde in Jerusalem eine Lebens- und Glaubensgemeinschaft bildete, in der die Menschen „alles gemeinsam hatten und ihre Liegenschaften und ihre beweglichen Güter verkauften und den Erlös an alle verteilten, je nachdem einer etwas brauchte" (Apg 2,44f.; vgl. 4,34f.). Der Bericht von dieser spontanen Gütergemeinschaft ist nicht einfach als idealisierte Konstruktion des Chronisten Lukas zu beurteilen; dazu haften Nachrichten wie der vom Grundstücksverkauf des aus Cypern stammenden Leviten Barnabas, Apg 2,36f., zu fest in der Überlieferung. Es scheint sich vielmehr um den Versuch gehandelt zu haben, eine ganz auf die baldige Wiederkunft des Menschensohnes konzentrierte, sich vom festen Besitz lösende Glaubensgemeinschaft zu bilden, in der kein bedürftiges Gemeindeglied darben mußte[11]. Jesu Liebesgebot und seine verschiedentlichen Warnungen vor dem Reichtum (z.B. Mk 10,17–22 Par.) prägten das Denken der in Jerusalem

280f., und U. WILCKENS, a.a.O. (Anm. 5), 279f., weisen m.E. richtig auf die Verbindungslinien zwischen Mk 9,31 Par. und Röm 4,25 hin.

[11] Vgl. M. HENGEL, Eigentum und Reichtum in der frühen Kirche, 1973, 39ff.

Versammelten ebenso wie die Erinnerung an die Freiheit des Herrn, sich von Vermögenden versorgen zu lassen (vgl. Lk 8,1–3).

Das eigentliche Zentrum der neuen Lebensgemeinschaft war das in Einzelhäusern unter „Jubel", d.h. lobpreisenden (Psalm-)Gebeten, vollzogene „Brotbrechen" (Apg 2,46). In diesem gemeinsamen „Brotbrechen" setzten sich die Tischgemeinschaften Jesu fort und gewann die Feier des Abendmahls in der Erinnerung an das Abschiedsmahl Jesu mit den Zwölfen ihre kirchliche Gestalt. Jesu österliche Erscheinung beim Mahl (Lk 24,30f. 41–43; Apg 10,41; Joh 21,12f.) ließ die Tischgemeinschaften und die Grundgedanken des Abschiedspassah zu neuer Einheit verschmelzen: Die Christen in Jerusalem feierten das Versöhnungsmahl am Tisch ihres gekreuzigten und auferstandenen „Herrn" (vgl. 1 Kor 10,21), um dessen baldige Wiederkunft sie mit dem aramäischen Gebetsruf „Maranatha" = „Unser Herr, komm!" (1 Kor 16,22; Apg 22,20; Did 10,6) flehten[12]. *Die Gemeinschaft der an Christus Glaubenden wurde zusammengehalten und täglich neu konstituiert durch diese gemeinsame Herrenmahlsfeier.* Bei ihr wußte man Jesus, den Auferstandenen, im Geist gegenwärtig. Man gedachte vor Gott und der Gemeinde durch Erzählung der Passion und den Vortrag des Mahlberichtes (Mk 14,22–25) des Sühnetodes Jesu, betete um seine endzeitliche Ankunft und bildete insgesamt den Kreis der von Jesus mit Gott versöhnten „Vielen" (vgl. so auch 1 Kor 10,16f.).

Paulus gibt in Röm 15,25f. zu erkennen, daß sich die Jerusalemer Christen „Heilige" genannt haben. Das kann nur bedeuten, daß sie sich nach alttestamentlichem Vorbild (Lv 19,2; Dt 7,6 u.a.) als das durch Jesu Sühnopfer geheiligte Gottesvolk der Endzeit verstanden. Auf dieses Selbstverständnis deutet auch die uns für die Urgemeinde bekannte Selbstbezeichnung „Gemeinde Gottes" (Gal 1,13; Apg 8,3 usw.) hin. Sie geht traditionsgeschichtlich auf die Rede von der „Gemeinde Jahwes" in Dt 23 zurück und hat ihr genaues semitisches Äquivalent in den Qumrantexten, wo von der „Versammlung Gottes" gesprochen wird (1 QM 4,10). Die Anfangsgemeinde in Jerusalem wollte das unter Gottes Willen stehende und ihm in Jesus verbundene Gottesvolk der gerechtfertigten Heiligen sein.

6. *Mission und Taufe in Jerusalem*

Die Urgemeinde hat vom ersten Wochenfest nach Jesu Tod an, d.h. seit Pfingsten, Mission getrieben, und zwar unter den Aramäisch sprechenden Juden ebenso wie unter den in Jerusalem wieder ansässig

[12] Wenn Jesus schon in Jerusalem als wiederkommender „Herr" angerufen worden ist, ergibt sich die Möglichkeit, die paulinische Bezeichnung „Herrenmahl" (1 Kor 11,20) in vorpaulinische Zeit zurückzuverfolgen.

gewordenen griechischsprachigen Diasporajuden. Nachdem schon dem Kreis der Zwölf (vgl. Mk 3,13–19) Männer wie Petrus und Philippus zugehörten, die zugleich Aramäisch und Griechisch sprachen (Gal 2,11 ff.; Joh 12,20 f.), war diese missionarische Aktivität in den Synagogen der Juden aus Kyrene, Alexandrien, Kilikien usw. (Apg 2,9) sprachlich kein Problem. Die Neubekehrten wurden getauft und dann einer der in den Häusern zusammenkommenden Gemeinde(gruppe)n zugeordnet. Dabei sonderten sich rasch die vorwiegend Aramäisch sprechenden Gläubigen, die sog. „Hebräer" (Apg 6,1), von den nur oder hauptsächlich Griechisch sprechenden Gemeindegenossen, den sog. „Hellenisten" (Apg 6,1), ab. Beide Gruppen feierten je ihren eigenen Gottesdienst[13].

Mt 28,16–20 und Mk 16,16 zeigen, daß die Taufe von der Urgemeinde als ein erst vom auferstandenen Christus eingesetztes „Auferstehungssakrament" verstanden und gespendet worden ist. Jesus hatte sich selbst der Bußtaufe durch Johannes den Täufer unterzogen, die vor dem Gerichtszorn des kommenden Geist- und Feuertäufers versiegeln sollte (Mt 3,11 f. Par.). Von dieser Taufe hat er seinen endzeitlichen Vollmachtsanspruch hergeleitet (Mk 11,27–33 Par.). Im Blick auf sie scheint er auch von seinem bevorstehenden Leidens- und Todesgeschick gesprochen zu haben: „...mit einer Taufe muß ich noch getauft werden, und wie setzt es mir zu, bis sie vollzogen ist!" (Lk 12,5; vgl. Mk 10,38 f. Par.). Jesu Todestaufe war sein Sühntod für die „Vielen". Im Rückblick von Ostern her erschien für die ersten Jesuszeugen Jesu ganzer öffentlicher Weg der Gerechtigkeit als ein Weg, der „in die Taufe gefaßt" war[14]. Die zu Auferstehungs- und Christuszeugen berufenen Jesusjünger nahmen den der Johannestaufe eng verwandten Brauch der christlichen Missionstaufe von dem Augenblick an auf, da sie sich mit dem in Joel 3,1 ff. verheißenen Geist Gottes beschenkt sahen (vgl. Apg 2,14–36). In Jesus, dem gekreuzigten und auferstandenen Menschensohn und Messias, war der von Johannes angekündigte Geisttäufer erschienen, und seine Zeugen vollzogen nunmehr die Taufe des Geistes zur Vergebung der Sünden auf seinen Namen (Apg 2,38). „Auf den Namen Jesu Christi" heißt dabei: unter Zuordnung zu Jesus Christus, in dessen Namen das ganze durch seinen Lebens- und Leidensweg erschlossene Heil versammelt gegenwärtig war (Apg 4,12). Ez 36,25–27 dürfte bei diesem Verständnis der christlichen Geisttaufe Pate gestanden haben.

---

[13] Zur nachfolgenden Darstellung sind besonders M. HENGELS Studien: Zwischen Jesus und Paulus, ZThK 72, 1975, 151–206, und: Zur urchristlichen Geschichtsschreibung (Anm. 1), 63–93, zu vergleichen.

[14] R. PESCH, Das Abendmahl und Jesu Todesverständnis, QD 80, 1978, 115–122, betont m.E. zutreffend, daß die Missionstaufe der Urchristenheit ohne den Rückbezug auf Jesu Sühntod für „die Vielen" sachlich unverständlich bleibt.

Wenn Röm 4,25 wirklich ein alter Tauftext ist, gibt er uns eine sehr schöne Möglichkeit, die im Taufakt erfolgende Sündenvergebung christologisch zu begründen.

7. *Das universale Taufverständnis des Stephanuskreises*

Gemessen an den „Hebräern" setzten die in Jerusalem unter der Leitung des Stephanus stehenden und nach dem Martyrium ihres Führungsmannes aus Jerusalem vertriebenen Hellenisten schon bei der Taufe entscheidend neue Akzente. Sie werden zuerst sichtbar in der von Philippus vollzogenen Taufe an Samaritanern (Apg 8,13) und Verschnittenen (Apg 8,26–39), sowie seinem missionarischen Vorstoß bis nach Caesarea (Apg 8,40). Andere Männer aus dem Stephanuskreis, und zwar zu Christus bekehrte Diasporajuden aus Cypern und der Cyrenaika, gingen in Antiochien zur Taufe und Christusmission unter den Griechisch sprechenden Heiden über (Apg 11,19f.). Durch die Hellenisten wurden also die samaritanischen Erzfeinde der Juden, nicht kultfähige Versehrte und sogar ungläubige Heiden ebenso zum Glauben an Christus berufen wie gläubige (Diaspora-)Juden auch. Mit der Taufe wurde die Frucht des Sühntodes Jesu all diesen Menschen gleichermaßen zugeeignet und damit ein Verständnis von Rechtfertigung und Versöhnung praktiziert, das die Grenzen Israels im Blick auf den erhöhten Christus überschritt. Diese missionarische Praxis der Hellenisten liegt in der Konsequenz des nicht nur Zöllner und Sünder, sondern gelegentlich auch Samaritaner und Heiden an der Gnade Gottes beteiligenden Heilswirkens Jesu (vgl. Mk 7,24–30 Par.; Mt 8,5–13 Par.; Lk 10,25–37; 17,11–19), der den Sühntod für „die Vielen", d.h. für Israel und die Völker, gestorben war. Auf die Zeit der Völkerwallfahrt zum endzeitlichen Zion hatte Jesus selbst in Mt 8,11f. Ausschau gehalten. Die Hellenisten machten sich daran, diese Völkerwallfahrt durch ihre Mission in die Wege zu leiten.

Die nähere Begründung für das universale Missions- und Taufverständnis können mehrere Traditionszitate liefern, die Paulus in den Korintherbriefen und im Römerbrief anführt. Sie sprechen von der in der Taufe geschehenen „Abwaschung" (der Sünden), „Heiligung" und „Rechtfertigung" (1Kor. 6,11), oder auch von „Berufung", „Rechtfertigung" und „Verherrlichung" (Röm 8,30)[15]. Ebenso wie die beiden christologischen Formeltexte aus 2Kor 5,21 und Röm 3,25f. weisen die genannten Aussagen kraft ihrer sprachlichen Eigenart zeitlich vor die

---

[15] Zur näheren Analyse dieser Tauftexte vgl. F. HAHN, a.a.O. (Anm. 9), 104–117. Über die Fortwirkung der vorpaulinischen und paulinischen Tauftraditionen handelt U. LUZ, Rechtfertigung bei den Paulusschülern, in: Rechtfertigung (s. Anm. 9), 365–383.

Abfassung der Paulusbriefe zurück. Sie dürften dem Apostel von Antiochien her vertraut gewesen sein, d.h. der Gemeinde, die das Erbe des Stephanuskreises in besonderem Maße bewahrt und weiterentwickelt hat. Ob die Missionsgemeinde von Antiochien der Ursprungsort der Tauf- und Christustexte war, oder ob sie z.T. schon in Jerusalem gebräuchlich geworden sind, muß offenbleiben. Die Zweisprachigkeit der Jerusalemer Gemeinde läßt eine Frühformulierung durchaus zu. 2Kor 5,21 spricht von Gottes Sühnehandeln durch die Person Jesu und lautet, wörtlich übersetzt: „Den, der Sünde(nschuld) nicht kannte, hat er (d.h. Gott) für uns zur (zum) Sünd(opf)e(r) gemacht, damit wir durch ihn Gottes Gerechtigkeit würden." Das zweite Zitat steht in Röm 3,25.26; wieder ist die Rede von der durch Gott in der Preisgabe Jesu heraufgeführten Sühne, und zwar mit folgenden Worten: „...den Gott öffentlich eingesetzt hat zum Sühnmal kraft seines Blutes zum Erweis seiner (= Gottes) Gerechtigkeit durch den Erlaß der zuvor unter der Geduld Gottes geschehenen Sünden."

Beide Überlieferungsstücke lassen sich in die Verkündigung des Stephanuskreises und der zur Heidenmission aufbrechenden antiochenischen Gemeinde sehr gut einzeichnen. Stephanus wurde von aufgebrachten Diasporajuden gesteinigt, nachdem ihn seine jüdischen Gegner beschuldigt hatten, „wir haben ihn sagen hören, ‚dieser Jesus, der Nazaräer, wird diese Stätte (d.h. den Tempel) zerstören und die Sitten, die uns Mose überliefert hat (d.h. das Gesetz), verändern'" (Apg 6,14). Die Anklage meinte also, „Stephanus behaupte, daß Christus das Ende des Tempels und seines Kultes bringe"[16]. Diese Anklage war vermutlich nicht einfach aus der Luft gegriffen. Angesichts der ganz sicher nicht erst nachträglich in die Jesusüberlieferung eingefügten Worte Jesu von der Zerstörung des herodianischen Tempels (Mk 13,1f. Par.; 14,58 Par.), der Jesu Opfertod provozierenden Zeichenhandlung der Tempelreinigung (Mk 11,15-17 Par.; Joh 2,14–22) und seiner Bereitschaft, selbst das Schuldopfer für Israel und die Völker zu sein (Mk 10,45 Par.; 14,22–25 Par.), läßt sich der Ansatz des Stephanus gut verstehen. Stephanus ist in Kenntnis der ihm von den Zwölfen und anderen Begleitern Jesu vermittelten Jesusüberlieferung, im Blick auf Jesu Sühn-

[16] M. HENGEL, Zwischen Jesus und Paulus (s. Anm. 13), 192. Mit welcher Begründung G. STRECKER, Befreiung und Rechtfertigung, in: Rechtfertigung (s. Anm. 9), (479–508) 481, Apg 6,11.13f. nur „als sekundäre, lukanische Überleitung, in der synoptisches Material verarbeitet worden ist", versteht, ist mir gerade nach Hengels Analyse des Zusammenhangs nicht deutlich. A. STROBEL, Die Stunde der Wahrheit, 1980, 22f. 45 Anm. 126; 87f. rechnet mit einer regelrechten Verurteilung des Stephanus als Volksverführer durch den Hohen Rat und einer anschließenden eigenmächtigen Vollstreckung des Todesurteils durch Steinigung; beim gesamten Vorgang diente das Verfahren gegen Jesus und seine Hinrichtung durch die Römer für die Synhedristen s.M.n. als Präzedenzfall.

tod für „die Vielen" und seine österliche Erhöhung zum Herrn und Christus Gottes ausgegangen von der allen Völkern geltenden, unüberbietbaren Bedeutung des Versöhnungstodes Jesu: Mit Jesu stellvertretender Lebenspreisgabe und seiner Auferweckung durch Gott waren seiner Überzeugung nach alle weiteren Sühnopfer überholt und damit auch der diesen Opfern dienende Tempelkult in Jerusalem.

Zum Beleg für diese Anschauung kann man auf die eben genannten beiden Traditionstexte aus den Paulusbriefen verweisen. Nach 2 Kor 5,21 hat Gott selbst den gerechten und ihm gehorsam ergebenen Christus, „der Sündenschuld nicht kannte", „für uns", d.h. zugunsten der bekennenden Gemeinde, „zur Sünde" gemacht. Die hier in 2 Kor 5,21 gebrauchte Formulierung folgt dem Sprachgebrauch der Septuaginta in Lev 4,21.24; 5,12; 6,18 und meint das wegen der Sünde rituell dargebrachte Sündopfer; dieses „um der Sünde willen darzubringende Opfer" kann an den angegebenen Stellen, technisch abgekürzt, einfach kurz „Sünde" genannt werden[17]. Eben diese aus dem kultischen Überlieferungszusammenhang her bekannte verkürzte Ausdrucksweise liegt in 2. Kor 5,21 vor und gibt dem Satz eindeutigen Sinn: Gott hat Jesus, den Sündlosen, zum Sündopfer gemacht, um die bekennende Gemeinde in den Stand der Reinheit und Gerechtigkeit vor sich selbst zu versetzen. Mit „Gerechtigkeit Gottes" wird in 2 Kor 5,21 das neue Sein der durch Jesu Opfer Entsühnten bezeichnet; der Ausdruck faßt das Resultat des göttlichen Sühnehandelns in ein Stichwort zusammen. Gemeint ist damit die von Gott her zugeeignete und von ihm als heilig anerkannte Seinsweise der im Gericht freigesprochenen Glaubenden. Als Gerechtigkeit, die aus Gottes Urteil hervorgeht und vor seinem Richterthron Bestand hat, heißt sie Gottes Gerechtigkeit. Sie hat in der Liebe und Gerechtigkeit des Gottes ihren Grund, der die Sünder in Jesus zum Leben und nicht zum Tode bestimmt hat. 2 Kor 5,21 wird die Hingabe Jesu in den Tod als eine von Gott selbst heraufgeführte, die Gemeinde in den Stand der Gottesgerechtigkeit einsetzende Versöhnungstat gefeiert. Als Versöhnungstat Gottes durch Jesus, seinen Sohn, ist sie weder wiederholbar noch ergänzungsbedürftig. Vergleicht man den Formeltext mit der (schon oben S. 61 angeführten) jüdischen Interpretation von Jes 53 auf das Leiden des Gerechten: „Der Unschuldige wird für Gesetzlose befleckt werden, und der Sündlose wird für Gottlose sterben" (TestBenj 3,8), erkennt man die Verwurzelung von 2. Kor 5,21 in Jes 53 sofort[18].

---

[17] Vgl. meine beiden Aufsätze: Zur neueren Exegese von Röm 3,24–26, in: Jesus und Paulus. Festschrift für W. G. Kümmel zum 70. Geburtstag, hrsg. von E. E. Ellis und E. Gräßer, 1975 (315–333) 323 Anm. 40; und: Zum Thema: Biblische Theologie des Neuen Testaments, in: Biblische Theologie heute, BTS 1, 1977, (25–60) 40, sowie U. WILCKENS, Der Brief an die Römer, (s. Anm. 5) 240.

[18] Daß 2 Kor 5,18–21 auf der Basis von Jes 53 formuliert sind, hat O. HOFIUS,

2. Kor 5,21 wird auf der Basis von Jes 53 und der kultisch-technischen Ausdrucksweise von Lev 4 voll verständlich. Die hellenistisch-jüdische Formulierung weist auf die Gemeinde von Antiochien oder den Jerusalemer Stephanuskreis.

8. Das Ende des Jerusalemer Tempelkultes

Der zweite Formeltext, den Paulus von den Stephanusleuten übernommen hat, Röm 3,25f., erhält seine christliche Aussagekraft auf der Basis von Lev 16. In diesem Kapitel wird das Ritual der höchsten Kultfeier, die Israel kannte, die Entsühnung des Volkes Israel am großen Versöhnungstag, in den Grundzügen dargestellt. Der große Versöhnungstag ist von Gott dazu gestiftet worden, „daß die Israeliten von allen ihren Sünden einmal im Jahr entsündigt werden, damit sie von allen ihren Sünden frei werden" (Lev 16,34). Das Herzstück des diese Entsündigung erwirkenden Kultaktes war der Gang des Hohenpriesters ins Allerheiligste mit dem Blut des Sündopferbockes. Im Allerheiligsten befand sich nach Lev 16 die Lade mit ihrem Aufsatz, der sog. Kapporaet. In unseren Bibeln wird dieses Wort z.T. mit „Versöhnungsplatte" (Jerusalemer Bibel), aber auch einfach mit „Deckplatte" (Zürcher Bibel) oder mit „Gnadenstuhl" (alte Lutherübersetzung) wiedergegeben. Gemeint ist die Stätte, an der Gott im Tempel einwohnt, oder, um Lev 16,2 wörtlich zu zitieren: „...über der Versöhnungsplatte erscheine ich (d.h. Gott) in der Wolke." Um von der anwesenden Heiligkeit Gottes nicht verzehrt zu werden, mußte der Hohepriester zuerst für sich und sein Haus ein Sündopfer darbringen und die Kapporaet durch Weihrauchwolken seinen eigenen Blicken entziehen; dann erst durfte er mit dem Blut des Sündopferbockes ins Allerheiligste eintreten und das Blut sprengen „auf die Versöhnungsplatte und vor die Versöhnungsplatte hin" (Lev 16,15). Die Bedeutung des Blutes für den Sühnevollzug erklärt sich aus Lev 17,11: Es ist Träger des Lebens, gehört darum Gott allein und ist den Israeliten von Gott „nur für den Altar überlassen, damit es eure Seelen entsündige". Das Wesen der kultischen Sühne ist also die stellvertretende Hingabe von Leben für das Leben anderer und die dadurch ermöglichte Gewinnung von neuem, vor Gott geheiligtem Sein. Sühne und Neuschöpfung gehören untrennbar zusammen. Das von diesem Sühneverständnis getragene Ritual des Versöhnungstages ist bis

Erwägungen zur Gestalt und Herkunft des paulinischen Versöhnungsgedankens, ZThK 77, 1980, 186–199, m.E. überzeugend herausgestellt. Während Hofius 2 Kor 5,21 als einen kühn formulierten „Satz des Apostels" (196) ansieht, meine ich zusammen mit Wilckens, es handele sich um einen von Paulus aufgegriffenen Formeltext (s. Anm. 17), den Paulus natürlich nicht nur mitschleppt, sondern nachdrücklich bejaht! Erst bei der Annahme von Tradition klärt sich die formelhafte Sprache des Spruches und seine Stellung im Kontext ganz.

zur Zerstörung des herodianischen Tempels im Jahre 70 n.Chr. alljährlich in Israel begangen worden. Da Israel im 6.Jh. v.Chr. der Lade verlustig gegangen war und eine neue Lade nach Jer 3,16 nicht angefertigt werden sollte, befand sich im Allerheiligsten des herodianischen Tempels keine Lade mehr. Der kultische Sühneakt wurde darum nur noch in symbolischer Andeutung vollzogen. Der Hohepriester räucherte und sprengte das Versöhnungsblut in einem leeren Raum, angesichts der geistigen Gegenwart Gottes. Dieser Kultakt spielte sich ganz verborgen im Tempelinneren hinter dem Vorhang ab, der das Allerheiligste vom Tempelraum abgrenzte. Die Kultgemeinde erfuhr vom Vollzug der Sühne erst durch den vom Hohepriester nach Abschluß des Rituals öffentlich gespendeten Segen (vgl. Sir 50,19f.).

Der große Versöhnungstag war für die Israeliten von größter Bedeutung. Er wurde selbst in der Diaspora gefeiert, wo man des Kultes im Jerusalemer Tempel nur gedenken konnte. Die Tempelrolle von Qumran zeigt, daß der Versöhnungstag auch für die Essener, die sich vom Jerusalemer Tempel fernhielten, weil sie den Tempel durch die amtierende, ihrer Meinung nach frevelhafte, Priesterschaft entweiht glaubten, von ganz erheblichem Gewicht gewesen ist. Jeder fromme Jude in Palästina und im Ausland wußte, was am großen Versöhnungstag im Tempel geschah. Er wußte auch, was die Kapporaet – oder, wie die griechische Übersetzung für Kapporaet lautet, das HILASTĒRION (d.h. das Sühnmal) – war, nämlich der Ort der Entsühnung und der gnädigen Anwesenheit Gottes im Tempel auf dem Zion.

Schaut man von hier aus auf die Formel aus Röm 3,25f., erkennt man in ihr das eben erwähnte, bedeutungsschwere Stichwort HILASTĒRION wieder und zuckt vor der Kühnheit der Aussage unwillkürlich zurück[19]. Hier wird allen Ernstes (und in wohlüberlegter, fachkundig

[19] G. Klein wundert sich in seiner Predigtmeditation über Röm 3,21–28 in GPM 69, 1980, (409–419) 414, über die „mancherorts mit verblüffender Leidenschaft hin- und hergewendete“ Frage, wie HILASTĒRION in V 25 genau zu verstehen sei. Wenn nur die zentrale Stellung des Sühnemotivs im Formeltext anerkannt werde, hält er es für „gleichgültig, ob hier eine Vorstellung vom Tode der Märtyrer als einem stellvertretenden Sühnopfer im Hintergrund steht, ob HILASTĒRION einfach ‚Sühnemittel‘ meint oder Jesus so als ‚Stätte der Sühne und Begegnung mit Gott‘ charakterisiert wird“. Der Blick auf die historische Kühnheit des Textes und seinen traditionsgeschichtlichen Ort geht bei dieser theologisch abstrahierenden Betrachtungsweise leider verloren: Für die vorpaulinische Christologie und Soteriologie der „Hellenisten“ machte es einen gewaltigen Unterschied, ob man Jesu Sühntod nur als den Opfertod eines (jüdischen) Märtyrers anzusehen hatte oder als das Ende des Sühnekultes im Jerusalemer Tempel, weil Jesus von Gott zur kapporaet eingesetzt worden und Golgatha an die Stelle des Allerheiligsten im Tempelinneren getreten war! Hebr 9,5 und Philo, Vit. Mos. II 95.97, sprechen m.E. klar für das Verständnis von HILASTĒRION = kapporaet. Zur Bedeutung der kapporaet vgl. jetzt sehr schön B. Janowski, Sühne als Heilsgeschehen, Diss. theol., Tübingen 1979, (Masch.), 198ff.

priesterlicher Sprache) erklärt, daß Gott *Jesus* öffentlich zum HILASTĒRION eingesetzt habe. Jesus, der gekreuzigte und auferstandene Christus, ist der Ort der Einwohnung Gottes in Israel und die Stätte, da Israel mitsamt allen gottesfürchtigen Fremden Sühne finden darf, und zwar Sühne kraft des am Kreuz vergossenen Blutes Jesu. Die Verborgenheit im Allerheiligsten des Tempels ist in Röm 3,25f. der Öffentlichkeit auf Golgatha und dem Licht des Ostermorgens gewichen. In Jesus, dem gehorsamen Menschensohn, ist Gott zu den Menschen gekommen und sind diese Menschen gleichzeitig mit ihrem Gott versöhnt worden. Jesus ist in Röm 3,25f. beides, der einwohnende Gott und der sich Gott stellvertretend für die Sünder anheimgebende Mensch. Die durch diesen Jesus heraufgeführte Sühne läßt sich nicht wiederholen. Sie ist von Gott selbst ein für allemal in der Geschichte heraufgeführt worden. Wo dies verkündigt und geglaubt wird, da bedarf es keines Hochpriesters mehr und keines Sühnerituals; da kann der Jerusalemer Tempel (nach Jesu Ankündigung in Mk 11,15–17 Par.!) „ein Bethaus für alle Völker" (Jes 56,7) werden, und da gilt statt der Tora des Mose „die Tora des Christus" (Gal 6,2)[20].

Stephanus und die Seinen haben vor allem unter jenen griechischsprachigen Juden Jerusalems missioniert, die in die heilige Stadt zurückgekehrt waren, um hier dem Zentrum ihres Glaubens möglichst nahe zu sein. Es muß diesen strenggläubigen Menschen in ihren Synagogen fast die Sprache verschlagen haben, als solche Töne, wie sie in Röm 3,25f. angeschlagen werden, an ihr Ohr drangen! Daß sie daraufhin Stephanus in einer Aufwallung heiliger Empörung als Lästerer gesteinigt haben, wie die Tora es befahl (Lev 24,14f.), ist wohl verständlich; ebenso verständlich, wie die Vertreibung des restlichen Stephanuskreises aus der Gottesstadt Jerusalem (vgl. Apg 8,1ff.).

Aber mit dem Martyrium war der Glaube des Stephanus nicht widerlegt, und die uns beschäftigende Formel lebte nun erst recht im Munde seiner vertriebenen Christenfreunde weiter. Wir müssen noch einen Augenblick bei ihr verweilen. Da heißt es nämlich weiter, die Einsetzung Jesu zum HILASTĒRION, d.h. zur Stätte der Gottesgegenwart und Sühne, sei geschehen „zum Erweis der Gerechtigkeit Gottes". Wieder erklärt sich diese oft fehlgedeutete Redeweise aus der israelitischen Sprachtradition heraus. Aus den Bußgebeten der Qumrangemeinde wird ganz deutlich, in welchem Sinne Gottes Gerechtigkeit für das antike Judentum der damaligen Zeit Rechtsgrund von Sühne und Sündenverge-

[20] M. HENGEL, Zwischen Jesus und Paulus (s. Anm. 13), 191 Anm. 137, vermutet einleuchtend, „daß Paulus mit den Aussagen vom ‚Gesetz Christi' Gal 6,2 bzw. 1 Kor 9,21 eine ältere Position aufnimmt", die für den Stephanuskreis charakteristisch war. Der Stephanuskreis und die Gemeinde von Antiochien waren nicht einfach antinomistisch gesinnt, sondern sie vollzogen innerhalb der Tora neue Wertungen nach Jesu Vorbild.

bung war, nämlich als Gottes aus freiem Erbarmen heraus Sühne wirkende Gnade. Es heißt in der Sektenregel von Qumran, 1 QS 11,11–15: „(11) ... und ich, wenn (12) ich wanke – Gottes Gnadenerweise sind meine Hilfe für immer! Wenn ich strauchle durch Schuld des Fleisches, bleibt meine Rechtfertigung durch Gottes Gerechtigkeit (doch) für die Dauer bestehn, (13) wenn Er meine Bedrängnis löst und mich aus Verderben errettet, meinen Fuß nach dem Wege lenkt, in Seinem Erbarmen mich nahen läßt. – Durch Seine Gnade kommt (14) meine Rechtfertigung, und in Seiner wahren Gerechtigkeit richtet Er mich von menschlicher Unreinheit (15) und der Sünde der Menschen, Gott (für) Seine Gerechtigkeit zu preisen und dem Höchsten (für) Seine Herrlichkeit!" Gottes Gerechtigkeit ist hier Gottes Gnade und Erbarmen, weil er den Frevler entsühnt, ihn neu in seine Nähe aufnimmt und zum Gotteslob ermächtigt. Die Formulierung von Röm 3,25 f. läßt sich auf dem Hintergrund dieser (auch Jesus schon bestimmenden) jüdischen (Buß-)Gebetssprache ohne jede Schwierigkeit nachvollziehen: Die Einsetzung Jesu zur Sühne ist deshalb ein Erweis der heilschaffenden Gerechtigkeit Gottes, weil die Sünder durch diese Einsetzung Vergebung ihrer Sünden erlangen. Gottes Wille, die Sünder zu retten, ist so groß, daß er selbst in Jesus Christus den Grund ihrer Rechtfertigung legt und so für sie die Möglichkeit und Wirklichkeit von Sündenvergebung schafft. Gottes Gerechtigkeit wird in Röm 3,25 f. als Gottes zurechthelfende, Ordnung und Leben stiftende Gerechtigkeit gepriesen. Die Formel fährt denn auch fort, die öffentliche Einsetzung Jesu zur Stätte der Sühne und Gottesgegenwart erweise Gottes Gerechtigkeit „durch den Erlaß der zuvor unter der Geduld Gottes geschehenen Sünden". *Gottes Gerechtigkeit stiftet Sühne und erwirkt dadurch den Erlaß von Sünden. Sie ist weit mehr als eine Vergeltungsmacht; sie ist der Grund des neuen, von Gott in Jesus eröffneten Lebens.*

Diese ausgesprochen positive, Jesu eigenem Verständnis von Gerechtigkeit genau entsprechende Fassung der Gottesgerechtigkeit bestätigt sich, wenn wir noch einen Augenblick auf die Wendung von der Geduld Gottes achten[21]. Die Einsicht, daß Gott mit den Israeliten gnädig und geduldig verfährt, prägt viele alte jüdische Texte. In den israelitischen Bußgebeten ist sie fest verwurzelt. Hierher gehört z.B. Neh 9,17: „Du aber bist ein Gott voller Vergebung, gnädig und barmherzig, langmütig und voller Güte. Du hast sie (d.h. die Väter Israels) nicht verlassen." In

[21] Reiches Material zum Thema der Geduld und Langmut Gottes bei E. ZELLER, Sühne und Langmut, ThPh 43, 1968, (51–75) 59ff. Ich sehe keinen zwingenden Grund, mit STRECKER, Befreiung und Rechtfertigung (s. Anm. 16), 502, EN TĒ ANOCHĒ TOY THEOY schon der paulinischen Interpretation des Formeltextes zuzuweisen; diese setzt erst mit PROS TĒN ENDEIXIN ein. So z.B. auch HAHN, Taufe und Rechtfertigung (s. Anm. 9), 112.

der sog. Damaskusschrift heißt es von Gott: „Langmut ist bei Ihm und der Vergebung Fülle, zu entsühnen alle, die umkehren von Sünde" (CD 2,4f.). In der Weisheit Salomos schließlich wird Gott als „lebensfreundlicher Herr" gepriesen und von ihm gesagt: (23) „Du hast mit allen Erbarmen, weil du alles vermagst, und siehst über die Sünden der Menschen hinweg, damit sie Buße tun (24). Denn du liebst alles, was da ist, und verabscheust nichts von dem, was du gemacht hast. Hättest du etwas gehaßt, du hättest es nicht geschaffen (25). Wie hätte etwas Bestand gehabt, wenn du es nicht gewollt, oder wie wäre etwas erhalten worden, wenn es nicht von dir gerufen worden wäre? (26) Du aber schonst alles, denn es ist dein, lebensfreundlicher Herr" (Weish 11,23–26). Blicken wir von diesen Texten auf Röm 3,25f., erschließt sich auch die Redewendung vom Erlaß der zuvor unter (oder auch: in der Zeit) der Geduld Gottes geschehenen Sünden. Sie meint, daß Gott seinen Gerichtszorn bis zur Erscheinung Jesu und seiner Einsetzung zur Sühnestätte aufgehalten hat, um den Sündern ihre Sünden erlassen und das Leben schenken zu können. Die auf das Leben und Heil der Sünder bedachte Geduld Gottes steht im Dienste seiner lebenstiftenden und lebensbewahrenden Gerechtigkeit. Von einer Einschränkung der Geduld wahrenden und die Sünder entsühnenden Gerechtigkeit Gottes auf den Kreis der wahrhaft Gesetzestreuen in Israel, wie sie in jüdischen Texten vollzogen wird, ist in unserer Formel keine Rede mehr. Die durch Gott in Jesus heraufgeführte Sühne gilt für alle, die Jesus als Christus und Herrn bekennen! Der Schritt von der bloßen Judenmission zur Mission unter den Samaritanern und schließlich sogar den Heiden, den der Stephanuskreis gewagt hat, war von diesem Gerechtigkeitsverständnis aus gesehen wohlbegründet und theologisch konsequent. Eine mit Hilfe von Röm 3,25f. begründete Taufe konnte universal sein[22].

9. *Die Gerechtigkeitspraxis der Gemeinde von Antiochien*

Über die Gerechtigkeitspraxis der Stephanusleute und der von ihnen getauften Christen ist uns leider nur sehr wenig überliefert. Immerhin können wir zwei praktische Tatbestände ausmachen. Der erste ist

[22] F. HAHN, Taufe und Rechtfertigung (s. Anm. 9), 112, weist sehr einleuchtend darauf hin, daß sich die Aussage von der Vergebung der zuvor unter der Geduld Gottes geschehenen Sünden vorzüglich aus der Taufsituation heraus erklären läßt. EN TŌ AUTOY HAIMATI meint in der Formel das Blut als Medium der Sühne und sollte deshalb nicht einfach als Beweis dafür genommen werden, daß Röm 3,25f. ursprünglich in den Abendmahlszusammenhang hineingehört habe (so z.B. E. KÄSEMANN, Zum Verständnis von Röm 3,24–26, in: DERS., Exeget. Versuche und Besinnungen I, 1960, (96–100) 99f.); warum die Wendung vom Blute Jesu erst von einem vor- oder gar nachpaulinischen Tradenten nachgetragen sein soll, wie STRECKER, Befreiung und Rechtfertigung (s. Anm. 16), 502, will, ist mir wieder nicht deutlich geworden.

besonders bedeutsam. Die Taufpraxis der aus Jerusalem vertriebenen Hellenisten führte dazu, daß nunmehr Samaritaner und körperlich Versehrte, Heiden und Juden in einer Christusgemeinde beieinander lebten, beteten und Mahlfeiern hielten. Der Glaube an Jesus Christus und die Zueignung der Gerechtigkeit Gottes an sie alle (2 Kor 5,21) vereinigte die bis in die Wirkenszeit Jesu hinein feindselig voneinander getrennten Samaritaner und Juden (vgl. dazu Lk 9,52–56). Er verband aber auch Heiden und Juden, die einander bislang gemieden und z. T. in tiefer, sich schon im 1. Jh. in Pogromen entladener Verachtung gegenübergestanden hatten. *Der neue Christusglaube und die den Glaubenden neu zugeeignete Lebensgerechtigkeit wirkten sich aus in einer erstaunlichen Verwirklichung von Versöhnung zwischen bislang religiös verfeindeten Menschengruppen.* Es hat den Anschein, als wäre die berühmte Gemeindedefinition des Paulus: „Die ihr auf Christus getauft seid, habt Christus angezogen. Da gilt nicht mehr Jude oder Grieche, nicht mehr Sklave oder Freier, nicht mehr Mann oder Frau, vielmehr seid ihr alle Einer in Christus Jesus!" (Gal 3,27 f.; 1 Kor 12,12 f.) schon in Antiochien gültig und sozial erfahrbar gewesen. Gerechtigkeit und Versöhnung, und zwar Versöhnung mit Gott und der Gemeindegenossen untereinander, gehörten für die neue Missionsgemeinde unlösbar zusammen.

Aber auch Gerechtigkeit des Glaubens und brüderliche Solidarität bedingten einander! Als in den vierziger Jahren des 1. Jh.s eine Hungersnot über den palästinischen Raum kam und die Urgemeinde in Jerusalem in große wirtschaftliche Not geriet, ist in Antiochien eine Sammlung für die bedrängten Mitchristen in Jerusalem veranstaltet worden (vgl. Apg 11,27–30). Diese Sammlung war in sich ein Akt materieller Solidarität mit den Glaubensgenossen, der ganz eindeutig im Rahmen der von Jesus selbst geforderten Liebespraxis, seines Gebots der neuen Gerechtigkeit, lag. Die kurze Zeit darauf auf dem Apostelkonzil beschlossene Kollekte der heidenchristlichen Gemeinden für die Armen unter den „Heiligen" in Jerusalem (Gal 2,10; Röm 15,25 ff.) hatte wahrscheinlich diese erste Sammlung zum Vorbild und erhob die Unterstützung der Urgemeinde zur heiligen Pflicht aller Heidenchristen. Die Praxis der neuen Gerechtigkeit Jesu hielt Juden- und Heidenchristen trotz unverkennbarer Spannungen zusammen.

Paulus ist von Barnabas einige Zeit nach seiner Berufung zum Christusapostel nach Antiochien geholt worden und hat mit ihm zusammen seine erste Missionsreise nach Zypern und Kleinasien unternommen (Apg 11,25 f.; 13,1–14,28). Daß die in Antiochien heimischen Gerechtigkeitstraditionen für Paulus maßgeblich geworden sind, kann man nicht nur an den Zitaten sehen, die der Apostel in seinen Briefen bringt, sondern auch an der paulinischen Missionspraxis. Er und Barnabas haben auf der ersten Missionsreise, den Anfängen in Antiochien getreu (Apg 11,20f.), Heiden auf Jesus Christus getauft, ohne sie zur Beschneidung und damit gleichzeitig zur Übernahme des Mosegesetzes in seiner Ganzheit zu nötigen. Diese Taufpraxis hat bei einer Gruppe von Jerusalemer Judenchristen so erheblichen Anstoß erregt, daß die Rechtmäßigkeit solch planmäßiger Heidenmission auf dem sog. Apostelkonzil in Jerusalem verhandelt werden mußte (Apg 15,1–35; Gal 2,1–10). Auf diesem Konzil haben Paulus und Barnabas die Missionsinteressen der antiochenischen Gemeinde mit Erfolg vertreten. Für uns bedeutet dies, daß wir eine ungebrochene Traditionslinie von Jesu Gerechtigkeitspraxis zu der Bekenntnis- und Missionstradition in Jerusalem und Antiochien ziehen und diese Linie bis in die Missionsverkündigung des Paulus verlängern dürfen. Jesu Praxis der neuen Gerechtigkeit hat in der theologischen Tradition der Urkirche ihren terminologisch gültigen Niederschlag gefunden. Bei Paulus erreicht dieser Formulierungsprozeß seinen Höhepunkt.

Die Gerechtigkeitsanschauung des Apostels Paulus

Jesus hat eine neue Rechtswirklichkeit im Horizont der messianischen Traditionen des Alten Testaments und des Frühjudentums durchgesetzt. Sein Erbe ist von den Zeugen seiner Auferweckung in Jerusalem aufgenommen und vor allem vom Stephanuskreis zur Basis jener Mission gemacht worden, die programmatisch über Israels Grenzen hinausgriff und auch die Heiden für Christus, den Herrn, zu gewinnen suchte. Paulus kommt in der Geschichte des neutestamentlichen Gerechtigkeitsdenkens eine Schlüsselstellung zu, weil er die Gottesgerechtigkeit in Jesus Christus zum beherrschenden Inhalt des Missionsevangeliums erhoben hat. *Seit den Missionsfahrten und Briefen des Apostels sind die Gerechtigkeit Gottes in Christus und die Rechtfertigung aller Glaubenden allein durch Christus unveräußerliche Grundlagen und Maßstäbe der christlichen Glaubenstradition.* Jesu Werk der Gerechtigkeit ist von Paulus zum Fundament des Glaubens erhoben worden, der ganz vom Evangelium lebt.

1. Die Herkunft des Paulus

Paulus war ein Diasporapharisäer. Er entstammt einem frommen jüdischen Elternhaus in der kilikischen Provinzhauptstadt Tarsus (Apg 22,3). Schon sein Vater besaß das römische Bürgerrecht (Apg 22,28) und war ein Angehöriger des israelitischen Stammes Benjamin. Er nannte seinen Sohn nach Israels erstem König „Saul" und ließ ihn, dem frommen Brauch entsprechend, am achten Tage beschneiden (Phil 3,5). „Paulus" war der römische Beiname des aus gehobenen Verhältnissen stammenden jungen Benjaminiten. Nach Apg 22,3 und 26,4 ist die Familie einige Zeit nach der Geburt des jungen Saul nach Jerusalem übergesiedelt.

Von jungen Jahren an war Paulus ein religiös stark engagierter Mann. Er trat früh der Gemeinschaft derer bei, die mit Ernst Juden sein und ihr Leben ganz am Gesetz des Mose ausrichten wollten, der Pharisäerschaft, und wurde in der damaligen Hochburg wahrer jüdischer Bildung, in Jerusalem, von Rabbi Gamaliel I zum Schriftgelehrten ausgebildet (Apg 22,3). Wie üblich, erlernte Paulus als studierter Rabbi auch ein Handwerk, die Lederverarbeitung (z.B. zur Herstellung von ledernen Zelten, Apg 18,3); wir würden heute sagen, Paulus sei zum „Sattler" ausgebildet worden. Einige Exegeten wollen aus Gal 5,11 erschließen, Paulus sei vor seiner Berufung zum Apostel bereits eine Zeitlang jüdischer Missionar in der Diaspora gewesen[1]. Er selbst charakterisiert sich in Gal 1,13f. und Phil 3,6 aber nur als kämpferischen „Eiferer" für die Tora und ihre von den Vätern überlieferte Auslegungstradition. Er fügt hinzu, er habe die Christengemeinde ingrimmig verfolgt und „ausgerottet". Apg 8,1-3 geben von dieser Verfolgertätigkeit eine gewisse Vorstellung.

2. *Paulus als Christenverfolger*

Geht man den Ereignissen genauer nach[2], ergeben sich interessante Feststellungen. Wir wissen aus Apg 6,9 und inschriftlichem Material, daß es in Jerusalem eine ganze Anzahl von Synagogen gab, in denen die Griechisch sprechenden Juden ihre Gottesdienste hielten. In diesen Synagogen sind Stephanus und die Seinen aufgetreten, haben mit ihren Landsleuten disputiert und durch die Tempel- und Gesetzeskritik, die sie übten, tödliches Ärgernis bereitet. Paulus war Zeuge dieser Auseinandersetzungen. Er hat dabei das Christentum schon in Jerusalem als eine Bewegung kennengelernt, die sich unter Berufung auf den kurz zuvor zum Fluchtod am Kreuz verurteilten (und angeblich von den Toten auferweckten, ja sogar zur Rechten Gottes erhöhten) Jesus von Nazareth sowohl vom Opferkult im Tempel als auch vom ungeteilten Gesetz des Mose kritisch distanzierte. Ihm wird diese Abfallsbewegung ebenso lästerlich erschienen sein wie jenen Männern, die Stephanus aus religiösem Ingrimm heraus steinigten. Im Anschluß an diesen spontanen religiösen Gerichtsakt scheint Paulus im Einverständnis mit der obersten jüdischen Gerichtsbehörde, dem Synhedrium, gegen die christlichen Sympathisanten des Stephanus in Jerusalem vorgegangen zu sein, und zwar mit allen rechtlichen Mitteln, die dem Gerichtshof und den einzelnen Synagogengemeinden zur Verfügung standen. Die Aktion endete mit der Vertreibung des Stephanuskreises aus Jerusalem, d.h. tatsächlich mit der „Ausrottung" eines wesentlichen Teiles der Jerusalemer Gemeinde. Die Aramäisch sprechenden Judenchristen von Jerusalem und ihre Freunde in Judäa haben damals Paulus als Glaubensfeind fürchten gelernt; von Angesicht zu Angesicht gesehen haben ihn aber nur die Jerusalemer (vgl. Gal 1,22).

---

[1] So E. BARNIKOL, Die vor- und frühchristliche Zeit des Paulus. Forschungen zur Entstehung des Christentums, des Neuen Testaments und der Kirche I, 1929, 18ff., und G. BORNKAMM, Paulus, 1969, 33–36; dagegen m.E. mit Recht z.B. F. MUSSNER, Der Galaterbrief, ²1974, 358f., und H.-D. BETZ, Galatians, (Hermeneia), Philadelphia 1979, 268f.

[2] Vgl. zum folgenden die Studie von M. HENGEL, Zur urchristlichen Geschichtsschreibung, 1979, 70ff.

Als sich herausstellte, daß die aus Jerusalem vertriebenen Stephanusleute sich an ihrer Christusmission nicht hindern ließen und sogar in bedeutenden jüdischen Diasporagemeinden wie der von Damaskus im Nabatäerreich Fuß faßten, machte sich Paulus, mit Empfehlungsbriefen aus Jerusalem versehen, auf, um seine Glaubensgenossen zu ähnlichen Maßnahmen gegen die christlichen Sektierer zu veranlassen, wie sie in Jerusalem mit Erfolg ergriffen worden waren (Apg 9,1ff.; 22,19). Die Alternative lautete für ihn: Entweder die neue Lehre vom Sühntod und der Auferweckung Jesu mit ihren kritischen Folgen für die Wertung des Tempelkultes und der alleinigen Geltung des mosaischen Gesetzes oder die wahre alte am Gesetz orientierte Glaubenstreue, und zwar möglichst in ihrer ernsthaftesten Ausprägung, der Gesetzestreue der Pharisäer.

3. Die Berufung des Paulus zum Apostel

Der Apostel selbst und die Apostelgeschichte berichten übereinstimmend, daß Paulus auf seiner Reise nach Damaskus von einer Christuserscheinung überrascht und in seinen pharisäischen Überzeugungen zutiefst erschüttert worden ist (Gal 1,15f.; 1Kor 9,1; 15,9f.; Apg 9,1–9; 22,6–11; 26,12–18). Dem Christenverfolger erschien der Herr der verfolgten Glaubenden in der Würde des von Gott zu seiner Rechten erhöhten und gegenüber seinen Bedrängern ins Recht gesetzten Gottessohnes! Paulus hat diese Christuserscheinung stets den Ostererscheinungen der vor ihm zu Aposteln Berufenen gleichgeachtet (1Kor 9,1f.; 15,9f.). Wie Petrus und die anderen Apostel hat er seinen Sendungsauftrag von seiner Begegnung mit dem auferstandenen Christus hergeleitet. Mit jener Ostererscheinung vor Damaskus ist aber in Paulus eine theologische Erkenntnis aufgebrochen und ein missionarischer Wille erwacht, die seinen Apostolat zu etwas Besonderem gemacht haben. Paulus erkannte vor Damaskus, daß er mit seinem eifernden Eintreten für das mosaische Gesetz und die altangestammte Gesetzesauslegung, für den Opferkult im Tempel und für das Verständnis des Kreuzes Christi als eines Jesus verdientermaßen treffenden Gottesfluches (Dt 21,22f.) gegen den wahren Willen Gottes in der Sendung Jesu, seines Sohnes, angekämpft hatte. Im Recht waren nicht er, sondern die von ihm Verfolgten mit ihrem Glauben an Jesus Christus, den Messias und Herrn der Welt. Er ist den Menschen von Gott zur Gerechtigkeit, zur Heiligung und zur Erlösung gesetzt (1Kor 1,30); wer an ihn glaubt und sich zur Vergebung seiner Sünden auf den Namen Jesu Christi, in dem alles Heil beschlossen liegt (Apg 4,12), taufen läßt, der gewinnt von Gott her jene Gerechtigkeit, die im Endgericht erforderlich ist, um in die ewige Gottesherrschaft eingehen zu dürfen. *Paulus ist vor Damaskus in Christus dem Heilswillen Gottes in Person begegnet; das hieß für ihn, den für die Tora kämpfenden Pharisäer, Christus als dem „Ende des Gesetzes für jeden, der (an Christus und Gottes Werk in ihm) glaubt" (Röm 10,4).*

Mit dieser durch den Auferstandenen in Paulus wachgerufenen Erkenntnis war für Paulus der wesentliche Inhalt seines Missionsevangeliums schon vorgegeben, ehe er die Jesusgeschichte und die Glaubenstradition der Christen zuerst in Damaskus, dann auch in Jerusalem und schließlich in Antiochien mit neuen Augen zu studieren und zu übernehmen begann. Mit der Einsicht, daß der gekreuzigte und auferstandene Christus der Heilswille Gottes in Person ist, war der Weg des Evangeliums zu den Heiden noch viel grundsätzlicher gewiesen als bei Stephanus und den Seinen: Wenn der wahre Wille Gottes, die wirkliche Gerechtigkeit, die Gott ganz erschließende Weisheit und das in Gottes unverbrüchlicher Nähe und Liebe bestehende Heil in dem gekreuzigten und auferstandenen Gottessohn beschlossen liegen (1Kor 1,30), dann zielen dieser wahre Gotteswille und diese Weisheit noch über das Gesetz vom Sinai hinaus und rufen nicht nur Israel sondern alle Völker zur Umkehr und Einkehr auf. Vor Damaskus ist Paulus nicht zum Abfall vom Judentum und einer judenfeindlichen Evangeliumsverkündigung bewegt worden, wohl aber zur Überschreitung der Grenzen seiner pharisäischen Glaubensüberzeugung. Paulus erkannte, daß Gott seine Sinaioffenbarung in Christus zum Ziel geführt und jene Zeit eröffnet hat, die in den Verheißungen von Jer 31,31ff.; Jes 2,2–4 angesagt wird (1Kor 11,25; 2Kor 3,6; Gal 4,21ff.). Seit seiner Berufung zum Apostel ist der Schriftgelehrte Paulus bemüht gewesen, ein von Gott neu belehrter Jude im Geist (Röm 2,28f.) und deshalb der auf das Heil der Welt zielenden Gerechtigkeit Gottes in Christus gehorsam zu sein. Die von Paulus bedrohten Christengemeinden haben die Verwandlung des Christenverfolgers in den Christusapostel als Gottestat gepriesen (Gal 1,23f.). Seine jüdischen Glaubensgenossen aber haben diese Wandlung zeit seines Lebens mehrheitlich als Abfall vom Glauben gewertet. Sie haben sich bis auf wenige Ausnahmen der Pauluspredigt verschlossen. Mehr noch, sie sind nun gegen Paulus vorgegangen, wie dieser zuvor gegen den Stephanuskreis und seine Gesinnungsfreunde.

Das sich Paulus mit seiner Berufung zum Apostel erschließende Christusevangelium hat den Lebensweg des zum Glauben an Jesus Christus überwundenen Diasporapharisäers mit dem Kreuz gekennzeichnet. Noch ehe Paulus von Barnabas nach Antiochien geholt wurde (Apg 11,25f.), ist Paulus in den Synagogen um seiner Christuspredigt willen wiederholt ausgepeitscht worden (2 Kor 11,24)[3]. Die Strafe der

[3] L. GOPPELT, Die apostolische und nachapostolische Zeit, ²1966, 50, hebt hervor, daß die in 2 Kor 11,24 angeführten Geißelungen von Paulus „vor Beginn der großen Arbeit in

Geißelung mit neununddreißig Hieben auf Brust und Rücken nach Dt 25,2f. wurde von den synagogalen Gerichten für schwere Verstöße gegen das Gesetz verhängt; sie war für den Verurteilten lebensgefährlich. Nimmt man hinzu, daß Paulus nach 2Kor 11,25 auf seinen späteren Missionsfahrten zusätzlich noch dreimal der römischen Prügelstrafe unterzogen worden ist (z.B. Apg 16,22) und einmal nur ganz knapp dem Tod durch Steinigung entging (Apg 14,19f.), klingt es nicht mehr übertrieben, wenn der Apostel in Gal 6,17 schreibt, er trage die Wundmale Jesu an seinem Leibe.

4. *Das paulinische Rechtfertigungsevangelium*

An den wiederholten Geißelungen in den Synagogen können wir historisch zuverlässig ablesen, daß Paulus sogleich nach seiner Berufung Christus als den alleinigen Grund der Rechtfertigung, als den Messias der Gerechtigkeit (vgl. 1Kor 1,30 mit Jer 23,6) und als Ende des Gesetzes (Röm 10,4), verkündigt hat und dieser Glaubenserkenntnis gemäß lebte. *Die Rechtfertigungsverkündigung des Paulus ist mitsamt ihrer Kritik an der absoluten Gültigkeit des Mosegesetzes also nicht erst die Konsequenz später paulinischer Glaubensreflexion*[4]*; sie ist das unmittelbare Ergebnis der Begegnung des Apostels mit dem „im Geist gerechtfertigten" Gottessohn (1 Tim 3,16) vor Damaskus.*

Versucht man, in das paulinische Rechtfertigungsverständnis einzudringen, bietet sich dafür zuerst das Selbstzeugnis des Apostels aus Phil 3 an. Paulus schreibt hier: „(4) ... Wenn irgendein anderer meint, sein Vertrauen auf Fleisch setzen zu können, (dann) ich noch viel mehr! (5) Am achten Tage beschnitten, vom Stamme Benjamin, ein Hebräer von Hebräern, dem Gesetz(esgehorsam) nach ein Pharisäer, (6) ein eifernder Verfolger der Gemeinde, was die Gerechtigkeit anbetrifft, die durch das Gesetz (erlangt wird), tadelsfrei dastehend! (7) Aber was mir Gewinn war, das erachte ich um Christi willen nunmehr als Verlust. (8) Ja wirklich, ich erachte es alles als Verlust wegen der nicht mehr überbietbaren Erkenntnis Christi Jesu, meines Herrn; um seinetwillen habe ich den Verlust all dessen auf mich genommen. Ja, für Kehricht halte ich es,

---

Antiochien" erlitten worden sein müssen, weil der Apostel sich später „nicht mehr in dieser Weise den Synagogengerichten" gestellt habe. C. K. BARRETT, The Second Epistle to the Corinthians, 1973, 296, stimmt Goppelt zu und meint, daß Paulus von den Juden für seinen die Reinheitsgebote nicht achtenden Umgang mit den Heiden und die Tischgemeinschaften mit ihnen gestraft worden sei.

[4] So vor allem G. STRECKER, Befreiung und Rechtfertigung. Zur Stellung der Rechtfertigungslehre in der Theologie des Paulus, in: Rechtfertigung. Festschrift für E. Käsemann zum 70. Geburtstag, hrsg. von J. Friedrich, W. Pöhlmann u. P. Stuhlmacher, 1976, 479–508; und – m.E. wenig überzeugend – H. HÜBNER, Das Gesetz bei Paulus, 1978.

um Christus zu gewinnen (9) und (von Gott) in ihm so erfunden zu werden, daß ich nicht meine eigene Gerechtigkeit, nämlich die vom Gesetz her (erworbene), sondern die durch den Glauben an Christus (gewonnene) habe, die Gerechtigkeit von Gott her auf Grund des Glaubens; (10) um ihn zu erkennen, die Macht seiner Auferstehung und die Teilhabe an seinen Leiden, seinem Tode gleichgestaltet, (11) um hoffentlich einst zur Wiederauferstehung von den Toten zu gelangen." Dieses Selbstzeugnis, das Paulus selbst zu einem Muster der von ihm gelehrten christlichen Glaubenshaltung ausgestaltet hat (vgl. Phil 3,15 ff.), lehrt aufs schönste, was Paulus unter „Rechtfertigung" versteht.

Bei der Rechtfertigung geht es um das Bestehen des einzelnen Menschen, der vor die Schranken des gerechten (End-)Gerichtes Gottes gerufen wird. In diesem Gericht kann nur bestehen, wer von Gott gerechtgesprochen und angenommen wird. Sein eigenes Bemühen, sich als Pharisäer die im Endgericht erforderliche Gerechtigkeit durch Buße und strenge Gesetzestreue zu erwerben, und zwar durch eine Gesetzestreue, die sich im militanten „Eifer" gegen die (christlichen) Gesetzesverächter bewährt hatte, hält der Apostel für gescheitert. Für gescheitert angesichts der ihm gewährten Erkenntnis Christi und nicht etwa aus persönlichem Versagen vor der Gesetzesforderung! Paulus betont ausdrücklich, er sei ein nach pharisäischem Maßstab tadelsfreier Gerechter gewesen. Aber diese tadelsfreie, selbsterworbene Gerechtigkeit wertet er angesichts des gekreuzigten und auferstandenen Christus als illusionäre, Gottes Werk widerstreitende Eigenmächtigkeit eines Frommen, der über seine wahre Situation vor Gott nicht wirklich im Bilde war. Auf die selbsterworbene Gesetzesgerechtigkeit ist im Endgericht kein Verlaß. Hier gilt nur die von Gott um Jesu willen zugesprochene Gerechtigkeit. Sie wird vom Menschen (nur) dadurch gewonnen, daß er sich im Glauben Gottes Sühnetat in Christus gefallen läßt und Jesus Christus als seinen Herrn und Fürsprecher vor Gott anerkennt. Die durch das Endgericht hindurchtragende Gerechtigkeit ist die von Gott kraft der Fürbitte des gekreuzigten und auferstandenen Christus aus Gnade zugesprochene Gerechtigkeit (vgl. Röm 8,31 ff.). Der in Phil 3,9 gebrauchte Ausdruck „die Gerechtigkeit von Gott her" entspricht genau dem hebräischen Text von Jes 54,17 und findet sich aramäisch im Prophetentargum zu dieser Stelle. Beide Male ist von der Gerechtigkeit die Rede, die Gott seinen Knechten verleiht, damit sie im Gericht gegenüber ihren Anklägern obsiegen können und das Heil gewinnen. Schon im Jesajatext ist diese von Gott kommende Gerechtigkeit eine Gnadengabe, und bei Paulus ist sie es erst recht.

Phil 3,9 ist im Blick auf das jüngste Gericht geschrieben, spricht also von der „Hoffnung auf Gerechtigkeit", von der auch in Gal 5,5 die Rede ist. Von „Rechtfertigung" kann Paulus aber auch im Präteritum sprechen als von einem Geschehen, das den Glaubenden bereits zuteilgeworden ist. Der Apostel schließt sich dabei gern an Tauftraditionen an, die er übernimmt (so z.B. in Röm 3,24ff.; 4,25; 8,29f.; 1Kor 6,11). Er formuliert denselben Sachverhalt aber auch selbständig und unterstreicht ihn sogar noch durch die Rede von der den Glaubenden jetzt schon zuteilgewordenen Versöhnung (Röm 5,1–11). „Rechtfertigung" bezeichnet bei Paulus also sowohl die im Glauben bereits gewonnene Anteilschaft an Gottes Gnade als auch den Freispruch vor Gott im Endgericht. Das neue Leben wird in der Taufe geschenkt, bewährt sich irdisch als „Dienst an der Gerechtigkeit" (Röm 6,18) und kommt in der Teilhabe an Jesu Auferweckungsherrlichkeit zur Vollendung (Phil 3,20f.). *Nimmt man Paulus beim Wort, dann ist die Rechtfertigung, von der er spricht, ein das irdische Leben jedes Glaubenden übergreifender Prozeß des Neuwerdens, ein Weg vom Glaubensgewinn zur Glaubensvollendung*. Die entscheidende Lebenswende liegt in der Glauben wekkenden Begegnung mit Christus. Mit dieser Begegnung erwächst dem Glaubenden seine Gerechtigkeit von dem Christus her, der der Gemeinde von Gott zur Gerechtigkeit, Heiligung und Erlösung gesetzt worden ist (1 Kor 1,30). Das Ziel des Lebens ist die Anrechnung des Glaubens an Christus zur Gerechtigkeit in Gottes Endgericht und die Teilhabe an der Auferweckungsherrlichkeit, in die Jesus schon eingegangen ist. Zwischen beiden Polen, der Wende am Anfang und der Vollendung zum Beschluß, liegt das Leben des Glaubenden als ein Leben im Zeugnisdienst für den gekreuzigten und auferstandenen Christus, der tagtäglich sein Herr und seine Gerechtigkeit ist.

5. Das Taufverständnis des Apostels

Paulus ist nach seiner Berufung zum Apostel selbst auf den Namen Jesu Christi zur Vergebung seiner Sünden getauft worden (1Kor 12,13; Apg 9,17–19). Für ihn war die Taufe das fortan sein Leben bestimmende Siegel (2Kor 1,21f.) seiner endgültigen Zugehörigkeit zur christlichen Gemeinde und der Anteilschaft an dem diese Gemeinde beseelenden und bevollmächtigenden Geist Gottes und seines Christus. Unbeschadet der Einmaligkeit und Unverwechselbarkeit seines apostolischen Sendungsauftrages, hat Paulus die Taufe als den die Rechtfertigung für jeden einzelnen Christen bestätigenden, ihn Christus und seiner Gemeinde zuordnenden Versiegelungsakt verstanden, mit dem der Täufling am Geist Christi und am neuen Leben in der durch Christus verbürgten Gottesbeziehung Anteil erhält[5]. Die ihm selbst vor Damaskus

[5] F. HAHN betont in seinem Aufsatz: Das Verständnis der Taufe nach Römer 6, in: Bewahren und Erneuern. Festschrift zum 80. Geburtstag von Kirchenpräsident a.D.

durch den Christus Gottes widerfahrene Rechtfertigung, deren Ereignisstruktur er in Phil 3,4–11 offenlegt und die ihm in seiner eigenen Taufe besiegelt worden war, wird den Christen insgesamt mit ihrer Taufe zuteil. Was die Rechtfertigung anbetrifft, sind also Paulus und alle getauften Christen in derselben Situation: Mit der Taufe wird ihr Leben verwandelt wie das des Apostels; sie werden dem gekreuzigten und auferstandenen Christus zur Nachfolge zugeordnet wie Paulus auch (vgl. Phil 3,9–11 mit Röm 6,4–11). Für ihr Leben in der Gemeinde Christi gilt: „Wir sind ... alle in einem Geist in einen (Christus-)Leib hineingetauft, seien wir nun Juden oder Griechen, seien wir Sklaven oder Freie" (1 Kor 12,13); oder individuell formuliert: „Wenn einer in Christus ist, dann ist er ein neues Geschöpf; das Alte ist vergangen, siehe, Neues ist geworden" (2 Kor 5,17). Paulus hat den Taufbrauch und die Taufanschauung von dem durch den Stephanuskreis inspirierten Missionschristentum übernommen, auf das er in Damaskus und anderswo stieß. Er hat die ihm vorgegebene Betrachtungsweise der Taufe bejaht, sie aber entschiedener als zuvor von der ihn selbst verwandelnden Rechtfertigungserfahrung her interpretiert und so vor Fehldeutungen geschützt.

6. *Herrenmahl und Kirchengedanke*

Schon für die vor Paulus zum Glauben berufenen Christen von Jerusalem und Antiochien gehörten Rechtfertigung und Versöhnung durch Jesu Sühntod für „die Vielen", Glaubensgemeinschaft und Versöhnungsgemeinschaft, untrennbar zusammen (vgl. Apg 2,42–47). Die gemeinsame Feier des Herrenmahles war das eigentliche Zentrum des Gemeindelebens. Auch diese Zuordnungen hat der Apostel übernommen. Wenn er die christliche Gemeinde den „Leib Christi" nennt (1 Kor 12,12–30; Röm 12,3–8), meint er damit die durch die stellvertretende Hingabe des irdischen Leibes Christi (Röm 7,4; 1 Kor 11,24–27) in den Sühntod für „die Vielen" zu einer Versöhnungsgemeinschaft zusammengeschlossene Schar der gerechtfertigten Glaubenden. Kraft der Taufe werden die Glaubenden in den „Leib Christi" eingegliedert; in der Herrenmahlsfeier, deren Grundzüge Paulus mitsamt seinem Einsetzungsbericht aus 1 Kor 11,23–25 wohl von Antiochien übernommen hat, wird die Gemeinde immer wieder neu zum „Leib Christi" vereint und jener lebenschaffenden Rechtfertigung und Versöhnung vergewis-

---

Professor D. Theodor Schaller, hrsg. vom Protestant. Landeskirchenrat d. Pfalz, 1980, (135–153), 143, mit Recht, daß man die Taufe bei Paulus von Röm 6,5 her „im Sinne eines wirksamen Zeichens und Aktes" verstehen darf: Der Täufling wird in Jesu Sterben einbezogen und in ein Leben aus der Kraft der Gnade hineingestellt, „das der Vollendung des in der Taufe eröffneten Mit-Christus-Seins noch entgegensieht" (144).

sert, die von Gott durch den Sühntod Jesu heraufgeführt worden ist. Paulus schreibt in 1Kor 10,14–17: „Also, meine Geliebten ..., (15) ich rede zu euch als zu verständigen Leuten; überlegt euch genau, was ich sage: (16) Der Segensbecher, den wir segnen, gibt er nicht Anteil am Blute Christi? Das Brot, das wir brechen, gibt es nicht Anteil am Leibe Christi? (17) Weil es ein Brot ist, sind wir, ‚die Vielen', ein Leib, denn wir empfangen ja alle (unseren Teil) von dem einen Brot." Kraft der gemeinsamen Mahlfeier sind die Glaubenden der Leib Christi. Indem sie am „Tisch des Herrn" (1Kor 10,21) teilhaben, werden sie aber auch mit ihrem Versöhner, dem gekreuzigten und auferstandenen Christus, auf Gedeih und Verderb verbunden. Christus läßt mit seiner Gabe nicht spielen. Jenseits der Versöhnung gibt es für Paulus nur die Heimsuchung durch das seine Schatten schon in die Gegenwart werfende Gottesgericht. Das Gottesgericht aber besteht darin, daß jeder die Folgen seiner Taten zu tragen hat (1Kor 11,27–33).

Es verwundert unter den bisher genannten Umständen nicht mehr, leuchtet vielmehr historisch völlig ein, daß Paulus nicht nur die ihm vorgegebene Tauf- und Abendmahlstradition, sondern auch die von Rechtfertigung und Versöhnung sprechenden Formeltexte des antiochenischen Missionschristentums in seine eigene Verkündigungssprache übernommen hat. In 2Kor 5,20–21 faßt er seinen Verkündigungsauftrag folgendermaßen zusammen: „(20) So wirken wir als Sendboten an Christi Statt in dem Sinne, daß Gott seinen Mahnruf durch uns ergehen läßt; wir bitten an Christi Statt: ‚Laßt euch versöhnen mit Gott!' (21) Den, der Sünde(nschuld) nicht kannte, hat er für uns zum Sündopfer gemacht, damit wir durch ihn Gottes Gerechtigkeit würden."[6] Paulus zitiert hier die uns bereits bekannte traditionelle Formulierung von 2Kor 5,21 ohne jede inhaltliche Einschränkung; er gibt ihr mit ihrer Stellung am Ende seiner Argumentation sogar besonderes Gewicht. In Röm 3,24ff.; 4,25 oder 8,3f. können wir parallele Vorgänge beobachten.

7. *Der Kampf um den paulinischen Apostolat*

Der Apostel hat zeit seines Lebens um seinen Apostolat und sein Rechtfertigungsevangelium kämpfen müssen. Ihn belastete die Außenseiterrolle, die er, der ehemalige Verfolger der Gemeinde, unter jenen Aposteln einnahm, die schon dem irdischen Jesus nachgefolgt waren. Ihnen gegenüber erschien die Missionsbotschaft des Paulus als höchst einseitig und zugespitzt. Paulus kannte Jesus nur vom Hörensagen und

[6] Zu 2 Kor 5,18–21 ist vor allem der Aufsatz von O. Hofius: Erwägungen zur Gestalt und Herkunft des paulinischen Versöhnungsgedankens, ZThK 77, 1980, 186–199 zu vergleichen. Zur traditionellen Gestalt des Verses 21 vgl. oben S. 79f.

war damit Petrus deutlich unterlegen. Vor allem aber waren Rechtfertigung und Versöhnung durch Christus im Paulusevangelium nicht mehr an die Voraussetzung geknüpft, daß die Gerechtfertigten sich durch die Beschneidung in den Abrahambund (Gen 17) aufnehmen und zum Gehorsam gegenüber dem mosaischen Gesetz verpflichten mußten. So grundlegend wichtig diese Entflechtung von Christusmission und auf Proselytenschaft zielender Judenmission für die Missionierung der Heiden war und so kirchlich selbstverständlich sie uns heute geworden ist, so hart umkämpft war sie zur Zeit des Apostels.

Paulus und Barnabas haben auf dem sog. Apostelkonzil in Jerusalem durchgesetzt, daß in der von ihm und Barnabas von Antiochien aus gemeinsam betriebenen Heidenmission grundsätzlich auf die Beschneidung der Heiden verzichtet werden durfte. Für ihn hieß das gleichzeitig, daß die Heiden Gott nur in Christus zum Gehorsam verpflichtet seien. Die „Säulen“ der Jerusalemer Urgemeinde, der Herrenbruder Jakobus und die Apostel Petrus und Johannes, haben das Werk des Barnabas und Paulus ausdrücklich anerkannt. Sie haben die beiden nur verpflichtet, unter den Heidenchristen eine demonstrative Kollekte für die Armen in der Jerusalemer Gemeinde zu veranstalten, und zwar als Zeichen der Zusammengehörigkeit der Kirche aus Juden und Heiden (Gal 2,1–10). Die Jerusalemer Vereinbarung scheint den harten Kern der Jerusalemer Judenchristen nicht überzeugt zu haben. Der Galaterbrief des Paulus zeigt nämlich, daß sie weiterhin auf der Beschneidung der Heidenchristen und ihrem Eintritt in den Abrahambund bestanden und in den von Paulus begründeten Gemeinden nachträglich eine Art von Nach- und Gegenmission veranstaltet haben. Sie haben vor dem in der Gesetzesfrage angeblich erweichten Evangelium der Antiochener, vor allem dem des Paulus, gewarnt, den Galatern das leuchtende Beispiel der wahren Jerusalemer Urapostel vorgehalten und ihnen dringend angeraten, sich noch beschneiden zu lassen und dem mosaischen Gesetz zu unterstellen[7]. Paulus hat die von ihm begründeten Gemeinden beschworen, diesem falschen „anderen Evangelium“ (Gal 1,8 f.) kein Gehör zu schenken, die ihnen kraft seines Evangeliums gewährte Rechtfertigung durch Christus allein aus Glauben nicht nachträglich anzuzweifeln und nicht durch ängstliche Gesetzesobservanz zu unterlaufen. Ob der Apostel mit seinem beschwörenden Appell bei den Galatern wirklich durchgedrungen ist, wissen wir historisch leider nicht.

Bei der Frontstellung gegen die radikalen Judenchristen in Galatien ist es für Paulus aber nicht geblieben. Schon in Gal 2,11–21 deutet sich eine weitere Konfliktsituation an. Jakobus der Herrenbruder hat offenbar

[7] Vgl. zu dieser Auffassung des Konfliktes in Galatien mein Buch: Das paulinische Evangelium I, 1968, 63–108.

kurze Zeit nach dem Apostelkonzil versucht, die heute im sog. Apostel-dekret von Apg 15,20f.28f. aufgezählten Bestimmungen in Antiochien (und anderweitig) durchzusetzen. Bei der Forderung an die unbeschnittenen Heidenchristen, sich der Hurerei im Sinne von blutschänderischen Ehen (vgl. Lev 18,6ff.), des Genusses von Götzenopferfleisch und von „Ersticktem" (d.h. nicht durch rituelle Schächtung geschlachtetem, also unausgeblutetem Fleisch) und des Blutgenusses zu enthalten, handelt es sich um die Auflage jener Mindestgebote, die ein in Israel lebender gottesfürchtiger Heide nach Lev 17 und 18 einzuhalten hatte. Der positive Sinn des sogenannten Aposteldekrets lag darin, in den Missionsgemeinden ein Zusammenleben und vor allem die (Abend-)Mahl(s)gemeinschaft zu ermöglichen, ohne den zu Christus bekehrten Juden die Aufgabe ihrer bisherigen religiösen und völkischen Identität zuzumuten. Petrus, Barnabas und ein Teil der Judenchristen in Antiochien haben nach Gal 2,11ff. die nachträgliche Maßnahme des Jakobus bejaht, Paulus hat sie als nomistische Auflage und als Rückfall unter das mosaische Gesetz angesehen und deshalb schroff abgelehnt. Seither waren seine Beziehungen zu den Jerusalemern, aber auch zu Barnabas und Petrus gespannt. Das Resultat sind jene Auseinandersetzungen, die in den Korintherbriefen, im Philipperbrief und vor allem im Römerbrief sichtbar werden.

In den beiden Korintherbriefen und im Philipperbrief muß sich der Apostel nicht nur gegen eine Tendenz zur Spiritualisierung und enthusiastischen Fehldeutung seines Evangeliums durch Gruppen in den Gemeinden zur Wehr setzen, sondern er muß auch wieder um die Legitimität seines Apostolates und Evangeliums kämpfen. Seine Gegner in Philippi und Korinth sind wahrscheinlich hellenistisch-judenchristliche Gemeindeapostel, die ihr Vorbild in Petrus (und dem die Heidenmission unter den genannten Bedingungen befürwortenden Herrenbruder Jakobus) sehen[8]. Sie messen Paulus an diesen Vorbildern und empfinden sein persönliches Auftreten in den Gemeinden als zu unterwürfig; sie stoßen sich an seiner Leidensexistenz und halten sein Evangelium vom gekreuzigten Christus für radikalisiert und vereinseitigt. Paulus muß diesen, wie er sie ironisch nennt, „Überaposteln" (2Kor 11,5; 12,11) gegenüber die volle Rechtmäßigkeit seines von Kreuz und Leiden gezeichneten Apostolates verteidigen und schon in 1Kor 9,20f. darauf hinweisen, daß er als Apostel Jesu nicht einfach ein Gesetzloser gewor-

[8] Bei der Antwort auf die komplizierte Frage nach den Paulus in Philippi und Korinth herabsetzenden Gegnern hat mich mein emeritierter Kollege F. Lang, Tübingen, beraten. Vgl. außerdem G. Friedrich, Der Brief an die Philipper, [14]1976, 131–134. Zur Missionssituation des Paulus vgl. meinen Aufsatz: Weg, Stil und Konsequenzen urchristlicher Mission, ThBeitr 12, 1981, 107–135.

den sei, sondern ein Knecht Christi Jesu, der dem in Christus offenbar gewordenen wahren Willen Gottes, der „Tora des Christus" (Gal 6,2), gehorsam ist.

8. Die Botschaft des Römerbriefes

Im Römerbrief gibt Paulus einen umfassenden Überblick über sein Evangelium von Gottes Gerechtigkeit in Christus. Er tut dies von Korinth aus, und zwar in schwerer Sorge um die Zukunft seiner Mission. Er sieht sein Missionswerk im Osten der Mittelmeerwelt als vollendet an und will über Rom nach Spanien vorwärtsdringen (Röm 15,23 f.). Ehe er aber diese Missionsfahrt in den Westen unternehmen kann, hat er noch zwei beträchtliche Hindernisse zu überwinden. Er muß zuerst die auf dem Apostelkonvent vereinbarte und nunmehr abgeschlossene Kollekte nach Jerusalem bringen, ist sich aber nach den Kämpfen in Galatien, Philippi und Korinth unsicher, wie „die Heiligen" in Jerusalem ihn und sein Werk aufnehmen werden; außerdem befürchtet er – wie Apg 21,27 ff. zeigt, mit gutem Grund! – persönliche Nachstellungen von seiten der ihm seit langem feindlich gegenüberstehenden Juden in Jerusalem (Röm 15,30 ff.). Aber nicht nur der Besuch in Jerusalem steht Paulus bevor. Auch in Rom muß er fürchten, verschlossene Herzen und Türen vorzufinden. Die ständigen Auseinandersetzungen, in die Paulus verwickelt war, waren natürlich in Rom nicht unbekannt geblieben. Es sind vielmehr schon „Verlästerungen" des paulinischen Evangeliums nach Rom gedrungen (Röm 3,8), und es sind Leute aufgetreten, die „Zwistigkeiten" in die Gemeinde tragen und die in Rom hochgehaltene christliche Lehre (der Paulus in seinem Brief wieder und wieder zustimmt!) unterminieren (16,17 f.). Paulus befürchtet, daß die gegen ihn und sein Evangelium vorgebrachte Kritik die römische Gemeinde gegen ihn einnehmen und daran hindern könnte, ihn bei seinen Missionsplänen im Westen tatkräftig zu unterstützen. Er entschließt sich deshalb zu dem recht ungewöhnlichen Schritt, der ihm bislang nur aus der Ferne und durch (die in Röm 16 genannten) Freunde bekannten Gemeinde brieflich umfassend über sein Evangelium zu berichten und dabei die gegen ihn vorgebrachten Einwände zu widerlegen. Er hofft, sich auf diese Weise des Einverständnisses mit den Römern auf Zukunft versichern zu können. Wir haben also auch im Römerbrief ein Schreiben des Paulus zu sehen, das historisch in eine ganz konkrete Gemeindesituation hineinzielt. Es handelt sich um die missionarisch motivierte Offenlegung des paulinischen Evangeliums angesichts der bis nach Rom gedrungenen Kritik an Paulus und seiner Botschaft[9].

---

[9] Diese historisch einleuchtende Sicht des Römerbriefes als eines aktuellen Gemeindeschreibens hat auf meine Anregung hin M. KETTUNEN in seiner Dissertation: Der Abfas-

9. *Das Evangelium von der Gottesgerechtigkeit*

In Röm 1,16f. äußert sich Paulus thematisch über sein Verhältnis zum Evangelium und dessen Inhalt. Er schreibt: „(16) Ich schäme mich nämlich des Evangeliums nicht; denn es ist eine Gottesmacht zur Errettung jedes Glaubenden, für den Juden zu allererst, aber auch für den Griechen; (17) denn Gottes Gerechtigkeit wird in ihm offenbart aus Glauben und zum Glauben, wie geschrieben steht: ‚Der aus Glauben Gerechte wird leben'" (Hab 2,4). Am Verständnis dieser beiden Verse hat sich seinerzeit die Reformation entschieden. Als Luther nach langem Suchen entdeckte, daß „Gerechtigkeit Gottes" in V. 17 nicht die Gerechtigkeit meint, die der unerbittliche Richtergott dem Glaubenden (im Gericht) abverlangt, sondern die er dem Glaubenden aus Gnade gewährt, d.h. die von Gott zugesprochene „Gerechtigkeit, die vor Gott gilt", da sah er sich in diesem Römerbrieftext wirklich vor den gnädigen Gott gestellt, den er schon lange gesucht und nun als Gott der Gnade in Christus gefunden hatte[10]. Die umwälzenden kirchengeschichtlichen Folgen dieser exegetischen Entdeckung Luthers sind bekannt.

Versucht man, den ursprünglichen Sinn der berühmten Verse zu ergründen, fällt zunächst die Formulierung auf, Paulus „schäme sich des Evangeliums nicht". Die Wendung weist auf eine akute Konfliktsituation hin, in der sich Paulus nicht scheut, das ihm aufgetragene Evangelium so zu vertreten, wie es ihm als Apostel aufgetragen ist. Auch in Rom gedenkt Paulus, sich trotz aller Kritik zu dem Evangelium von der Gottesgerechtigkeit zu bekennen und zu ihm zu stehen[11]!

Um die genaue Bedeutung des vom Apostel in seinen Briefen wiederholt gebrauchten Ausdrucks „Gottesgerechtigkeit" in Röm 1,17 zu erfassen, muß man V. 16f. mit der Evangeliumsdefinition zusammennehmen, mit der Paulus seinen Brief einleitet. Die Eingangssätze des Römerbriefes lauten: „(1) Paulus, Knecht Christi Jesu, berufener Apostel, ausgesondert für das Evangelium Gottes, (2) das er im voraus verheißen hat durch seine Propheten in Heiligen Schriften, (3) (das handelt) von seinem Sohn, der dem Fleische nach aus dem Samen Davids stammt, (4) (und) eingesetzt wurde zum Sohn Gottes in Macht nach dem Geist der Heiligkeit auf Grund der Auferstehung der Toten, von Jesus

---

sungszweck des Römerbriefes, AASF, Ser. Dissertationes Humanarum Litterarum 18, 1979, neu zu begründen versucht.

[10] Vgl. dazu E. Jüngel, Gottes umstrittene Gerechtigkeit, in: ders., Unterwegs zur Sache, 1972, (60–79) 67ff.

[11] Vgl. W. Schmithals, Der Römerbrief als historisches Problem, 1975, 91–93. Während Schmithals nur an den „unausbleiblichen Konflikt mit der römischen Synagoge" und die „öffentlichen Folgen dieses Konflikts" denkt (a.a.O., 92), hat Paulus m.E. auch die Auseinandersetzung mit Christen im Auge, die in Rom gegen ihn und sein Evangelium agitieren.

Christus, unserem Herrn, (5) durch den wir empfangen haben Gnadenvollmacht und Apostelamt, um Gehorsam des Glaubens (zu wirken) unter allen Heiden für seinen (= im Dienste seines) Namen(s)" (Röm 1,1–5). Die Offenbarung der Gottesgerechtigkeit aus Glauben zum Glauben und der wesentliche Inhalt des Evangeliums nach Röm 1,3f., nämlich Jesu Sendung als messianischer Davidssohn für Israel und seine alle Völker der Welt betreffende Herrschaft als auferstandener Gottessohn, sind für Paulus in Röm 1 zwei untrennbare Parallelaspekte seines Evangeliums. Es legt sich nahe, diese beiden Aspekte von 1 Kor 1,30 her zusammendenken, wo Christus als die „uns (d.h. den Glaubenden) von Gott her gesetzte Gerechtigkeit und Heiligung und Erlösung" bezeichnet wird. Die im Evangelium offenbar werdende Gerechtigkeit Gottes von Röm 1,16f. wäre dann also die von Gott in der Sendung Jesu Christi geoffenbarte und ins Werk gesetzte Gerechtigkeit, von der jeder einzelne Glaubende lebt, und die sich an den Glauben jedes einzelnen als ihren eigentlichen Adressaten richtet; Gerechtigkeit Gottes als Inbegriff des den Glaubenden im Horizont des Gerichtes neues Leben verschaffenden Heilswirkens Gottes in Christus.

Ob wir mit dieser (Luther zustimmenden, aber über seine Gleichsetzung der Gottesgerechtigkeit mit der Glaubensgerechtigkeit hinausgehenden) umfassenden Sinngebung von Gerechtigkeit Gottes, in Röm 1,16f. auf der richtigen Spur sind, muß der Blick auf die weiteren Belegstellen für den Ausdruck im Römerbrief und auf die hinter der Wortbildung stehende christliche und alttestamentlich-jüdische Wortgeschichte erweisen. In 2 Kor 5,21 hatte Paulus mit „Gerechtigkeit Gottes" die Qualität des den Glaubenden kraft des Sühnopfers Jesu gewährten neuen Lebens, also das Resultat des Heilswerkes Gottes, bezeichnet, und zwar im Einklang mit der von ihm dort aufgegriffenen judenchristlichen Tradition. In der Paulus ebenfalls bereits vorgegebenen Überlieferung von Röm 3,25f. bezeichnet dieselbe Wortbildung Gottes Gerechtigkeitsaktivität, mit der er kraft des Sühntodes Jesu den Sündern Vergebung der Sünden und neues Leben erwirkt. Schon die für Paulus wegweisende christliche Gerechtigkeitstradition hat also unseren Ausdruck gleichzeitig zur Kennzeichnung von Gottes eigenem Rechtshandeln und dem Ergebnis dieses Handelns benutzt. In dieser komplexen oder, wie K. H. Fahlgren formuliert hat, „synthetischen"[12] Bedeutungsbreite ist der Paulus vorgegebene Begriff typisch alttestamentlich strukturiert.

Paulus hat diese „synthetische" Spannweite im Römerbrief ganz bewußt beibehalten. Man kann dies an Röm 3,5; 3,21–26 und 10,3

---

[12] K. H. Fahlgren, ṣ^{e}daqā nahestehende und entgegengesetzte Begriffe im Alten Testament, Uppsala 1932, bes. S. 52ff.

leicht sehen. In Röm 1,18–3,20 geht es Paulus zunächst um den Aufweis der Sündenschuld von Heiden und Juden vor Gott, dem gerechten Richter. Das paulinische Ergebnis lautet: Vor Gott sind Juden und Griechen gleichermaßen schuldig (3,9–20). In diesem Gesamtzusammenhang meint Gottes Gerechtigkeit in 3,5 eindeutig die Gott, dem Richter, eignende Gerechtigkeit, kraft deren er über die Ungerechtigkeit der Menschen das Zorngericht verhängt. Nach V. 3f. ist diese Gerechtigkeit Gottes aber der Treue und Wahrhaftigkeit Gottes eng benachbart, und sie wird bestätigt, wenn man mit Gott (im Gericht) einen Rechtsstreit anzustrengen versucht (Ps 51,6). In Röm 3,5 geht es also um die Gott, dem Weltenrichter, eignende, über die Ungerechtigkeit und die Sünde Gericht haltende Gerechtigkeit. Die sich aus V. 3f. ergebende Parallelität von Gerechtigkeit, Treue und Wahrheit Gottes weist wieder ins Alte Testament zurück (vgl. z.B. Ps 98,2f.9); sie zeigt an, daß der Ausdruck „Gottesgerechtigkeit“ für den Apostel auch im Gerichtshorizont semantisch positive Aussagequalität behalten hat[13].

Nachdem Paulus in Röm 1,18–3,20 die allgemeine Schuldverfallenheit von Juden und Heiden aufgewiesen und angedeutet hat, daß das mosaische Gesetz aus dieser Schuldverfallenheit nicht befreit, spricht er in 3,21–26 von dem „jetzt“ durch Gott in Christus ohne Mithife des Gesetzes heraufgeführten Heil für die Glaubenden. Die uns beschäftigende Genitivverbindung „Gerechtigkeit Gottes“ taucht in den sechs Versen viermal auf; daß der Apostel in 3,25f. traditionelle Formulierungen aufnimmt, wissen wir schon. Der Abschnitt lautet: „(21) Jetzt aber ist ohne das Gesetz, doch bezeugt vom Gesetz und den Propheten, Gottes Gerechtigkeit offenbar geworden, (22) (und zwar) Gottes Gerechtigkeit, (die) durch den Glauben an Jesus Christus (erlangt wird, und) für alle, die glauben (gilt). Es gibt da nämlich keinen Unterschied; (23) alle sind sie Sünder, und es fehlt ihnen die Herrlichkeit Gottes; (24) umsonst werden sie gerechtfertigt kraft seiner Gnade mittels der Erlösung, und zwar der Erlösung durch Christus Jesus: (25) den Gott öffentlich eingesetzt hat zum Sühnmal mittels des Glaubens kraft seines Blutes zum Erweis seiner (= Gottes) Gerechtigkeit durch den Erlaß der zuvor geschehenen Sünden (26) unter (oder auch: kraft) der Geduld

---

[13] K. Koch, Artikel: ṣdq, THAT II, (507–530) 514, bietet für diesen Befund die geeignete Erklärung. Nach seiner Analyse gilt für den juridischen Gebrauch von „Gerechtigkeit“ im Alten Testament: „Bei juridischem Gebrauch steht ... nie ‚Gerechtigkeit‘ des Richters (wie es deutschem Sprachgebrauch entspräche) im Vordergrund, sondern die Wiederherstellung der ṣᵉdāqā des Klägers oder des Angeklagten durch Freispruch und Wiederherstellung seiner ungeschmälerten ... Existenz, zu der die Verdammung des ‚ungerechten‘, d.h. frevlerischen Gegners gehört. Im Hintergrund scheint eine Rechtsauffassung zu stehen, nach der jeder Prozeß einer Störung von Gemeinschaftsverhältnissen entspringt, die wieder einzurichten sind.“

Gottes, zum Erweis seiner Gerechtigkeit im jetzigen Zeitpunkt, auf daß er (= Gott) gerecht sei und den rechtfertige, der aus Glauben an Jesus (lebt)". In diesem höchst kompliziert, aber überlegt formulierten Abschnitt nimmt Paulus die ihm von Antiochien her überkommene Sühnetradition auf (die, wie wir oben S. 78–84 sahen, in der Sache auf Jesu eigenem Sühneverständnis fußt) und macht sie zum Fundament seiner Rechtfertigungs- und Erlösungsdarstellung. Derselbe Vorgang wird in Röm 4,25 greifbar. Paulus macht hier die ihm vorgegebene Formeltradition des Verses 25 zum Zielpunkt seiner ganzen Glaubens- und Rechtfertigungserörterung in Kap. 4. Die aus Jerusalem stammende semitisierende Formel verarbeitet Jesu eigenes Sühneverständnis, indem sie Tod und Auferweckung von Jes 53 her deutet. Der Tod Jesu ist der Straftod „wegen unserer Sünden", Jesu Auferweckung die Ratifizierung seines Opfertodes durch Gott selbst in Form der Erhöhung des stellvertretend leidenden Gottesknechtes. Weil die Sünden gesühnt und Jesu Opfergang von Gott bestätigt worden ist, kann aus Tod und Auferwekkung Jesu „uns", d.h. der glaubenden Gemeinde, die Rechtfertigung erwachsen. Sie wird jedem zuteil, der an den Gott glaubt, der Jesus, den Herrn, von den Toten auferweckt hat.

Beide Male wird eine echte Kontinuität des Evangeliums sichtbar. In Röm 3,21–26 und Röm 4,23–25 verbinden sich Jesu eigene Opferbereitschaft, das Bekenntnis der vorpaulinischen Missionsgemeinde zu Jesus, ihrem Versöhner, und die Missionsbotschaft des Paulus zu einer in der Sachaussage untrennbaren Verkündigungsgeschichte. *Mit der im Römerbrief vorgetragenen Rechtfertigungsanschauung ist Paulus wirklich der „Bote Jesu" (A. Schlatter).*

„Gerechtigkeit Gottes" erscheint in unserem Abschnitt in zweifacher Bedeutung. Während in 3,5 von Gottes Richtergerechtigkeit die Rede war, geht es für Paulus jetzt um die Frage, woher Juden und Heiden die im Endgericht lebensentscheidende Gerechtigkeit gewinnen sollen, nachdem die Werke des Gesetzes diese Gerechtigkeit nicht erwirken können (3,20). Seine Antwort lautet: Die vor Gott unentbehrliche Gerechtigkeit ist ohne Mithilfe des Gesetzes, aber durchaus dem Zeugnis des das Gesetz (d.h. die fünf Bücher Mose) und die Propheten umschließenden Alten Testaments entsprechend, von Gott her offenbar geworden, nämlich als die durch den Glauben an Jesus Christus zu gewinnende, von Gott selbst heraufgeführte Gerechtigkeit. In V. 21f. gebraucht Paulus „Gottesgerechtigkeit" wie in der Tradition von 2Kor 5,21, d.h. als Bezeichnung für den von Gott in Christus eröffneten, im Glauben anzueignenden Heilsgewinn. Die Formulierungen in V. 21f. lehnen sich eng an die programmatischen Sätze von 1,16f. an und geben damit ein spezifisch paulinisches Interesse zu erkennen. Es ist dem Apostel entscheidend wichtig (und entspricht seiner persönlichen

Berufserfahrung), daß die Gottesgerechtigkeit allein „durch *Glauben* an Jesus Christus" gewonnen wird, und daß *alle* an diesem Gewinn und damit an dem neuen Sein als Gerechte vor Gott teilhaben dürfen, und zwar ohne sich auf das Gesetz und die eigenen Werke abstützen zu müssen. Die Gottesgerechtigkeit ist für Paulus wesentlich Glaubensgerechtigkeit[14].

Der sich in der Glaubensgerechtigkeit eröffnende Weg zum Heil ist nach Paulus aber auch der den Sündern noch einzig offenstehende. Ob Juden oder Heiden, sie stehen ja alle unter der Sünde und damit unter der unentrinnbaren Anklage des gerechten Gerichtes Gottes. Ihnen fehlt die Herrlichkeit Gottes, d.h. nach jüdischer Auffassung jene Adam und Eva ursprünglich im Paradies eignende Gerechtigkeit, in der sie die Gott unschuldig begegnenden und von ihm bewahrten Geschöpfe waren (vgl. ApkMos 20–21). Sie sollen aber nach Gottes Willen diese ihnen fehlende herrliche Gerechtigkeit des Ursprungs neu erlangen, und zwar durch die von Gott aus Gnade in Christus ins Werk gesetzte Erlösung. Gott hat Jesus öffentlich zum Sühnmal (d.h. zur Kapporaet von Lev 16[15]) eingesetzt, und zwar um den sonst im Gericht verlorenen Sündern durch die Aufopferung des (im Blut beschlossenen) Lebens Jesu, seines Sohnes, Sühne und Vergebung ihrer Sünden zu erwirken. Paulus fügt der Tradition eigens das „mittels des Glaubens" hinzu, betont also erneut, daß Jesus als Stätte der Versöhnung und der Gegenwart Gottes nur durch den Glauben zugänglich wird. Mit der Tradition, die er zitiert, betont er dann aber weiter, daß dieses ganze Heilswerk eine Demonstration der Gerechtigkeit Gottes ist. Gott, der gerechte Richter, erweist seine Gerechtigkeit dadurch, daß er den Sündern im Gericht zum Leben durch Christus verhilft. In V. 25 ist also wieder die Gott eignende

---

[14] Daß die Gottesgerechtigkeit den Glaubenden zugesprochen und im Glauben empfangen und erfahren wird, ist gegenüber der vorpaulinischen Gerechtigkeitstradition neu. Wir stehen hier in der Tat vor einem besonderen paulinischen Akzent. Über diesem Akzent sollte man aber nicht übersehen, daß Paulus auch seine Christologie ganz unter dem Aspekt der Verwirklichung der Gottesgerechtigkeit ausarbeitet. Zwar sind dem Apostel Traditionen wie Phil 2,6–11; 1 Kor 1,30; Röm 3,25 f.; 4,25 vorgegeben, aber für ihn einen sich die Sendung Jesu in diese Welt, sein Sühntod „für uns", seine Auferweckung, sein Werk als Auferstandener, seine messianische Parusie vom Zion her (Röm 11,26 ff.), seine Fürsprache für die Glaubenden im jüngsten Gericht (Röm 8,31 ff.) und seine Überwindung des Todes (1 Kor 15,25 ff.) so, daß in diesem christologischen Gesamtgeschehen Gottes Gerechtigkeit heilschaffend durchgesetzt wird. (Vgl. meinen Aufsatz: Zur paulinischen Christologie, ZThK 74, 1977, 449–463). Es ist deshalb eine Vereinseitigung der Gerechtigkeitskonzeption des Apostels, wenn man nur auf die Erfahrung der Glaubensgerechtigkeit hinweist und nicht gleichzeitig auch von der die Geschichte übergreifenden Verwirklichung der Gottesgerechtigkeit durch Sendung, Tod, Auferweckung und Wiederkunft Christi spricht.

[15] Ich setze hier wieder die Analyse von Röm 3,24 ff. voraus, die ich in der Festschrift für W. G. Kümmel vorgelegt habe. S. o. S. 27–42.

Gerechtigkeit gemeint, und zwar seine Gerechtigkeit, die mehr ist und mehr will als den bloßen Strafvollzug; sie will neues Leben gewähren und schaffen. In V. 26 wiederholt Paulus noch einmal ausdrücklich, es handele sich um den Erweis der Gott eigenen lebenschaffenden Gerechtigkeit im jetzigen Zeitpunkt, der durch Jesu Sendung (vgl. Röm 1,3f.) und die Evangeliumsverkündigung von der Vergangenheit unter der Sünde abgehoben wird. Dieser Erweis hat das Ziel, Gott jetzt als den Gerechten erscheinen zu lassen, dessen Gerechtigkeit in der von ihm vollzogenen gnädigen Rechtfertigung jedes Menschen, der aus Glauben an Jesus lebt, zur Erfüllung kommt. „Gerechtigkeit Gottes“ meint in Röm 3,21–26 also die Gott eignende, den Verlorenen Leben erwirkende Gerechtigkeit (V. 25.26) und gleichzeitig die sich den Sündern aus diesem Heilswirken Gottes in Christus heraus erschließende Glaubensgerechtigkeit (V. 21.22). Die Glaubensgerechtigkeit ist mit der Herrlichkeit der gerechten Geschöpfe Gottes identisch, die ihnen als Sündern fehlt (V. 23). *„Rechtfertigung“ hat nach unseren Versen deutlich die Dimension von Neuschöpfung.*

In Röm 9,30–10,4 stellt Paulus (im Rahmen seiner großen Erörterung über Israels Gegenwart und Zukunft angesichts des Christusevangeliums) den unerwarteten Heilsgewinn der Heiden und die ihn schmerzende Heilsferne jenes Israels gegenüber, das sich dem Christusevangelium bislang verschließt. Die Heiden, die sich nicht um Gerechtigkeit gemüht haben wie die gesetzestreuen Juden, haben auf Grund ihres Glaubens Gerechtigkeit erlangt; Israel aber hat an Christus Anstoß genommen, ist den Weg des Gesetzes ohne Glauben gegangen und nicht an sein in der Gerechtigkeit bestehendes Ziel gelangt. Paulus kennt Israels heiligen Eifer um Gott, weiß aber auch (aus eigener Erfahrung), daß dieser Eifer ein blinder Eifer ist: „(10,3) Ohne Kenntnis der Gerechtigkeit Gottes und im Bestreben, ihre eigene Gerechtigkeit aufzurichten, haben sie sich der Gerechtigkeit Gottes nicht unterworfen. (4) Christus ist nämlich das Ende des Gesetzes für jeden, der glaubt.“ Gerechtigkeit Gottes hat hier wieder den umfassenden, uns schon in 1,16f. beschäftigenden Bedeutungsgehalt. Israel ist bisher an dem Heilswerk Gottes in Christus ohne (Glaubens-)Erkenntnis vorbeigegangen und hat sich dem von Gott in Christus manifestierten Recht der Gnade nicht unterworfen, und zwar deshalb nicht, weil es sich an das Gesetz als den zur Gerechtigkeit führenden Heilsweg geklammert hat und auf diesem Wege seine eigene Gerechtigkeit vor Gott hat aufrichten wollen. Dieser Weg aber ist von Gott in Christus überholt worden. Christus ist das Ende des Gesetzes für jeden, der glaubt, weil Gott in ihm schon jene Gerechtigkeit heraufgeführt und den Glaubenden eröffnet hat, die die Gesetzestreuen noch meinen, auf Grund des Gesetzes aus eigener Anstrengung heraus erwirken zu können und zu müssen.

Der Gebrauch von „Gerechtigkeit Gottes“ im Römerbrief, in 2Kor 5,21 und in Phil 3,9 läßt sich insgesamt weder auf die Formel bringen, es ginge überall nur um die Glaubensgerechtigkeit, die vor Gott Anerkennung findet, noch auch, es gehe stets um Gottes eigenes Recht in Christus; beide Aspekte gehören unlösbar zusammen. Sie lassen sich auch nicht in der Weise voneinander trennen, daß man sagt, in der Paulus vorgegebenen christlichen Gerechtigkeitstradition sei vor allem Gottes eigene Gerechtigkeit herausgestellt worden, während es dem Apostel nunmehr um die Glaubensgerechtigkeit des einzelnen gehe. Paulus übt an der ihm vorgegebenen Tradition nirgends Kritik; er erkennt sie vielmehr ausdrücklich an. Aus der ihm eigenen Christuserkenntnis heraus betont er freilich mit Nachdruck und mit einer vorher unbekannten Grundsätzlichkeit, daß das mosaische Gesetz nicht zur Gottesgerechtigkeit in Christus führt und daß die von Gott in der Hingabe seines Sohnes in den Sühntod erwirkte Gerechtigkeit Heiden und Juden gleichermaßen offensteht, sofern sie an Jesus Christus als ihren Versöhner und Herrn glauben. Wir müssen den Ausdruck „Gottesgerechtigkeit“ also in der „synthetischen“ Ganzheit nehmen, in der Paulus ihn nicht anders gebraucht als die Christen in Jerusalem und Antiochien, und wir müssen uns von Belegstelle zu Belegstelle darauf besinnen, wo die Akzente des Apostels liegen. *In dem einen Stichwort „Gerechtigkeit Gottes“ liegt, wenn man es recht besieht, das ganze Christusverständnis und damit das ganze Evangelium des Paulus beschlossen*[16].

---

[16] Mit diesen Feststellungen versuche ich, in der Debatte über den Wortsinn und die Geschichte von „Gottes Gerechtigkeit“ bei Paulus neu Stellung zu beziehen. An E. Käsemanns glänzenden Programmaufsatz: Gottesgerechtigkeit bei Paulus, ZThK 58, 1961, 367–378 = Ex. Vers. u. Bes. II, 181–193, hat sich eine lebhafte, noch immer andauernde Diskussion angeschlossen. Ich habe in meiner Dissertation: Gerechtigkeit Gottes bei Paulus, ²1966, Käsemanns Position näher zu begründen und durchzuführen versucht. Meine Arbeit hat aber, von heute aus beurteilt, drei Hauptschwächen. Erstens behandelt sie den Begriff Gottesgerechtigkeit zu starr als einen festen terminus technicus, der immer nur die Bedeutung von Gottes eigenem Recht hat. – Zweitens ist von der Bedeutung des Sühntodes Jesu als Ermöglichungsgrund der Rechtfertigung in dem Buch noch nicht hinreichend die Rede; deshalb wird auch keine echte Kontinuität zwischen Jesus, den Missionsgemeinden von Jerusalem und Antiochien sowie Paulus sichtbar. – Drittens war mir bei Abfassung meiner Untersuchung noch nicht deutlich, daß man zwischen dem Alten Testament und den Texten der frühjüdischen Apokalyptik traditionsgeschichtlich keinen scharfen Trennungsstrich ziehen darf; die überlieferungsgeschichtliche Kontinuität vom Alten Testament zu den frühjüdischen und den ältesten christlichen Texten kommt deshalb in der Darstellung zu kurz. H. Graf Reventlow, Rechtfertigung im Horizont des Alten Testaments, 1971, 113, hat mit seiner Formulierung rechtbehalten: „...wenn man den paulinischen Begriff der DIKAIOSYNE THEOY von dem Ausgangspunkt des alttestamentlichen ‚Gerechtigkeits‘-Denkens aus mit einem umfassenden Inhalt füllt. Dann erweisen sich die in der Diskussion über diese Formel aufgebrochenen Alternativen: ob diese Wendung im Sinne eines genetivus subjectivus oder objectivus, ob

10. Zur Wortgeschichte des Ausdrucks „Gottesgerechtigkeit"

Zum Gebrauch des für Paulus so wichtigen Ausdrucks und zu seiner Geschichte ist noch folgendes zu ergänzen. (1) Die komplexe Verwendungsmöglichkeit zeigt sich auch im Neuen Testament sonst. In Mt 6,33 wird der Begriff von Matthäus eigens zur Interpretation der vorgegebenen Q-Tradition eingesetzt und meint das die Gottesherrschaft ausmachende heilschaffende Ordnungswirken Gottes. In Jak 1,20 ist mit „Gerechtigkeit Gottes" in einem weisheitlich-ethischen Kontext die Tat gemeint, die vor Gott Anerkennung findet (vgl. Sir 1,22). In 2 Petr 1,1 wird von der Gerechtigkeit unseres Gottes und Retters, Jesus Christus, gesprochen, kraft deren der nachösterlichen Gemeinde ein Glaube eröffnet wurde, der vor Gott denselben Wert besitzt wie die Glaubenserkenntnis der Apostel. (2) Schon der Blick auf die paulinischen und außerpaulinischen Belegstellen im Neuen Testament zeigt also, daß es sich bei dem Stichwort „Gerechtigkeit Gottes" um eine häufiger wieder-

sie soteriologisch oder eschatologisch, als Theologie oder Anthropologie zu verstehen sei, schnell als zu eng." – Meine Bemühungen um eine weitere Klärung der komplexen Wortstruktur und des Gesamtsinnes von ‚Gerechtigkeit Gottes' in den drei Aufsätzen: Das Ende des Gesetzes, ZThK 67, 1970, (14–39) 26f.; Zur neueren Exegese von Röm 3,24–26, in: FS für W. G. Kümmel, (315–333) 331ff., und: Zum Thema: Biblische Theologie des Neuen Testaments, in: Biblisch theologische Studien 1, 1977, (25–60) 43ff., sind von den Kritikern E. Käsemanns und meiner Dissertation bisher kaum zur Kenntnis genommen worden. Unter diesen Kritikern ragen hervor R. Bultmann, DIKAIOSYNE THEOY, in: ders., Exegetica. Aufsätze zur Erforschung des Neuen Testaments, hrsg. von E. Dinkler, 1967, 470–475, H. Conzelmann, Die Rechtfertigungslehre des Paulus, in: ders., Theologie als Schriftauslegung. Aufsätze zum Neuen Testament, 1974, 191–206, G. Klein, Gottes Gerechtigkeit als Thema der neuesten Paulus-Forschung, in: ders., Rekonstruktion und Interpretation. Ges. Aufsätze zum Neuen Testament, 1969, 225–236, ders., Predigtmeditation über Röm 3,21–28, GPM 69, 1980, (409–419) 412ff. und E. Lohse, Die Gerechtigkeit Gottes in der paulinischen Theologie, in: ders., Die Einheit des Neuen Testaments. Exegetische Studien zur Theologie des Neuen Testaments, 1973, 209–227. Ich halte es allerdings für eine meiner einstigen These ebenbürtige Einseitigkeit, wenn sie alle davon ausgehen, daß Gottesgerechtigkeit bei Paulus vor allem den Sinn von Glaubensgerechtigkeit habe und darin das Spezifikum der paulinischen Gerechtigkeitsanschauung gegenüber der vorpaulinischen Tradition sehen. Diese Bewertung hat nicht nur exegetische, sondern auch Gründe in der entschiedenen lutherischen Prägung aller genannten Autoren. E. Käsemann hat seine Sicht der Dinge in seinem Römerbriefkommentar: An die Römer, [4]1980, 21ff., noch einmal ausführlich dargelegt. Neuerdings haben dann U. Wilckens, Der Brief an die Römer, EKK VI/1, 1978, in den beiden Exkursen über „Gerechtigkeit Gottes" (202–233) und „Zum Verständnis der Sühne-Vorstellung" (233–243) und K. Kertelge, Artikel: DIKAIOSYNE, EWNT I, (784–796) 790ff., die heute entscheidenden Interpretationsfragen so instruktiv erörtert, daß ich ihnen weithin zustimmen und hier auf ihre Darlegungen verweisen kann. Wie die deutsche Diskussion über die Wortbedeutung von Gerechtigkeit Gottes bei Paulus von Amerika aus beurteilt wird, zeigt Manfred T. Brauch im (unbefriedigenden) „Appendix: Perspectives of ‚God's righteousness' in recent German discussion" in: E. P. Sanders, Paul and Palestinian Judaism, Philadelphia 1977, 523–542.

kehrende, fast konstant zu nennende Wortbildung handelt, die eine von uns nicht in einen einzigen Begriff zusammenzufassende „synthetische“ Bedeutungsbreite besitzt. „Gerechtigkeit Gottes“ ist aber immer im Horizont von Recht und Gericht gedacht und meint in diesem Rahmen Gottes aktives Wirken oder/und das diesem Wirken entsprechende Sein und Verhalten des Menschen. (3) Die Wortgeschichte des Begriffes weist über das Neue Testament zurück ins Frühjudentum und Alte Testament. Welch hohes Gewicht und welchen Sinn die Rede von Gottes Gerechtigkeit im Kult, in der Gerichts- und Heilserwartung Israels besitzt, haben K. Koch und H. H. Schmid herausgearbeitet[17]. Für Paulus und die Christengemeinden seiner Zeit war dieser alttestamentliche Wortgebrauch lebendig, weil sie im Gottesdienst Gesetz, Psalmen und Propheten als „Heilige Schriften“ lasen und im Lichte der Christusoffenbarung auslegten. Für sie erfüllte sich die Reihe der Israel im Verlaufe seiner Geschichte von Gott erwiesenen Gerechtigkeitstaten, der sog. ṣidqōt Jahwes: (Dtn 33,21); Ri 5,11; 1 Sam 12,7; Mi 6,5; Ps 103,6; Dan 9,16, in der Sendung und Auferweckung Jesu (vgl. Apg 2,11). In den Qumrantexten finden wir nicht nur den Lobpreis dieser Gerechtigkeitserweise Gottes wieder (vgl. z.B. 1 QS 10,23; 11 Q Ps[a] Plea 19,4–11), sondern, ihm nahe benachbart, einen der vorpaulinischen und paulinischen Verwendung erstaunlich parallelen Gebrauch des semitischen Äquivalentes von „Gerechtigkeit Gottes“, nämlich ṣidqat ʿēl: 1 QS 10,25; 11,12.14.15; 1 QM 4,6. Die wichtigste Parallelstelle, 1 QS 11,11–15, haben wir oben (S. 83) schon im Wortlaut zitiert. Gott, der Schöpfer und gerechte Richter der Welt, hilft in seiner Gerechtigkeit dem bußfertigen Frevler zu neuem Leben und vergibt ihm seine Sünde, während er die Feinde seiner Gemeinde und die unbußfertigen Sünder mit dem Todesgericht überzieht. Auf diesem Verständnis der Gottesgerechtigkeit, das z.Z. des Neuen Testaments nicht nur in den Texten der Essener, sondern auch in der alttestamentlich-jüdischen Bußgebetstradition und der apokalyptischen Gerichtserwartung präsent war (vgl. z.B. äthHen 61f.; 4. Esra 7,26–8,61), bauen Jesus, die vorpaulinischen und die paulinischen Gerechtigkeitstexte auf. Indem sich das Gerechtigkeits-

[17] K. Koch, Artikel: ṣdq, THAT II, 507–530; H. H. Schmid, Gerechtigkeit als Weltordnung, 1968; ders., Rechtfertigung als Schöpfungsgeschehen, in: Rechtfertigung, FS für E. Käsemann (s. Anm. 4), 403–414. Die Einwände, die Koch, a.a.O., 516, und J. Halbe, ‚Altorientalisches Weltordnungsdenken‘ und alttestamentliche Theologie, ZThK 76, 1979, 381–418, gegen Schmids systematisierende Rede von Gerechtigkeit als Weltordnung erheben, scheinen mir der Beachtung wert. Allerdings ist zu bedenken, daß im Mysterienbuch von Qumran (=1Q 27) die eschatologisch über der Welt aufgehende Gerechtigkeit ausdrücklich als ‚Norm‘ bzw. ‚Ordnung‘ der Welt (= tikwn tēbēl) bezeichnet wird. Was man von Schmid erbitten muß, ist m.E. eine präzisere Unterscheidung von Weisheit und Gerechtigkeit.

verständnis der Gemeindetexte ganz an Jesu Sendung und Sühntod orientiert, erscheint in ihnen die Gottesgerechtigkeit primär im Lichte des Heils: Gott will nicht einfach nur der Richter des Unrechts, sondern in Jesus Christus der seine Geschöpfe zum Leben führende, sie zurechtbringende und rettende Schöpfer und Herr der Welt sein.

11. Die in Rom strittigen Fragen

In dem einen, biblisch fundierten Begriff „Gerechtigkeit Gottes“ faßt sich nach Röm 1,16f. das ganze paulinische Evangelium zusammen. Von der römischen Gemeinde erhofft sich der Apostel für seine Darstellung Verständnis. Er kann dieses auch erwarten, nachdem er mit der von ihren Ursprüngen her in judenchristlicher Glaubenstradition lebenden Gemeinde von Rom sowohl im Verständnis der Lehre (Röm 6,17; 16,17) als auch in Hinsicht auf das von Christus her auf Christus hin zu lesende Alte Testament einig war (Röm 7,1; 15,3f.). Die von Paulus in Röm 1,3f.; 3,25f.; 4,25 usw. zustimmend zitierte judenchristliche Formeltradition dokumentiert, daß der Apostel hier keineswegs leere Worte macht[18]. Die Schriften des Alten Testaments waren der römischen Gemeinde aus der Synagoge und von den christlichen Gottesdiensten her vertraut, in der Glaubenstradition war sie von ihren judenchristlichen Missionaren (Röm 16,7) schon vor Empfang des Römerbriefes unter-

[18] K. BERGER, Neues Material zur „Gerechtigkeit Gottes“, ZNW 68, 1977, 266–275, und DERS., Exegese des Neuen Testaments, 1977, 162 u.ö., meint, die römische Gemeinde habe die Wortverbindung „Gerechtigkeit Gottes“ nur so verstehen können, wie es in ihrer hellenistisch-jüdischen Umwelt üblich gewesen sei, nämlich forensisch als Gottes fordernde und Maßstäbe setzende richterliche Heiligkeit. So interessant Bergers Materialsammlung in manchem ist, so unwahrscheinlich erscheint mir seine These. Die römische Gemeinde bestand aus einer Anzahl von bekehrten Juden wie Aquila und Priska (Röm 16,3.7) und etlichen sog. Gottesfürchtigen, die jüdisch zwar als unbeschnittene „Heiden“ galten, aber von der Synagoge her in den hl. Schriften des Alten Testaments wohlbewandert waren. Vgl. W. SCHMITHALS, Römerbrief (s.o. Anm. 11), 63–91. Außerdem hat K. BEYSCHLAG, Clemens Romanus und der Frühkatholizismus, BHTh 35, 1966, darauf aufmerksam gemacht, daß nach dem 1. Klemensbrief in der römischen Gemeinde von früh an eine judenchristliche Gemeindetradition lebendig gewesen sein muß, die nicht auf Paulus zurückgeht, der er sich vielmehr in seinem Römerbrief nach Möglichkeit anzugleichen versucht. Wenn Schmithals und Beyschlag recht haben und die von O. MICHEL in seinem Kommentar: Der Brief an die Römer, [14]1978, durchgängig gegebenen Hinweise auf judenchristliche Tradition im Römerbrief nicht ganz verfehlt sind, dann bilden das Alte Testament und die judenchristliche Glaubenstradition den primären Rezeptionshorizont, aus dem heraus das Verständnis der Gottesgerechtigkeit in Rom zu rekonstruieren ist. Bergers beachtenswerte späte Belege aus dem Armenischen Philo, TestAbr, einer Grabinschrift aus dem 3. Jh. n.Chr. usw. haben m.E. diesem Traditionsrahmen gegenüber hermeneutisch nur untergeordnete Bedeutung. Vgl. zum Problem auch M. KETTUNEN, Abfassungszweck, (s.Anm. 9), 73–81.

wiesen worden. Paulus erhoffte sich also mit guten Gründen in Rom eine gemeinsame theologische Urteilsbasis.

Strittig erscheinen nach dem Römerbrief außer dem paulinischen Verständnis von Gottes Gerechtigkeit vor allem folgende Fragen: Wie hält es Paulus mit dem Gesetz, dem christlichen Gehorsam und dem Endgericht? Wie steht es nach seinem Evangelium mit der Zukunft Israels? Wie soll man sich gegenüber den erpresserischen Steuerforderungen des Kaisers verhalten, und wie kommen Juden- und Heidenchristen zu einem gemeinsamen Gemeindeleben? Wenn wir einigen von diesen in Rom gestellten „Testfragen" noch etwas nachgehen, rundet sich das Bild des paulinischen Gerechtigkeitsdenkens ab.

12. Rechtfertigung und Gehorsam

Paulus weiß, daß man ihm von seiten seiner judenchristlichen Gegner bis hin nach Rom nachsagt, er hebe das Gesetz auf (3,31) und vertrete mit seiner Rechtfertigungsverkündigung die Ansicht: „Laßt uns das Böse tun, damit das Gute komme!" (Röm 3,8); oder auch: „Laßt uns bei der Sünde bleiben, damit die Gnade sich mehre!" (6,1); oder schließlich: „Laßt uns sündigen, denn wir sind nicht mehr dem Gesetz unterstellt, sondern der Gnade!" (6,15). Man kann sich historisch gut vorstellen, daß solche Anwürfe schon hinter der ihn im Galaterbrief erregenden Beschuldigung standen, Paulus suche mit seiner Verkündigung „Menschen zu gefallen", und sein Evangelium sei „nach Menschenmaß" zurechtgebogen (Gal 1,10f.). Derartige judenchristliche Anschuldigungen und die Kunde von den sich in den Korintherbriefen und dem Philipperbrief spiegelnden Auseinandersetzungen über die Legitimität des paulinischen Apostolates und sein Verständnis von Gesetz und Rechtfertigung scheinen bis nach Rom gedrungen zu sein und dort erhebliche Voreingenommenheit gegen den Apostel erzeugt zu haben. Paulus reagiert auf diese „Verlästerung" (Röm 3,8) mit aller Deutlichkeit: Er schämt sich auch in Rom seines Evangeliums nicht (1,16f.) und erklärt die Verleumder für Menschen, die rechtmäßig von Gottes Gerichtsurteil getroffen werden (3,8); seinen Brief aber legt er so an, daß die gegen ihn erhobenen Vorwürfe entkräftet werden und er mit seinen Adressaten zum Einvernehmen kommt.

Die für jüdisch geschulte Ohren höchst mißverständlich klingende, für den Apostel selbst aber unverzichtbare Spitzenthese, Gott sei in Jesus Christus ein Gott, „der den Frevler rechtfertigt" (Röm 4,5), bedeutet keineswegs, daß Gott dem ungläubigen „Gottlosen" die Rechtfertigung einfach nachwirft und dieser sich in seiner Gottlosigkeit gefallen dürfte! Anstößig muß jene Spitzenthese für jeden klingen, der die Bestimmung von Ex 23,7 im Ohr hat, ein gerechter Israelit dürfe „niemals den Frevler freisprechen", und in Prov 17,15 liest: „Wer den Frevler freispricht und den Schuldlosen verurteilt, sind beide ein Greuel für den Herrn!". Nach der Formel von Röm 4,5 widerstreitet Gottes rechtfertigendes Verhalten unzweideutig dem Gebot des Gesetzes, so daß Paulus mit seiner kühnen Formulierung die Frage provoziert, wo denn unter solchen Umständen die Unterscheidung von Recht und Frevel, Gottes Heiligkeit und der Menschen Unheiligkeit bleibe. Die Antwort des Apostels ist in sich großartig. Sie lautet: Gottes in Christus aufgerichtetes Recht der Gnade nimmt den begnadeten Frevler von der Stunde seiner Taufe an in Dienst, und zwar in den Dienst der Gerechtigkeit (Röm 6,18–23). Die Rechtfertigung führt nach Paulus unmittelbar zur Heiligung. Wer in Jesus Christus dem Versöhner begegnet ist, hat in ihm, dem gekreuzigten und auferstandenen Christus Gottes, auch seinen Herrn gefunden (Röm 7,4) und bleibt diesem Herrn bis zum jüngsten Tage auf Gedeih und Verderb verpflichtet (14,7ff.). Christus, der Versöhner, tritt vor Gottes Richterstuhl für die Seinen ein, so daß sie sich alle Tage ihres Lebens und auch im Endgericht der Rechtfertigung durch ihn getrösten dürfen; nichts kann sie scheiden von der Liebe Gottes in Christus, ihrem Herrn (8,31–39). Eine Heilssicherheit und Lässigkeit in der Tatbewährung des Glaubens läßt der Apostel dennoch nicht aufkommen, indem er zeigt, daß gerade die Gerechtfertigten und Glaubenden täglich von einem Leben jenseits des Geistes Christi bedroht bleiben und dagegen ankämpfen müssen, aus der sie schützenden Gegenwart Christi herauszufallen und damit dem Gerichtstod zu verfallen (8,8–11).

Der Aufruf des Paulus zu einem Glaubensleben in Gerechtigkeit bleibt nirgends in seinen Briefen im Grundsätzlichen und damit Abstrakten stecken. Zwei Beispiele müssen dafür in unserem speziellen Zusammenhang genügen. Für die Entwicklung eines eigenständigen Kirchenrechts ist die Ermahnung aus 1 Kor 6,1–11 hochbedeutsam geworden[19]. Rechtfertigung und Rechtspraxis in der Gemeinde werden hier von Paulus ganz unmittelbar aufeinander bezogen: Der Apostel hält es für höchst mißlich, daß es unter den durch Glaube und Taufe gerechtfertigten und geheiligten Korinthern (6,11) überhaupt noch zu Rechts- und Vermögensstreitigkeiten kommt; er hielte es für viel angemessener, wenn christliche Brüder einander weder übervorteilen noch auch gerichtlich verfolgen würden und erinnert (wohl im Blick auf Mt 5,39) daran, daß Christen Unrecht auch ohne Gegenwehr zu ertragen haben (6,7f.). Wenn aber juristische Auseinandersetzungen wirklich unvermeidlich

[19] Zu 1 Kor 6,1–11 sind vor allem die beiden wichtigen Arbeiten von E. Dinkler, Zum Problem der Ethik bei Paulus, Rechtsnahme und Rechtsverzicht (1 Kor 6,1–11) in: ders., Signum Crucis, Aufsätze zum NT und zur Christlichen Archäologie, 1967, 204–240, und L. Vischer, Die Auslegungsgeschichte von 1 Kor 6,1–11. Rechtsverzicht und Schlichung, 1955, zu vergleichen.

werden, dann sollen sie wenigstens von einem sachverständigen Mitchristen geschlichtet werden und nicht vor einem Gericht der ungläubigen Heiden zum Austrag kommen (6,1–6). Paulus hält es für unerträglich, wenn die von Gottes Herrschaft und Reich ausgeschlossenen Ungläubigen juristisch über die Lebensbeziehungen der in der Taufe Christus zugeeigneten, von ihren Sünden „abgewaschenen" und zu endzeitlichen Richtern der Welt bestimmten Gemeindeglieder befinden. Darum fordert er die Korinther auf, diese Unsitte unverzüglich abzustellen! – Das zweite Beispiel führt uns von Korinth nach Rom zurück. Wie schon in Korinth, so ist es auch in Rom zu Streitigkeiten über die Frage gekommen, ob Christen von Wein, der heidnischen Gottheiten geweiht war, trinken und Opferfleisch (das noch dazu nicht nach den jüdischen Schlachtungsvorschriften von Dtn 12,20–25 behandelt worden war) genießen dürften. Paulus geht auf diese für die gemeinsamen Mahlfeiern der aus Juden- und Heidenchristen zusammengesetzten Gemeinden von Rom höchst aktuelle Frage in Röm 14 ausführlich ein. Obgleich er selbst die Meinung derer teilt, die Wein und Fleisch für erlaubt halten, hält er es für ganz unrichtig, wenn die sog. Glaubensstarken aus ihrer Freiheit eine Demonstration machen und durch ihre Sitten die im Glauben ängstlicheren und schwächeren Brüder in Gewissensnöte bringen. Für diesen Fall fordert er von den „Starken" den Verzicht auf alle Nahrungsmittel, die den anderen Not machen. Was das Aposteldekret mit Hilfe von gesetzlichen Mindestforderungen zu lösen versuchte, wird bei Paulus als Frage christlich-brüderlicher Verantwortung verhandelt, ohne Anleihen bei den sog. noachitischen Geboten zu suchen. Die Begründung des Apostels lautet vielmehr: „Die Gottesherrschaft besteht nämlich nicht in Essen und Trinken, sondern in Gerechtigkeit und Friede und Freude im heiligen Geist!" (14,17). *Die den Gliedern der Gemeinde im Opfertod Jesu erwiesene Liebe und die Art ihres Zusammenlebens sollen einander sichtbar entsprechen!*

13. Das Problem des Gesetzes

Hinter der Paulus in Rom gestellten Frage nach Rechtfertigung und Gehorsam tut sich sofort eine zweite, grundsätzlichere auf. Wenn Gott durch sein eigenes Rechtfertigungshandeln in Christus den Fluch der Tora von den Sündern abgewendet hat und Christus das „Ende des Gesetzes für jeden, der glaubt" (10,4), ist, wie steht es dann in Christus mit dem Gesetz und Gottes heiligem, im Gesetz proklamierten Willen? Wer den Kampf in Galatien miterlebt und auf der Seite der Pauluskritiker gestanden hatte, konnte auch in Rom die Ansicht verbreiten: Paulus „schafft das Gesetz mittels des Glaubens ab!" (Röm 3,31); er behauptet, „das Gesetz ist Sünde" (7,7)! Solche Anschuldigungen mußten um so mehr gegen den Apostel einnehmen, als wohl auch aus Korinth die Meinung in die damalige Welthauptstadt drang, Paulus sei zu einem Gesetzlosen geworden (1Kor 9,21) und von Petrus wohl zu unterscheiden. Der Apostel fühlt sich durch solche Angriffe aufs äußerste herausgefordert und bietet seine ganze schriftgelehrte Bildung auf, um die Römer eines richtigeren zu belehren. Er tut dies, ohne von seiner Grundthese, Gott habe die Rechtfertigung in Christus unabhängig vom Gesetz heraufgeführt (3,21), und Gottes Verheißung, die Glaubenden zu rechtfertigen, sei noch ursprünglicher als Beschneidung und Sinaioffenbarung (Röm 4,9ff.; 5,20; vgl. mit Gal 3,6–18), abzugehen.

Die Argumentation des Paulus verläuft in zwei Stufen. In einem ersten Diskussionsgang weist er die Meinung, er schaffe das Gesetz zugunsten des Glaubens ab, glatt zurück und entgegnet, er richte das Gesetz gerade auf, und zwar als Gesetz des Glaubens (Röm 3,27–31)! Den Beweis dafür tritt er in Röm 4 an: Abraham ist nach dem Bericht der Tora sein Glaube von Gott zur Gerechtigkeit gerechnet worden (Gen 15,6); dieser an Abraham vollzogene Akt der Glaubensrechtfertigung liegt zeitlich noch vor dem in Gen 17 bezeugten Bund der Beschneidung. Die Tora bezeugt somit den Vorrang der Glaubensrechtfertigung vor dem Bund der Beschneidung und der Gesetzesoffenbarung am Sinai. Paulus ehrt also die Stimme der Tora und weist sie nicht etwa ab. Wenn er von Abraham als dem Vater aller Glaubenden spricht, hat er die Tora für und nicht gegen sich.

Was aber ist mit der Gesetzesoffenbarung vom Sinai, also dem Mosegesetz? Auf das Mosegesetz geht Paulus in einem zweiten Schritt ein. Von der Tora gilt zweierlei. Das mosaische Gesetz ist geschichtlich erst in dem Moment auf den Plan getreten, als die Sünde und in ihrem Gefolge der Tod von Adam her schon längst an der Macht waren. Das Gesetz trifft also auf Sünder und vermehrt ihre Sünde dadurch, daß es sie nunmehr rechtsgültig als Frevler gegen Gottes offenbaren Willen entlarvt; gleichzeitig stachelt es sie zu der illusionären Hoffnung an, sich doch aus eigener Anstrengung heraus Gerechtigkeit vor Gott erarbeiten zu können (5,20). Wie nichtig diese Hoffnung ist, macht Paulus in Röm 7,7ff. deutlich, nachdem er in 7,1 ausdrücklich an die Gesetzeskenntnis der römischen Gemeinde appelliert hat. Der Apostel weiß also, daß er seinen Adressaten einiges an biblischen Reflexionen zumutet, aber er rechnet bei der judenchristlich geschulten Gemeinde von Rom auf Verständnis. Die Beispielfigur, in der jeder biblisch geschulte Leser sein eigenes Ich wiederfinden kann, ist in 7,7ff. Adam, und zwar Adam im Paradies unter dem ihn schützenden Gebot Gottes (vgl. Gen 3). Dieses eine Gebot Gottes ist für Paulus (wie für die jüdische Exegese seiner Zeit) der Prototyp des ganzen Gesetzes. Statt im Schutze dieses Gebotes zu bleiben, hat Adam sich zur Gebotsübertretung verleiten lassen und ist zum Opfer der Sünde geworden. Das Gebot bzw. Gesetz Gottes kann ihm nun nicht mehr helfen; es brandmarkt ihn vielmehr als schuldigen Gesetzesübertreter, der er auch dann bleibt, wenn er später wieder dem Gesetz folgen und dadurch das Leben (zurück-)gewinnen will. Bildlich gesprochen: Ins Paradies kann ihm das Gesetz nicht mehr zurückhelfen, und zwar auch dann nicht, wenn er sich mit aller Kraft um die Erfüllung des Gesetzes müht. Die „Herrlichkeit Gottes" (Röm 3,24) bleibt trotz des Gesetzes für Adam (und jeden anderen Menschen, der „Adam" ist) verloren. Nur Gott kann dem Menschen noch helfen und hat es in Jesus auch getan! Wie Paulus in Röm 8,3 ausführt, hat Gott selbst das erforderliche Sündopfer[20] in der Gestalt seines eigenen schuldlosen Sohnes Jesus Christus gesandt. Gott hat den Abraham von Gen 22 darin noch übertroffen, daß er seinen einzigen Sohn wirklich aufgeopfert hat, um kraft des Sühntodes Jesu das verschlossene Paradies für die Sünder wieder aufzuschließen und die durch Christus Gerechtfertigten unter seinen ursprünglichen Willen zurückzuführen. Die von Gott in Christus Entsühnten und Gerechtfertigten sind für Paulus nach Röm 8,4f. die wahren Täter der Rechtsforderung des Gesetzes. Sie sind dies als Menschen, die von Christus zurück an die Pforten des Paradieses geführt worden sind und den wahren, ihr Leben schützenden Willen Gottes aus dem Munde ihres für sie gekreuzigten und auferweckten Herrn vernehmen. Kraft seines Sühntodes und seiner Auferweckung hat Jesus das Gebot Gottes bzw. das Gesetz auf seine ursprüngliche paradiesische Funktion zurückgeführt. Oder anders ausgedrückt: *Das die Sünde vermehrende und brandmarkende Gesetz vom Sinai ist kraft des Sühntodes Jesu zur Tora des Christus geworden, die Gottes Forderung als Gebot der Liebe proklamiert und damit dem Leben bewahrenden Willen Gottes im Paradies entspricht.*

Paulus hätte von dieser Transformation des Mosegesetzes zum Gesetz des Christus (Gal 6,2; 1Kor 9,21) kraft des Sühntodes Jesu sicher nicht sprechen können, wenn er nicht selbst vor Damaskus Christus als dem „Ende des Gesetzes" begegnet wäre. In diese Grunderfahrung sind dann die Informationen der vom Stephanuskreis inspirierten Christen von Damaskus über „das Gesetz des Christus" und die Berichte des Petrus über Jesu eigenen kritischen Umgang mit der Tora vom Sinai eingegangen (vgl. Gal 1,18; 2,7f.). Das von Matthäus in der Bergpredigt unter dem Thema der neuen Gerechtigkeit zusammengestellte Überlieferungs-

---

[20] U. Wilckens, Der Brief an die Römer (s. Anm. 11), 239 Anm. 754, betont mit Recht, daß in Röm 8,3 nicht zu übersetzen ist: „Gott sandte seinen eigenen Sohn im Gleichbild des sündlichen Fleisches und um der Sünde willen ...", sondern: „Gott sandte seinen eigenen Sohn im Gleichbild des sündlichen Fleisches, und zwar als Sündopfer." Paulus folgt hier der Opfersprache der Septuaginta in Lev 4,3.14.28.35 usw. ebenso wie in 2 Kor 5,21.

gut zeigt bis heute, daß Jesus die Tora vom Sinai in die von ihm selbst proklamierte messianische Tora hinein aufgehoben und das Gebot der Feindesliebe als deren Zentrum gelehrt und zugemutet hat.

Diese Zwischenüberlegung ist deshalb für das Paulusverständnis von Bedeutung, weil der Apostel im Römerbrief noch einmal auf das in Christus zu neuer Gültigkeit erhobene Gesetz zu sprechen kommt, und zwar in Röm 12 und 13. Von der Kultgesetzgebung, die für ihn als Pharisäer und jeden wirklich gesetzestreuen Juden ein untrennbarer Bestandteil des mosaischen Gesetzes war (vgl. Röm 9,4!), ist hier ebensowenig mehr die Rede wie in Röm 7,7–8,11 oder in der Jesusverkündigung. Wohl aber ist in 12,14 unter deutlicher Anspielung auf Mt 5,44 die Rede von der Feindesliebe, und wie in Mk 12,28–34 Par. erscheint die Nächstenliebe als die eigentliche Summe aller Gebote Gottes (Röm 13,8–10). Die Übereinstimmung, die zwischen Paulus und Jesus nicht nur in Hinsicht auf das Verständnis der Sühne, sondern auch in der kritischen Wertung des mosaischen Gesetzes und seiner Zuspitzung auf das eine Gebot der Liebe herrscht, ist sicher kein bloßer Zufall. Die bis nach Rom herein umstrittene paulinische Auffassung vom Gesetz läßt sich in Ansätzen über Petrus und den Stephanuskreis zurückverfolgen bis zu Jesus selbst. *Paulus ist „der Bote Jesu“ (A. Schlatter), auch wenn es um die Proklamation des Willens Gottes für die Glaubenden geht.* Im Lichte seiner Begegnung mit dem erhöhten Christus vor Damaskus hat er sein eigenes pharisäisches Gesetzesverständnis und das der ihn tragenden christlichen Missionsgemeinden durchdacht und so seine Verkündigung vom neuen Gehorsam der in der Rechtfertigung von Sünde und Gottesferne Befreiten geformt. Die Rechtfertigung führt nach Paulus nicht in den Antinomismus, sondern sie führt unter den Willen Gottes, den Jesus in seiner messianischen Sendung neu zur Geltung gebracht hat[21].

14. Das Schicksal Israels

Bleibt noch die letzte, Paulus selbst und alle Judenchristen seiner Zeit quälende Frage nach dem Schicksal Israels vor Gott. Die Mehrzahl der gläubigen Juden blieb bis in die Zeit der Abfassung des Römerbriefes hinein dem Evangelium gegenüber verschlossen. Das Auftreten des Paulus als Christusapostel war für sie ein aufreizendes Signal sondergleichen. Von Anfang an verfolgten sie die Predigt des Abtrünnigen mit

---

[21] Über die Zusammenhänge, in denen das paulinische Gesetzesverständnis zu sehen ist, habe ich in meinem Aufsatz: Das Gesetz als Thema biblischer Theologie, ZThK 75, 1978, 251–280, Auskunft zu geben versucht. Es gibt durchaus eine überlieferungsgeschichtliche Kontinuitätslinie vom Alten Testament zum Gesetzesverständnis Jesu und von diesem bis hin zu Paulus.

allen synagogalen Rechtsmitteln (2Kor 11,24f.), planten Anschläge gegen das Leben des Apostels (Apg 20,3), machten Paulus bei seiner Kollektenreise im Tempel von Jerusalem dingfest (21,27ff.) und verschworen sich auch dann noch, Paulus aus dem Leben zu schaffen, als er bereits in römischem Gewahrsam war (Apg 23,12ff.). Paulus war sich dieser Anfeindungen wohl bewußt (Röm 15,31). Es kann ihn darum nicht befremdet haben, daß auch in Rom die Frage gestellt wurde, wie es denn angesichts seines Evangeliums mit Israel und den Vorzügen der Erwählung der Juden stehe. Die ersten, die in Rom Grund zu solchen Fragen hatten, waren die gegenüber den Synagogen besonders exponierten früheren Proselyten und die bekehrten gebürtigen Juden. An sie richten sich die paulinischen Erörterungen von Röm 3,1–9; 9–11 denn auch in erster Linie. In diesen Briefpassagen wird seine Argumentation ganz direkt. Er schließt sich mit seinen Adressaten zusammen und fragt z.B.: „Was nun? Haben wir (Juden) einen Vorteil? ..." (3,9); oder: „Brüder, mein Herzenswunsch und meine Bitte zu Gott geht auf ihre (= der ungläubigen Juden) Rettung"! (10,1).

Auf die Frage, worin angesichts des Evangeliums noch der Vorzug des Juden und der Nutzen der Beschneidung bestehe, antwortet Paulus in Röm 3: „Vor allem darin, daß ihnen (= den Juden) die Verheißungsworte Gottes anvertraut bleiben" (3,2), und zwar auch dann, wenn sie wie die Heiden unter der Sünde stehen und deshalb im gerechten Gericht Gottes als Sünder erscheinen (3,9). Gott ist Israel gegenüber eine besondere Verpflichtung eingegangen. In Röm 9–11 nimmt Paulus diesen Gedanken wieder auf und führt ihn vollends durch. Gottes Verheißung auf Errettung seines Volkes steht fest und kann unmöglich dahinfallen (9,6). Paulus ließe sich selbst gern wie Mose zugunsten Israels mit dem Bannfluch belegen (9,3 vgl. mit Ex 32,32). Nachdem Gott ihm aber diesen Wunsch verweigert hat, kann der Apostel sich nur dadurch für Israels Rettung einsetzen, daß er seinen Auftrag zur Missionierung der Heiden so rasch wie möglich zum beschlossenen Ende führt, durch dieses Werk seine noch ungläubigen jüdischen Brüder (auf die bereits geretteten Heiden) „eifersüchtig" macht und so die Zeit heraufzuführen hilft, da Gott die seinem Volk gegebene rettende Verheißung einlösen wird (11,13f.25). Und zwar einlösen im Ereignis der Wiederkehr seines Sohnes Jesus Christus in Gestalt des Israel verheißenen, vom Zion her kommenden Erlöser-Messias (11,26f. vgl. mit Jes 59,20f.). Die Rettungsstunde für ganz Israel wird nach Paulus am Tage der Wiederkehr des gekreuzigten und auferstandenen Christus schlagen. Er wird am jüngsten Tage Israel ins Heil führen, indem er als die Israel verheißene Gerechtigkeit Gottes in Person erscheint. Gott hat Israel nicht zum Untergang, sondern zur Errettung bestimmt, und diese Errettung wird in der Rechtfertigung des Gottesvolkes durch den Erlöser-Messias, Jesus

Christus, bestehen. Gott hat alle, d.h. Heiden und Juden, in den Unglauben zusammengeschlossen, um sich ihrer aller in Christus zu erbarmen (11,32). *Das Ziel der Geschichte und der Verheißung Gottes heißt nach Paulus Gottes Gerechtigkeit in Christus für Heiden und für Juden.*

15. Ergebnis

Das Evangelium von der Gottesgerechtigkeit in Christus hat nach der Darstellung des Paulus im Römerbrief universale Dimension. Es umspannt die Geschichte von Adam bis zur Wiederkehr des Messias Jesus Christus vom Zion. Es ist das Evangelium von der Sendung Jesu zur Errettung jedes glaubenden Menschen kraft der Gnade des Gottes, der sein erwähltes Volk Israel mitsamt den Heiden nicht zum Untergang sondern zum Leben in der Gemeinschaft mit sich bestimmt hat.

Wir wissen leider nicht, wie die römische Gemeinde den Brief des Paulus aufgenommen hat. Paulus ist auch nicht mehr in Freiheit nach Rom gekommen, sondern nur noch als Angeklagter und römischer Gefangener (Apg 28,11–31). Über den Empfang des Apostels durch die Christen in Rom schweigt sich Lukas in Apg 28 auffällig aus[22]. In dem etwa 96 n. Chr. von dem römischen Klemens an die Korinther gerichteten sog. 1. Klemensbrief wird Paulus dann aber als ein Märtyrer des Glaubens bezeichnet, der „die ganze Welt Gerechtigkeit gelehrt hat" (5,7). Das Paulusevangelium ist also in Rom nicht ganz ungehört verhallt und mit ihm auch nicht seine Gerechtigkeitsanschauung, die den Apostel bei aller unverkennbaren Eigenständigkeit doch mit den Christen vor und neben ihm und vor allem mit Jesus selbst verbindet.

[22] J. Roloff, Die Paulus-Darstellung des Lukas, EvTh 39, 1979, (510–531) 523f., macht auf das befremdliche Schweigen des Lukas über die Ankunft des Paulus in Rom aufmerksam und vermutet auf Grund von 1 Klem 5,2 und Phil 1,15ff., daß „aus Gruppenrivalitäten gespeiste Intrigen" in Rom „mit Schuld getragen haben an der schlimmen Wendung, die der Prozeß des Paulus schließlich genommen hat".

Zur neueren Exegese von Röm 3,24–26

I.

Die Exegese von Röm 3,24—26 scheint heute mehr denn je in einem non liquet zu enden. Es ist nach wie vor nicht eindeutig geklärt, ob und in welchem Umfang Paulus in unseren Versen Tradition zitiert, was diese Tradition für ihn und seine Rechtfertigungstheologie bedeutet und in welcher Weise der Text Rechtfertigung und Tod Jesu verbindet. Es reicht hin, diese Unklarheiten an einigen wenigen Beispielen aus der neueren Literatur zu illustrieren.

Ernst Käsemann hat in seinem Römerbriefkommentar seine schon 1950/51 in der Zeitschrift für die Neutestamentliche Wissenschaft vorgetragene Analyse und Auslegung der Stelle bekräftigt[1]: Der „jähe Abbruch der Satzkonstruktion“[2] von V. 23 in V. 24 signalisiert ebenso wie die bei Paulus nicht eben gebräuchliche oder ganz ungewohnte Terminologie der folgenden Verse ein vom Apostel zitiertes und mit Hilfe von eigenen Zusätzen (kritisch) interpretiertes „hymnisches Fragment“. Das Fragment umfaßt die Verse 24—26a mit Ausnahme folgender 6 Worte: Wahrscheinlich δωρεὰν τῇ αὐτοῦ χάριτι in V. 24 und sicher διὰ πίστεως in V. 25. V. 26b πρὸς τὴν ἔνδειξιν κτλ. ist als weiterführender Kommentar des Apostels aufzufassen. Das Fragment gehört alter judenchristlicher Abendmahlsparadosis zu, spricht von der durch Gott selbst in Jesu Tod geschaffenen Sühne, Vergebung und Rechtfertigung der Gemeinde als des Bundesvolkes Gottes und wird von Paulus um dieser seiner Grundaussage willen aufgegriffen, die der Apostel freilich auf alle Glaubenden entschränkt.

Käsemann hat sich an dieser Auslegung, die auf *Rudolf Bultmanns*

---

[1] Zum Verständnis von Römer 3,24—26, in: ZNW 43 (1950/51), 150—154, abgedr. in: Exegetische Versuche und Besinnungen (Bd. I), Göttingen [5]1967, 96—100.

[2] Dieser und die nachfolgenden Verweise beziehen sich auf *E. Käsemann*, An die Römer, (HNT 8a), Tübingen [3]1974, 89 ff.

wegweisender Traditionsanalyse des Passus aufruht[3], durch mehrfache Kritik nicht irremachen lassen. Weder durch die stilistische Kritik von *Eduard Lohse*[4], die von *Klaus Wengst* noch präzisiert wurde[5], daß nämlich V. 24 in seiner Wortwahl bis auf den einen Ausdruck ἀπολύτρωσις durchaus dem Apostel selbst zuzuschreiben und daß mit dem relativischen Anschluß von V. 25 ein wesentlich besserer und klarerer Einsatz für ein Zitat gegeben sei, man also mit vorpaulinischer Überlieferung nur in V. 25.26a zu rechnen habe. Auch nicht durch *Gottfried Fitzers* Versuch, V. 25c—26a, d. h. den ganzen Satz von εἰς τὴν ἔνδειξιν bis ἐν τῇ ἀνοχῇ τοῦ θεοῦ „als eine wenig sachgemäße Glosse zum Paulustext" zu streichen[6], den Text und Paulus insgesamt weit vom Opfergedanken abzurücken und ἱλαστήριον im Blick auf das Verständnis von kapporaet (Ex 25,22; Lev 16,2; Num 7,89 usw.) in der Septuaginta und bei Philo nicht als „Sühnopfer oder Sühnmittel", sondern als „Ort der Gegenwart Gottes, der Gnade Gottes" zu fassen, „an welchem durch die Manipulationen des Priesters, nämlich durch die kultischen Heiligungsriten, die Gnade Gottes zur Wirklichkeit wird"[7]. *Käsemann* hat sich von seiner Exegese auch nicht durch *Leonhard Goppelt*[8] und *Stanislas Lyonnet*[9] abbringen lassen, die beide ἱλαστήριον als Äquivalent für kapporaet in Lev 16 fassen und teils weniger präzis als *Fitzer* mit „Sühnedeckel" *(Goppelt)* oder präziser wie er als Stätte der Präsenz Gottes, der Offenbarung und Sühne *(Lyonnet)* verstehen wollen. Den Versuch schließlich, den Text insgesamt als genuin paulinisch zu fassen — so z. B. *Otto Kuss*[10] oder *Herman Ridderbos*[11] — hält *Käsemann* zu Recht für einen Rückfall

[3] *R. Bultmann,* Theologie des Neuen Testaments, Tübingen [6]1968, 49.

[4] Märtyrer und Gottesknecht (FRLANT 64), Göttingen [2]1963, 149 A. 4.

[5] *K. Wengst,* Christologische Formeln und Lieder des Urchristentums (StNT 7), Gütersloh 1972, 87 weist (mit Recht) darauf hin, daß die Fortführung der Satzkonstruktion von V. 23 mit einem Partizip in V. 24 „nichts Außergewöhnliches bei Paulus (ist). Nach *Blass/Debrunner* ‚liebt' er es geradezu, nach einem verbum finitum koordinierend mit einem Partizip (oder mehreren) fortzufahren (§ 468,1; vgl. 2.Kor 5,12; 7,5; 10,14 f.)".

[6] *G. Fitzer,* Der Ort der Versöhnung nach Paulus, in: ThZ 22 (1966), 161—183, hier: 165.

[7] AaO., 171.

[8] Versöhnung durch Christus, in: Christologie und Ethik. Aufsätze zum NT, Göttingen 1968, 147—164, hier: 155.

[9] *S. Lyonnet/L. Sabourin,* Sin, Redemption, and Sacrifice. A Biblical and Patristic Study (AnBibl 48), Rom 1970, 162.

[10] Der Römerbrief. Erste Lieferung, Regensburg [2]1963, 159 ff., festgehalten in O. *Kuss,* Paulus. Die Rolle des Apostels in der theologischen Entwicklung der Urkirche, Regensburg 1971, 167.

[11] Paulus. Ein Entwurf seiner Theologie, Wuppertal 1970, 123—125.

in jene Aporien, aus welcher seine Differenzierung zwischen vorpaulinischer Aussage und paulinischen Interpretationszusätzen gerade herausführen sollte. Sie deuten sich denn auch kräftig an, wenn *Ridderbos* zu Röm 3,24 ff. meint, Gott habe „die richtende und verurteilende Macht seiner Gerechtigkeit unter Beweis gestellt, indem er Christus als Sühnemittel für andere in den Tod gab", und damit sei bei Paulus „der Gedanke verbunden, daß Gott bisher in seiner Langmut über die Sünden der Menschen hinweggesehen und das Gericht zurückgehalten hat. Jetzt aber, ‚in der gegenwärtigen Zeit', gibt er diese Haltung auf und zeigt seine richtende Gerechtigkeit, nämlich im Tode Jesu"[12]. Mit dieser Auslegung wird nicht nur der Versuch jeglicher Traditionsanalyse und die ganze neuere Diskussion über den semitischen Hintergrund des Ausdrucks „Gottesgerechtigkeit" beiseite geschoben, sondern auch der von *Werner Georg Kümmel* längst zu unserem Text erbrachte Nachweis, daß πάρεσις hier eben nicht mit „Hingehenlassen" o. ä., sondern mit „Erlaß" und ἔνδειξις mit „Erweis" und nicht mit „Beweis" zu übersetzen sei[13].

In der Tat ist diese knappe Übersicht über eine von der Exegese der letzten Jahre vollzogene, wieder in den alten Schwierigkeiten versandende Kreisbewegung nicht eben ermutigend, und man ist geneigt, von unlösbaren Problemen oder auch von innerdisziplinären Blockaden zu sprechen, welche die Exegese zu keiner klaren Texterkenntnis gelangen lassen. So anerkanntermaßen schwierig unsere Verse zu exegesieren sind und so wenig man die gegenwärtige Wissenschaft vom Neuen Testament von wissenschaftsinternen Blockaden freisprechen kann, so mißlich wäre es, auf eine Lösung der Probleme gerade dieses Textes verzichten zu sollen. In Röm 3,24—26 steht ja nicht nur die christologische Begründung des paulinischen Rechtfertigungsevangeliums zur Debatte, sondern auch das Verhältnis des Apostels zu der ihm vorgegebenen christologischen Tradition und damit zugleich auch die Frage der Stellung des Paulus in der Verkündigungsgeschichte des Urchristentums.

---

[12] AaO., 123.

[13] *W. G. Kümmel*, πάρεσις und ἔνδειξις. Ein Beitrag zum Verständnis der paulinischen Rechtfertigungslehre, in: Heilsgeschehen und Geschichte (Ges. Aufsätze 1933—1964), (MThSt 3), Marburg 1965, 260—270, bes. 267 f.

II.

Wollen wir weiterkommen, empfiehlt es sich, die Interpretation von Röm 3,24—26 zu diskutieren, die gegenwärtig die größte Breitenwirkung hat, die Auslegung von *Eduard Lohse*[14]. *Lohses* literarkritische Analyse und Gesamtexegese ist nicht nur von seinem Schüler *Herbert Koch*[15] bestätigt und verteidigt worden, sondern auf sie beziehen sich direkt oder in der Sache z. B. *Hans Conzelmann*[16] ebenso sehr wie *Wolfgang Schrage*[17] und *Klaus Wengst*[18], *Gerhard Delling*[19], *Günter Klein*[20], *Eduard Schweizer*[21], *Ulrich Wilckens*[22] und *Georg Eichholz*[23]. Ihrer religionsgeschichtlichen These, ἱλαστήριον sei in unserem Text nicht mit der kapporaet, sondern von 4.Makk 17,21 f. her allgemeiner mit Sühnopfer gleichzusetzen, folgt, weil sie von einem ausgewiesenen Sachkenner des antiken Judentums detailliert begründet wird, eine noch größere Zahl von Exegeten, und ihre Gegner, die auf der Gleichsetzung von ἱλαστήριον mit kapporaet bestehen möchten,

---

[14] Vgl. Märtyrer und Gottesknecht, 149 ff. und *Lohses* Aufsatz: Die Gerechtigkeit Gottes in der paulinischen Theologie, in: Die Einheit des Neuen Testaments. Exegetische Studien zur Theologie des NTs, Göttingen 1973, 209—227, bes. 220 ff.

[15] Römer 3,21—31 in der Paulusinterpretation der letzten 150 Jahre, Diss. Theol. Göttingen 1971.

[16] Die Rechtfertigungslehre des Paulus: Theologie oder Anthropologie?, in: Theologie als Schriftauslegung. Aufsätze zum NT (BEvTh 65), München 1974, 191—206, hier: 198 f.

[17] Das Verständnis des Todes Jesu im Neuen Testament, in: *F. Viering* (Hg.), Das Kreuz Jesu Christi als Grund des Heils, Gütersloh ³1969, 49—89, hier: 78, und *Schrages* weiteren Aufsatz: Römer 3,21—26 und die Bedeutung des Todes Jesu Christi bei Paulus, in: *P. Rieger* (Hg.), Das Kreuz Jesu (Forum Heft 12), Göttingen 1969, 65—88, bes. 77 ff.

[18] AaO. (Anm. 5), 87 ff.

[19] Der Kreuzestod Jesu in der urchristlichen Verkündigung, Göttingen 1972, 12 f.; *Delling* hält allerdings nur V. 25a (mit Ausnahme von διὰ πίστεως) für vorpaulinisches Zitat.

[20] Gottes Gerechtigkeit als Thema der neuesten Paulus-Forschung, in: Rekonstruktion und Interpretation. Ges. Aufsätze zum NT (BEvTh 50), München 1969, 225—236, hier: 230 f.

[21] Die „Mystik“ des Sterbens und Auferstehens mit Christus bei Paulus, in: Beiträge zur Theologie des NTs (Neutestamentliche Aufsätze) (1955—1970), Zürich 1970, 183—203, hier: 200.

[22] Das Neue Testament. Übersetzt und kommentiert von *Ulrich Wilckens*, Hamburg/Köln/Zürich ²1971, 508 ff.

[23] Die Theologie des Paulus im Umriß, Neukirchen 1972, 190 ff. Zu diesem Buch und seiner Interpretation von Röm 3,24 ff. vgl. meinen Artikel: Theologische Probleme gegenwärtiger Paulusinterpretation, in: ThLZ 98 (1973), 721—732, bes. 726 ff

haben es m. W. bisher versäumt, *Lohses* Argumente direkt zu überprüfen und, wo es nötig erscheint, auch zu kritisieren. Eben dies soll im folgenden versucht werden, weil nicht alle Argumente, die *Lohse* vorträgt, gleich überzeugend sind und sich der Eindruck verstärkt, daß die Auslegung von Röm 3,24 ff. insgesamt deshalb so kontrovers bleibt, weil ihre literarischen, historischen und theologischen Grundfragen nicht wirklich ausdiskutiert werden.

Was zunächst die literarkritische Unterscheidung von Tradition und paulinischer Redaktion anbelangt, ist *Lohses* These, der zitierte Traditionssatz beginne erst mit V. 25 und werde in V. 24 nur durch das traditionelle Stichwort ἀπολύτρωσις = Erlösung, Vergebung der Sünden (vgl. Eph 1,7; Kol 1,14) vorbereitet, klarer und besser begründet als alle Gegenthesen. Ein Bruch zwischen V. 23 und 24 ist nicht wirklich aufweisbar, bis auf das eben erwähnte Stichwort ist der Satz ganz paulinisch formuliert, während sich in V. 25.26a, von dem paulinisierenden Zusatz διὰ πίστεως abgesehen, unpaulinische Ausdrucksweise häuft; auch ist der von Paulus parallel zu V. 25 gesetzte V. 26b (πρὸς τὴν ἔνδειξιν κτλ.) als Fort- und Weiterführung der Tradition durch den Apostel leichter verständlich. Wir haben also mit einer von Paulus zitierten Paradosis zu rechnen, die wie Phil 2,6 ff.; 1.Tim 3,16; 1.Petr 2,23, aber auch Röm 4,25 relativisch einsetzt.

Fragt man weiter, was diese Tradition besagen will, hängt so gut wie alles vom Verständnis des artikellosen Wortes ἱλαστήριον ab. Traditions- und religionsgeschichtlich legt sich eine doppelte Verständnismöglichkeit nahe: ἱλαστήριον ist in der Septuaginta und in dem durch Philo von Alexandrien repräsentierten hellenistischen Judentum zum terminus technicus für kapporaet geworden[24] und erscheint in der außerbiblischen Graecität selten im Sinne von Weihe-, Sühnegabe, die öfters in einer der Gottheit geweihten Stele besteht[25]. Einige wenige Belege dokumentieren darüber hinaus einen Gebrauch des Adjektivs ἱλαστήριος in der Septuaginta[26], bei Josephus[27] und in der sog. Profangraecität[28].

---

[24] Vgl. *F. Büchsel*, in: ThW III, 320, 21 ff. und *S. Lyonnet*, aaO. (Anm. 9), 159 ff.

[25] Vgl. *A. Deissmann*, ΙΛΑΣΤΗΡΙΟΣ und ΙΛΑΣΤΗΡΙΟΝ — eine lexikalische Studie, in: ZNW 4 (1903), 193—212; *Büchsel*, aaO. (Anm. 24), 321, 2 ff. und *Lyonnet*, aaO. (Anm. 9), 155 ff.

[26] Vgl. die Übersetzung von kapporaet in Ex 25,16(17) mit ἱλαστήριον ἐπίθεμα, 4.Makk 17,22 (dazu s. u.).

[27] Ant. 16,182: Herodes d. Gr. errichtet auf seinen Grabfrevel hin am Eingang des Davidsgrabes ein ἱλαστήριον μνῆμα, d. h. eine marmorne Sühnestele.

[28] Vgl. *Büchsel*, aaO. (Anm. 24), 320, 14 ff. und *Lyonnet*, aaO. (Anm. 9), 156.

Da der Textzusammenhang und Röm 3,25.26a auf judenchristliche Überlieferung weisen — nur in ihrem Zusammenhang ist es sinnvoll, von Sühne durch das Blut Jesu, Einsetzung Jesu zum Medium der Sühne, vom Erlaß der Sünden als Erweis der Gottesgerechtigkeit zu sprechen usw. — ist *Lohse* mit Recht bestrebt, auch den Gebrauch von ἱλαστήριον auf dem Hintergrund der biblischen Verwendung von Adjektiv und Substantiv zu erklären. Sein Ergebnis aber ist, daß ἱλαστήριον nicht Äquivalent für kapporaet sein kann, sondern daß man eine (selbständige) Begriffsbildung annehmen muß, derzufolge ἱλαστήριον den Sinn von ἱλαστήριον θῦμα, d. h. Sühnopfer hat. Als Beleg verweist *Lohse* auf 4.Makk 17,21 f., und er vermutet, in dem von Paulus in Röm 3,25.26a zitierten Satz könnte zuerst auch ἱλαστήριον θῦμα gestanden haben, und Paulus habe dann θῦμα durch seinen Zusatz διὰ πίστεως verdrängt. Die Meinung ist also offensichtlich die, daß aus einem ursprünglich adjektivischen Gebrauch in der vorpaulinisch-judenchristlichen Formel erst durch die paulinische Redaktion ein Substantiv ἱλαστήριον = Sühnopfer geformt worden sei.

Nun ist diese Argumentation nicht eben einfach und wird schon dadurch erschwert, daß wir einen Beleg für ἱλαστήριον = Sühnopfer (und nicht: Sühneinschrift oder Sühnestele) bisher weder in der Septuaginta noch sonst besitzen. Nur auf einem fragmentarisch erhaltenen ägyptischen Papyrus aus dem 2. Jh. n. Chr. ist einmal von ἱλαστηρίους θυσίας, d. h. von Sühnopfern die Rede[29]. Was *Lohse* als Lösung vorschlägt, ist also doch eine hypothetische Begriffsbildung nach Analogie des spärlichen profangriechischen Materials. Ob solche neue Wortbildung auf judenchristlichem Boden wahrscheinlich ist, wenn dort von der Septuaginta und dem hellenistischen Judentum her bereits ein technisch-verfestigter Gebrauch von ἱλαστήριον = kapporaet vorlag, mag und muß man immerhin fragen. *Lohse* kommt zu seiner Hypothese denn auch nur, weil ihm eine typologische Gleichsetzung von Christus mit der kapporaet = ἱλαστήριον sachlich unwahrscheinlich erscheint.

Lohse gibt zunächst durchaus zu, daß eine solche typologische Gleichsetzung für Judenchristen guten Sinn haben könnte. Das vom Text entworfene Bild der Einsetzung Jesu zu kapporaet und der Versöhnung durch sein Blut, „wäre“, meint *Lohse*, „für Judenchristen verständlich und würde die von Christus geleistete Sühne antitypisch

---

[29] Papyrus Nr. 337 bei *B. P. Grenfell/A. S. Hunt/D. G. Hogarth*, Fayum Towns and their Papyri, 1900, 313.

der Sühne, die im alten Bunde möglich war, gegenüberstellen"[30]. Trotz der bis hinein in das Rabbinat gepflegten Lade- und Sühnetheologie des Judentums erscheint ihm diese Gleichsetzung jedoch für unseren Text als unwahrscheinlich, weil — erstens — ein Vergleich Christus — kapporaet vom Kontext nicht gestützt wird und Paulus auch bei Zitat einer Überlieferung „seinen Lesern durch einen Hinweis gezeigt haben (müßte), daß er an den Kultgegenstand des alten Bundes gedacht hätte"[31]; weil es — zweitens — in der Septuaginta, von der Explikation in Ex 25,16 (17) abgesehen, wo kapporaet mit ἱλαστήριον ἐπίθεμα wiedergegeben wird, stets determiniert heißt τὸ ἱλαστήριον, wie in Hebr 9,5 auch, also auch in Röm 3,25 f. „eine nähere Bestimmung des Begriffes als ἱλαστήριον ἐπίθεμα bzw. τὸ ἱλαστήριον (hätte) gegeben werden müssen"[32]; weil — drittens — die Lade verborgen im Allerheiligsten stand, während der Text gerade betont, Jesus sei öffentlich zum ἱλαστήριον eingesetzt worden. Ein Gegensatz Jesu als der neuen kapporaet zur verborgenen alten kann aber nach *Lohse* „weder aus dem Zusammenhang noch durch einen Verweis auf 2.Kor 3,6 ff. wahrscheinlich gemacht werden"[33]; und weil schließlich — viertens — bei einem Vergleich Christi mit der kapporaet eben dieser Vergleich „dadurch schief (würde), daß ja eben das Blut Christi an die Kapporet, die er selbst wäre, gesprengt werden müßte. Wenn überhaupt an die Kapporet gedacht sein sollte, so hätte man weit eher erwarten sollen, daß das Kreuz, nicht aber Christus selbst so bezeichnet sein sollte"[34]. Insgesamt ergeben diese vier Punkte, daß „die Ansicht, nach der unter ἱλαστήριον die Kapporet zu verstehen sein sollte, nicht zu halten ist"[35].

Was zunächst *Lohses* erstes Argument anbetrifft, so ist säuberlich zwischen Intention und Sprachmöglichkeit der vorpaulinischen Tradition und der Aufnahme der Überlieferung in den Römerbriefzusammenhang zu unterscheiden. Stammt der Traditionssatz aus Jerusalem oder der vom Stephanus-Kreis begründeten hellenistisch-judenchristlichen Gemeinde von Antiochien, ist dort eine antitypische Gegenüberstellung von der einst im Tempel nur verborgenen und gedachten, jetzt aber von Gott selbst in Jesu Person wirklich öffentlich eingesetzten Stätte der Offenbarung und der Sühne nicht nur sinnvoll, sondern sogar sehr wahrscheinlich, weil der Stephanuskreis ja gerade um seiner

---

[30] Märtyrer und Gottesknecht, 151.
[31] AaO.
[32] AaO.
[33] AaO.
[34] AaO., 152.
[35] AaO.

Tempel- und Gesetzeskritik willen aus Jerusalem vertrieben worden ist (vgl. Apg 6,13). In diesem Kreis könnte unser Traditionstext sogar diese Tempelkritik begründen wollen, und zwar so, daß das höchste im Tempel einmal jährlich vom Hohenpriester für das Volk vollzogene kultische Ritual, die Feier des großen Versöhnungstages (Lev 16), durch Christi Opfertod vollendet und ein für allemal überboten wurde, eine kultische Sühne für die Christengemeinde hinfort also nicht mehr erforderlich ist. Die diese Thesen ausführlich entfaltende Christologie des Hebräerbriefes wäre so schon in Jerusalem oder Antiochien vom Stephanuskreis vorbereitet. Für die judenchristliche Paradosis als solche kann also der Vorwurf möglicher Undeutlichkeit nicht gelten[36]. Er kann aber auch für die römische Gemeinde nicht gelten, denn diese erweist sich später im 1.Petrusbrief, im 1.Klemensbrief und im Hermashirten als in ihrer theologischen Tradition und Denkweise so judenchristlich geprägt, daß ihr auch schon in der Mitte des 1. Jh.s ein Verständnis der judenchristlichen Paradosis zuzutrauen ist, zumal diese Überlieferung ja einen über die Septuaginta hinaus bekannten terminus technicus der Sühnetheologie aufzugreifen scheint und außerdem alle im Zusammenhang von Röm 3,24—26 zusammentreffenden Motive und Aussagen: Neuschöpfung und Vergebung der Sünden, Ermöglichung der Sündenvergebung durch Sühne mittels des Blutes, die Stiftung solcher Versöhnung als Dokumentation der heilschaffenden Gottesgerechtigkeit usw. jüdisch und judenchristlich vor allem in jener Sühnetheologie beheimatet waren, die in Lev 16 ihr alttestamentliches Zentrum hat[37].

Auch *Lohses* zweiter Einwand läßt sich kaum halten. Da im neutestamentlichen Formelgut, im Definitionsstil und beim Prädikatsnomen der Artikel normalerweise nicht gesetzt wird (vgl. z. B. Röm 1,16 f.; 3,20; 4,25; 8,3 f.; 2.Kor 5,21; Kol 1,15.20b usw.), ist das

[36] So auch *G. Eichholz*, aaO. (Anm. 23), 193.

[37] Die Bedeutung des großen Versöhnungstages und der hier vollzogenen Sühne für das nachexilische Israelitentum kann kaum überschätzt werden. Sie erhellt aus den Grundtexten: Lev 16; 23,26—32; Num 29,7—11 ebenso wie aus Sir 45,16; 50,5 ff. und dem Mischna-Traktat Joma. Möglicherweise sind auch die Bußgebete aus der Sektenregel von Qumran und der in 1QS XI,12 ff. geäußerte Lobpreis der den Beter entsühnenden und neuschaffenden Gottesgerechtigkeit mit der Tradition und Theologie des großen Versöhnungstages in Zusammenhang zu bringen, der auch von den Essenern begangen wurde, vgl. 1QpHab XI,6 ff. und *M. Weise*, Kultzeiten und kultischer Bundesschluß in der „Ordensregel" vom Toten Meer (StPB 3), Leiden 1961, 75—82 und dazu *H. Bardtke*, Literaturbericht über Qumran. VII. Teil: Die Sektenrolle 1QS, in: ThR 38 (1973/74), 257—291, hier: 282 f. Vgl. zur Sache auch Anm. 57.

Fehlen des Artikels vor ἱλαστήριον in Röm 3,25 nicht weiter verwunderlich, denn das Wort steht hier ja als Prädikativum[38]. Paulus oder auch schon die christlichen Tradenten vor ihm hätten den Artikel nur dann in den Text einsetzen müssen, wenn er oder sie bei ihren Gemeinden mit mangelndem Verständnis der Formel zu rechnen gehabt hätten. Für den in Jerusalem oder Antiochien beheimateten Traditionstext selbst fällt aber dieser Verdacht aus, und für die judenchristlich denkende Gemeinde von Rom ist er auch kaum zu erhärten, zumal diese Gemeinde nicht nur einer judenchristlichen Theologie folgte (s. o.), sondern auch für die gegen Paulus gerichtete judenchristliche Agitation (Röm 3,8; 4,31; 6,1.15 usw.) sehr wohl ein Ohr besaß.

Lohses drittes Argument haben wir oben schon einmal gestreift. Jetzt ist zunächst noch zu fragen, ob es für das im Traditionstext deutlich gesetzte antitypische Element, das in der durch Jesu Tod von Gott gewährten Sühne die Überbietung und das Ende des alttestamentlichen Tempelkultes sieht, Parallelen gibt. Solche liegen vor in der bis nach Jerusalem herunterreichenden markinischen Passionstradition (vgl. Mk 15,38) und dann in wünschenswerter Breite und Deutlichkeit im Hebräerbrief (vgl. vor allem Hebr 9; 10 und 13,10 ff.). Röm 3,25.26a steht also in einer Traditionslinie, die unabhängig von Paulus ausgebildet wurde und von Jerusalem hinaufreicht bis zum Judenchristentum der nachpaulinischen Zeit[39]. — Was aber Paulus selbst anbetrifft, scheint es mir beachtenswert zu sein, daß er das „ein für alle Mal" des Kreuzestodes Jesu in analoger Weise wie der Hebräerbrief bezeugt (vgl. Röm 6,10 mit Hebr 9,12; 10,10), vom Tode Jesu nicht minder deutlich als von einem Sündopfer spricht wie jener Brief auch (vgl. nur Röm 8,3 f. und 2.Kor 5,21[40]), wie Hebr 9,24 die

[38] Dieser von *Fr. Blass/A. Debrunner,* Grammatik des ntl. Griechisch, [9]1954, § 252,2; 258,2 markierte Befund ist auch *W. D. Davies* bei seiner Analyse von Röm 3,24 ff. entgangen; das Fehlen des Artikels ist für ihn das eigentlich gravierende Argument gegen eine direkte Gleichsetzung von Christus mit der kapporaet: Paul and Rabbinic Judaism, London [3]1970, 239 f.

[39] Hebr 13,22—24 dokumentiert dabei, daß sich dieses Judenchristentum durchaus in Verbindung zu Paulus und seinen Schülern sieht.

[40] In Röm 8,3 meint περὶ ἁμαρτίας, geläufigem Sprachgebrauch der Septuaginta entsprechend, das Opfer für die Sünde, hebräisch hattat, vgl. z. B. Lev 4,3.14; 5,6 usw. Da dasselbe Sündopfer im selben Zusammenhang auch einfach kurz ἁμαρτία heißen kann: Lev 4,21.24; 5,12; 6,18 usw., dürfte auch 2.Kor 5,21 parallel zu Röm 8,3 zu fassen sein: Gott hat den sündlosen Jesus für uns zum Sündopfer gemacht, damit wir durch ihn gerechtfertigt werden. Vgl. zu beiden Übersetzungsausdrücken der Septuaginta *S. Daniel,* Recherches sur la Vocabulaire du Culte dans la Septante (Études et Commentaires 61), Paris 1966, 301 ff.

himmlische Interzession des Auferstandenen für seine Gemeinde vertritt (vgl. Röm 8,34), und schließlich alt und neu, die Zeit des alten und des neuen Bundes, der Gesetzes- und Gottesgerechtigkeit in wünschenswerter Deutlichkeit gegenüberstellt, und zwar gerade auch im kultischen Zusammenhang. Wenn *Lohse* 2.Kor 3 als Beleg dafür nicht gelten lassen will, muß man auf das paulinische Herrenmahlsformular verweisen, das die Stiftung des neuen Bundes durch Jesu Sühntod hervorhebt: 1.Kor 11,23 ff. Dann ist an Röm 5,1.2.9 f. zu erinnern, wo in deutlicher Aufnahme kultischer Vorstellungen von der Rechtfertigung kraft des Blutes, d. h. kraft der durch Jesu Tod vollbrachten Sühne, gesprochen, der eschatologische Gewinn der Rechtfertigung als „Zugang" zu Gott beschrieben und ausdrücklich eine Identifikation von Rechtfertigung und Versöhnung vollzogen wird. Man kann darum nicht sagen, daß die kultisch-typologische Antithese von Röm 3,25 f. im Römerbrief ganz ungewöhnlich wäre. Und das gilt vollends nicht in einem Argumentationszusammenhang, in dem wie in Röm 3,20 und 3,21 ff. die alte Wirklichkeit des Gesetzes und des Zornes Gottes von der neuen Wirklichkeit der vom Alten Testament bezeugten (!) Gottes- und Glaubensgerechtigkeit abgehoben wird.

Schließlich will auch das vierte und letzte Argument von *Lohse* nicht recht greifen. Indem gesagt wird, die Einsetzung Jesu zur kapporaet impliziere die unstimmige Vorstellung, daß Jesus als Sühnemal mit seinem eigenen Blute besprengt werde, ist *Lohse* m. E. in der Gefahr einer religionsgeschichtlichen Unterinterpretation der schon in der priesterlichen Tradition des Alten Testaments hochabstrahierten Ladetheologie. Die kapporaet ist nach Ex 25,17—22 ein auf der Lade befindlicher Aufsatz, der gleichzeitig Stätte der Begegnung mit Jahwe und seiner Selbstmitteilung ist. In Lev 16,13 ff., wo der eigentliche Sühneritus des großen Versöhnungstages, die Blutsprengung im Allerheiligsten durch den Hohenpriester, beschrieben wird, wird betont vorsichtig formuliert: Zunächst soll der Hohepriester die kapporaet mit aufsteigendem Rauch verhüllen, um nicht sterben zu müssen, wenn er Jahwe direkt erblickt (vgl. Jes 6,5). Hat er dies getan, dann soll er einmal mit dem Finger etwas von dem Blut des Opfertieres „gegen die Lade hin, und zwar gegen die Vorderseite" und anschließend siebenmal „vor der Deckplatte" verspritzen[41]. Es handelt sich also um einen nur noch zeichenhaften Ritus, der von paganen Tauro-

[41] Lev 16,14; Übersetzung von *M. Noth,* Das dritte Buch Mose. Leviticus (ATD 6), Göttingen 1962, 98 f.

bolien weit abzuheben ist. Der Andeutungscharakter der Zeremonie wird noch dadurch unterstrichen, daß sich im Allerheiligsten des zweiten Tempels gar keine reale Lade mehr, geschweige denn eine ausgearbeitete kapporaet befand. Der Hohepriester vollzog den Sühneritus nach Lev 16,14 vielmehr an der Stätte der nur geglaubten Präsenz Jahwes ins Unsichtbare hinein. Nur so versteht man dann auch die Bestimmungen des Traktats Joma, der Hohepriester solle in dem mit Rauch erfüllten Allerheiligsten an dem Platz, an dem er geräuchert habe, stehen und von dem Blut „einmal nach oben und siebenmal nach unten" sprengen, „ohne gleich einem Geißelnden viel darauf zu achten, wohin er traf, ob nach oben oder unten, beim Sprengen"[42]. Schon das alttestamentlich-jüdische Ritual entzieht sich also im Grunde jeder direkten Vorstellungsmöglichkeit. Wird dieses Ritual nun noch zum Interpretationsmuster für Jesu Tod und Auferstehung und das sich darin vollziehende Heilswerk Gottes erhoben, gilt dies erst recht: Der Text von Röm 3,25.26a spricht nur davon, daß Gott Jesus öffentlich zur Stätte der Begegnung mit Gott, seiner Offenbarung und jener Versöhnung eingesetzt habe, die kraft der in Jesu Lebenshingabe, seinem Blut, vollbrachten Sühne wirksam ist. Gott selbst hat sich also in Jesu Tod und Auferweckung als der Begegnende und Sühne Stiftende kundgemacht, und dieses Ereignis der Offenbarung der Versöhnung entzieht sich menschlichem Vorstellungswillen ebenso wie die These des Hebräerbriefes, Christus sei Opfer und Hoherpriester zugleich[43].

Lohses vier Argumente gegen eine Identifikation von Jesus Christus mit der kapporaet befriedigen also keineswegs, und noch weniger tut dies sein positiver Interpretationsvorschlag, auf dessen sprachliche Schwierigkeit wir schon eingegangen sind.

Da Jesus in Röm 3,25.26a s. M. n. nicht als kapporaet gelten kann und *Lohse* die von *Hans Lietzmann*[44], *Werner Georg Kümmel*[45], *Charles Harold Dodd*[46], *Paul Althaus*[47], *Ernst Käsemann*[48] u. a. vor-

[42] Joma V 3a, Übersetzung von *J. Meinhold*, Traktat Joma. Der Versöhnungstag (Gießener Mischna II, 5), Gießen 1913, 55.

[43] So schon *G. Eichholz*, aaO. (Anm. 23), 193.

[44] An die Römer (HNT 8), Tübingen [5]1971, 48—50.

[45] AaO. (Anm. 13), 264.

[46] The Epistle of Paul to the Romans (Moffatt, NTC 6), London [14]1960, 54 f.

[47] Der Brief an die Römer (NTD 6), Göttingen [11]1970, 33 f. Neben dieses Verständnis stellt *Althaus* als zweites die Gleichsetzung Jesu mit der kapporaet.

[48] Zum Verständnis von Römer 3,24—26 (s. Anm. 1), 99 und An die Römer (s. Anm. 2), 91.

geschlagene Deutung von ἱλαστήριον mit „das Sühnende“ o. ä. als zu vage empfindet, verweist er auf 4.Makk 17,21 f.: Die jüdischen Märtyrer sind „gleichsam ein Ersatz geworden für die Sünde des Volks. Durch das Blut jener Frommen und ihren zur Sühne dienenden Tod hat die göttliche Vorsehung das vorher schlimm bedrängte Israel gerettet“[49]. *Lohse* kommentiert und verbindet zugleich mit Röm 3,25 f.: „Die Märtyrer der Makkabäerzeit sind wegen der Sünde des Volkes gestorben. Ihr Tod aber hat Sühne geleistet, die kraft des vergossenen Blutes wirksam ist. Gott hat ihr Sterben angenommen und daraufhin Israel gerettet. Wie wir schon gesehen hatten, hat das hellenistische Judentum den Tod der Märtyrer als Opfer verstanden und mit Ausdrücken der Opfersprache die Sühnkraft ihres Sterbens ausgesagt. Von daher liegt es am nächsten, auch für Röm 3,25 das Bild des Opfers anzunehmen und zu ἱλαστήριον das Wort θῦμα zu ergänzen. Nicht ausgeschlossen ist es, daß in dem judenchristlichen Satz, den Paulus übernahm, dieses Wort sogar gestanden haben könnte. Denn die von Paulus eingefügte Wendung διὰ πίστεως könnte jenes Wort verdrängt haben. Jedenfalls aber spricht auch das folgende ἐν τῷ αὐτοῦ αἵματι dafür, ἱλαστήριον als sühnendes Opfer zu verstehen.“[50]

Ist diese Sicht wahrscheinlich? Das ist nicht nur aus sprachlichen Gründen zweifelhaft. Zunächst ist der Text von 4.Makk 17,21 f. gerade in bezug auf das uns interessierende Stichwort ἱλαστήριον nicht eindeutig. Während A vom sühnenden Tod der Märtyrer, τοῦ ἱλαστηρίου θανάτου αὐτῶν, spricht, liest der Sinaiticus τοῦ ἱλαστηρίου τοῦ θανάτου αὐτῶν, meint also, der Tod der Märtyrer sei ein ἱλαστήριον gewesen. In der Forschung hält man sich zumeist an die von *H. B. Swete* in seinem Text abgedruckte Lesart des Alexandrinus[51], ohne freilich solchen Entscheid textkritisch wirklich zu diskutieren[52]. Auch *Lohse* folgt dieser Version[53]. Beachtet man jedoch die betont hellenistische Aus-

---

[49] Übersetzung von *A. Deissmann*, in: Kautzsch, AP II, 174. Der Text lautet griechisch: (21) ὥσπερ ἀντίψυχον γεγονότας τῆς τοῦ ἔθνους ἁμαρτίας (22) καὶ διὰ τοῦ αἵματος τῶν εὐσεβῶν ἐκείνων καὶ τοῦ ἱλαστηρίου θανάτου αὐτῶν, ἡ θεία πρόνοια τὸν Ἰσραὴλ προκακωθέντα διέσωσεν.

[50] Märtyrer und Gottesknecht, 152.

[51] The Old Testament in Greek according to the Septuagint Vol. III, Cambridge 1912, z. St. (vgl. Anm. 49).

[52] *Deissmann* begründet aaO. (Anm. 49) seine Lesart gar nicht; *Büchsel* bemerkt aaO. (Anm. 24), 320 A. 7 nur, „die L(es)A(rt) διὰ τοῦ ἱλαστηρίου τοῦ θανάτου αὐτῶν ist nicht vorzuziehen“; *Lyonnet*, aaO. (Anm. 24), 156 folgt dem Alexandrinus ebenfalls ohne weitere Erörterungen.

[53] Märtyrer und Gottesknecht, 71 A. 2; zur Lesart des Sinaiticus heißt es aber

drucksweise des Textes, der den ihm bereits vorgegebenen Gedanken des stellvertretenden Bußleidens der Märtyrer von 2.Makk 7,30—38 einem griechisch empfindenden Hörerkreis verständlich machen will[54], und zwar in tastenden griechischen Umschreibungen — V. 20 spricht ganz unbiblisch von „so etwas wie einem Ersatz" (ὥσπερ ἀντίψυχον) für die Sünden des Volkes[55] —, erscheint die Lesart des Sinaiticus, die *Rahlfs* in seinem Text und *R. B. Townshend* in seiner Übersetzung bieten[56], durchaus als erwägenswert. Sie deutet den Tod der Märtyrer als ein ἱλαστήριον, d. h. als eine der Vorsehung geweihte Sühnegabe, wie es dem Sprachgebrauch der griechischen Inschriften entspricht. Daß diese Lesart von den christlichen Benutzern des 4. Makkabäerbuches in die angesichts von Röm 3,25.26a und dem biblisch-technischen Sprachgebrauch von ἱλαστήριον = kapporaet weniger anstößige Version des Alexandrinus abgeändert wurde, ist zumindest ebenso wahrscheinlich wie die geläufige Annahme einer sekundären Entstehung des Artikels im Sinaiticus durch Dittographie.

---

auch hier nur unter Verweis auf *Deissmann* und *Büchsel* (s. Anm. 52), sie sei „wohl als sekundär anzusehen".

[54] Vgl. *Lyonnet,* aaO., 156 f.: „... it cannot be denied that the vocabulary of that apocryphal book reveals generally quite a Greek coloring and particularly in the quoted passage. Not only must the allusion to ‚divine Providence' (similarly in 9:24 and 13:19; in the LXX only [157] in Wis 14:3) be noted, but also the typically Greek word antipsuchon, used, for example, by Lucianus and Dio Chrysostomus instead of the equally typical biblical word antilutron, which is unknown in profane literature. It does help, indeed, to compare the very Jewish narrative of 2 Maccabees 7 (especially verses 37 f.) with the same narrative in 4 Macc 6:27 f. and 17:20—22. It appears at once that the author of the Fourth Book of Maccabees evolved Jewish notions, evoked in the Second Book of Maccabees by means of a Greek terminology which carried meanings familiar to Greek readers." Zum Charakter des 4. Makkabäerbuches als einer stark hellenisierenden Diatribe vgl. auch *L. Rost,* Einleitung in die alttestamentlichen Apokryphen und Pseudepigraphen einschließlich der großen Qumran-Handschriften, Heidelberg 1971, 80—82.

[55] Dieselbe Vorstellung taucht an der Parallelstelle 6,28.29 auf. Dort betet der Märtyrer Eleazar inmitten der Folter: „(28) Sei gnädig deinem Volke, laß dir genügen die Strafe, die wir für sie erdulden. (29) Zu einer Läuterung laß ihnen mein Blut dienen und als Ersatz für ihr Leben nimm mein Leben" = (28) ἵλεως γενοῦ τῷ ἔθνει σου ἀρκεσθεὶς τῇ ἡμετέρᾳ αὐτῶν δίκῃ. (29) καθάρσιον αὐτῶν ποίησον τὸ ἐμὸν αἷμα καὶ ἀντίψυχον αὐτῶν λαβὲ τὴν ἐμὴν ψυχήν. Das 4. Makkabäerbuch verbindet also mit dem Martyrium die Vorstellung des stellvertretenden Straf- und Bußleidens, ein Gedanke, der Röm 3,25 f. ganz fern liegt und dort nur durch unsachgemäße Interpretation eingetragen werden kann.

[56] Bei *R. H. Charles,* The Apocrypha and Pseudepigrapha of the Old Testament in English II, Oxford 1964, 683; *Townshend* übersetzt V. 21 f.: „... they having as it were become a ransom for our nation's sin; and through the blood of these righteous men and the propitiation of their death, the divine Providence delivered Israel that before was evil entreated."

Doch ob man nun diesem oder jenem Text folgt, zu beachten bleibt in jedem Fall, daß von einem Sühn*opfer* der Märtyrer gar nicht gesprochen wird[56a]. Gesprochen wird nur davon, daß das Leiden der Märtyrer als eine Ersatz- und Sühneleistung für das Volk gelten soll. Opfer, Sühne und Stellvertretung liegen zwar alttestamentlich-jüdisch sehr eng zusammen, doch betonen nicht alle Texte jedes Moment in gleicher Weise, wie gerade 2.Makk 7,30—38 und 4.Makk 17,21 f. zeigen. Will man 4.Makk 17,21 f. mit Röm 3,25 f. parallelisieren, dann liegt von hier aus das allgemeine Verständnis von ἱλαστήριον als Sühnemittel, das *Lohse* abweist, sehr viel näher als seine eigene Deutung.

Gegen diese sprechen aber noch zwei weitere Überlegungen. προτίθεσθαι ist in der Septuaginta kein terminus technicus für die Opferdarbringung. Hierfür sollte man προσφέρειν o. ä. erwarten. Im kultischen Zusammenhang wird προτίθεσθαι aber für das öffentliche Auflegen der sog. Schaubrote verwendet (vgl. Ex 29,23; 40,23; Lev 24,8; 2.Makk 1,8.15). προέθετο verbunden mit einem Opferbegriff wäre also in Röm 3,25 eine unvermutete Wendung, während der Ausdruck seinen guten Sinn hat, sofern mit ihm die öffentliche Einsetzung Jesu zur Stätte der Sühne und Begegnung mit Gott gemeint sein sollte. In dieselbe Richtung weist auch die Wendung ἐν τῷ αὐτοῦ αἵματι. Das Blut ist gemäß Lev 17,11 f. das den Israeliten von Jahwe verliehene (!) Medium, mit dem kultische Sühne vollzogen werden darf. Natürlich wird dieses Blut durch die Schlachtung eines Opfertieres gewonnen, aber deshalb braucht nicht an jeder Stelle, an der vom Blut die Rede ist, auch schon das Phänomen des Opfers betont zu sein. In Röm 3,25 f. bleibt das Moment des Opfers Jesu unbetont, und betont wird, daß Gott selbst in seiner heilschaffenden Gerechtigkeit in der Hingabe des Lebens Jesu Sühne geschaffen habe. Umgekehrt wird in Röm 8,3 und 2.Kor 5,21 der Ton auf die Tatsache des Opfers gelegt, während die Sühne das Begleitmotiv des Gedankens ist. Der Akzent, den der Text in Röm 3,25 auf die Sühne durch das Blut setzt, wird wohlverständlich, wenn mit ἱλαστήριον die kapporaet als Sühnestätte gemeint ist; spricht man dagegen vom Sühnopfer Jesu, wirkt ἐν τῷ αὐτοῦ αἵματι als ein Zusatzelement des Textes, mit dessen grammatischer Bezie-

[56a] So auch *K. Wengst*, aaO. (Anm. 5), 89 A. 10. Anders z. B. *J. Jeremias*, Abba, Göttingen 1966, 221 und 327 A. 8. Er verweist — in Korrektur seines ursprünglichen Versuches, Röm 3,25 von Jes 53,10 her zu verstehen (vgl. die ursprüngliche Version ThW V, 704 A. 399 mit der Neubearbeitung in Abba, 200) — auf die Lesart des Sinaiticus in 4.Makk 17,21 f. und will dort und in Röm. 3,25 ἱλαστήριον als Sühnopfer verstehen.

hung die Exegeten denn auch bekanntlich große Mühe haben. Man muß aber sehen, daß diese Probleme wieder nur aus einer ungenauen Exegese erwachsen.

Schließlich ist zu fragen, wo für jene ersten Christen, die unsere Paradosis ursprünglich auszuformulieren hatten, wohl der primäre Vergleichspunkt gelegen haben mag. Ihre kerygmatische Aufgabe war es, das alles Bisherige in den Schatten stellende, Versöhnung stiftende Heilswirken Gottes in Tod und Auferweckung Jesu wirksam und treffend auszusagen. Die Frage ist, welches Interpretament für sie in dieser Situation geeigneter war, das Leiden der jüdischen Märtyrer, das in 2.Makk 7 noch als Bußleistung und erst in 4.Makk 6 und 17 als stellvertretendes Straf- und Sühneleiden dargestellt wird, oder das Ritual und Ereignis des großen Versöhnungstages. Bedenkt man dessen eminente Bedeutung in Jerusalem selbst bis zur Zerstörung des Tempels im Jahre 70 n. Chr. und dann die großen synagogalen Begängnisse dieses Tages in der Diaspora, lag der Rekurs auf Lev 16 für jene frühchristlichen Interpreten m. E. sehr viel näher als auf den Märtyrergedanken, mit dessen Hilfe gerade die Singularität des Sühnehandelns Gottes in Christus sehr viel schwerer auszusagen war als mit Hilfe einer antitypischen Beziehung auf die Feier des großen Versöhnungstages.

Gibt man die Paradosis von Röm 3,25.26a an ihre ursprüngliche Verkündigungssituation zurück und gönnt ihr ihr unverstelltes eigenes Wort, dann verkündet sie also die Einsetzung Jesu als Versöhner in Überbietung von Lev 16. Als wesentliche Aussageelemente des Textes erscheinen dann alttestamentlich-jüdische Theologumena, die nunmehr christologisch gewendet werden[57], die Textaussagen gewinnen einen stimmigen Zusammenhang und Hebr 9 bestätigt überdies die judenchristliche Aussagenintention der Überlieferung aufs genaueste (vgl. bes. V. 5.11 ff.15).

[57] Außer dem bereits angeführten Material ist darauf hinzuweisen, daß Sühne alttestamentlich und jüdisch als Gewähr und Stiftung Jahwes angesehen wird, wie in Röm 3,25.26a auch: Lev 17,11; Dtn 21,8; Ps 65,3; 78,38; 79,9; Jer 18,23; Ez 16,63; 2.Chr 30,18; Dan 9,24; Mischna Joma III 8d; IV 2e; VI 2b; daß die Gerechtigkeit Gottes als Heil und Vergebung stiftendes Verhalten aufgefaßt wird: Ps 65,2—6; Jes 46,12 f. vgl. mit 43,25 und 44,21 f. sowie 45,8; Dan 9,16.18; 1QS XI,14; 4.Esr 8,36 (hier freilich schon als eine kritisierte Position, vgl. *W. Harnisch*, Verhängnis und Verheißung der Geschichte [FRLANT 97], Göttingen 1969, 237 f.); und daß schließlich im Sühne- und Vergebungszusammenhang auch von der Langmut Gottes gesprochen werden kann: Ex 34,6 f.; Neh 9,16 f.; 1QH XVII,17 f.; Dam II, 4 f. und *D. Zeller*, Sühne und Langmut. Zur Traditionsgeschichte von Röm 3,24—26, in: ThPhil 43 (1968), 51—75, hier: 64 ff.

III.

So sehr *Lohse* zuzugestehen ist, „daß durch die form- und traditionsgeschichtliche Analyse dieses Abschnittes nur ein sehr hohes Maß von Wahrscheinlichkeit zu erreichen ist“[58], so deutlich scheint mir zu sein, daß sich die Paradosis von Röm 3,25 f. historisch besser aus dem Wirkungszusammenhang von Lev 16 interpretieren läßt als von der hellenistisch-jüdischen Märtyrertheologie oder gar den griechischen Belegen aus Inschriften und Papyri her. Dieses für mich selbst überraschende Ergebnis[59] hat Konsequenzen für die Frage, was die Tradition ursprünglich besagte und wie Paulus selbst sie dann aufgreift und auswertet.

Was beide Fragen anbelangt, freue ich mich, *Lohse* nunmehr wieder zustimmen zu können. Ob man die Paradosis schon in Jerusalem selbst oder, wie er möchte, erst in Antiochien beheimatet, sie scheint ursprünglich mit dem Gedanken des (eschatologischen) Gottesvolkes verbunden gewesen zu sein: Gott hat in seiner Treue gegenüber seiner Bundesverheißung, d. h. seiner Gerechtigkeit, das eschatologische Bundesvolk neu konstituiert, und zwar durch die Einsetzung Jesu zum Versöhner, die den Jerusalemer Kult der verborgen im Allerheiligsten für das Volk vollzogenen Sühne überbietet und ablöst. Kraft der in Jesus von Gott selbst für das Volk bestellten und zugleich gewährten Sühne sind ihm die Sünden der vorhergehenden Zeit vergeben, so daß sich aus dieser Sühne ein geheiligtes, neues Gottesvolk erhebt. In dieser Grundaussage weist die Paradosis hinüber zum paulinisch-lukanischen Abendmahlsformular, das ebenfalls zum Begängnis der Aufrichtung des neuen Bundes kraft des Sühntodes Jesu anleitet und die Gemeinde als das neue Gottesvolk der Endzeit zum Leibe Christi vereint.

Sieht man diese Berührung, dann wird man die Interpretation, die

---

[58] Gerechtigkeit Gottes (s. Anm. 14), 221.

[59] Ich habe selbst längere Zeit versucht, Röm 3,24 ff. im Gefolge von *Käsemann* und *Lohse* zu verstehen (vgl. Gerechtigkeit Gottes bei Paulus [FRLANT 87], Göttingen ²1966, 86 f.), sehe aber jetzt in dieser Interpretation zu große Schwierigkeiten, um ihr noch weiter folgen zu können. Angesichts der ganz spärlichen und sachlich z. T. recht unbefriedigenden alttestamentlichen Literatur zum Thema Sühne und Versöhnung habe ich meinem Kollegen *Hartmut Gese* sehr dafür zu danken, daß er mich in einem gemeinschaftlichen Seminar über dieses Thema zu einem neuen Verständnis der von uns Protestanten allzu vernachlässigten Sühne-Texte des Alten Testaments geführt hat, und ich kann nur dringend hoffen, daß er in absehbarer Zeit publiziert, was er dort vorgetragen hat.

Paulus der Paradosis zuteil werden läßt, nicht einfach als Kritik, geschweige denn als qualitative Korrektur[60], sondern mit *Lohse* als konsequente Weiterführung und Aufweitung verstehen müssen[61]. Wurde schon in der Paradosis die Überbietung des alttestamentlich-jüdischen Heilsgeschehens betont, führt der Apostel diese Linie konsequent fort, wenn er durch den Einschub διὰ πίστεως in die Paradosis selbst und dann durch ihre Einbettung in den Kontext von 3,21—24.26 b ff. zweierlei betont: An Christus als Versöhner gewinnt man (nur) „durch Glauben" Anteil, und der Glaube ist als Heilsweg jedermann, d. h. nicht nur den Juden, sondern auch den Heiden, d. h. wirklich jedem Menschen (V. 22.26b) eröffnet und aufgegeben. Das Gottesvolk als die Gemeinde des neuen Bundes setzt sich darum aus allen Völkern zusammen und nicht mehr nur aus den Gliedern Israels. Diesem ersten und hauptsächlichen Akzent der paulinischen Auswertung der Paradosis steht der zweite zur Seite, daß auch die Gerechtigkeit als die Heilswirksamkeit Gottes sich nunmehr jedem, der Christus im Glauben als Versöhner anerkennt, eröffnet, indem Gott gerade den so Glaubenden rechtfertigt. Die Gottesgerechtigkeit als die sich in der Rechtfertigung jedes Glaubenden auswirkende, universale Heilswirksamkeit Gottes, sie ist der zweite Akzent, den Paulus in unserem Zusammenhang setzt[62].

Fragt man schließlich, wie Paulus selbst die Rechtfertigung durch Glauben an Christus denkt, läßt unser Text erkennen, daß der Ermöglichungsgrund der Rechtfertigung gerade auch für den Apostel

---

[60] So *G. Klein,* Gottes Gerechtigkeit (s. Anm. 20), 230 A. 12.

[61] Gerechtigkeit Gottes (s. Anm. 14), 222: „Paulus nimmt dieses Bekenntnis mit voller Zustimmung auf, gibt ihm aber eine Auslegung, die seine Aussage mit ungleich größerem Nachdruck hervortreten läßt." Ähnlich *G. Eichholz,* Theologie des Paulus (s. Anm. 23), 189 f.

[62] Vgl. *Lohse,* Gerechtigkeit Gottes (s. Anm. 14), 222; ich akzeptiere auch seine aaO. vorgetragene Kritik an der einseitigen Linienführung meiner Dissertation, erlaube mir aber darauf aufmerksam zu machen, daß Lohse bei dieser Kritik meinen lange vor Abfassung seines Artikels publizierten Versuch der Präzisierung und Selbstkorrektur: Das Ende des Gesetzes, in: ZThK 67 (1970), 14—39, hier: 26 A. 28 und 31 A. 39 unbeachtet gelassen hat. Theologisch wichtiger als solche verständlichen Blockaden im kollegialen Gespräch ist freilich die auch von *Lohse* unterstrichene Tatsache, daß weder die Paradosis noch auch Paulus selbst in der Gottesgerechtigkeit eine Sühne-fordernde Strafmacht sehen. Dieser von *Bultmann* (Theologie des NTs, 49) und *H. Thyen* (Studien zur Sündenvergebung [FRLANT 96], Göttingen 1970, 165) für die Paradosis betonte und von *H. Ridderbos* sogar wieder auf Paulus selbst ausgedehnte (s. Anm. 12) Gedanke hat mit unserem Text nichts zu tun, sondern entstammt der späteren altkirchlichen und orthodoxen Dogmatik.

jene in der Lebenshingabe Jesu von Gott geschaffene Sühne ist, eine These, die sich durch Hinweis auf Röm 4,25; 5,1—11; 8,1 ff. 31 ff.; 1.Kor 1,30; 2.Kor 5,16—21 usw. bestätigt und bestärkt. Im Glauben wird dieses sühnende Heilswirken, das sich in der Person des gekreuzigten Auferstandenen verkörpert, als „für uns" geschehen und damit gleichzeitig Christus als Herr über Leben und Tod anerkannt, der Glaubende erfährt den ihn von seiner Sünde lösenden Freispruch Gottes und gewinnt Christus als Herrn und Fürsprecher. Dieses Gesamtgeschehen, schon vor Paulus nach Röm 4,25 „Rechtfertigung" (δικαίωσις) genannt, wirkt sich aus als Neuschöpfung des Sünders, d. h. als Gewähr jener Freiheit, Gerechtigkeit und herrlichen Seinsweise, die Adam im Paradies besaß, selbst als Sünder verlor (vgl. LebAd 20 f.), die seither den in Adams Geschick hineingerissenen Sündern fehlt (Röm 3,23; 5,12 ff.) und ihnen nur durch den Zuspruch Gottes, des den Glaubenden in Christus zugewandten gerechten Schöpfers, neu zuerkannt und verliehen werden kann. Der Gerechtfertigte steht also da als καινὴ κτίσις (2.Kor 5,16). Da eben dieser Gedanke der Neuschöpfung durch Sühne und Vergebung alttestamentlich[63] und jüdisch[64] mit der Feier und dem Wirkungszusammenhang des großen Versöhnungstages besonders verbunden war, schließt sich der Kreis unserer Überlegungen ganz von selbst.

Wir können deshalb auf die im Eingang gestellten Fragen zurückkommen und antworten: Es ist sehr wahrscheinlich, daß der Apostel in Röm 3,25.26a vorpaulinische, soteriologische Tradition aufgreift. Diese Paradosis dürfte in Form und Inhalt auf den Stephanuskreis zurückgehen. Unter typologischem Rückgriff auf Lev 16 und im Blick auf die im Tempel von Jerusalem alljährlich am großen Versöhnungstag vollzogene Sühne wird in der Formel die Einsetzung Jesu zum Versöhner proklamiert, eine Einsetzung, in der Gott seine Verhei-

[63] Der Hohepriester, der die Sühne am großen Versöhnungstag zunächst für sich und dann als Entsühnter für das Volk vollzieht, tritt nach Sir 50,5 aus dem Allerheiligsten als δοξασθείς, d. h. verwandelt und neugeschaffen, hervor und wird in V. 5 ff. in nahezu messianischen Prädikaten geschildert.

[64] Kraft der Entsühnung am großen Versöhnungstag gelten die Israeliten in der rabbinischen Tradition als neue Geschöpfe (vgl. Bill. II,422), und auch die großartigen Aussagen über die Entsühnung und Neuschöpfung des Frommen in 1QS XI,13 ff.; 1QH III,19 ff. scheinen in den weiteren Wirkungszusammenhang von Lev 16 zu gehören (s. Anm. 37). Das von *J. Jeremias*, Die Kindertaufe in den ersten vier Jahrhunderten, Göttingen 1958, 38 ff. unterbreitete Material zeigt freilich auch, wie der Gedanke der Neuschöpfung sich vom ursprünglich kultischen Zuspruch lösen und allgemein mit der Buß- und Bekehrungstradition verbunden werden konnte.

ßungs- und Bundestreue durch Vergebung aller früheren Sünden erweist. Die kultische Feier des großen Versöhnungstages wird kraft dieses Gotteshandelns abgelöst und überboten, weil die von Gott selbst in Christus endgültig gewährte Sühne weitere kultische Sühneriten ein für allemal erübrigt. Der Apostel greift diese Paradosis zustimmend auf und legt mit ihr den christologischen Grund seiner Rechtfertigungstheologie. Rechtfertigung durch Christus gründet gerade auch für Paulus in der Sühne, die Gott selbst in der Lebenshingabe Jesu eröffnet und in der Auferweckung des Gekreuzigten als vollzogen und gültig anerkannt hat (vgl. auch Röm 4,25). Paulus spricht von dieser soteriologischen Begründung der Rechtfertigung im Sühntod Jesu also nicht in Kritik, sondern in Kontinuität und Zustimmung zu der ihm vorgegebenen, bis hinab nach Jerusalem reichenden urchristlichen Bekenntnistradition. Dieses Moment der Kontinuität wird durch 1.Kor 15,3 ff. oder durch die paulinische Abendmahlsparadosis noch unterstrichen und bestätigt. Was der Apostel zusätzlich zu jener Überlieferung von Röm 3,25 f. betont, ist der Wille Gottes, die in Christus eröffnete Sühne den Glaubenden aus aller Welt, und nur ihnen, zugänglich zu machen und zuzusprechen. Die Rechtfertigung stellt sich so für Paulus dar als die Versöhnung und Neuschöpfung jedes Menschen, der die in Jesu Tod vollzogene und in seiner Auferweckung eschatologisch ratifizierte Sühne als für sich geschehen erfährt und anerkennt (vgl. Röm 10,9 f.). Daß Paulus auch die der alten Paradosis möglicherweise noch innewohnende Aporie, die von Gott in Christus erwirkte Sühne nur auf die Sünden der Vergangenheit zu beziehen, christologisch überwunden hat, und zwar dadurch, daß für ihn Christus als Auferstandener der Rechtfertiger und Versöhner aller Glaubenden bleibt bis zum Ende der Welt, ist jetzt durch Verweis auf Röm 8,31 ff. zwar noch anzudeuten, aber nicht mehr eigens zu entfalten. Immerhin ist dieser Verweis wichtig, weil ohne ihn unverständlich bliebe, wieso für Paulus Rechtfertigung durch Christus nicht mehr nur ein soteriologisches Teilmoment, sondern das Ganze seines Evangeliums meint.

Das Gesetz als Thema biblischer Theologie[1]

Walther Zimmerli zum 70. Geburtstag

Hans Hübner hat kürzlich darauf aufmerksam gemacht, daß das bis zur Stunde alttestamentlich, neutestamentlich und systematisch stark umstrittene Thema »Gesetz« ein elementares Thema biblischer Theologie ist[2]. Hübner läßt dabei offen, in welcher Weise im Rahmen biblischer Theologie Altes und Neues Testament zu verbinden sind, klammert auch das Frühjudentum aus seinen Überlegungen aus, und beschränkt sich auf die Frage: »Welcher Aspekt des alttestamentlichen Gesetzes oder welches Verständnis, vielleicht auch: welches Mißverständnis dieses Gesetzes ist im Laufe der neutestamentlichen Tradition jeweils Gegenstand der theologischen Reflexion?«[3] Über die sich bei solchem perspektivischen Längsschnitt einstellenden Schwierigkeiten läßt sich hinwegkommen, wenn man Gerhard Ebelings theologiegeschichtlich fundiertem Ratschlag folgt, wonach eine biblische Theologie, in der Rechenschaft gegeben werden soll über das Verständnis des biblischen Zeugnisses im ganzen, »bei dem heutigen Stand der theologischen Wissenschaft ... die intensive Zusammenarbeit von Alttestamentlern und Neutestamentlern« erfordert[4]. Wo die Chance solcher Zusammenarbeit besteht, sind die uns

---

[1] Die nachstehende Thesenreihe ist aus meinem Seminar im WS 1976/77 herausgewachsen. Ich hatte aber die für mich ausgesprochen lehrreiche Möglichkeit, meine Thesen zunächst am 24. 2. 1977 im Herausgeberkreis der ZThK und dann am 29. 3. 1977 in Zürich mit den Herausgebern und Autoren des EKK und des BK zu diskutieren. Da nach meiner Überzeugung und Erfahrung gerade die exegetische Theologie aus der gemeinsamen kritischen Beratung über die Texte und ihre Wahrheit erwächst (und erheblich verarmt, wenn die einzelnen Exegeten sich nur literarisch ihr z. T. höchst subjektives »Ich aber sage euch ...« entgegenhalten), habe ich nach jeder Diskussion meine Thesenreihe noch einmal überdacht und bearbeitet. Ich schulde darum all jenen Dank, die mir zur Modifikation und Präzisierung meiner Aussagen verholfen haben.

[2] H. Hübner, Das Gesetz als elementares Thema einer Biblischen Theologie? (KuD 22, 1976, 250–276).

[3] AaO 253.

[4] G. Ebeling, Was heißt »Biblische Theologie«? (in: Ders., Wort und Glaube [I], 1960, 69–89), 88.

bewegenden Streitfragen in Hinsicht auf das Gesetz keineswegs erledigt, aber es wird der Verkürzung der Perspektiven vorgebeugt, die sich bei einer nur vom Alten oder nur vom Neuen Testament ausgehenden Betrachtungsweise einzustellen droht. Da die Einengung der Perspektive und die Formalisierung der Phänomene ein Grundproblem speziell der neutestamentlichen Sekundärliteratur zum Thema Gesetz ist, kann die von Ebeling mit Recht geforderte Kooperation dem Neutestamentler eine besondere Hilfe sein, wenn er sich um eine wirklichkeitsgerechte Darstellung der Gesetzesproblematik müht.

Was die nachfolgenden Thesen und Erläuterungen anbetrifft, schulde ich Hartmut Gese besonderen Dank. Gese hat 1976 auf der Tagung der Projektgruppe »Biblische Theologie« der Wissenschaftlichen Gesellschaft für Theologie in Bethel über das Thema »Gesetz« aus alttestamentlicher Sicht referiert[5]. Er hat dabei ein Konzept vertreten, welches jene beiden Erörterungen des Gesetzesverständnisses im Alten Testament, die m. E. für den Neutestamentler besonders hilfreich sind, die Darlegungen Gerhard von Rads[6] und Walther Zimmerlis[7], höchst eigenständig bündelt und weiterführt: Gese enthebt dadurch den Exegeten des Neuen Testaments der Alternative, in die er zwischen v. Rad und Zimmerli zu geraten droht. Die Alternative lautet: Soll man, v. Rads großartiger am Dekalog und Deuteronomium orientierter Interpretation folgend, im Gesetz jeweils das Ganze des Israel geoffenbarten Jahwewillens erblicken, mit ihm eine Abfolge von Neuinterpretationen des Gesetzes durch die Ge-

---

[5] Das Referat umfaßte die Grundgedanken, die GESE jetzt in seinem neuen Aufsatzband: Zur biblischen Theologie (BEvTh 78), 1977 in den zwei Beiträgen über »Das biblische Schriftverständnis« (9–30, vgl. bes. 23 ff) und »Das Gesetz« (55–84) ausführlicher dargelegt hat. GESE hatte die Freundlichkeit, sein Referat in meinem Seminar über das Gesetz bei Paulus und Jesus (s. o. Anm. 1) erneut zur Diskussion zu stellen. Die Einsicht in die Explikationsstufen der geoffenbarten Tora, von der ich im folgenden ausgehe, verdanke ich ihm. Außer auf die beiden eben genannten Studien ist zu verweisen auf seine Darstellung des Phänomens der Tora in folgenden Aufsätzen: »Erwägungen zur Einheit der Biblischen Theologie« und »Der Dekalog als Ganzheit betrachtet«, beide in: DERS., Vom Sinai zum Zion (BEvTh 64), 1974, 11–30 und 63–80, sowie »Psalm 50 und das alttestamentliche Gesetzesverständnis« (in: Rechtfertigung. FS f. E. Käsemann zum 70. Geb., hg. v. J. FRIEDRICH, W. PÖHLMANN u. P. STUHLMACHER, 1976, 57–77). – An GESES traditionsgeschichtliche Perspektive knüpft H. SEEBASS in seinem Aufsatz »Zur Ermöglichung biblischer Theologie« (EvTh 37, 1977, 591–600) an, vgl. bes. 599.

[6] Theologie des Alten Testaments I, 1969[6], 200–293; II, 1968[5], 413–436.

[7] W. ZIMMERLI, Das Gesetz im Alten Testament (in: DERS., Gottes Offenbarung. Ges. Aufs. [TB 19], 1963, 249–276); DERS., Das Gesetz und die Propheten (KVR 166–168), 1963, bes. 68–93; DERS., Grundriß der alttestamentlichen Theologie, 1972, 94–122.

schichte Israels hindurch verfolgen, schließlich aber in Kauf nehmen, angesichts der neutestamentlichen Texte von einer radikalen Neuinterpretation sprechen zu müssen, die »hinter das Judentum« auf das Alte Testament »zurück(greift) und an die Praxis der Propheten an(knüpft)«, von der aber gilt, »daß das alttestamentliche Gesetz von sich aus mit der neuen christlichen Interpretation manchmal nicht Schritt halten kann, daß es von sich aus das, was das christliche Verständnis ihm entnimmt, gar nicht herzugeben scheint«[8]? Oder soll man sich der theologisch wesentlich präziseren Darstellung Zimmerlis anschließen, im Gesetz ein den Bundschluß Jahwes mit seinem Volk begleitendes und zugleich schützendes »Gebot« sehen, »das die Kraft hat, den Menschen oder das ganze Volk Israel aus dem Bunde hinauszustoßen«[9], bei dem Durchblick durch die alttestamentliche Interpretationsgeschichte des Gesetzesphänomens stärkeres Gewicht auf die Sühnetradition von P, auf die Ansage der eschatologischen Tora und des neuen Bundes nach Jer 31,33 f; Jes 2,1 ff legen und diese Ansage dann in der Erscheinung Jesu erfüllt sein lassen[10]? Folgt man Gese, so ist es die Aufgabe des Neutestamentlers, vor allem theologischen Urteil und aller Selektion zunächst einmal das vielschichtige Ganze der alttestamentlichen Traditionsbildung zur Kenntnis zu nehmen und erst angesichts dieses Ganzen zu fragen, wo und wie bei Jesus, Paulus und im Johannesevangelium die wesentlichen interpretatorischen Entscheidungen fallen. Ich folge dieser Aufforderung und bin dabei ebenso wie Gese der Meinung, daß es geschichtlich nicht ratsam ist, bei der Erörterung von Grundfragen der biblischen Theologie nur den sog. masoretischen Kanon als »Altes Testament« mit dem neutestamentlichen Schrifttum in Beziehung zu setzen. Das Alte Testament war zur Zeit der Entstehung des neutestamentlichen Schrifttums noch durchaus offen und umfaßte neben den im heutigen masoretischen Kanon enthaltenen Büchern auch noch die großen Weisheitsüberlieferungen und apokalyptische Traditionssammlungen[11].

Insgesamt geht es mir im folgenden um die für eine biblische Theologie wichtige Grundfrage, ob und inwieweit sich die neutestamentlichen Hauptaussagen zum Gesetz angesichts des Ganzen der alttestamentlichen Überlieferung biblisch denken lassen. Um meine Darlegungen übersichtlich und in gebotener Kürze halten zu können, fasse ich sie in einer Reihe von Thesen zusammen, die ich jeweils erläutere.

---

[8] Theologie des AT II (s. Anm. 6), 434.

[9] Das Gesetz und die Propheten (s. Anm. 7), 78 (u. ö.).

[10] Das Gesetz im Alten Testament (s. Anm. 7), 272–276.

[11] Vgl. Gese, Erwägungen zur Einheit der Biblischen Theologie (s. Anm. 5), 12–18, und: Das biblische Schriftverständnis (s. Anm. 5), 9–13.

1. Die Frage nach dem Gesetz ist biblisch die Frage nach der Israel und der Völkerwelt von Gott eröffneten und gesetzten Lebensordnung.

Mit dieser These versuche ich, einer dreifachen Aufgabenstellung gerecht zu werden. Es muß – erstens – die wesentliche Intention der im Alten und Neuen Testament sowie im Judentum der biblischen Zeit ausgesprochen vielschichtigen Gesetzesterminologie aufgespürt werden. Diese Terminologie reicht von der priesterlichen und weisheitlichen Einzel»weisung« bis zum kosmischen Weltgesetz in Sir 24; von den zehn »Worten« des Dekalogs über Ps 119 bis hin zu den von Martin Hengel zusammengestellten Belegen der sog. frühjüdischen »Toraontologie«[12]; sie schließt aber auch einen direkten und einen übertragenen Gebrauch von νόμος bei Paulus, im Jakobusbrief und in den sog. Apostolischen Vätern mit ein. Der Ausdruck »Lebensordnung« wird dieser weit gefächerten Ausdrucksweise m. E. am besten gerecht und wehrt zugleich der Formalisierung und Abstrahierung, die in Hinsicht auf die Tora (neutestamentlich) üblich geworden ist. Der Ausdruck »Lebensordnung« versucht – zweitens – dem Umstand gerecht zu werden, daß es sich sowohl im Alten Testament als auch in den neutestamentlichen und jüdischen Texten stets um eine den ganzen Willen Gottes an den Menschen in seinem ganzen Sein umschließende Willensmanifestation handelt, die befolgt, aber auch übertreten, erfüllt, aber auch verachtet werden kann. Dementsprechend sind »Lebenswohlordnung« und »Lebensanordnung« (E. Jüngel), Fluch und Segen gemeinsam in der Lebensordnung des Gesetzes beschlossen. Von dieser komplexen Lebensordnung gilt – drittens –, daß sie in alt- und neutestamentlichen Texten gleichermaßen als Offenbarungsphänomen verstanden wird: Gott offenbart dem Volk, der Gemeinde und dem einzelnen in ihnen seinen Willen und erschließt eben damit seinem Gegenüber eine Lebensordnung, die dieses Gegenüber nicht aus sich selbst gewinnt, vielmehr als eine ihm eröffnete und zugemutete wahrzunehmen hat. – Daß mit der vorgeschlagenen Definition Entscheidungen fallen, ist mir natürlich bewußt, doch sehe ich nicht, daß diese Entscheidungen angesichts der uns vorgegebenen biblischen und jüdischen Texte vermeidbar wären.

2. Im Alten Testament lassen sich nicht nur verschiedene Traditionslinien des Gesetzesverständnisses aufzeigen, sondern zugleich eine geschichtliche Stufenfolge intensivierter Gesetzeserfahrung.

Mit Hilfe der traditionsgeschichtlichen Analyse können wir heute im Alten (und im Neuen) Testament Traditionslinien des Gesetzesverständ-

[12] M. HENGEL, Judentum und Hellenismus (WUNT 10), 1973², 307–318.

nisses aufweisen, die z. B. vom Dekalog zum Deuteronomium und von hier aus zu Ps 1; 19; 119 und der in Sir 24 sowie in Bar 3 und 4 in Erscheinung tretenden weisheitlichen Gesetzesauffassung oder von Ezechiel hin zu P und wieder zu Sir 24 weisen. (Neutestamentlich wäre dem zu vergleichen, daß deutliche Traditionslinien von Jesus zum Stephanuskreis und von diesem zu Paulus, oder vom gesetzesstrengen Judenchristentum Palästinas zum Jakobusbrief und Matthäusevangelium sowie der berühmten Formulierung aus Barn 2,6 führen, nach der die die Christen bestimmende »Lebensordnung« nicht mehr in den kultischen Opfertorot, sondern in dem καινὸς νόμος τοῦ κυρίου Ἰησοῦ Χριστοῦ, ἄνευ ζυγοῦ ἀνάγκης ὤν besteht.) Wie schon v. Rad mit seinem Hinweis auf die qualitative Differenz zwischen der Gesetzesauffassung des Dekalogs, der vorexilischen Gerichtsprophetie, des Deuteronomiums und dann der P-Tradition gesehen hat, werden diese Traditionslinien erst dann in ihrem Sachgehalt erfaßt, wenn bei der Exegese die geschichtlichen und religiösen Erfahrungen mit aufgehellt werden, die die verschiedenen Interpretationsstadien des Gesetzes begleiten und hervortreiben. Diese heute gleichermaßen von Gese, Hans Heinrich Schmid[13] (und neutestamentlich vor allem von Ulrich Luck[14]) vertretene, von Hans-Joachim Kraus m. E. voreilig zurückgewiesene[15] Anforderung an die biblische Exegese läßt sich methodisch nur dann erfüllen, wenn die Einzeltexte nicht von der geschichtlichen Situation, in der sie entstanden sind, losgelöst, sondern im Rahmen dieser Situation als Ausdruck bestimmter Welterfahrung und Gottesbegegnung aufgefaßt werden. Interpretiert man in dieser korrelativen, über die bloß textimmanente und kontextbezogene Exegese hinausweisenden fundamentalen Art und Weise, kommt man über v. Rad und Zimmerli mit Gese zu den in der folgenden These genannten Stufen der Gesetzeserfahrung.

3. Diese Stufenfolge nimmt ihren Ausgang bei der Erfahrung, daß Israel von Jahwe am Sinai zu einer heute beispielhaft am Dekalog faßbaren Ordnung des Lebens erwählt worden ist; auf Grund der prophetischen Gerichtspredigt wird eben diese Lebensordnung im Deuteronomium als Lebensordnung der Glaubensgemeinde Israels verstanden; von Ezechiel aus kommt es dann in der P-Tradition zum Verständnis des

---

[13] Vgl. vor allem SCHMIDS Aufsatz: Altorientalische Welt in der alttestamentlichen Theologie (in: DERS., Altorientalische Welt in der alttestamentlichen Theologie, 1974, 145–164).

[14] U. LUCK, Welterfahrung und Glaube als Grundproblem biblischer Theologie (TEH 191), 1976.

[15] H.-J. KRAUS, Theologie als Traditionsbildung? (EvTh 36, 1976, 498–507).

Gesetzes als Ordnung der Begegnung Israels mit der Heiligkeit Jahwes; das deuteronomistische und das priesterschriftliche Gesetzesverständnis bilden schließlich die Basis zu der in nachexilischer Zeit aufbrechenden Entdeckung, daß Israel in seiner Tora an der schöpferischen Weisheit Gottes und damit an der Schöpfungsordnung des gesamten Kosmos partizipiert.

Erkennt man diese Stadien, wird nicht nur die ausgesprochene Vielschichtigkeit des alttestamentlichen Gesetzesverständnisses deutlich, sondern zugleich einsichtig, auf welche Weise sich Israel unter dem Zugriff der dieses Volk nicht loslassenden Willensoffenbarung Jahwes zu einer Glaubensform entwickelt, in der es nicht nur schwerste geschichtliche Katastrophen, den Verlust der politischen Selbständigkeit und die Vertreibung aus der religiösen Heimat bewältigen, sondern auch die Probleme souverän meistern konnte, die sich für Israel in der Zeit des Hellenismus stellten. Wendet man den Blick vom Dekalog hin zu dem umfassenden, sapientialen Gesetzesverständnis von Sir 24, erkennt man, daß die schon den Dekalog kennzeichnende Ganzheitsbetrachtung des vor Jahwe zu lebenden Lebens in der nachexilischen Zeit keineswegs verlorengegangen, vielmehr universal erweitert worden ist. Die in Hi 28; Bar 3 f und in Sir 24 hervortretende Weltordnungskonzeption läßt den Juden nicht nur an jedem Ort der (antiken) Welt und in jeder einzelnen Lebensbewegung im Willen Jahwes ruhen, sondern sie bezieht ausdrücklich auch die außermenschliche Schöpfung in den Ordnungswillen Jahwes ein. Die Identifikation von Tora und Weisheit in nachexilischer Zeit hat unter diesen Umständen einen ausgesprochen weltoffenen, lebensbejahenden Sinn und sollte heute nicht mehr als Abkehr vom ursprünglichen Jahweglauben mißverstanden werden. Anthropologisch wird die sapientiale Aufweitung des Toraverständnisses von der Auffassung unterfangen, daß der Mensch als Gottes Geschöpf und kraft der (kultisch stets erneuerten) Vergebung seiner Schuld durchaus imstande ist, in der ihm von Jahwe eröffneten und zugemuteten Lebensordnung zu bleiben (vgl. Sir 15,11–20; 21,11). Allerdings ist sofort anzumerken, daß eben diese Auffassung schon alttestamentlich keineswegs unwidersprochen blieb.

4. Die epochalen Aufweitungen der Gesetzeserfahrung werden insgesamt begleitet von einer wachsenden Erkenntnis der Verfehltheit der Existenz des Volkes, der Glaubensgemeinde und des einzelnen vor Jahwe. Eben dieser Erkenntnis entspricht die von Jeremia und Ezechiel an wiederholt aufbrechende Einsicht in die Erneuerungsbedürftigkeit des Menschen und die Vorläufigkeit der Mosetora vom Sinai.

Schon in der Gerichtspredigt der klassischen Gerichtsprophetie wird deutlich, daß Jahwe kein Lebensbereich vorenthalten bleiben darf und daß, wo dies dennoch geschieht, Schuld entsteht und Seinsverfehlung offenbar wird. Diese Verfehltheit der Existenz vor Jahwe wird – wie bereits Jes 6 dokumentiert – um so intensiver erfahren, je deutlicher sich der Mensch vor Gottes Majestät und Heiligkeit gestellt sieht. Eben diese (das Volk, die Heilsgemeinde und den einzelnen Israeliten in ihnen erfassende) Sündenerfahrung führt bei Jeremia und beim Priesterpropheten Ezechiel zu einer radikalen anthropologischen und gesetzestheologischen Einsicht. Um dem Willen Jahwes wirklich genügen und Gott begegnen zu können, bedürfen Israel und der einzelne Fromme der Neuschöpfung. Aber auch die am Sinai geoffenbarte Tora, Israels Lebensordnung, trägt nach (Jeremia und) Ezechiel Merkmale geschichtlicher Vorläufigkeit und einer Defizienz, die sie noch einmal verwandlungsbedürftig macht. Statt einfach ins Leben zu führen, führt die Sinaitora kraft ihres Wortlauts in Schuldzusammenhänge hinein, aus denen nur die Neuschöpfung heraushelfen kann. Israel und der einzelne Fromme werden also erst dann Jahwe wahrhaft begegnen können, wenn dieses Volk und jeder einzelne Gläubige kraft des Geistes Gottes verwandelt und neugeschaffen sein werden und auch die Tora neu geoffenbart sein wird. Die für diese überaus kühne Konzeption kennzeichnendsten Belege sind Jer 31,31 ff einerseits und Ez 36,22–28; 37 sowie der kritische Überblick über die Offenbarungsgeschichte in Ez 20 (vgl. besonders V. 25 f[16]) andererseits.

5. Die Tora vom Sinai geht nach Jesaja, Micha, Jeremia und Ezechiel auf eine eschatologische Transformation und Neuoffenbarung zu. Diese Neuoffenbarung gilt zuerst Israel; sie schließt nach Micha und der Jesaja-Tradition aber auch die Heidenwelt mit ein. Sofern die Neuoffenbarung vom Zion ausgeht, kann man von einer endzeitlichen »Zionstora« sprechen, die der Tora vom Sinai eschatologisch entspricht.

Die im Zusammenhang dieser These aufzuführenden Texte: Jes 2,2–4; Mi 4,1–4; Jes 25,7–9; Jer 31,31 ff; Ez 20; 36,22–28; 40–48 usw. entstammen zunächst natürlich unterschiedlicher Zeit und Situation. Sie treten aber um so deutlicher zu einer Gesamtkonzeption zusammen, je mehr man sie als gemeinsame Überlieferungselemente des einen Prophe-

---

[16] Vgl. zu dieser Stelle GESES neuen Aufsatz: Ezechiel 20, 25 f und die Erstgeburtsopfer (in: Beiträge zur Alttestamentlichen Theologie. FS f. W. Zimmerli zum 70. Geb., hg. v. H. DONNER, R. HANHART u. R. SMEND, 1977, 110–151).

tenkanons liest. – Von der Transformation und endzeitlichen Neuoffenbarung der Sinaitora an ein zum spontanen Gehorsam erneuertes Gottesvolk spricht am deutlichsten Jer 31,31 ff. Der Kontext des Kapitels verbindet diese Neuoffenbarung mit der Ansage der Neuerrichtung Jerusalems (vgl. Jer 31,38 ff). Jes 2,2–4 und Mi 4,1–4 sprechen von einer vom Zion ausgehenden, endzeitlichen Weisung an alle Völker. Nach der apokalyptischen Erwartung von Jes 25,6 ff sollen sich die Völker dereinst beim endzeitlichen Toda-Mahl in vollendeter Gotteserkenntnis, befreit vom Todesverhängnis, auf dem Zion zusammenfinden. Jes 2,2–4 (und Mi 4,1–4) sind damit ans Ziel gekommen. Ez 20 weist in V. 25 f auf die grauenerregende Vorläufigkeit der Sinaitora hin, schaut gleichzeitig aber aus auf eine Zeit der neuen Jahweerkenntnis und des neuen Gehorsams Israels gegenüber dem wahren Willen Jahwes. Wieder ist diese Ausschau auf den Zion konzentriert (vgl. Ez 20,40 ff). Ez 36 führt dieses Thema fort und bezeichnet Israels Erneuerung zum wahren Gehorsam gegenüber dem geoffenbarten Gotteswillen als Werk des hl. Geistes. Der Verfassungsentwurf von Ez 40–48 greift material z. T. deutlich über die Sinaitora hinaus und macht Jerusalem und den neuen Tempel definitiv zum Ort der Jahwepräsenz auf Erden. Bedenkt man die Konvergenzen all dieser Textaussagen, kann man mit Gese von der Erwartung einer eschatologischen »Zionstora« sprechen, die der Tora vom Sinai eschatologisch entspricht. Diese eschatologische Tora ist mit der Sinaitora nicht einfach identisch. Statt vom Sinai geht sie vom Zion, der endzeitlichen Wohnstatt Gottes, aus. Kraft der Gabe des Geistes und der Vernichtung des Todes soll diese Tora aus sich selbst heraus einsichtig und praktikabel sein. In ihrer Mitte soll die Toda, das Dankopfer nach der Errettung aus Todesnot, stehen. Die vom Zion ausgehende Tora gilt nicht mehr nur Israel allein, noch trennt sie das Gottesvolk von den Heiden, sondern sie richtet sich an alle Völker. Indem auf diese Weise das erste Gebot zur vollendeten, weltweiten Durchsetzung kommt, bringt die Zionstora zur eschatologischen Vollendung, was in der Sinaitora erst in geschichtlicher Vorläufigkeit zur Sprache kam.

6. In der Todafrömmigkeit mancher Psalmen wird die Zionstora bereits als gegenwärtiger Anspruch Jahwes an den Menschen erfahren.

Wir kennen aus dem Judentum und dem Neuen Testament, und zwar besonders in Hinsicht auf die eschatologischen Heilsgüter, die Erfahrungs- und Aussagestruktur, daß Gottes endzeitlicher Geist, die Gottesherrschaft, die Gnade und Freude der Endzeit usw. schon gegenwärtig anbrechen und als die Gegenwart bestimmend erfahren werden, aber doch erst zukünftig ihre volle Realität gewinnen sollen. Diese antizipatorische Rede- und Erfahrungsstruktur kennzeichnet auch schon das Alte Testament. Sie ist nicht nur für das Verständnis der prophetischen Wortverkündigung konstitutiv, sondern, wie Gese in seinem Aufsatz über Ps 50 gezeigt hat, auch für die Begegnung mit der Zionstora. Der Beter von Ps 50 weiß, daß er in der Toda, d. h. in der Ganzheitshingabe seiner selbst an Jahwe in der Situation des Dankopfers, die Schranken des rituell vorgezeichneten Gehorsams durchbrechen und bereits gegenwärtig an jenem Willen Jahwes partizipieren kann, dessen Offenbarung einst die ganze Welt vom Zion aus erfüllen und prägen soll. Inhaltlich wird dieser Wille Jahwes aus einer Neuinterpretation des Dekalogs heraus vernehmbar.

7. Das Verständnis der Tora vom Sinai als umfassender, ewiger Schöpfungsordnung und die Dialektik von vorläufiger Sinaitora und eschatologischer Zionstora werden im Verlaufe der alttestamentlichen Traditionsbildungen systematisch nicht zum Ausgleich gebracht.

Ebensowenig wie das priesterschriftliche Gesetzesverständnis, welches das irdische Glaubensdasein am himmlischen Urbild der Offenbarung orientiert und auf das Wunder der von Jahwe gestifteten Sühne (am großen Versöhnungstag) gründet, mit dem deuteronomistischen identisch ist, kann die Erwartung (und Gegenwartserfahrung) der Zionstora einfach mit dem breiten Traditionsstrom jener alttestamentlichen Gesetzestheologie identifiziert werden, der vom Dekalog zum Deuteronomium und von hier aus über Ps 119 zu Sir 24 und Bar 3 und 4 verläuft. Die Teilhabe an der ewigen und wahren Ordnung der Schöpfung wird in Sir 24 und Bar 3 und 4 bereits von der Sinaitora erwartet; nach den Traditionen, die von der Zionstora sprechen, ist solche Teilhabe erst möglich, wenn die Sinaioffenbarung vom Zion aus vollendet wird. Unter diesen Umständen muß man sagen, daß das alttestamentliche Gesetzesverständnis bis in die späten Schichten der Tradition hinein umstritten bleibt.

8. Das Frühjudentum löst das systematische Problem der Dialektik von Sinaitora und eschatologischer Zionstora nicht. Obwohl die eschatologischen Texte weitertradiert werden und die Qumrangemeinde sogar eine endzeitliche Ergänzung der Sinaitora kennt, liegt die Hauptintention der frühjüdischen Gesetzestheologie in dem Bemühen, die Mosetora als Grund allen Seins und aller Glaubensexistenz vor Jahwe darzustellen.

Seit der Makkabäerzeit um die religiöse Identität Israels und des jüdischen Gottesglaubens bemüht, schließt das Frühjudentum in Palästina und in der Diaspora an den Hauptstrom der in Sir 24 und in Bar 3 und 4 kulminierenden sapientialen Gesetzesinterpretation an. Alles Sein, alles Denken und alle Glaubensexistenz werden der Mosetora als der ewig gültigen, lebenschaffenden Gottesoffenbarung zugeordnet. – Im Jubiläenbuch (2. Jh. v. Chr.) geschieht dies so, daß zwischen der schon die Welt im paradiesischen Urstand bestimmenden »ersten Tora« (2,24; 6,22) und der Mose erst auf dem Sinai geoffenbarten Tora unterschieden wird. Die »erste Tora« enthält die in der Stiftung des Sabbats gipfelnde Schöpfungsordnung. Sie geht ein in die Mose auf dem Sinai anvertraute Tora, in der alle Zeitabläufe bis zum Tage der neuen Schöpfung vorgezeichnet sind. An diesem Tage wird Gott sein Heiligtum auf dem Zion errichten und aller Welt als der Heilige erscheinen. Die Verheißung von Ez 36,22–28 wird in Jub 1 auf die mit dem Tage der Neuschöpfung verbundene Erneuerung der Gerechten zum vollendeten Toragehorsam und zur wahren Gotteserkenntnis gedeutet. – Ebenso geschieht es in der Sektenregel von Qumran (vgl. 1QS 4,19 ff). Die Essener von Qumran ergänzen die Tora und Propheten durch ihr eigenes inspiriertes Schrifttum[17]. Sie besitzen (nach Auskunft von Yigael Yadin) in ihrer Tempelrolle sogar das »versiegelte Buch des Gesetzes, das in der Lade war« (CD 5,2 f), d. h. eine von Jahwe selbst gesprochene Zusatzoffenbarung zur Tora vom Sinai. Von einer neuen, eschatologischen Tora ist bei ihnen aber keine Rede. – Der von Paulus dann vor den gekreuzigten und auferstandenen Christus gestellte frühe Pharisäismus steht dem bisher skizzierten Denkansatz nicht fern. Wie schon das Jubiläenbuch, betont auch er die urzeitliche Erschaffung der Tora und spricht in PsSal 17 und 18 davon, daß der Messias Israel zur wahren Gottesfurcht zurückführen (d. h. in der Sache: zum Gehorsam gegenüber der ewig-gültigen Tora anleiten) und Jerusalem von aller Unreinheit befreien werde. Von einer Veränderung der Tora selbst aber wird nicht gesprochen. – Das Rabbinat führt in nachneutestamentlicher Zeit die Linie dieser einseitigen Wertschätzung der Sinaitora fort. Für die Zeit der eschatologischen Erfüllung erwartet es »nicht eine *neue* Torah ..., sondern das vollkommene und endgültige Verständnis der bestehenden«[18]. – Die Wertschätzung der Sinaitora als der ewigen Gottesoffenbarung ist auch für das Diasporajudentum kennzeichnend. Philos Allegoresen der Tora wollen ihrer Absicht nach den gesamten geistigen Kosmos der Antike der Tora integrieren und nicht etwa die Tora diesem Kosmos anverwandeln. In Migr 89–93 setzt er sich ausdrücklich gegen Versuche zur Wehr, die Tora mit

---

[17] Diese Formulierung sowie die Kenntnis der nachstehend referierten Meinung Y. Yadins verdanke ich der freundlichen Mitteilung von M. Hengel.

[18] P. Schäfer, Die Torah der messianischen Zeit (ZNW 65, 1974, 27–42), 34.

Hilfe von Symboldeutungen zu sublimieren oder gar aufzulösen. – Mit dieser frühjüdischen Interpretationstendenz, die natürlich stets jene anthropologische Kompromißposition mittradieren muß, von der schon oben die Rede war (vgl. bes. Aboth 2,1 d; 3,1.15), können die biblischen Aussagen über die Zionstora allerdings noch nicht als erledigt gelten. In ihnen artikuliert sich vielmehr eine von den frühjüdischen Exegeten nur partiell eingeholte, teilweise sogar regelrecht verdrängte Erwartung einer neuen, geistlich-endzeitlichen Lebensordnung für alle Menschen.

9. Das in sich offene und zugleich strittige Gesetzesverständnis des (im 1. Jh. n. Chr. noch nicht kanonisch abgegrenzten) Alten Testaments und des Frühjudentums bildet die Sprach- und Erfahrungsbasis, von der alle neutestamentliche Gesetzestheologie ausgeht.

Gehen wir von dem um die Zeitenwende und im 1. Jh. n. Chr. noch nicht definitiv kanonisch abgegrenzten Alten Testament und den frühjüdischen Traditionen her auf das Neue Testament zu, ist zunächst ein ganz einfacher geschichtlicher Sachverhalt zu konstatieren. Jesus und die maßgeblichen Zeugen des Neuen Testaments sind geborene Juden gewesen, und für sie war das Alte Testament (d. h. die bereits seit dem 5. Jh. v. Chr. feststehende Tora, der ebenfalls seit dem 3. Jh. v. Chr. schon klar umrissene Kanon der Propheten und die noch nicht fest fixierte Sammlung der »Schriften«) hl. Schrift. Unter diesen Umständen darf man davon ausgehen, daß die in sich offene alttestamentliche Gesetzestheologie mitsamt den eben kurz skizzierten frühjüdischen Auslegungstraditionen des Gesetzes die Sprach- und Erfahrungsbasis abgeben, von der aus im Neuen Testament vom Gesetz die Rede ist. Diese Sprach- und Erfahrungsbasis ist dabei im doppelten Sinne maßgeblich. Einmal dadurch, daß mit der Sprache und Auslegungstradition Israels den neutestamentlichen Zeugen eine bestimmte Art der Weltsicht und bestimmte Erfahrungsmuster vorgegeben wurden, in denen sie ihren Glauben explizierten. Zum andern darin, daß eben diese vom Alten Testament her vorgegebene Welt-Anschauung ihnen auch religiös als maßgeblich erschien, weil sie von der hl. Schrift her eröffnet wurde und das Alte Testament die Offenbarungsurkunde auch für die Christen blieb. Altes und Neues Testament lassen sich unter diesen Umständen weder traditionsgeschichtlich noch theologisch voneinander trennen, obwohl die sachgemäße Auslegung des Alten Testaments zwischen Juden und Christen seit Jesu Tagen umstritten ist. Diese Auslegung artikuliert sich gleichzeitig im Rekurs auf bestimmte Einzeltexte und in einem Rückbezug auf die biblischen Sprachmuster überhaupt.

10. Jesu Gesetzesverständnis läßt sich am eindeutigsten aus der Tradition vom Doppelgebot der Gottes- und Nächstenliebe, aus den sog. Antithesen der Bergpredigt, aus dem Spruch von Rein und Unrein (Mk 7,15 Par.) und aus seinem Anspruch auf Verfügungsrecht über den Sabbat ablesen.

Fragt man an der Schwelle des Neuen Testaments zuerst nach Jesu Umgang mit der Tora, muß man bei der heutigen Forschungslage und Arbeitsweise jene Traditionen aufsuchen, in denen sich dieser Umgang authentisch spiegelt. Die damit erforderliche Eklektik darf aber nicht übersehen machen, daß Jesu Umgang mit der Tora in den Vollzug seiner Zeugnisexistenz insgesamt eingebettet war. Jedes Einzelwort Jesu über das Gesetz muß darum bei der Interpretation zurückgegeben werden an das Ganze des Wirkens Jesu für die Gottesherrschaft aus dem Geist der Sohnschaft heraus. Erst wenn man so ganzheitlich auslegt, hat man die Wirklichkeit, die Jesus in der Tora sah, vor Augen. Die Tradition vom Doppelgebot der Gottes- und Nächstenliebe (Mk 12,28–34; Mt 22,34–40; Lk 10,25–28) ist darin authentisch[19] und für Jesus charakteristisch, daß das Doppelgebot hier nicht mehr nur (wie in den Testamenten der 12 Patriarchen und bei Philo[20]) illustrative Zusammenfassung des sich erst in der Tora insgesamt erschließenden Gotteswillens ist, sondern daß sich der Wille Gottes in diesem Doppelgebot exklusiv zusammenfaßt. Von der Basis des Doppelgebotes aus kann bei Jesus die Mosetora kritisch gemessen und, wo es Jesus erforderlich erscheint, auch in Richtung auf Gottes ursprünglichen Willen hin hinterfragt werden. Die Antithesen der Bergpredigt machen diesen Vorgang anschaulich. Der berühmte Spruch von Rein und Unrein aus Mk 7,15; Mt 15,11 hebt zwar in der Tat das pharisäische Ideal der levitischen Reinheit im Alltag der jüdischen

---

[19] Zur ältesten Schicht der Doppelgebotsüberlieferung vgl. R. H. FULLER, Das Doppelgebot der Liebe (in: Jesus Christus in Historie und Theologie. Ntl. FS f. H. Conzelmann zum 60. Geb., hg. v. G. STRECKER, 1975, 317–329). Da das Doppelgebot jüdisch nur im Rahmen von Gebotsreihen und im Verbund mit der Aufforderung, die ganze Tora zu halten, auftaucht, halte ich die exklusive Stellung des Doppelgebots in der Jesustradition für authentische Überlieferung, während FULLER vermutet, daß sich Jesus jüdischer Weisheitstradition anschließt, ohne freilich Belege für eine exklusive Wertschätzung des Doppelgebots in solcher Tradition beibringen zu können.

[20] Zur Stellung des Doppelgebots in den Testamenten und zur Verhältnisbestimmung von Gottesfurcht und Philanthropie bei Philo vgl. die ganz vorzügliche Darstellung von A. NISSEN, Gott und der Nächste im antiken Judentum (WUNT 15), 1974, 230–244. 498–502. NISSEN zeigt, daß weder die Testamente noch Philo als Quelle des jesuanischen Doppelgebots in Frage kommen.

Welt aus den Angeln, er ist aber darin biblisch und zugleich eine Aufrichtung des wahren, ursprünglichen Gotteswillens nach Jesu Verständnis, als Jesus hier eine ganz analoge Bewegung vollzieht wie in Ps 50 auch. Die pharisäischen Reinheitsvorschriften werden zugunsten der Ganzheitshingabe des Menschen an Gottes Willen hinterfragt (vgl. Mk 7,13). Dieser bei Jesus wiederholt erfolgende Rückgriff auf den wahren, ursprünglichen Gotteswillen (vgl. Mk 10,2–12 Par.) wird ohne Jesu Souveränitätsanspruch, »Herr des Sabbats« zu sein (Mk 2,28; Mt 12,8; Lk 6,5), nicht wirklich anschaulich. Hintergrund dieses Anspruches ist die von der P-Tradition an greifbare und im Jubiläenbuch noch einmal ausdrücklich bestätigte Wertschätzung des Sabbats als jenes besonders geheiligten Tages, an dem Israel schon irdisch partizipieren darf am heiligen Ursprungs- und Zukunftsstand der Welt. Vor dem Hintergrund dieser Denkweise gibt Jesu Anspruch auf Herrschaft über den Sabbat keinen bloßen Antinomismus zu erkennen. Er bedeutet vielmehr, daß mit Jesu ostentativen Heilungen am Sabbat, mit seinem Vergebungswort und in der Freiheit, die er seinen Jüngern am Sabbat gewährt, schon jene heilige Seinsordnung auf Erden eröffnet wird, die bislang nur als Kennzeichen der ewigen Gotteswelt galt. Jesus beansprucht m. a. W. die Vollmacht, die gottentfremdete Welt durch sein Wort und Tun endzeitlich zu heiligen (vgl. dazu auch das Apokryphon im D-Text von Lk 6,5). Mit diesem Anspruch ist dann auch jene ganzheitliche, geistliche Wirklichkeit aufgespürt, in der Jesu einzelne Aussagen über die Tora ihren Ort haben.

11. Die bei Jesus gleichzeitig in Erscheinung tretende Kritik, Vertiefung und Zusammenfassung der Mosetora wird am besten einsichtig, wenn Jesus mit dem Anspruch aufgetreten ist, als der die eschatologische Gottesherrschaft heraufführende Menschensohn-Messias auch der messianische Vollender der Tora zu sein. In und mit Jesus wird die endzeitliche Wirklichkeit der »Zionstora« offenbar.

In unserem Zusammenhang möchte ich nur kurz und thetisch darauf hinweisen, daß mir Jesus selbst, die von Jesus bezeugte Geschichte seines Wirkens und seines Todes in Jerusalem sowie der Werdegang der Jesusüberlieferung nur dann historisch verständlich werden, wenn Jesus wirklich mit messianischem Anspruch aufgetreten ist und diesen Anspruch unter dem Vorzeichen des ihn gleichermaßen Gott und den Menschen zuordnenden Menschensohn-Titels auch vertreten hat. Die Kombination von Menschensohn- und Messiastradition war Jesus indirekt von der Henochüberlieferung und direkt von der Verkündigung des Täufers her vorgegeben[21]. Aber auch wenn man sich zu dieser historischen Sicht nicht entschließen kann und bei der fragmentarischen These Ernst Käsemanns[22], Günther Bornkamms[23] und Eduard Lohses[24] bleiben will, nach der Jesus zwar keinen messianischen Titel für sich beansprucht hat, aber dennoch mit einzigartiger, messianischer Vollmacht aufgetreten sein soll, muß man Jesu Umgang mit der Tora eben diesem Vollmachtsanspruch zuordnen. Man kann dies biblisch-theologisch sehr gut tun, wenn man sich der alttestamentlichen Erwartung der Zionstora erinnert. Von dieser Erwartung her kann man Jesu Kritik an der Mosetora und seine gleichzeitig damit erfolgende Aufrichtung des wahren, ursprünglichen Gotteswillens aus der Vollmacht des Geistes heraus als einen einheitlichen Vorgang verstehen. Jesus richtet den endzeitlichen Willen Gottes auf, der die Gottesherrschaft kennzeichnet und alle diejenigen betrifft, denen die Gottesherrschaft durch ihn eröffnet wird. Dem Vorgang dieser Aufrichtung des endzeitlichen Gotteswillens lassen sich die Tischgemeinschaften Jesu ohne weiteres zuordnen. Wie äthHen 62,14 f erkennen läßt, nehmen diese Tischgemeinschaften die himmlische Mahl- und Versöhnungsgemeinschaft irdisch vorweg, in der der Menschensohn dereinst mit den vor Gott Gerechten stehen wird. Jesu Tischgemeinschaften finden ihre irdische Besiegelung, als Jesus beim letzten Passahmahl mit den Seinen die am Tage darauf in die Tat umgesetzte Bereitschaft äußert, für die unverbrüchliche Gottesgemeinschaft der ihm von Gott anvertrauten Armen und Schuldbeladenen in den Tod zu gehen. Die synoptischen Abendmahlstexte und die paulinische Abendmahlsparadosis aus 1Kor 11,23 ff sehen in dieser stellvertretenden Lebenshingabe Jesu Ex 24,8 und Jer 31,31 ff endzeitlich erfüllt. Von hier aus kann man sagen, daß in und mit Jesus die endzeitliche Lebensordnung der Gottesherrschaft, die »Zionstora«, offenbar wird. Gleichzeitig wird deutlich, weshalb dem zeitgenössischen Judentum Jesu Anspruch, der Vollender der Tora zu sein (vgl. den von Matthäus zwar redaktionell bearbeiteten, m. E. aber auf Jesus selbst zurückzuführenden Spruch Mt 5,17 und die auf die Vollendung von Gesetz und Propheten in Jesu Person und Wort verweisende sog. Verklärungsgeschichte Mk 9,2 ff Par.), unter keinen Umständen akzeptabel, vielmehr als lästerlich erschien.

---

[21] Zur Verkündigung des Täufers vgl. Fr. Lang, Erwägungen zur eschatologischen Verkündigung Johannes des Täufers (in: Jesus Christus in Historie und Theologie [s. Anm. 19], 459–473).

[22] E. Käsemann, Das Problem des historischen Jesus (in: Ders., Exegetische Versuche und Besinnungen I, 1960, 187–214), 206–212.

[23] G. Bornkamm, Jesus von Nazareth, 1968[8], 206 ff.

[24] E. Lohse, Grundriß der neutestamentlichen Theologie, 1974, 43–50.

12. Inhaltlich ist die durch Jesus eröffnete und zugemutete neue Lebensordnung gekennzeichnet von Gottes Gerechtigkeit, die den Gottfernen in Jesu Person zum Leben in der Gottesgemeinschaft verhilft und sie so in die Freiheit der Liebe stellt.

Fragt man, worin die von Jesus eröffnete und zugemutete endzeitliche Lebensordnung ihre thematische Mitte hat, kann man nur mit zwei biblischen Stichworten antworten: in Gerechtigkeit und Liebe. Die Kategorie der Gerechtigkeit legt sich biblisch nahe, sobald man Jesu Hilfe für die Schwachen und Rechtlosen, seine Zuwendung zu den Kindern und Kranken, die im Zeichen von Jes 61,1 ff stehenden Seligpreisungen und Jesu Verkündigung der Gottesherrschaft in den Gleichnissen im Lichte seines messianischen Sendungsanspruches zusammenzudenken versucht. Der Blick auf die großen messianischen Überlieferungen des Alten Testaments, vor allem Jes 9,1–6 und 11,1–9, macht dann das Stichwort »Gerechtigkeit« (als eine die gottferne Welt zum Heil hin ordnende messianische Verhaltensweise) unentbehrlich. Das Stichwort »Liebe« drängt sich vom Doppelgebot, von der sechsten Antithese (Mt 5,43–48; Lk 6,27–28.32–36) und von den großen Liebesgleichnissen Jesu (allen voran Lk 15,11–32 und 10,29–37) her auf. Jesus war die Verkörperung der Gottesgerechtigkeit und Gottesliebe in Person und hat eben deshalb seinen Jüngern die Praxis der Liebe und neuen Gerechtigkeit zugemutet.

13. Mit der Bezeugung und zeichenhaften Verwirklichung der neuen Lebensordnung der Gerechtigkeit riskierte Jesus den Konflikt mit allen maßgeblichen Gruppierungen des Judentums seiner Zeit. Auf dem Höhepunkt dieses Konfliktes wurde er kraft der Mosetora verflucht und gekreuzigt.

Der Tatbestand, von dem die These handelt, steht klar vor Augen. Jesu Anspruch, als Verkündiger der Gottesherrschaft auch der messianische Vollender der Tora zu sein, führte ihn in einen fundamentalen Konflikt mit dem Pharisäismus seiner Zeit. Seine Weigerung, die zelotische Auffassung des 1. Gebotes zu teilen und sich zur religiösen Speerspitze des Befreiungskrieges gegen Rom erheben zu lassen, trug ihm die Feindschaft der Zeloten ein. Die Sadduzäer wurden zu Jesu Feinden, als er nicht nur an der Autorität der Mosetora, sondern auch an den kultischen Ordnungen des Tempels zu rütteln begann. Unter der im Blick auf Jesu Wirken klug gewählten Anschuldigung, es handele sich um einen messianischen Prätendenten, wurde Jesus nach seiner Verhaftung durch das Synhedrium an Pilatus überstellt und von diesem nach kurzem Verfahren gekreuzigt. Die Hinrichtung am Kreuz gab Jesu Feinden vollends die Möglichkeit, ihn, den Lästerer und Verräter der Glaubenstraditionen Israels, unter den Fluch der Tora zu stellen, wie er Dtn 21,22 f formuliert wird. Die Tempelrolle von Qumran (Kol. 64, 6–13) zeigt heute eindeutig, daß schon das vorchristliche Judentum Dtn 21,22 f auf die Hinrichtung von jüdischen Gesetzesfrevlern bezog und den Tod solcher Glaubensverräter als Verfluchung durch Gott und Menschen deutete. Die Deutung des Todes Jesu im Lichte von Dtn 21,22 f, wie sie in Joh 19,31 ff; Apg 5,30; 10,39; 13,19 und Gal 3,13 durchscheint, dürfte daher nicht erst christlichen Ursprungs sein; es scheint sich vielmehr um eine jüdisch-polemische These zu handeln, mit deren Widerlegung und Bewältigung sich die Christen bis zu Paulus sehr schwer getan haben.

14. Jesu Auferweckung wird urchristlich als Bestätigung des Gekreuzigten durch Gott verstanden. Sie ist von denen, die Jesus in der Verratsnacht verlassen, die an ihm gezweifelt oder sogar gegen ihn angekämpft hatten, als eine vom Auferstandenen ausgehende Wieder- und Neuannahme in die Versöhnungsgemeinschaft erfahren worden.

Geht man von dem unter dem Verdikt der Mosetora stehenden Fluchtod Jesu her auf die neutestamentlichen Texte zu, die von Jesu Auferweckung und seiner Erscheinung vor den Osterzeugen sprechen, geben diese Texte wenigstens zwei Grunderfahrungen zu erkennen. Christologisch gilt nach Apg 2,36, daß Gott eben den Jesus, den seine Feinde gekreuzigt haben, zum Herrn und Christus gemacht hat. Die Christushymnen von Phil 2,6–11 und 1Tim 3,16 beschreiben die Auferweckung Jesu als Inthronisationsvorgang und als »Rechtfertigung«, d. h. Einsetzung Jesu in seine himmlischen Sohnesrechte. Wenn Paulus den Gekreuzigten als »Herrn« und »Gottessohn« schaut (1Kor 9,1; Gal 1,15 f), erscheint wiederum der Verfluchte vom Kreuz als der von Gott Bestätigte und mit dem alttestamentlichen Gottesnamen »Herr« = κύριος belehnte Sohn. – Die Erscheinungsgeschichten geben aber noch mehr zu erkennen: Hier wird Jesus nicht nur als der erkannt, dem Gott über seinen Schandtod am Kreuz hinaus eschatologisch recht gegeben hat, sondern es wird gleichzeitig die Erfahrung (narrativ) artikuliert, daß eben dieser Jesus mit den Erscheinungszeugen jene Versöhnungsgemeinschaft neu aufgenommen hat, die sich israelitisch in der gemeinsamen Mahlfeier symbolisiert. Die Erscheinungszeugen wissen sich durch Jesus, den Auferstandenen, neu in den Schalom-Zustand mit Gott aufgenommen, den sie selbst durch Zweifel an Jesus, durch Verrat oder sogar durch Kampf gegen den christlichen Glauben verletzt hatten.

15. Während die Interpretation von Tod und Auferweckung Jesu als Sühne- und Versöhnungsgeschehen von diesen Erfahrungen aus urchristliches Allgemeingut sind, sind in Hinsicht auf das Gesetz aus Tod und Auferweckung Jesu unterschiedliche Konsequenzen gezogen worden.

Die skizzierten Ostererfahrungen, die m. E. der die urchristliche Missionstheologie auslösende und ihr vorausgehende Grund allen Glaubens an Jesus als »Herrn« und »Messias« sind, artikulieren sich soteriologisch beispielhaft in der Rede von Jesu Sühntod. Diese Rede durchzieht von den Jerusalemer Anfängen an die gesamte neutestamentliche Tradition und wird in der urchristlichen Abendmahlsfeier in symbolischer Realität zugleich erfahren und verkündigt. Trotz aller Differenzen zwischen den Synoptikern, Paulus und dem Johannesevangelium kann man auch beim Abendmahl von einer allgemein urchristlichen Tradition sprechen. Anders steht es dagegen mit der Frage, welche Folgen Jesu Tod und Auferweckung für das christliche Leben unter und mit der Mosetora hat. Daß diese Frage überhaupt unterschiedlich beantwortet wird, wird in dem Moment verständlich, in dem man den kontroversen Ausgang der alttestamentlichen Gesetzestheologie und dazu noch Jesu eigene, dialektische Verhaltensweise gegenüber der Mosetora bedenkt, an die er sich im Doppelgebot anschließt, die er aber auch kritisiert und hinterfragt. Man konnte unter diesen überlieferungsgeschichtlichen Umständen gleichzeitig auf eine christologisch reflektierte Synthese von Christusglaube und Gehorsam gegenüber der Mosetora und auf eine in der Nachfolge Jesu österlich vollends ausgearbeitete, ebenfalls christologisch reflektierte Gesetzesdialektik hindrängen, ohne das Alte Testament als hl. Schrift zu abrogieren. Das eine Mal schloß man sich von Christus her der in Sir 24 und Bar 3 und 4 gipfelnden Verstehenstradition des Gesetzes an und bezog Jesu Anspruch, der Vollender der Tora zu sein, nur auf eine christliche Modifikation der Sinaitora. Das andere Mal knüpfte man stärker an die auf die Zionstora verweisenden Überlieferungen an und sah sich durch Jesu Pharisäer- und Tempelkritik sowie die Osterereignisse in dieser Position bestätigt. Neutestamentlich finden wir beide Spielarten einer christlichen Gesetzestheologie von früh an verwirklicht – und in Konflikt miteinander geraten.

16. Wesentliche Gruppierungen des Urchristentums bemühen sich um eine Synthese von Mosetora und Christusglauben unter dem Vorzeichen des von Jesu Verhalten her radikal und universal verstandenen Liebesgebotes. Am deutlichsten wird diese Synthese heute erkennbar im Matthäusevangelium und im Jakobusbrief.

Urchristentumsgeschichtlich lassen sich die Bemühungen um eine solche Synthese von frühester Zeit an nachweisen. Schon der vorwiegend aramäisch-sprachige, im Israel-Verband verbleibende Teil der Jerusalemer Urgemeinde ist diesen Weg gegangen. Auf dem Apostelkonvent wird dieser Weg von den die gesetzesfreie Heidenmission Antiochiens anfeindenden »Falschbrüdern« (Gal 2,4) militant, von Jakobus und den Jerusalemer »Säulen« (Gal 2,9) konziliant verfochten. Wie die Polemiken in den Paulusbriefen und Apg 21,15 ff zeigen, begleiten beide Gruppierungen den Missionsweg des Paulus kritisch bis zu dessen Ende. Im Matthäusevangelium und im Jakobusbrief findet das Bemühen um die Synthese dann seine bis heute geschichtsmächtigste, kanonische Repräsentation. Beide Male wird der Weg der Heidenmission ohne Beschneidung m. E. ausdrücklich bejaht und unter Berufung auf Jesus ein christliches Verhalten gelehrt, das im Gehorsam gegenüber dem Willen Gottes steht, wie er in der Mosetora offenbart und von Jesus im Sinne der radikalen Nächstenliebe eschatologisch zusammenfassend interpretiert worden ist. Nach Matthäus erfüllt Jesus die Mosetora in seinem Werk und Opfergang und leitet die Seinen gleichzeitig an, eben diese Tora nach seinem Vorbild so zu erfüllen, daß die Gerechtigkeit der Christen besser ist als die formale der Pharisäer und Schriftgelehrten. Die der Intention des Matthäusevangeliums ursprünglich nicht konforme, rigoristische Paradosis von Mt 5,18 f (in der man historisch nicht die Stimme Jesu, wohl aber die eines frühchristlichen Nomismus, wie ihn die »Falschbrüder« vertreten haben, vermuten darf) wurde wahrscheinlich deshalb vom Evangelisten in seine Programmkomposition von Mt 5,17–20 aufgenommen, weil er sein Evangelium nach zwei Seiten hin zu verteidigen hatte: gegen den ihm und anderen urchristlichen Gemeinden von seiten der Synagoge her drohenden Vorwurf des Antinomismus und gleichzeitig gegen eine christliche Gesetzesabrogation, die vor allem im Gefolge der paulinischen Theologie aufkommen konnte[25]. – Die von Jesus erfüllte und von ihm im Sinne der radikalen Nächstenliebe neu ausgelegte Mosetora wird vom Jakobusbrief (im Anschluß an alttestamentlich-jüdische Weisheitstheologie) das »königliche Gesetz« bzw. das »Gesetz der Freiheit« (Jak 2,8.12) genannt[26]. Jakobus schließt mit diesen Prädikationen auf christ-

[25] Die vor allem von G. BORNKAMM, Wandlungen im alt- und neutestamentlichen Gesetzesverständnis (in: DERS., Geschichte und Glaube II [Ges. Aufs. IV], 1971, 73–119), 73–80 betonte Frontstellung von Mt 5, 17–20 gegen ein »vulgäres hellenistisches Christentum« (75) ist nach einem Hinweis von M. HENGEL zu ergänzen durch die Belege synagogaler Polemik gegen jene »Häretiker«, die die Autorität der Tora antasten, vgl. BILL. IV/2, 1033 f.1052 ff.

[26] Vgl. U. LUCK, Der Jakobusbrief und die Theologie des Paulus (ThGl 61, 1971, 161–179), 168 ff.

liche Weise an den Lobpreis der Mosetora an, wie wir ihn z. B. in Ps 119 in kunstvollster Ausgestaltung vor uns haben. – Vom Matthäusevangelium und dem Jakobusbrief ausgehend, ist diese synthetische Form christlichen Gesetzesverständnisses kirchengeschichtlich überaus wirksam geworden. Barn 2,6 steht deutlich in dieser Linie.

17. Andere Gruppierungen des Urchristentums verstehen das Verhältnis von Mosetora und Christusglauben wesentlich dialektischer. Mit Jesu stellvertretender Lebenshingabe gilt ihnen die Institution der kultischen Sühne im Tempel als vollendet und überboten. In Jesu Sendung, Tod und Auferstehung ist die Zeit der neuen Bundes-»Verpflichtung« und der eschatologischen Tora angebrochen; zugleich ist die Stunde gekommen, in der auch die Nichtisraeliten unter die Herrschaft Jesu als des »Herrn« versammelt werden dürfen. Am eindeutigsten wird diese Denkrichtung für uns heute faßbar in den Traditionen des Stephanuskreises und im Hebräerbrief.

Die oben skizzierte dialektische Möglichkeit christlicher Gesetzesbetrachtung finden wir erstmalig im Stephanuskreis verwirklicht, und zwar unter ausdrücklicher Berufung auf Jesu Gesetzes- und Tempelkritik (vgl. Apg 6,13 f). Die nach Apg 8 auf Samarien und sogar Verschnittene übergreifende Mission des Stephanuskreises scheint von Jes 56,1 ff her inspiriert zu sein[27]. Sie findet nach dem Stephanusmartyrium ihr eigentliches Zentrum in Antiochien am Orontes und gelangt schließlich durch Paulus zur Weltbedeutung. Wenn, wie ich meine, Röm 3,25 f[28] und 1Kor 11,23 ff für das Denken schon dieses hellenistisch-jüdischen Missionschristentums charakteristisch sind, kann man direkt sehen, warum hier der Glaube an die von Gott in Jesu Tod ein für allemal gestiftete Sühne den Tempelkult ablöst, die Gemeinde sich kraft dieser Sühne in die Zeit und Wirklichkeit der καινὴ διαθήκη versetzt sieht und ihr damit auch ihre neue, eschatologische Sicht der Tora erwächst. Martin Hengel hat kürzlich vermutet, daß Paulus das vielumrätselte Stichwort der »Tora des Christus« (Gal 6,2; 1Kor 9,21) vom Stephanuskreis über-

---

[27] Interessant ist der Zusammenhang zwischen Mk 11,17 Par. (mit Zitat von Jes 56,7), der Anklage gegen Stephanus Apg 6,13 f und der Philippus-Mission, die mit der Zuwendung zu den Samaritanern und dem verschnittenen Äthiopier Jes 56,3 ff zu vollstrecken scheint.

[28] Vgl. meinen Aufsatz: Zur neueren Exegese von Röm. 3,24–26 (in: Jesus und Paulus. FS f. W. G. Kümmel zum 70. Geb., hg. v. E. E. Ellis u. E. Grässer, 1975, 315–333).

nommen hat[29]. Wie immer dies sei – der Hebräerbrief steht mit seiner Auslegung des Christusopfers auf der Basis von Lev 16 und mit seiner Betonung der für die Christen durch dieses Opfer aufgerichteten Bundes-»Verpflichtung« von Jer 31,31 ff aufs deutlichste in der Nachfolge des Stephanuskreises. Man hat den Hebräerbrief darum als Dokument jenes Missionschristentums zu lesen, das, von Antiochien ausgehend, Paulus trägt und mit ihm sympathisiert, ohne mit seiner Verkündigung identisch zu sein.

18. Paulus steht traditionsgeschichtlich in der Linie des Stephanuskreises. Er verdankt seine dialektische Gesetzestheologie jedoch unmittelbar seiner Berufung zum Apostel. Bei dieser Berufung erscheint ihm Christus als das »Ende des Gesetzes« (Röm 10,4).

Nach Apg 11,25 f ist Paulus von Barnabas nach Antiochien geholt worden. Einige Jahre darauf hat er zusammen mit ihm die Grundanliegen der antiochenischen Missionstheologie (mit Erfolg) auf dem Jerusalemer Apostelkonvent vertreten. Paulus steht also direkt in der von Jerusalem nach Antiochien weisenden Missionstradition des Stephanuskreises, mit dem er als Christengegner schon in Jerusalem selbst zusammengestoßen war. So deutlich diese geschichtlichen Zusammenhänge sind, so wenig darf man Paulus aber einfach zum konsequenten Vertreter der ihm von Antiochien her vorgegebenen missionstheologischen Paradosis machen. In seinen eigenen Berufungsberichten insistiert der Apostel mit Nachdruck darauf, daß er sein gesetzeskritisches Evangelium unmittelbar von Gott und seinem auferstandenen Sohn empfangen habe, also Apostel von gleichen Rechten und gleicher Autorität sei wie die Jerusalemer und vor ihm berufenen anderen Apostel auch. Nimmt man diese Aussagen aus Gal 1; 1Kor 15; 2Kor 4 und 5; Phil 3 und Röm 1,1 ff ernst und läßt geschichtlich nicht unbeachtet, daß Paulus nach 2Kor 11,22–33 von Damaskus an den Nachstellungen durch Juden und heidnische Obrigkeiten ausgesetzt war, kann man m. E. die heute wieder mehrfach befürwortete Meinung, die kritische paulinische Gesetzestheologie sei erst eine Spätkonsequenz seiner Christuspredigt[30], nicht durchhalten. Indem

---

[29] M. Hengel, Zwischen Jesus und Paulus (ZThK 72, 1975, 151–206), 191 f.

[30] So mit unterschiedlichen Akzenten im einzelnen dennoch gemeinsam: Hübner (s. Anm. 2), 264–272; G. Strecker, Befreiung und Rechtfertigung (in: Rechtfertigung [s. Anm. 5], 479–508); U. Wilckens, Christologie und Anthropologie im Zusammenhang der paulinischen Rechtfertigungslehre (ZNW 67, 1976, 64–82).

Paulus vor Damaskus den von der Tora am Kreuz verfluchten Jesus als den zur Rechten Gottes erhöhten »Sohn« und »Herrn« schaut, erfährt er gleichzeitig und in eins mit dieser Christophanie, daß Gottes gnädiger Wille mit Jesus, seinem Sohn, weiter trägt als der Fluch der Tora reichte. Oder mit Röm 10,4 formuliert: Paulus schaut und erkennt in Jesus, dem auferstandenen Sohn Gottes, das »Ende des Gesetzes« für den Glauben[31]. Eben weil er dies erfährt, weiß sich Paulus zum Apostel der Heiden berufen; und weil er dies von Anfang an predigt, wird er von den Synagogen aus alsbald in genau derselben Weise verfolgt, in der er als Christengegner zuvor die von der Mosetora zu Christus abfallenden Judenchristen in Jerusalem und bis hinauf nach Damaskus verfolgt hatte. Auch wenn wir die eigentlich literarische Explikation der paulinischen Gesetzestheologie erst in den beiden Korintherbriefen, dem Philipperbrief, dem Galater- und dem Römerbrief finden, d. h. in Missionsdokumenten aus der Hochzeit der paulinischen Mission zwischen 52 und 57 n. Chr., ist das paulinische Christusevangelium von Anfang an ein um Jesu Christi willen gesetzeskritisches Rechtfertigungsevangelium gewesen und nicht die erst nach und nach zur gesetzeskritischen Rechtfertigungsverkündigung ausgestaltete Proklamation eines Christusbekenntnisses, mit dem »jüdische Theologie ... die Gefahr des Abfalls vom Judentum verbunden sehen konnte«[32], ohne daß man genau angeben kann, weshalb die Juden denn gegen den Verkündiger dieses Bekenntnisses die für Gesetzesfrevel typische Geißelungs- und die Römer zusätzlich die auf öffentlichen Aufruhr stehende Auspeitschungsstrafe verhängten.

19. Die paulinische Gesetzestheologie wird erst dann recht verstanden, wenn man folgende vier Aussagelinien ohne Abstrich zu bündeln vermag: (1) Die christliche Gemeinde lebt kraft des Todes und der Auferweckung Jesu schon in der Zeit und Verwirklichung der neuen Bundes-»Verpflichtung« von Jer 31,31 ff. (2) Für die Gemeinde ist in und mit Christus die Zeit der Freiheit vom mosaischen Gesetz angebrochen. (3) Die Gemeinde hat ihre neue Freiheit in der Kraft des hl. Geistes unter der

[31] Vgl. dazu ausführlicher meine Aufsätze: »Das Ende des Gesetzes«. Über Ursprung und Ansatz der paulinischen Theologie (ZThK 67, 1970, 14–39), und: Achtzehn Thesen zur paulinischen Kreuzestheologie (in: Rechtfertigung [s. Anm. 5], 509–525), bes. 511–514. Ich halte an der Formulierung »Ende des Gesetzes« trotz des Aufsatzes von P. von der Osten-Sacken, Das paulinische Verständnis des Gesetzes im Spannungsfeld von Eschatologie und Geschichte (EvTh 37, 1977, 549–587), bes. 568, fest; daß dies geschieht, weil differenzierter vom paulinischen Gesetzesverständnis gesprochen werden muß als dies bislang üblich ist, geht aus den nachfolgenden Thesen hervor.

[32] Strecker (s. Anm. 30), 484.

»Tora des Christus« (Gal 6,2) zu bewähren. (4) Die »Tora des Christus« hat ihr Zentrum im Liebesgebot und in den Grundforderungen des Dekalogs; in ihr kommt die geistliche Intention der Sinaitora zum Ziel.

Die paulinische Gesetzesinterpretation ist deshalb »das komplizierteste Lehrstück« der Theologie des Apostels[33], weil nicht nur die Gesetzesterminologie des Paulus ausgesprochen nuanciert, sondern auch die Entfaltung der Gesetzeslehre unterschiedlich akzentuiert ist. Sie wird vom Apostel in immer wieder wechselnder Frontstellung entwickelt. In den Korintherbriefen wendet sich Paulus gegen einen urchristlichen Enthusiasmus einerseits und gegen eine (von Jersualem inspirierte?) judenchristlich-antipaulinische Agitation andererseits. Im Galaterbrief hat er sich gegen christliche Judaisten zur Wehr zu setzen. Im Philipperbrief muß er sich einer ähnlichen Gruppe erwehren wie im 2. Korintherbrief auch. Im Römerbrief schließlich ist Paulus bemüht, die sich von Korinth und Philippi, vielleicht auch Galatien her gegen ihn in Rom aufbauende, judenchristliche Polemik zu unterlaufen. Er versucht, die Gemeinde vor den Agitatoren zu warnen und sie für ein Evangelium zu gewinnen, das der Apostel als durchaus im Einklang mit jener christlichen Lehre stehend erachtet, auf die die Römer getauft worden sind. – Da all diese Briefe in kurzem Abstand nacheinander entstanden sind, sollte man m. E. weder den Galaterbrief über den Leisten des Römerbriefes, noch umgekehrt den Römer- über den Leisten des Galaterbriefes schlagen und auch nicht den Versuch machen, alle paulinischen Äußerungen zum Gesetz nur als Vorstufen jener Gesetzestheologie zu betrachten, die der Apostel erst im Römerbrief systematisch wirklich bewältigt hat[34]. Geschichtlich wesentlich reizvoller ist es, zunächst die in allen genannten Briefen vorherrschenden Grundlinien aufzuzeigen und anschließend so zu bündeln, daß sich eine Einheit ergibt, die sich vom apostolischen Sendungsauftrag des christgewordenen Pharisäers Paulus her biblisch denken und gedanklich nachvollziehen läßt.

Vier Grundlinien treten dabei hervor: (1) Nach der paulinischen Abendmahlsparadosis, nach 2Kor 3; 5,17–6,2 und Gal 4,21 ff lebt die durch Jesu Tod und Auferweckung mit Gott versöhnte Gemeinde (unter Anfechtungen!) bereits in der Zeit und im Dienste der neuen Bundes-»Verpflichtung«. Das noch unbekehrte Israel lebt dieser Zeit erst entgegen (Röm 11,25 ff). (2) Wie Paulus im Galaterbrief, in Phil 3, in Röm 6,15 ff und in Röm 9,30–10,4 betont, ist für die Christengemeinde schon die

---

[33] H.-J. SCHOEPS, Paulus, 1959, 174.
[34] So HÜBNER (s. Anm. 2), 264 ff.

Zeit der Freiheit vom mosaischen Gesetz angebrochen. Auch nach 1Kor 9,19–23 steht Paulus nicht mehr einfach unter der Mosetora. (3) Die Freiheit vom mosaischen Gesetz ist aber von der Gemeinde kraft des ihr in Christus verliehenen hl. Geistes zu bewähren, und zwar im Dienste der Gerechtigkeit (Röm 6,18 ff; vgl. Phil 3), d. h.: in der Praxis der Gebote Gottes (1Kor 7,19); Paulus kann dafür in 1Kor 9,21 und Gal 6,2 auch sagen, er selbst und die Christen stünden im Gehorsam gegenüber der »Tora des Christus« (wobei er, wie oben erwähnt, möglicherweise einen Ausdruck der auf den Stephanuskreis zurückgehenden, antiochenischen Missionstheologie aufgreift[35]). (4) Diese »Tora des Christus« ist, wie 1Kor 9,21 deutlich erkennen läßt, nicht einfach mit der Mosetora identisch, nach 1Kor 7,19; Gal 5,14; Röm 8,3 f; 13,8–10 kommt in ihr aber die Intention der Tora vom Sinai zum Ziel und wird (genau wie in der Jesusverkündigung!) das bis zur Feindesliebe vertiefte Liebesgebot mitsamt den Grundforderungen des Dekalogs als gültiger Gotteswille zugemutet. Die Christen sind nach Paulus also nicht Verächter, sondern vielmehr Täter des in Christus neu aufgerichteten, geoffenbarten Willens Gottes. – Wie lassen sich diese vier Aussagelinien im Sinne des Paulus biblisch zusammendenken?

20. Eine historisch und biblisch einleuchtende Verbindung dieser vier Aussagereihen ergibt sich vor allem dann, wenn man die »Tora des Christus« als die eschatologische Entsprechung zu jener Mosetora versteht, unter der Jesus den Gehorsams- und Fluchtod am Kreuz gestorben ist. Die »Tora des Christus« ist die Zionstora, die Jesus heraufführt, indem er in der Erfüllung der Sinaitora den Sühntod erleidet und sie so von dem auf ihr und den Sündern seit dem Sündenfall lastenden Fluch befreit.

Da Paulus sowohl im Galaterbrief als auch im Römerbrief wiederholt die Schwäche des Mosegesetzes als Institution reflektiert, scheint es mir nicht hinreichend zu sein, die Einheit der vier Linien nur existenzdialektisch zu suchen, als sei die paulinische Gesetzestheologie ein erst von der Anthropologie des Apostels her verständlich werdendes »Interpreta-

[35] Für die Verbindung des Paulus mit dem Stephanuskreis ist nicht nur diese Beziehung interessant, sondern auch der Umstand, daß vom Apostel in Gal 2,18 »die Terminologie des Tempellogions verwendet wird (καταλύειν, οἰκοδομεῖν, vgl. Mk 13,2; 14,58; 15,29; Mt 26,61; 27,40 a; Act 6,14; Joh 2,19), welches ja auch bei Stephanus in Act 6,14 in unmittelbaren Zusammenhang mit dem Gesetz gebracht wird«, F. HAHN, Das Gesetzesverständnis im Römer- und Galaterbrief (ZNW 67, 1976, 29–63), 53 Anm. 76.

ment«[36]. Hält man sich an den terminologisch genau abgewogenen »missionarischen Kanon« (G. Eichholz) des Paulus aus 1Kor 9,19–23 und behält gleichzeitig Jesu Proklamation der »Zionstora« mitsamt der die Zionstora fundierenden alttestamentlichen Tradition im Auge, kann man m. E. jene vier Linien tatsächlich ohne Abstrich zusammenfügen. Die Tora des Christus, unter der Paulus steht und unter die er die Christen stellt, ist die von Christus kraft seines Gehorsamstodes heraufgeführte Zionstora. Sie ist mit der Wirklichkeit jener Mosetora, an der Israel z. Zt. des Paulus unter Absage an das Evangelium festhält, nicht einfach identisch, sondern bringt deren geistliche Intention dadurch zum Ziel, daß sie der Mosetora eschatologisch entspricht. Indem Jesus den Fluch- und Sühnetod am Kreuz stirbt, wird nach Paulus die Mosetora erfüllt und gleichzeitig von der Macht jener Sünde befreit, welche die Tora ebenso wie den Menschen seit Gen 3 beherrscht hatte. Durch Jesu Sühntod wird darum nicht nur der Mensch zu seiner wahren Geschöpflichkeit in der Gemeinschaft mit Gott in Christus befreit, sondern auch die Tora wird eschatologisch verwandelt und als Lebensordnung in Kraft gesetzt, die die Gemeinde einzuhalten und als Freiraum erneuerter geschöpflicher Existenz vor Gott auszufüllen hat. Als Lebensordnung der neuen Bundes-»Verpflichtung« von Jer 31,31 ff ist die eschatologisch verwandelte Mosetora die eschatologische Tora vom Zion, die nunmehr allen Völkern gilt und kraft der Gabe des hl. Geistes, der für Paulus die Präsenz Christi auf Erden ist, ein spontanes Tun der Liebe ermöglicht.

21. Paulus lehrt dementsprechend nicht einfach einen neuen, ethischen Brauch des Mosegesetzes für die christliche Gemeinde, sondern er ruft sie auf zum Gehorsam gegenüber dem in Christus neu und endgültig aufgerichteten Gotteswillen, welcher der Tora vom Sinai eschatologisch entspricht und sie vollendet. Die Gemeinde steht nach Paulus nicht mehr unter dem Gesetz des Mose, sondern schon in der »geistlichen Lebensordnung des in Christus Jesus (eröffneten) Lebens« (Röm 8,2). Die schöpferische Weisheit Gottes entbirgt sich ihr nicht mehr aus dem Mosegesetz heraus, sondern in Christus allein.

Es ist unter den skizzierten Voraussetzungen m. E. eine Simplifikation und für die genaue Erfassung der paulinischen Rechtfertigungsanschauung noch nicht wirklich erhellend, wenn man die Auffassung vertritt, Paulus spreche in seinen Briefen stets nur von der einen Mosetora, er

[36] Vgl. H. CONZELMANN, Grundriß der Theologie des Neuen Testaments, 1967, 251.

unterscheide zwar zwischen dem Stand des Sünders unter dem Gesetz und dem der Glaubenden in der Freiheit gegenüber dem Gesetz, sei aber in seiner Paränese bestrebt, die Christen auf die Erfüllung des mosaischen Gesetzes zu verpflichten[37]. Diese Interpretation könnte dem gegenüber Paulus schon wieder etwas vereinfachten, nachpaulinischen Reflexionsstand der Pastoralbriefe entsprechen (vgl. 1Tim 1,8 f); für genuin paulinisch kann ich sie nicht halten. Sie würde die paulinische Position und den Leidensweg des Apostels vom Apostelkonvent an missionsgeschichtlich unverständlich machen. Wenn Paulus in Röm 8,2 von der »geistlichen Lebensordnung des in Christus Jesus (eröffneten) Lebens« spricht; wenn er betont, er abrogiere die Tora keineswegs, sondern richte sie als νόμος πίστεως auf (Röm 3,27–31); wenn er in Röm 7 und 8 in höchst kunstvoller Linienführung zeigt, daß jenes heilige, gerechte und gute Gesetz, das (nach der von Paulus übernommenen jüdischen Tradition) schon Adam im Paradies galt und mit dem Sündenfall in die Gewalt der Sünde geriet, durch den Opfertod Jesu aus der Umklammerung durch die Sünde und von der Schwäche seiner Manipulierbarkeit durch das Fleisch befreit worden ist, so daß die Rechtsforderung dieses verwandelten Gesetzes im Geisteswandel der Christen nunmehr (endlich) seine Erfüllung findet, dann lehrt er nicht einfach die vollendete Praxis der Mosetora durch die Christen, sondern spricht davon, daß die Tora durch Christus erstmals wirklich für die lebenschützende Funktion freigesetzt wurde, die ihr im Paradies zugemessen worden war. Mit dem Einbruch der Sünde und dem Fluch von Gen 3 war diese Funktion verlorengegangen. Auch das Mose am Sinai geoffenbarte Gesetz konnte sie nicht mehr wahrnehmen. Aber durch Christi Sieg über die Sünde ist sie endlich (wieder-)erlangt. Paulus deutet diese Zusammenhänge in Röm 5,12 ff; 7,7 ff nur eben an[38]. Mehr als an Reflexionen über den verlorenen Ur-

---

[37] Gegen U. Wilckens in seinem mehrfach nachgedruckten Aufsatz: Was heißt bei Paulus: »Aus Werken des Gesetzes wird kein Mensch gerecht«? (EKK 1, 1969, 51–77), bes. 76; jetzt in: Ders., Rechtfertigung als Freiheit. Paulusstudien, 1974, 77–109, bes. 109; gegen Wilckens auch Hahn (s. Anm. 35), 61 Anm. 95.

[38] Angesichts der Rede von der Gebots-Übertretung Adams in Röm 5,14 und dem schon Adam gegebenen νόμος bzw. der ἐντολὴ ἡ εἰς ζωήν in Röm 7,7.10 halte ich Hahns Formulierung, Paulus reflektiere »nirgendwo auf einen ›Urzustand‹, in dem das Gesetz ohne Sünde erfüllt worden wäre« (aaO [s. Anm. 35] 62), für zu stark. Zu der Paulus an beiden Stellen leitenden israelitischen Tradition vgl. neben Gen 2 und 3 z. B. ApkMos 13–28 oder 4Esr 7,11 ff und O. Betz, Art. Adam, TRE I, (414–424) 417 f. Ebensowenig wie es im 4Esr als Widerspruch empfunden wird, von den bereits Adam gegebenen Geboten und der Gabe des Gesetzes an die Väter erst am Sinai

stand des Menschen, der Welt und der Tora liegt ihm aber an der durch Christus für die Glaubenden heraufgeführten neuen Situation, in der jener Gotteswille endlich zur Durchsetzung kommt, der in der Sinaitora Israel zwar schon offenbar war, aber nicht wirklich zur Geltung kam. Höchst kühn kann Paulus in Röm 9,31 sagen, daß Israel in seinem Bemühen um die Tora der Gerechtigkeit zu dieser Tora noch gar nicht gelangt sei. Sie ist erst in Christus offenbar und präsent. Während die Heiden dem Götzendienst erliegen und die Juden noch immer versuchen, Gottes schöpferischer Weisheit im Mosegesetz und kraft der Mosetora ansichtig zu werden, ist den Christen in Jesus Christus bereits jene Weisheit erschienen, der sich die Welt verdankt (1Kor 1,30; 2,6 ff; 8,6). In Christus ist also für den Glauben schon jene endzeitliche Lebensordnung offenbar geworden, von der Jer 31,31 ff spricht, deren weltweite Offenbarung und Durchsetzung nach Paulus aber noch bevorsteht.

22. Die dialektische Gesetzestheologie des Paulus hat in der johanneischen Tradition vom »neuen Gebot« Jesu (Joh 13,34) eine selbständige Parallele.

Man könnte einen Moment zögern und überlegen, ob die Dinge bei Paulus wirklich so stehen wie skizziert, wenn nicht das traditionsgeschichtlich ganz unabhängig von Paulus entworfene 4. Evangelium in der Sache genau denselben Reflexions- und Verkündigungsstand aufwiese wie die Paulusbriefe. Nach Joh 1,17 ist die Tora zwar durch Mose gegeben, die Gnade und Wahrheit Gottes aber ist erst durch Jesus Christus in Erscheinung getreten, und zwar durch Jesus Christus, der als der Sohn Gottes zugleich das Schöpferwort Gottes und damit die Weisheit Gottes in Person ist. Mose ist bei Johannes dem Christus-Logos zu- und untergeordnet. In Joh 5,39–47 fordert Jesus die ihn nach seiner Vollmacht und Legitimität befragenden Juden auf, Mose und die Schriften des Alten Testaments zu durchforschen, weil sie Jesus in seiner Vollmacht als Gesandten Gottes bestätigen. In 13,34 aber gibt eben dieser Jesus, von dessen messianischer Sendung Mose und die Propheten schreiben (Joh 1,41.45), seinen Jüngern das Liebesgebot als (eschatologisch) neues Gebot und als Lebensordnung für den Kampf in der Welt, den sie nach

zu sprechen (vgl. 4Esr 7,11 mit 9,29 ff), ist es für den ehemaligen Pharisäer Paulus ein Widerspruch, von der Gabe des νόμος bereits an Adam und der Offenbarung des νόμος erst lange Zeit nach Adams Übertretung (oder sogar erst 430 Jahre nach der an Abraham ergangenen Verheißung der Glaubensgerechtigkeit) zu sprechen (vgl. Gal 3,17).

seinem Weggang unter dem Beistand des Parakleten zu bestehen haben[39]. In der Substanz wird hier genau dieselbe Aussage über die den Christen geltende ἐντολή gemacht wie bei Paulus, wenn er von der den Christen und ihm selbst geltenden »Tora des Christus« spricht. Nur ist bei Johannes der Rückbezug auf die Jesustradition viel eindeutiger als beim Apostel, bei dem man die Verwurzelung seiner Gesetzesinterpretation in der Jesusüberlieferung nur indirekt (vor allem aus Röm 12 und 13 heraus) wahrscheinlich machen kann.

23. Die Differenzen zwischen der synthetischen Gesetzestheologie des Matthäusevangeliums und des Jakobusbriefes einerseits und der dialektischen Gesetzesauffassung bei Paulus und in der johanneischen Tradition andererseits lassen sich nicht völlig aufheben, weil sie mit einer jeweils unterschiedlichen Konzeption von Glaube und Rechtfertigung (im Endgericht) verbunden sind.

Bei einem Vergleich der beiden nunmehr vor Augen stehenden Grundlinien des neutestamentlichen Gesetzesverständnisses muß beachtet werden, daß sich alle in Frage kommenden Traditionsträger auf Jesus, seine Sendung und sein in Tod und Auferweckung gipfelndes Heilswerk beziehen, daß aber die Verkündigungssituation, in der Paulus, Johannes, Jakobus und Matthäus stehen, höchst unterschiedlich ist. Aber auch wenn man dies in Rechnung stellt, läßt sich keine einheitliche Summe des neutestamentlich-christologischen Gesetzesverständnisses ziehen. Daß man dies nicht tun kann, zeigt nicht nur die bei Matthäus (vgl. Mt 5,48; 19,21), Jakobus (1,13 ff), Paulus (vgl. vor allem Röm 1,18–3,20; 7,7–8,11) und Johannes (vgl. 3,16–21; 6,44 ff) mit unterschiedlicher kritischer Intensität reflektierte Situation des Menschen vor Gott, sondern in eins damit die Differenz in den Aussagen über Rechtfertigung und Endgericht. Paulus, Johannes, Matthäus und Jakobus gehen zwar sämtlich davon aus, daß die Endrechtfertigung nur dem Täter des Gotteswillens zuteil wird, machen aber auf dieser gemeinsamen Basis doch höchst unterschiedliche Aussagen über die Funktion von Glaube und Werken im Endgericht. Während der Jakobusbrief, hierin ganz weisheitlich-jüdisch, in aller Deutlichkeit betont, nur Glaube und Werke ließen

---

[39] Zur redaktionsgeschichtlichen Problematik und zur Reichweite des »neuen« Gebotes der Bruderliebe in Joh 13,34 vgl. R. Schnackenburg, Das Johannesevangelium, 3. Teil (HThK IV/3), 1975, 59 f; H. Thyen, »... denn wir lieben die Brüder« (1Joh 3,14) (in: Rechtfertigung [s. Anm. 5], 527–542); S. Pancaro, The Law in the Fourth Gospel, Leiden 1975, 443 ff.

den Christen hoffen, im Endgericht vor Gott bestehen zu können, und das Matthäusevangelium mit seinem Kirchengedanken und den großen Weltgerichtsgleichnissen trotz der von Matthäus aus Mk 10,45 übernommenen Zentralaussage über Jesu Tod als Lösegeld in Mt 20,28 und der ausdrücklich auf die Sündenvergebung hin zugespitzten Abendmahlsparadosis in 26,26 ff in dieselbe Richtung weist, hält Paulus ausdrücklich daran fest, daß die Fürsprache des gekreuzigten und auferstandenen Christus im Endgericht und die Endrechtfertigung den Glaubenden auch dann verheißen bleibt, wenn sie mit ihren Taten vor Gott scheitern (vgl. Röm 8,31 ff; 1Kor 3,11–15). Der Apostel fügt hinzu, daß selbst für das im Unglauben verstockte und eingeschlossene Israel die Stunde der Endrechtfertigung durch Christus, den vom Zion ausgehenden Erlöser, noch kommen und Gottes gegenüber seinem Eigentumsvolk nicht aufgekündigte Heilsverheißung bewahrheiten werde: Röm 11,25–32. Indem vor allem der 1. Johannesbrief die bleibende Gültigkeit des durch Jesu stellvertretende Lebenshingabe erwirkten ἱλασμός und das Wunder betont, daß Gott in Christus auch dann noch Schuld vergibt, wenn das menschliche Herz dazu keine Möglichkeit mehr sieht (1Joh 1,6 ff; 2,1 ff; 3,19 f; 4,9 f usw.), trifft sich die johanneische Schule in der Sache wieder mit Paulus, ohne von ihm abhängig zu sein. Trotz verschiedentlicher Berührung und der gemeinsamen Berufung auf Jesus bleiben also die beiden Grundlinien des neutestamentlichen Gesetzesverständnisses auch in ihrer soteriologischen Konsequenz unterschiedlich akzentuiert.

24. Da Paulus und die johanneische Tradition mit ihrem dialektisch-eschatologischen Gesetzesverständnis enger an Jesus anschließen als das Matthäusevangelium und der Jakobusbrief, sollten Matthäus und Jakobus nicht einfach als Äquivalent, sondern als Korrektiv des paulinisch-johanneischen Glaubensverständnisses gewertet werden.

Wir können heute historisch sehen, daß die dialektische Gesetzestheologie des Paulus und des 4. Evangeliums und die sie begleitende Christologie der neuartigen Verkündigung und Zumutung des Gotteswillens durch Jesus und seiner Sendung als Versöhner[40] in sachlich höherem Maße entspricht als der Versuch einer Synthese von Gesetzesgehorsam und Christusglaube, wie er von einem Teil des Judenchristentums nach Ostern praktiziert wurde, ursprünglich die Heidenmission behinderte und trotz gravierender Korrekturen auch noch für den Jakobusbrief und das Mat-

---

[40] Vgl. meinen Aufsatz: Jesus als Versöhner (in: Jesus Christus in Historie und Theologie [s. Anm. 19], 87–104).

thäusevangelium kennzeichnend geblieben ist. Unter diesen Umständen kommt eine theologische Gleichwertigkeit von Paulus, der johanneischen Schule, des Matthäusevangeliums und des Jakobusbriefes nicht in Frage. Gleichwohl bleiben der Jakobusbrief und das Evangelium nach Matthäus ein geschichtlich und theologisch unentbehrliches Korrektiv des paulinisch-johanneischen Glaubensverständnisses. Die Geschichte des Urchristentums (und der Alten Kirche) zeigt nämlich, daß gerade die Paulusgemeinden und die unter dem Einfluß des 4. Evangeliums stehenden christlichen Kreise in weit höherem Maße für Enthusiasmus, für Lieblosigkeit und Gnostisierung anfällig waren als das hinter dem Jakobusbrief und dem Matthäusevangelium stehende (Juden-)Christentum. Gerade das paulinische und johanneische Christentumsverständnis bedarf also einer sie auf Jesus zurückverweisenden Korrektur und der stets erneuerten Selbstidentifikation. Schon neutestamentlich wird beides durch den Jakobusbrief und das 1. Evangelium geleistet. Da das Matthäusevangelium und der Jakobusbrief den urchristlichen Paulinismus (und die johanneische Esoterik?) geschichtlich nachweislich als Herausforderung empfunden haben, bleiben die vier Überlieferungskomplexe einander geschichtlich zugeordnet. Die Kirche aber ist kanonisch erst recht auf sie angewiesen, um wirklich ein an Jesus anschließendes Verständnis des Glaubens und der Lebensordnung zu finden, in der der Glaube heute vor Gott leben darf.

25. Das Thema »Gesetz« ist ein offenes Fundamentalproblem einer Altes und Neues Testament verbindenden biblischen Theologie. Dieses Fundamentalproblem trennt die beiden Testamente nicht voneinander, sondern es verhilft dazu, ihre unlösbare Beziehung differenzierter zu verstehen.

Nach unseren Gesamtüberlegungen ist das Thema »Gesetz« (als Lebensordnung) kein Thema, an dem eine biblische Theologie zerbrechen müßte. Mit viel größerem Recht könnte man sagen, daß eine Theologie des Gesetzes notwendig fragmentarisch bleibt, sofern sie ihr Thema nicht gesamtbiblisch angeht. Dem Neuen Testament ist vom Alten Testament her die Frage nach dem Gesetz mit aller Deutlichkeit gestellt und mit dieser Frage zugleich die Frage nach dem Menschen und seiner Lebensordnung vor Gott übertragen. Die neutestamentlichen Tradenten nehmen sich der Frage nach dem Gesetz mit Entschiedenheit an, ohne aber zu einer unstrittigen gemeinsamen Antwort zu gelangen. Die Strittigkeit des alttestamentlichen Gesetzesverständnisses setzt sich also ins Neue Testament hinein fort. Doch wird im Neuen Testament in der Person Jesu, in seinem Werk und in seiner Auferweckung von den Toten ein neuer, alles entscheidender Beziehungspunkt sichtbar. Das Neue Testament ist sich darin einig, daß seit der Erscheinung Jesu Christi alle biblische Rede vom Gesetz an Jesus Christus als der uns von Gott gesetzten Weisheit Gottes in Person ausweisbar sein muß; sie ist, neutestamentlich gesehen, auch nur in dem Maße biblisch legitim, als sie wirklich von dieser Weisheit und der ihr entsprechenden Lebensordnung handelt.

„Das Ende des Gesetzes“

Über Ursprung und Ansatz der paulinischen Theologie[1]

Die evangelische Theologie steht gegenwärtig vor der dringlichen Aufgabe, sich neu auf ihr Wesen zu besinnen. Sie muß dies tun im Blick auf eine veränderte Welt und im Bewußtsein der Verantwortung, die sie gegenüber ihrer Tradition und ihrer Kirche trägt. Sie darf bei solcher Neubesinnung weder ihr Erbe zugunsten drängender Gegenwartsprobleme geringschätzen wollen, noch sollte sie aus Sorge um dieses Erbe traditionalistisch bei ihrer konfessionellen und sprachlichen Vergangenheit verweilen. Eine Theologie des Evangeliums kann vielmehr erst dann ihre Identität wiederfinden, wenn sie ihr eigentliches Erbe freimütig und gehorsam zugleich in der Gegenwart und im Blick auf die Zukunft ausarbeitet.

Fragen wir, welches das Erbe der evangelischen Theologie sei, so wird man antworten dürfen: Das Evangelium ist Erbe und zugleich zur Verantwortung in der Gegenwart treibender Grund evangelischer Theologie. Doch ist diese Auskunft noch zu vorläufig. Eine Kongruenz von Evangelium und Theologie kann und sollte auch von niemand beansprucht werden. Vor allem aber ist ja die Frage, wie denn das Evangelium zu definieren sei, gegenwärtig strittig bis in die Gemeinden hinein. Ist aber das Evangelium strittig, dann kann die evangelische Theologie die ihr neu aufgegebene Wesensbestimmung nur so vollziehen, daß sie selbst aufs neue nach dem Evangelium fragt und sich im Vollzug dieser Frage gleichzeitig darum bemüht, ihre eigentlichen Aufgaben in der Gegenwart klar zu erfassen.

In dieser Situation sind alle theologischen Disziplinen gleichermaßen zur Wahrheitssuche aufgeboten, und zwar, wie ich meine, noch immer primär zur Wahrheitssuche in der Form theologisch reflektierter Schrift-

---

[1] Als Antrittsvorlesung gehalten in Erlangen am 8. Mai 1969, auf Einladung der Ev.-theol. Fakultät vorgetragen in Bern am 17. Juni 1969. Für den Druck wurden der Text leicht überarbeitet und die Anmerkungen vervollständigt.

auslegung[2]. Es wäre deshalb entschieden ein Irrtum anzunehmen, daß innerhalb der evangelischen Theologie die beiden exegetischen Schwesterdisziplinen vom Alten und vom Neuen Testament das Monopol der Schriftauslegung innehätten. Vielmehr sind alle Disziplinen der Theologie gemeinsam an einer theologisch verantwortlichen Schriftauslegung beteiligt. Für den Neutestamentler ist es gerade in der gegenwärtigen theologischen Situation ebenso wichtig wie hilfreich zu wissen, daß er seine exegetischen Ergebnisse bei der Suche nach dem Evangelium einzubringen hat in das Gespräch aller theologischen Wissenschaften. Die Gemeinsamkeit dieser Wissenschaften entbindet ihn freilich seinerseits nicht von der theologischen Verantwortung für das Ganze, erlaubt ihm aber für manche Arbeitsphasen die Beschränkung auf wissenschaftliche Teilaspekte und nötigt ihn auf jeden Fall zur Bescheidung. Denn der Blick auf das Ganze der Theologie macht ihm bewußt, wie ergänzungs- und korrekturbedürftig vorwiegend historisch orientierte exegetische Aussagen gesamttheologisch und hermeneutisch bleiben. Ist dies festgestellt, dann wird der Exeget freilich auch offen vorbringen dürfen, was er von seinem speziellen Gegenstand, dem Neuen Testament, her zur gemeinsamen Selbstbesinnung der Theologie auf ihre Aufgabe beizutragen hat.

I

So wenig das Neue Testament auf die paulinische Tradition eingeschränkt werden kann, so sehr schieben sich doch Gestalt und Verkündigung des Apostels Paulus in den Vordergrund, sobald es um die Frage nach dem Evangelium und zugleich um die Wesensbestimmung protestantischer Theologie geht. Geht es um das Evangelium und um die Bestimmung der Aufgabe einer dem Evangelium entsprechenden Theologie,

[2] Von Hanns Rückert inspiriert, hat Gerhard Ebeling in seiner Tübinger Habilitationsvorlesung von 1946 vorgeschlagen, Kirchengeschichte theologisch »als Geschichte der Auslegung der Heiligen Schrift« zu definieren (die Vorlesung ist 1947 in SgV 189 erschienen und wiederabgedruckt in Ebelings Aufsatzband: Wort Gottes und Tradition [Kirche und Konfession 7], 1964, 9–27). Vielleicht darf der Exeget betonen, daß er für seine Interpretationsaufgabe noch immer schmerzlich auf die Durchführung dieses Programms wartet. Die sich heute klar zeigenden Aporien einer sich von der Tradition emanzipierenden theologischen Exegese, welche Text und Gegenwart unmittelbar aufeinander beziehen zu können meint, hätten u. U. verringert werden können, wenn die Exegese rechtzeitig von der Kirchengeschichte zur Reflexion auf die sie ermöglichende Tradition und damit zugleich die geschichtliche Bedingtheit aller exegetischen Urteile gezwungen worden wäre. Wie dem auch sei – heute jedenfalls kommt m. E. der Kirchengeschichte eine Schlüsselstellung zu, wenn es gilt, das hermeneutische und damit zugleich das Sachproblem theologischer Schriftauslegung zu bedenken.

dann gebührt der Rückfrage nach Paulus deshalb der Vorrang, weil der Apostel das Wort »Evangelium« erst eigentlich zum Inbegriff christlicher Offenbarung und Predigt erhoben und sich gleichzeitig damit erstmals der Aufgabe gestellt hat, die Verkündigung dieses Evangeliums theologisch zu reflektieren[3]. Die theologische Reflexion hat dabei die Aufgabe, die apostolische Verkündigung inhaltlich zu präzisieren und vor mannigfachen Mißverständnissen zu schützen. Wie immer es um die traditionsgeschichtlichen Linien zwischen der paulinischen Verkündigung und den erst nach Paulus zu ihrer kompositorischen Arbeit ansetzenden Evangelisten bestellt sein mag, faktisch hat Paulus durch seine theologische Bemühung um das Evangelium der Evangelienschreibung vorangearbeitet. Er hat gleichzeitig damit Kriterien für ein evangeliumsgemäßes Verständnis von Werk und Geschick Jesu vorgetragen, die bisher weder theologisch noch auch historisch überbietbar waren, jenseits derer vielmehr stets ein offensichtliches Mißverständnis des vielschichtigen Werkes Jesu gegeben war.

Paulus faßt seine ganze Bemühung um ein theologisches Verständnis der Person Jesu in die prägnante These aus dem 1. Brief an die Gemeinde in Korinth zusammen: »Ich habe mich entschieden, unter euch nichts anderes zu wissen als Jesus Christus, und zwar diesen als Gekreuzigten.« Es trifft sich gut, daß dieser Satz nicht nur eine These zur paulinischen Christologie unter anderen ist, sondern eine inhaltliche Bestimmung des paulinischen Evangeliums selbst vollzieht und so das Zentrum des paulinischen Denkens markiert. Die Mitte der Verkündigung des Apostels wird bestimmt durch die Christologie, genauer noch: durch Tod und Auferstehung Jesu und insofern durch das Kreuz. Das Interessante an dieser paulinischen Verkündigung aber ist nun der Umstand, daß sie nicht nur gleichsam beiläufig oder zusätzlich theologisch reflektiert wird. Vielmehr zwingt gerade die Begegnung mit Christus den Apostel, seine Christusverkündigung unter Aufbietung aller ihm erreichbaren rationalen Denkmittel zu reflektieren. Paulus ist zum beherrschenden Theologen der ersten urchristlichen Generation geworden, weil ihn Gott in Christus zur Theologie gezwungen hat.

II

Meine eben ausgesprochenen Sätze sind nicht unumstritten, und ich habe sie deshalb argumentierend zu rechtfertigen. Zwar wird die über-

[3] Zu Problem und Relevanz des paulinischen Evangeliums vgl. neben meiner Habilitationsarbeit (Das paulinische Evangelium, I. Vorgeschichte [FRLANT 95], 1968) jetzt vor allem Erich Grässers instruktive Studie: Das eine Evangelium (ZThK 66, 1969, 306–344).

wiegende Mehrzahl der Exegeten heute zugeben, daß das theologische Denken des Apostels ein existentielles Geschäft sei. Aber die Frage, wo das Zentrum der paulinischen Theologie liegt, ist umstritten. Stand es für Schlatter noch sachlich und traditionsgeschichtlich unerschütterlich fest, daß Paulus nur als Bote und Zeuge des Christus, also von seiner Christologie her zu verstehen sei[4], hat Bultmann von einer durch die Religionsgeschichtliche Schule veränderten Sicht der urchristlichen Traditionsgeschichte her ein neues Bild von Theologie und Verkündigung des Paulus entworfen. Im Zentrum des paulinischen Denkens steht dabei nicht mehr die Christologie als solche, sondern der von der Christusbotschaft, dem Kerygma, betroffene Mensch in seiner Stellung vor Gott[5]. Diese Sicht der paulinischen Theologie ist mit gewissen Modifikationen eingegangen in die Paulus-Darstellungen G. Bornkamms[6] und H. Conzelmanns[7] und beherrscht heute die Diskussion.

In der Tat wird man Bultmann zugestehen müssen, daß Schlatters Bild der urchristlichen Traditionsgeschichte korrekturbedürftig ist. Man wird ferner anerkennen müssen, daß eine unverkennbare Eigenart des Paulus in seinem innerhalb des Neuen Testaments einzig dastehenden Entwurf einer theologischen Anthropologie liegt[8]. Schließlich wird man mit Bultmann betonen dürfen, daß die paulinische Theologie nicht handelt »von der Welt und vom Menschen, wie sie an sich sind, sondern ... Welt und Mensch stets in der Beziehung zu Gott (sieht). Jeder Satz über

[4] Vgl. SCHLATTERS 1906 gehaltene Vorlesung »Jesus und Paulus« (erschienen als Bd. 2 der Kleineren Schriften von ADOLF SCHLATTER, ed. TH. SCHLATTER, 1961³), den Paulusabschnitt in SCHLATTERS »Theologie der Apostel«, 1922², 239–432, bes. 243ff und 389ff, sowie seinen Paulus-Artikel im Calwer Bibellexikon, 1924⁴, 558b–563b (abgedr. in: Das Paulusbild in der neueren deutschen Forschung, ed. K. H. RENGSTORF [Wege der Forschung 24], 1964, 200–213, danach im folgenden die Stellenangaben).

[5] Vgl. BULTMANNS Paulus-Artikel in RGG² IV, 1019–1045 und die Darstellung der Theologie des Paulus in der »Theologie des Neuen Testaments«, 1965⁵, 187–353.

[6] Vgl. BORNKAMMS Paulus-Artikel in RGG³ V, 166–190 und vor allem das neue Paulusbuch (Urban-Bücher 119), 1969 (dazu meine Besprechung in Ev. Komm. 2, 1969, 735). Hervorzuheben ist, daß BORNKAMM den unlösbaren Zusammenhang von Christologie und Rechtfertigung wesentlich stärker betont als BULTMANN selbst (vgl. Paulus, 75. 126f. 128).

[7] Vgl. Grundriß der Theologie des Neuen Testaments (Einführung in die ev. Theologie 2), 1967, 175–314.

[8] Dies hat ERNST KÄSEMANN eben erst wieder scharf herausgearbeitet; vgl. den Aufsatz »Zur paulinischen Anthropologie«, in: Paulinische Perspektiven, 1969, 9–60, vor allem 10: »Im ganzen Neuen Testament trägt allein der Apostel eine, wie wir meinen, durchreflektierte Lehre vom Menschen vor, die sonderbarerweise jedoch bereits von seinen Schülern wieder verflacht oder aufgegeben wurde.«

Gott ist zugleich ein Satz über den Menschen und umgekehrt. Deshalb und in diesem Sinne ist die paulinische Theologie zugleich Anthropologie. Da das Verhältnis Gottes zu Welt und Mensch von Paulus aber nicht als die Relation kosmischer Größen gesehen wird, die in dem Spiel eines in ewig gleichem Rhythmus schwingenden kosmischen Geschehens besteht, sondern als hergestellt durch das Handeln Gottes in der Geschichte und durch die Reaktion des Menschen auf Gottes Tun, so redet jeder Satz über Gott von dem, was er am Menschen tut und vom Menschen fordert, und entsprechend umgekehrt jeder Satz über den Menschen von Gottes Tat und Forderung bzw. von dem Menschen, wie er durch die göttliche Tat und Forderung und sein Verhalten zu ihnen qualifiziert ist. Unter diesem Gesichtspunkt steht auch die Christologie des Paulus, die nicht das metaphysische Wesen Christi, sein Verhältnis zu Gott und seine ›Naturen‹ spekulierend erörtert, sondern von ihm als dem redet, durch den Gott zum Heil von Welt und Mensch wirkt. So ist auch jeder Satz über Christus ein Satz über den Menschen und umgekehrt; und die paulinische Christologie ist zugleich Soteriologie.«[9] Wollte man dies nicht zugestehen und zugleich das systematische Niveau der Paulusdarstellung Bultmanns rühmen, würde man m.E. den »Sehakt« vermissen lassen, der nach Schlatter zur Tugend des Exegeten gehört.

Freilich heißt solche Anerkennung nicht, daß man auf Einwände gegenüber Bultmanns prinzipiellem Entwurf verzichten dürfte. Weder trifft es, soweit ich zu sehen vermag, den historischen Sachverhalt, wenn Bultmann die Frage des jüdischen Gesetzes bei Paulus nur im Rahmen der Anthropologie und hier als letzte konsequente Situationsbeschreibung der verzweifelten Stellung des Menschen vor Gott behandelt. Noch wird man m.E. der Verkündigung des Paulus wirklich gerecht, wenn, parallel zu jener Gesetzesinterpretation, die Fragen der Christologie erst von ihrer anthropologischen Spiegelung im Glauben her erfaßt und nicht beherrschend in den Vordergrund gestellt werden. Schließlich aber sind die auf uns heute zukommenden hermeneutischen und strukturellen Fragen unserer Theologie zu brennend geworden, als daß wir uns weiterhin mit dem bei Bultmann beherrschenden Modell der existentialen Interpretation als alleinigem Entwurf theologischer Schriftinterpretation begnügen könnten[10].

---

[9] Theologie d. NT[5], 192; zustimmend zu eben diesen Sätzen auch KÄSEMANN (Paul. Perspektiven, 9) und BORNKAMM (Paulus, 130).

[10] Ich möchte ausdrücklich darauf hinweisen, daß es mir nicht darum geht, die existentiale Interpretation zu eliminieren. Solange die Kategorie des Einzelnen eine unverlierbare theologische Kategorie bleibt (vgl. dazu KÄSEMANN, Paul. Perspektiven, 10ff; BORNKAMM, Paulus, 136) – und sie bleibt es, solange wir von Heil, Gericht und Verantwortung des Menschen zu sprechen haben –, ist existen-

Nun sind diese Einwände insgesamt nicht neu. Schon die geschichtlich orientierte Paulusdarstellung von Martin Dibelius und Werner Georg Kümmel setzte die Akzente umgekehrt wie Bultmann[11]; Ernst Käsemanns Paulusinterpretationen leben von einer gegenüber Bultmann neuen Wertung des Gesetzesproblems und der Christologie bei dem Apostel[12]. Die von Georg Eichholz vorgetragenen »Prolegomena zu einer Theologie des Paulus im Umriß« raten gleichfalls zu einer Paulus-Darstellung von der Christologie her[13], und sie nehmen damit historisch die Interpretationslinie auf, die Karl Barth schon 1940/41 in seiner »Kurzen Erklärung des Römerbriefes« eingeschlagen hatte[14].

Unter diesen Umständen ist es nunmehr an der Zeit, den Ansatz zu einer Paulusdarstellung zu wagen, welche jene gegen Bultmann erhobenen Einwände aufnimmt, dabei aber die Hinweise Bultmanns auf die soteriologische Grundlage der paulinischen Verkündigung dankbar verarbeitet und zugleich die offene Frage nach dem Evangelium zu bedenken sucht, die heute einer neuen Antwort harrt.

III

Wollen wir die Frage nach dem Ansatz und folglich der Struktur der paulinischen Theologie exegetisch vorantreiben, so müssen wir uns m.E.

---

tiale Interpretation unverzichtbar. Freilich kommt es sehr darauf an, von welchem Bild menschlicher Existenz wir bei solcher Interpretation ausgehen und in welchem theologischen Horizont sie betrieben wird. Es ist heute m.E. besonders darauf zu achten, daß wir bei der Interpretation traditionsbewußt und nicht traditionsvergessen vorgehen, daß Christologie und Anthropologie nicht als frei konvertierbar erachtet werden, daß wir die eschatologische Kategorie des Einzelnen innerhalb der sozialen Bindungen interpretieren lernen, in denen der Mensch faktisch lebt (und in die er nach Paulus auch stets gehört), und daß wir schließlich eine christologisch konstituierte Eschatologie nicht einfach mit existentialer Zukünftigkeit identifizieren und damit das eschatologische Problem überspielen.

[11] Vgl. M. Dibelius - W. G. Kümmel, Paulus (SG 1160), 1970⁴, bes. 42ff. 92ff und jetzt W. G. Kümmel, Die Theologie des Neuen Testaments (Grundrisse zum NT – NTD Ergänzungsreihe 3), 1969, 134ff.

[12] Besonders eindeutig tritt dies hervor in der programmatischen Studie über »Gottesgerechtigkeit bei Paulus« (1961; jetzt in Exeg. Versuche u. Besinnungen II, 1965², 181–193) und in dem neu veröffentlichten Aufsatz über »Rechtfertigung und Heilsgeschichte im Römerbrief« (Paul. Perspektiven, 108–139), bes. 130 und 135 Anm. 27.

[13] Erschienen in: G. Eichholz, Tradition und Interpretation. Studien zum NT und zur Hermeneutik (ThB 29), 1965, 161–189, vgl. bes. 169. 182. 187f.

[14] Hinzuweisen ist ferner auf Eduard Schweizer, Jesus Christus im vielfältigen Zeugnis des Neuen Testaments (Siebenstern-Taschenbuch 126), 1968, 99ff, und auf das schöne, um das Problem eines christologischen Verständnisses der

entschließen, die von Bultmann im Verlaufe seiner Arbeit an Paulus immer mehr in den Hintergrund gedrängte Frage nach der Berufung des Paulus noch einmal aufzunehmen[15]. Der prinzipielle Charakter der Be-

---

paulinischen Theologie bemühte Buch seines Schülers ULRICH LUZ, Das Geschichtsverständnis des Paulus (BEvTh 49), 1968.

[15] Im Paulus-Artikel der RGG² war BULTMANN noch ausführlich auf das Problem der »Bekehrung« des Apostels eingegangen und hatte betont, die sich psychisch als Christus-Vision darstellende Bekehrung sei für Paulus »der Entschluß« gewesen, »sein ganzes bisheriges Selbstverständnis, das durch die christliche Botschaft in Frage gestellt war, preiszugeben und seine Existenz neu zu verstehen« (1022); genauer (1023): »Ob P(aulus) also in einem geschichtlichen Faktum, wie die Person Jesu und ihr Schicksal es war, den durch Gott herbeigeführten Anbruch der Heilszeit, der neuen Schöpfung, sehen wollte, und ob er im Kreuz Jesu das Gericht über das bisherige Selbstverständnis des frommen Juden anerkennen wollte, ob er damit sich selbst neu verstehen und über sein bisheriges Leben das Urteil ›Sünde oder Tod‹ fällen wollte, danach war er durch die christliche Verkündigung gefragt, und das hat er in der Bekehrung bejaht.« Daneben findet sich aaO freilich bereits die Warnung vor dem »Irrweg«, die paulinische Theologie aus dem »Bekehrungserlebnis« des Apostels ableiten zu wollen, weil »die Frage nach dem sachlichen Gehalt der Bekehrung« des Paulus »eine Frage nach seiner Theologie selbst« sei (1027). Obwohl gerade dieser letzte Hinweis faktisch zeigt, daß historisch das Ereignis der »Bekehrung« für die paulinische Verkündigung konstitutiv ist, steht BULTMANN die Möglichkeit einer psychologischen Ableitung der Theologie des Apostels derart warnend vor Augen, daß er mit Äußerungen über das Damaskusereignis immer zurückhaltender wird. In dem Literaturbericht über »Neueste Paulusforschung« (ThR NF 6, 1934, 229–246) setzt er sich noch einmal mit den verschiedenen Möglichkeiten des Verständnisses der paulinischen Bekehrung auseinander, in seiner Theologie d. NT⁵, 188f nimmt er aber nur noch knapp auf die Bekehrung des Apostels Bezug und betont – was historisch so nicht beweisbar ist –, Paulus sei »durch das Kerygma der hellenistischen Gemeinde für den christlichen Glauben gewonnen worden« und – was historisch richtig ist – die Bekehrung des Apostels habe »nicht den Charakter einer Bußbekehrung« gehabt, »sondern sie war die gehorsame Beugung unter das im Kreuz Christi kundgewordene Gericht Gottes über alles menschliche Leisten und Rühmen. So spiegelt sie sich in seiner Theologie wider.« Das von BULTMANN durchgängig gebrauchte Stichwort »Bekehrung« führt freilich fast unausweichlich in die Irre. ULRICH WILCKENS hebt demgegenüber in seiner Vorlesung über »Die Bekehrung des Paulus als religionsgeschichtliches Problem« (ZThK 56, 1959, 273–293) im Blick auf die Offenbarungsterminologie von 1Kor 15, 8 und Gal 1, 12. 15 mit Recht hervor: »Daß Paulus sein Widerfahrnis in dieser Weise betont als ein Sehen des Auferstandenen beschreibt, hat zunächst seinen Grund darin, daß er das Ereignis vorzüglich nicht so sehr als seine eigene, individuelle Bekehrung zum christlichen Glauben, sondern vielmehr als *Berufung zum Apostel* versteht. Das heißt, Paulus selbst spricht nicht biographisch von seinem ›Damaskuserlebnis‹, sondern theologisch von seiner Berufung zum Apostel der Heiden im Widerfahrnis der Offenbarung Jesu Christi vor ihm.« (274f; Hervorhebung bei W.) Entsprechend ist statt von der Bekehrung des Paulus von seiner *Berufung* zu sprechen.

rufung des Paulus für seine eigene Theologie steht seit langem fest[16]. Der psychologisierende Mißbrauch, den man zeitweilig mit den zurückhaltenden Berichten von der paulinischen Berufungsvision treiben konnte, hebt ja den theologischen Wert, den Paulus selbst seiner Berufung beigemessen und den eine mit dem Nachvollzug der paulinischen Theologie beschäftigte Exegese zu bedenken hat, keineswegs auf[17]. Die einst viel-

---

[16] Ich nenne nur: SCHLATTER, Art. Paulus, 203ff; WALTHER V. LOEWENICH, Paulus, 1949[2], 47ff; DIBELIUS-KÜMMEL, Paulus[4], 42ff; H.G.WOOD, The Conversion of St. Paul: its Nature, Antecedents and Consequences (NTS 1, 1954/55, 276–282), bes. 281f; WILCKENS, Bekehrung des Paulus, 274; JOSEF BLANK, Paulus und Jesus (Studien zum Alten u. Neuen Testament 18), 1968, 184ff; PHILIPP SEIDENSTICKER, Paulus, der verfolgte Apostel Jesu Christi (Stuttgarter Bibel-Studien 8), 1965, 17f.

[17] G. BORNKAMMS Äußerungen zum Thema empfinde ich als widersprüchlich. In seinem Paulusbuch (39) betont er: »Von seiner Wendung zu Christus und seiner Berufung zum Apostel redet Paulus selbst überraschend selten. Wenn er es tut, dann allerdings in gewichtigen Aussagen, und zwar immer so, daß sie ganz in die Entfaltung seines Evangeliums verwoben sind. Aus diesem Grunde sollte man seine individuellen Erlebnisse und speziell die ihm widerfahrene Christuserscheinung nicht beherrschend in den Mittelpunkt rücken, wie es üblicherweise in Erinnerung an seine in der Apostelgeschichte breit und wiederholt geschilderte Damaskus-Vision, aber auch unter dem Einfluß pietistischer Tradition und moderner Psychologie zu geschehen pflegt. Wir tun gut daran, den Lichtkegel seiner eigenen Aussagen nicht phantasierend zu überschreiten und uns von dem ablenken zu lassen, was ihm selbst wesentlich ist.« Wie U. LUZ (Geschichtsverständnis, 387f) betont, kommt Paulus auf seine Sendungserfahrung »zur Legitimation seines Apostolates« zu sprechen, und zwar 1Kor 9, 1; 15, 8ff; Gal 1, 15f; vgl. Röm 1, 5; 1Kor 1, 1; 2Kor 1, 1; Gal 1, 1. 12 und natürlich Phil 3, 4ff. Das sind doch überraschend viele Stellen! Sodann verstehe ich nicht, wie sich BORNKAMMS Äußerung und seine Reserve gegenüber der Betrachtung der Berufung des Paulus im Lichte der Christuserscheinung zu seiner eigenen Feststellung verhält, Christologie und Rechtfertigung seien bei Paulus nicht nur voneinander unlösbar, sondern sogar Zentrum des paulinischen Evangeliums (aaO 128f. 249f), und »unabhängig von allen Kontroversen« hätten »Selbstbezeichnungen wie ›berufener Apostel durch den Willen Gottes‹, ›Knecht Christi Jesu‹« usw. für Paulus »größtes Gewicht« (aaO 172). Gerade wenn man mit BORNKAMM die Theologie des Apostels, seine Verkündigung und die Geschichte des Paulus nicht voneinander trennen, sondern als Einheit verstehen und interpretieren will (vgl. aaO 24–26 u. passim), wird man durch seine Berufung darauf gestoßen, daß das paulinische Evangelium ursprünglich auch an die apostolische Individualität des Paulus gebunden war, sowenig es dann mit dem Geschick dieser Individualität steht und fällt. Ohne mich seinem Gesetzesverständnis anzuschließen (vgl. dazu mein Paul. Evangelium I, 75 Anm. 4), halte ich es darum für zutreffend, wenn WILCKENS (Bekehrung des Paulus, 274) schreibt: »Denn so selten (?), sparsam und zurückhaltend Paulus auch von seinem Widerfahrnis spricht, so eng verbunden sind doch diese wenigen (?) Aussagen mit seiner ganzen Interpretation des Evangeliums von Christus – so wesentlich also wird das Verständnis dieser Aussagen zum Verständnis der Paulinischen Verkündigung überhaupt beitragen.«

verhandelte Frage nach dem Charakter der paulinischen Berufungsepiphanie ist sachlich von minderem Gewicht, wenn der Satz Schlatters noch gilt, daß »der Historiker die Ereignisse so aufzufassen hat, wie sie von den Beteiligten erlebt wurden«[18], und wenn, wie es bei Paulus der Fall ist, der Beteiligte sich über die sachliche Bedeutung des ihn überkommenden Ereignisses in wünschenswerter Deutlichkeit äußert! Wünschenswert deutlich ist zunächst der Umstand, daß Paulus sich in 1 Kor 15, 8 ff um der ihm zuteil gewordenen Christusepiphanie willen in die Reihe der urchristlichen Osterzeugen einreiht, und zwar als deren letzter und für die Korinther selbst wichtigster[19]. Wünschenswert deutlich ist dann aber vor allem die polemisch präzisierte Äußerung des Apostels aus Gal 1, 11–17: »Ich mache euch nämlich damit bekannt, Brüder, daß das von mir proklamierte Evangelium kein Evangelium nach Menschenmaß ist. (12) Auch ich habe es nämlich nicht von einem Menschen übermittelt bekommen, noch bin ich darin unterwiesen worden, sondern durch Offenbarung Jesu Christi (wurde ich seiner teilhaftig). (13) Ihr habt ja von meinem einstigen Wandel im jüdischen Glauben gehört, daß ich die Gemeinde Gottes blindwütig verfolgte und zu vernichten versuchte, (14) und daß ich, was meine jüdische Glaubensüberzeugung betraf, viele Altersgenossen in meinem Volke übertraf, weil ich ein fanatischer Eiferer für die mir von den Vätern überkommene (Gesetzes-)Überlieferung war. (15) Als es aber dem, der mich von Mutterleib an auserwählt und durch seine Gnade berufen hat, gefiel, (16) mir seinen Sohn offenbar zu machen, damit ich diesen unter den Heiden verkündige, da habe ich mich nicht lange mit Fleisch und Blut beraten, (17) und ich bin auch nicht (erst) hinaufgezogen nach Jerusalem zu den vor mir (erwählten) Aposteln, sondern ich bin fortgezogen nach Arabien und habe mich dann wieder zurückbegeben nach Damaskus.« Soweit der paulinische Bericht[20].

---

[18] Artikel Paulus, 204. Schön auch zur Berufung des Paulus H. J. Schoeps, Paulus, 1959, 47: »Wer verstehen will, was im Leben des Apostels hier geschehen ist und welche Folgen das Geschehnis für sein Leben gehabt hat, muß den Realgehalt dieser Begegnung, wie Briefe und Acta sie bezeugen, schon im vollen Umfang voraussetzen.« Vgl. auch Blank, Paulus und Jesus, 184 f.

[19] Bedenkt man die eschatologische Schlüsselstellung, die Paulus seinem Apostolat beigemessen hat (dazu jetzt einleuchtend Bornkamm, Paulus, 68 ff), wird man diese Deutung von 1 Kor 15, 8 z. B. mit Dibelius-Kümmel, Paulus[4], 46 oder H. Conzelmann, Der erste Brief an die Korinther (MeyerK V[11]), 1969, 305 gegenüber Luz festhalten dürfen, der *ἔσχατον δὲ πάντων* ohne theologischen Wertakzent nur mit »zu allerletzt« übersetzen möchte (Geschichtsverständnis, 388 f). Man wird sogar sagen dürfen, daß nach des Apostels Meinung für die Korinther »Ostern« speziell in seiner Verkündigung und Person präsent ist; doch ist darauf jetzt nicht weiter einzugehen.

[20] Vgl. zu diesem Text neben meiner Skizze in Paul. Evangelium I, 69 ff vor

Nimmt man diesen Bericht mit dem kurzen Hinweis aus 1 Kor 9, 1 (»Habe ich denn nicht Jesus als unseren Herrn geschaut?«) und der bekannten Konfession des Apostels aus Phil 3, 4–11 zusammen, daß er seit seiner Berufung nicht mehr nach dem Gesetz, sondern nur noch um Jesu

---

allem BLANK, Paulus und Jesus, 208–230 und GRÄSSER, Das eine Evangelium (s. o. Anm. 3). Ich stimme GRÄSSERs Studie weithin zu und weise vor allem auf seine schöne Definition hin (321), das paulinische Evangelium »ist nicht ein System von Sätzen und Lehren *über* Gott; es ist vielmehr ein Geschehen, bei dem sich Gott selber in einer ganz bestimmten Weise und in einer ganz bestimmten Absicht als der Rufende erfahrbar macht. Sein Ruf hat Machtcharakter. Denn mit ihm tritt *er selber*, Gott, herrschend und sich durchsetzend, auf den Plan.« (Hervorhebungen bei GR.) Angesichts dieser sich mit meiner Auffassung vom Evangelium des Apostels nahezu deckenden Aussage frage ich, worin GRÄSSERs Reserve gegenüber meiner Skizze (z.B. 342 Anm. 142) begründet ist, und ich frage ferner, ob er angesichts meiner Hinweise auf die mit dem Evangelium eröffnete neue Zeit, auf den christologischen Sachgehalt des Evangeliums und der Definition der Gottesgerechtigkeit als des Versöhnungswillens Gottes in Werk und Herrschaft des Christus (Paul. Evangelium I, 68. 79 Anm. 81 ff. 289; ferner meine »Erwägungen zum Problem von Gegenwart und Zukunft in der paulinischen Eschatologie« [ZThK 64, 1967, 423–450] und die Meditation »Siehe, ich mache alles neu« [LR 18, 1968, 3–18]) wirklich sagen kann, ich stelle in meinem Buch »unbekümmert um alle Kritik das apokalyptische Paulus-Verständnis noch einmal an einem anderen zentralen Theologumenon zur Diskussion« (so in seiner Besprechung, DtPfrBl 69, 1969, 672). Ich meinerseits verstehe noch nicht, wie GRÄSSER mit Betonung vom Evangelium als einer Gottesmacht, von Gott als dem Rufenden und von Gottes unbegrenzter, die Toten erweckender Mächtigkeit sprechen und dabei nur beiläufig darauf verweisen kann, daß Paulus hiermit »in alttestamentlicher Sprachtradition steht« (Das eine Evangelium, 324 Anm. 64 und 325). Daß Paulus das Alte Testament nicht nur faktisch herangezogen, sondern theologisch bewußt festgehalten hat, ist doch auch GRÄSSER bewußt! Was bedeutet unter diesem Vorzeichen hermeneutisch der offenbar reflektierte Anschluß des Paulus an alttestamentlich-jüdische Sprach- und Denktradition, gerade wenn es um die Verkündigung des Christusevangeliums geht? Ferner, wenn GRÄSSER KÄSEMANN (und mir) aaO 331 f die Möglichkeit zugesteht, die Geschichte Jesu von Nazareth in der Form der Anrede in die Verkündigung des Evangeliums einzubeziehen, gewinnt dann nicht die Frage nach alttestamentlich-jüdischen Komponenten in solch kerygmatischer Geschichtserzählung wiederum theologisch hohe Bedeutung? Auf diese, für die gegenwärtige Verkündigung nicht unwichtigen Fragen sehe ich GRÄSSER bisher keine Antwort geben. Im übrigen möchte ich bei dieser Gelegenheit noch einmal darauf hinweisen, daß es mir nicht darum geht und m.E. auch theologisch nicht darum gehen kann, die paulinische Christusverkündigung in religionsgeschichtlich bereits vorgegebene, apokalyptisch-jüdische Strukturen einzuzeichnen und damit als deren bloße Modifikation darzustellen. Sondern umgekehrt ist mir daran gelegen, die Deutungs- und Aussagemöglichkeiten aufzuzeigen, die Paulus dadurch gewann, daß er sich bei der Proklamation seines Evangeliums (reflektiert) anschloß an alttestamentlich-jüdische Denk- und Aussageweisen.

Christi willen von Gott gerechtgesprochen zu werden hoffe, so ergibt sich folgendes biographisches Bild von Werdegang und Verkündigung des Paulus:

Der aus Tarsos gebürtige, nach dem ersten König aus seinem Volksstamm Benjamin benannte Jude Saulus mit dem hellenistischen Beinamen Paulus hat seine theologisch-schriftgelehrte Ausbildung in Jerusalem bei Gamaliel d.Ä. genossen (vgl. Apg 22, 3)[21]. Er hat sich gleichzeitig der gesetzesstrengen Gemeinschaft der Pharisäer angeschlossen (Phil 3, 5; Gal 1, 14) und entsprechend seine eigentliche Lebenserfüllung im Einsatz für das jüdische Gesetz erblickt. Der militante Eifer für das Gesetz veranlaßt ihn, gegen diejenigen Christen vorzugehen, welche unter Berufung auf Jesus und im Glauben an den auferstandenen Christus sich über das Gesetz hinwegzusetzen und damit seine prinzipielle Stellung als Offenbarung anzutasten begannen[22]. Die im Einverständnis und mit Billigung des Synedriums vorgenommene Verfolgung jener Judenchristen, die vom Gesetz zu dem neuen Glauben abgefallen waren, beginnt nach der Apostelgeschichte bereits in Jerusalem (Apg 7, 58; 8, 3), ist uns sicher aber erst durch Paulus selbst für den Zeitpunkt bezeugt, da er seine Verfolgung ausdehnt auf die hellenistischen Judenchristen von Damaskus. In der Gegend von Damaskus widerfährt dem bisher ganz im jüdischen Gesetz aufgehenden Mann eine Christusepiphanie. D.h. er schaut den gekreuzigten Jesus von Nazareth in der Glorie des lebendigen Gottessohnes und Herrn. Paulus wird durch dieses Ereignis dazu bestimmt, spontan in das Missionswerk der eben noch von ihm verfolgten hellenistisch-judenchristlichen Gemeinde einzutreten. Aus dem Eiferer für das Gesetz wird der sich bis hin zum Martyrium in Rom im Dienste des gesetzesfreien Christusevangeliums verzehrende Apostel.

Schon dieser ganz knapp summierende Bericht ergibt, daß das jüdische Gesetz in seiner pharisäischen Interpretation und das Christusevangelium die zwei das Leben des Paulus bestimmenden Mächte waren. Bezeichnet Paulus sich selbst für seine vorchristliche Zeit als fanatischen Eiferer für das Gesetz (Gal 1, 14; Phil 3, 5f), so empfindet er sich als Apostel nach 1Kor 9, 16 an das Christusevangelium als an eine ihn be-

[21] Vgl. Schlatter, Artikel Paulus, 201; Dibelius-Kümmel, Paulus[4], 30; Bornkamm, Paulus, 35. Bornkamms kritische Frage, ob die Schülerschaft des Paulus bei Gamaliel nicht lukanische Tendenzdarstellung sei, ist m.E. unter Hinweis auf die neuen Beobachtungen zur paulinischen Hermeneutik von Joachim Jeremias, Paulus als Hillelit (in: Neotestamentica et Semitica. Studies in Honour of M. Black, ed. E.E. Ellis u. M. Wilcox, Edinburgh 1969, 88–94) zu verneinen.

[22] Vgl. dazu z.B. Kümmel, Theol. d. NT, 133f; Conzelmann, Grundriß, 184; Blank, Paulus und Jesus, 238–248; Bornkamm, Paulus, 45ff; Heinrich Kasting, Die Anfänge der urchristlichen Mission (BEvTh 55), 1969, 53ff.

stimmende Schicksalsmacht ausgeliefert[23]. Ein Blick auf die paulinischen Missionsreisen und die Leidensschilderungen aus dem 2. Korintherbrief lehrt, daß Paulus mit solcher Bemerkung keineswegs übertreibt[24]. Halten wir also fest: Die zwei für die Existenz des Paulus offenbar bestimmenden theologischen Mächte heißen Gesetz und Evangelium. Doch können wir über solch summarisches Urteil noch hinauskommen.

IV

Dürfen wir nämlich bei der Paulusexegese von der Spannung zwischen Gesetz und Evangelium ausgehen, ohne uns damit von vornherein dem Vorwurf einer konfessionell beengten Blickrichtung auszusetzen[25], dann fällt bei einem Blick in die Paulusbriefe sogleich auf, daß das Evangelium für Paulus ein primär christologisch bestimmtes Phänomen ist. Nach dem Eingang des Römerbriefes entspricht das Evangelium der prophetischen Verheißung des Alten Testamentes, und es handelt von dem Sohne Gottes, der als Verheißungsträger menschlicherseits aus dem Geschlechte Davids stammt, seit der an ihm im voraus vollzogenen Auferweckung von den Toten aber von Gott in das Amt des Gottessohnes und Weltregenten eingesetzt ist (Röm 1,2ff)[26]. Diese christologische Definition des Evange-

[23] Vgl. neben KÄSEMANNS bekanntem Aufsatz »Eine paulinische Variation des ›amor fati‹« (EVB II, 223–239): BLANK, Paulus und Jesus, 206f und GRÄSSER, Das eine Evangelium, 318. 321.

[24] Vgl. die sehr einleuchtende Darstellung des paulinischen Missionsweges und Sendungsverständnisses bei BORNKAMM, Paulus, 68ff und E. GÜTTGEMANNS, Der leidende Apostel und sein Herr (FRLANT 90), 1966, bes. 142ff. 154ff.

[25] Anders neuerdings etwa RAGNAR BRING, Christus und das Gesetz, Leiden 1969, Kap. II: Die Gerechtigkeit Gottes und das alttestamentliche Gesetz (35–72).

[26] In meiner Skizze über »Theologische Probleme des Römerbriefpräskripts« (EvTh 27, 1967, 374–390) hatte ich vorgeschlagen, die Aufnahme vorpaulinisch-christologischer Tradition in 1,3f nicht nur traditionsgeschichtlich-apologetisch oder traditionsgeschichtlich-ökumenisch zu erklären, sondern zu versuchen, die Aufnahme solcher Paradosis von der paulinischen Evangeliumsverkündigung her zu interpretieren. U. LUZ (Geschichtsverständnis, 111f) hat dem gegenüber darauf hingewiesen, daß »*εὐαγγέλιον* ohne Artikel, die Verbindung von Weissagung und Propheten sowie der Ausdruck ›heilige Schriften‹ ... unpaulinisch« seien, ja daß Paulus »primär weder eine Aussage über das Evangelium, noch eine solche über eine verheißungsgeschichtlich strukturierte Christologie machen, sondern ... beides zu Charakterisierung seines Apostolates (verwenden)« wolle, eines Apostolates freilich, »der im Dienste der Verkündigung des Evangeliums steht und im Einklang mit dem schon durch das prophetische Wort proklamierten Heilswillen Gottes steht«. Ich halte diese Exegese gegenüber meinen – zugegebenermaßen und bewußt stark systematisierten – Thesen für einen Rückschritt, und zwar aus folgenden, hier nur anzudeutenden Gründen: Evangelium und Apostolat sind

liums ist, wie besonders G. Bornkamm gezeigt hat[27], der Schlüssel zum Verständnis der berühmten Parallel-Definition von Evangelium in Röm 1, 16f, nach welcher das Evangelium eine rettende Gottesmacht für jeden, der glaubt, ist, weil in ihm die Gerechtigkeit Gottes offenbart wird, aus Glauben auf Glauben hin. Gerechtigkeit Gottes meint eben die sich in der Sendung Jesu offenbarende, Glauben weckende und dem Glauben sich mitteilende Treue und Gnade Gottes[28]. Fassen wir schließlich den

---

bei Paulus untrennbar und unmöglich voneinander abzuheben. Inzwischen hat ferner GÜNTER KLEIN in seinem neu veröffentlichten Aufsatz »Der Abfassungszweck des Römerbriefes« (in: Rekonstruktion und Interpretation. Ges. Aufs. zum NT [BEvTh 50], 1969, 129–144; ein Aufsatz, den ich wesentlich positiver beurteile als W. SCHMITHALS in Ev. Komm. 2, 1969, 609) u. a. darauf hingewiesen, daß Paulus im Unterschied zu den Präskripten seiner sonstigen Schreiben im Römerbrief das Thema Evangelium bereits im Briefeingang behandele (aaO 142). Gerade wenn man exegetisch nuancieren will, muß man also an unserer Stelle auf das Phänomen des Evangeliums besonders eingehen und die Erwähnung des Apostolates als Konvention betrachten, die deshalb freilich nicht unwichtig wird. Die verheißungsgeschichtliche Entsprechung von Prophetenamt und Apostolat ist Charakteristikum nicht nur des Römerbriefpräskriptes, sondern auch des paulinischen Berufungsberichtes von Gal 1, 15. Die Artikellosigkeit von Substantiven schließlich ist in den paulinischen Briefpräskripten nicht ungewöhnlich (vgl. z. B. den nach LUZ, aaO »von Paulus frei formuliert(en)« V. 5 mit 1Kor 15, 10). Nur noch am Rande ist darauf aufmerksam zu machen, daß – wie LUZ selbst sehr schön herausarbeitet (vgl. aaO 288 Anm. 96 und 354f) – Paulus Traditionen in apostolischer Verantwortung adaptiert, so daß man die Erkenntnis von Überlieferungen bei ihm nicht ohne weiteres dazu verwenden kann, traditionelle Gedankenführungen für theologisch weniger gewichtig zu erklären als genuin paulinische. Da LUZ dieser Gefahr nicht ganz entgangen ist, bleibe ich bei meinem alten Vorschlag, verweise noch einmal auf die Parallele Röm 15, 8f und freue mich der Zustimmung von E. SCHWEIZER, Jesus Christus, 72 Anm. 11.

[27] Artikel Paulus, RGG³ V, 177 und Paulus, 128f. 249–251.

[28] Zur Deutung des nach wie vor umstrittenen Ausdrucks möchte ich in unserem Zusammenhang nur folgendes anmerken: Eine andere als eine sich christologisch verwirklichende und mitteilende Gottesgerechtigkeit steht für Paulus nicht zur Debatte, solche Gottesgerechtigkeit bleibt aber ein von Gottes Wirken nicht trennbarer Heilserweis, in dem sich Gott der Welt und dem Sünder vergebend und neuschaffend mitteilt. Diese Deutung des Begriffes hat KÄSEMANN von Anfang an vertreten und eben noch einmal bekräftigt (vgl. seine in Anm. 12 genannten beiden Aufsätze über »Gottesgerechtigkeit bei Paulus« und »Rechtfertigung und Heilsgeschichte im Römerbrief«), und z. B. U. LUZ, Geschichtsverständnis, 169 Anm. 128 oder U. WILCKENS, Warum sagt Paulus: »Aus Werken des Gesetzes wird niemand gerecht?« (Ev.-Kath. Kommentar zum NT, Vorarbeiten H. 1, 1969, 51–77), 69 Anm. 51 haben dies auch richtig als meine Aussageintention erfaßt, wobei ich mich gegen Kritik an Vereinseitigungen meiner Dissertation gar nicht sträube. – Freilich erscheint die schon BULTMANN vorschwebende, neuerdings besonders nachdrücklich von CONZELMANN (Grundriß, 237–243 und »Die Rechtfertigungslehre des Paulus: Theologie oder Anthropologie?« [EvTh 28, 1968, 389–404]) und KLEIN (Gottes Gerechtigkeit als Thema der neuesten Pau-

wahrscheinlich von der paulinischen Berufung handelnden Vers[29] 2Kor 4, 6 ins Auge und lesen wir dort noch einmal, daß es für Paulus und seine Hörer im Evangelium um die erleuchtende Erkenntnis der Herrlichkeit Gottes auf dem Angesicht Christi gehe, so dürfen wir den Apostel auch in Gal 1 beim Wort nehmen und seine schon dort vollzogene Gleichsetzung von Evangelium und Christusoffenbarung akzeptieren. Die Paulus zuteil gewordene Epiphanie des Gekreuzigten als des Gottessohnes in der Herrlichkeit des Auferstandenen ist also das ihm zur Weitergabe mitgeteilte Evangelium selbst.

Warum ist die Christusoffenbarung Evangelium? Weil in dieser Epiphanie Christus als des Gesetzes Ende, und das heißt, als der Heilbringer des Jüngsten Tages erscheint. Im Evangelium wird proklamiert, daß Gott in Christus und seiner Herrschaft das Heil des Jüngsten Tages schon hat anbrechen lassen. Daß das ganze Heil, das Gott der Welt bereitet hat, in Christus schon verheißungsvoll präsent ist, ist der Grundgedanke der (in

---

lusforschung [VF 12, 1967, H. 2, 1–11, jetzt in: Rekonstruktion und Interpretation, 225–236]) verfochtene traditionsgeschichtliche Lösung des Problems, nach welchem der Gottes eigenes Verhalten bezeichnende Begriff der Gottesgerechtigkeit speziell der vorpaulinisch-christlichen Tradition und der die Glaubensgerechtigkeit meinende soteriologische Begriff der Gottesgerechtigkeit besonders Paulus zugehörig sei, als unzulässige Vereinfachung des Problems. Der Doppelaspekt eines Gott charakterisierenden Verhaltens und der Gabe Gottes ist schon in der vorpaulinisch-christlichen Tradition nachweisbar (vgl. nur Röm 3, 24f einerseits und die ebenfalls traditionelle Formulierung 2Kor 5, 21 andererseits) und wird von Paulus selbst ausdrücklich bejaht, wie Röm 3, 26b unzweideutig zeigt. – Der von BORNKAMM (Paulus, 156) und seinen Schülern F. HAHN (mündlich) und EGON BRANDENBURGER, Fleisch und Geist (WMANT 29), 1968, 222ff fast stereotyp vorgebrachte Einwand, »die für Paulus entscheidende und einzigartig von ihm zur Geltung gebrachte Zuordnung von Gottesgerechtigkeit und Glaube« träte bei der Fassung der Gottesgerechtigkeit im Sinne einer sich mitteilenden Macht Gottes »merkwürdig zurück« (so BORNKAMM, aaO), ist schon von KÄSEMANN zurückgewiesen worden (Rechtfertigung und Heilsgeschichte im Römerbrief, 139). Er erscheint auch mir als nicht durchschlagend, da man bei Paulus im Glauben kein anthropologisches Prinzip, sondern den sich bleibend dem Wort des Evangeliums verdankenden Gehorsam als Anerkenntnis Gottes in Christus zu sehen hat (vgl. dazu schön EICHHOLZ, Prolegomena, 169) und ich die unlösbare Zusammengehörigkeit der Gottesgerechtigkeit mit dem sich nur dem Glauben eröffnenden Wort der Verkündigung von Anfang meiner Arbeiten an betont habe. – Die Probleme sind also nach wie vor offen und lassen sich keineswegs allein mit Hilfe der von KLEIN und CONZELMANN neuerdings allzu einseitig gegen begriffsgeschichtliche Argumentationen ins Feld geführten Kontextanalyse lösen.

[29] Mit HANS WINDISCH, Der zweite Korintherbrief (MeyerK VI[9]), 1924, 140; BULTMANN, Artikel Paulus, RGG[2] IV, 1021f; DIBELIUS-KÜMMEL, Paulus[4], 55; BORNKAMM, Paulus, 46; SEIDENSTICKER, Paulus, 17. 93 u.a. beziehe ich 2Kor 4, 6 auf die Berufung des Paulus, wobei die von WINDISCH angemerkte typisierende Redeweise nicht etwa befremdet, sondern von Phil 3, 17 her zu interpretieren ist.

sich antizipatorisch gedachten) paulinischen Christologie, ist zugleich Inhaltsbestimmung des Christusevangeliums und der eigentliche Sachgehalt der Damaskusepiphanie[30]. Das ist nunmehr aber noch näher auszuführen.

Inwieweit Paulus vor Damaskus mit der Botschaft Jesu vertraut gewesen ist, ist heute ebenso umstritten wie die Frage möglicher Querverbindungen zwischen der Jesustradition der Evangelien und der apostolischen Verkündigung des Paulus. Aber auch wenn wir Schlatters sicheres Urteil: Paulus »(kannte) das Wort Jesu ebensogut wie wir«[31] gegenwärtig nicht mehr erschwingen können, ist die Annahme erlaubt, daß für

[30] Ich führe damit näher aus, was ich in meiner Habilitationsschrift und meinen Anm. 20 erwähnten Erwägungen zur paulinischen Eschatologie unter der Heilsprolepse des Evangeliums verstehe, und gehe gleichzeitig auf eine Frage ein, die mir LUZ (Geschichtsverständnis, 398f) gestellt hat. Wie schon in Anm. 20 betont, bin ich nicht der Meinung, daß »der apokalyptische Geschichtsentwurf in seiner ungebrochenen Ganzheit und insbesondere sein Ende notwendige Verstehensbedingung von Offenbarungsgeschichte und Christologie (wäre)«, sondern vielmehr der Auffassung, daß das Christusgeschehen geschichtstheologische Reflexion und eschatologische Erwartung bei Paulus konstituiert und provoziert zugleich. Ich habe dies schon in ZThK 1967, 445 Anm. 48 zum Ausdruck gebracht, wenn ich dort im Anschluß an eine Formulierung BORNKAMMS die paulinische Eschatologie auf die These brachte: »Weil Gott schon alles gewirkt hat, darum dürft ihr von Gott alles erwarten.« In diesem christologischen Sinne hat z.B. KÜMMEL meine Sicht auch richtig verstanden (Die exegetische Erforschung des Neuen Testaments in diesem Jahrhundert [in: Bilanz der Theologie im 20. Jahrhundert II, 1969, 279–371], 337). Die in meinem Buch über das paulinische Evangelium anhand einer Traditions- und Strukturanalyse des Phänomens Evangelium gewonnene Kategorie der Prolepse bzw. der Antizipation ist also für Paulus christologisch gefüllt und von ihm, wie oben näher ausgeführt, nicht spekulativ, sondern aufgrund seiner Berufungserfahrung gewonnen. Freilich ermöglicht ihm gerade diese Kategorie nun auch, Eschatologie christologisch zu denken, nämlich als zur Verherrlichung Gottes führende Vollendung der Herrschaft Christi. Infolgedessen kann Paulus inmitten der alten Welt schon in einer Bewegung christologisch begründeter Hoffnung und Freiheit leben, die mehr ist als alle individuelle Zukünftigkeit, die seiner ethischen Paraklese klare Ziele setzt und, was LUZ selbst ausdrücklich bejaht, auf die endzeitliche Verherrlichung Gottes zugeht. Da weder CONZELMANN (Grundriß, 229) noch BORNKAMM (Paulus, 204f), weder GRÄSSER (Das eine Evangelium, 308 Anm. 8. 326) noch LUZ (vgl. aaO 399f) ohne solch antizipatorische Deutung der paulinischen Christologie auskommen, verstehe ich nicht, wieso »bei dem von Stuhlmacher gewählten methodischen Ansatz eine starke Verzeichnung der paulinischen Theologie befürchtet werden muß«, welche der »mehrfach begegnende Ausdruck ›Prolepse‹ für das paulinische Verständnis des Heiles ... kräftig an(signalisiert)« (so WALTER SCHMITHALS in seiner – allerdings meine Thesen kräftig verzeichnenden – Anzeige meiner Habilitationsschrift in der Theol. Literaturbeilage zu Nr. 15/16 der RKZ vom 1. 8. 1969, S. 1).

[31] Jesus und Paulus, 24 (vgl. 88ff) und SCHLATTERS Paulus-Artikel, 201.

den jüdischen Christenverfolger Paulus die christliche Predigt von dem gekreuzigten Auferstandenen als dem »Herrn« und Befreier vom totalen Offenbarungsanspruch des Gesetzes schon vor Damaskus ein Skandal war (vgl. 1Kor 1, 23f; Gal 5, 11). Die Tora selbst wies ja in Dtn 21, 23 den Kreuzestod des Gesetzesfeindes Jesu als Verfluchung durch Gott (Gal 3, 13) aus[32]! Wenn Paulus schon vor seiner Berufung wenigstens so viel von Jesus wußte, daß dieser nicht etwa als Märtyrer der jüdischen Sache und des Gesetzes, sondern als Angeklagter des jüdischen Gerichtshofes von den Römern gekreuzigt worden war, und wenn die Tora solchen Kreuzestod als Verfluchung durch Gott auswies, war für ihn (als Verfolger einer das Gesetz im Namen des auferstandenen »Herrn« verlassenden Gemeinde!) die Alternative eindeutig: Entweder Gottes Ehre im Gesetz – oder Gottes Schmach im Glauben an den gekreuzigten Christus! Die bereits aus der Biographie des Apostels heraus gewonnene Erkenntnis, daß der vorchristliche Paulus ganz im Eifer für das Gesetz aufging, bestärkt uns in dieser Sicht und erlaubt uns, an der genannten Alternative festzuhalten[33].

Ist diese Sicht der Dinge haltbar, so ergibt sich eine wichtige Folgerung. Galt der vorchristliche Eifer und Kampf des Paulus gegen die gesetzeskritischen Anhänger des Christus der Ehre Gottes nach dem Gesetz, so hat seine Berufung ihm gezeigt, daß Gott seine Ehre gerade in Christus finden will. Für einen Pharisäer war, wie für die jüdische Volksfrömmigkeit des 1. Jahrhunderts allgemein, der Glaube an den die Toten (in

---

[32] Daß die Beziehung von Dtn 21, 23 auf die Kreuzigung Jesu in Gal 3, 13 auf jüdische Polemik zurückzuführen und Paulus bereits in seinem Kampf gegen die Christen zuzuschreiben sein dürfte, hat, einer Vermutung PAUL FEINES (Das gesetzesfreie Evangelium des Paulus, 1899, 18) folgend, GERT JEREMIAS unter Hinweis auf die Exegese von Dtn 21, 23 in 4 QpNah I 7f gezeigt (Der Lehrer der Gerechtigkeit [Studien zur Umwelt des NT 2], 1963, 133–135). Vgl. dazu auch JOACHIM JEREMIAS, Der Opfertod Jesu Christi (Calwer Hefte 62), 1963, 14; SCHOEPS, Paulus, 186f; BLANK, Paulus und Jesus, 245. 247f; KÜMMEL, Theologie, 133f. – Zur rabbinischen Interpretation von Dtn 21, 23 vgl. nicht nur BILLERBECK III, 544; I, 1012f. 1034, sondern auch Tg Jer I und II zu Num 25, 4 (dazu MARTIN HENGEL, Nachfolge und Charisma [BZNW 34], 1968, 64 Anm. 77; dort ist Tg Jer I zu Num 25, 4 Druckfehler; es muß heißen: Tg Jer II zu Num 25, 4), wo die Kreuzigung durch Juden noch vorausgesetzt wird und als Ausführung des רוגזא דיי = Ingrimm Gottes gilt.

[33] Da Paulus eine hellenistisch-judenchristliche Gemeinde verfolgt, die im Namen des auferstandenen Herrn das Gesetz zu abrogieren wagt, und da Gal 3, 13 vom Faktum des Kreuzestodes her eine unmittelbare polemische Beziehung zwischen Gesetz und (bekämpfter) Christologie herstellt, erübrigt sich für unsere Interpretation die für WILCKENS (Bekehrung des Paulus, 281) entstehende Schwierigkeit, daß, wie sich im Judenchristentum Messiasglaube und Gesetzesabrogation nicht verbinden mußten, auch für den Pharisäer Paulus Gesetzeslehre und Messianologie »wenig unmittelbare ... Verbindung hatten«.

der Endzeit) auferweckenden Gott tragende Glaubensüberzeugung[34]. Auferweckung der Toten war für Paulus also schon in vorchristlicher Zeit Inbegriff des endzeitlichen lebenschaffenden Handelns Gottes. Erfuhr Paulus vor Damaskus eine Epiphanie des Gekreuzigten als des lebendigen Gottessohnes in Herrlichkeit[35], bzw. als des (von den Toten auferweckten) »Herrn«, so bedeutete dies ein Mehrfaches: Es bedeutete zunächst und vor allem, daß Gott in seiner endzeitlichen Schöpfermacht an dem Gekreuzigten schon jetzt gehandelt hat, und zwar im Sinne einer endzeitlichen und ein für allemal gültigen Identifikation seiner selbst mit Christus. An dem Gekreuzigten hat Gott mit seiner Auferweckung das Heil des Jüngsten Tages schon verwirklicht, und Christus kann deshalb für Paulus, wie Conzelmann es treffend ausdrückt[36], als das »Handeln des Vaters« schlechthin gelten. Aber mehr noch! Die Epiphanie gerade dieses von der Tora verfluchten Gekreuzigten als des auferstandenen Gottessohnes mußte für Paulus das untrügliche Zeichen dafür sein, daß Gott selbst das Todesurteil der Tora durchkreuzt und annulliert hat. Anders formuliert: Gott offenbart Paulus den gekreuzigten Auferstandenen als das Ende des Gesetzes. Der von Paulus Röm 10, 4 geprägte Satz: »Christus ist das Ende des Gesetzes zur Gerechtigkeit für jeden, der glaubt«, ist wohl ein in seinem Kontext theologisch argumentationskräftiger Satz, aber er ist zuvor noch die Quintessenz dessen, was Gott vor Damaskus in der Gestalt des gekreuzigten Auferstandenen dem Gesetzeseiferer Paulus eingeprägt hat[37].

Mit der Damaskusepiphanie gewann Paulus also die Erkenntnis Jesu Christi als des Endes des Gesetzes und vollzog sich, zugleich und ineins mit dieser Christuserkenntnis, die Rechtfertigung des Gottlosen ohne Werke des Gesetzes allein aus Gnaden am Apostel selbst. Der Ausdruck Rechtfertigung des Gottlosen ist dabei für paulinisches Verständnis nicht zu stark gewählt. Paulus hatte sich ja in seinem fanatischen Eifer für das Gesetz gerade der in der Auferweckung des Gekreuzigten manifestierten

---

[34] Vgl. nur die 2. Benediktion des 18-Bitten-Gebetes (W. STAERK, Altjüdische liturgische Gebete [KIT 58], 1930², 11. 15).

[35] Auf den Charakter der Christuserscheinung als einer Epiphanie in der Vollmacht Gottes weist das von Paulus in 1Kor 15, 8 gebrauchte Verbum ὤφθη hin. Vgl. dazu die schöne Übersicht von JACOB KREMER, Das älteste Zeugnis von der Auferstehung Christi (Stuttgarter Bibelstudien 17), 1967², 54ff.

[36] Grundriß, 225.

[37] Ebenso wie KÄSEMANN (EVB II, 195) hebt auch WILCKENS (Bekehrung des Paulus, 277 und »Warum sagt Paulus usw.«, 70ff) die Entsprechung des biographischen Berichtes Phil 3, 4ff zur grundsätzlichen Aussage von Röm 10, 4 hervor. Vgl. ferner BORNKAMM, Paulus, 40 und BLANK, Warum sagt Paulus: »Aus Werken des Gesetzes wird niemand gerecht?« (EKK [s. o. Anm. 28], 79–95), bes. 91.

Entscheidung Gottes, Versöhnung ohne die Tora zu stiften, widersetzt! Trotz solcher Widersetzlichkeit aber wird Paulus von Gott dazu erwählt, Diener und Prediger des Christus zu werden[38]. Es ist darum sachlich ganz berechtigt, wenn Paulus in Gal 1, 15 und 1Kor 15, 10 betont, nur kraft der Gnade Gottes sei er der Apostel, der er sei, und es ist noch einmal konsequent und sachlich richtig, wenn er in Phil 3, 4–11 seine Berufung als Vorgang der Christuserkenntnis und der Rechtfertigung beschreibt[39].

---

[38] Noch energischer als WILCKENS, Warum sagt Paulus usw., 66 hat KÄSEMANN in seinem Aufsatz »Der Glaube Abrahams in Römer 4« (in: Paul. Perspektiven, 140–177) hervorgehoben, daß Abraham für Paulus als »das Urbild der Rechtfertigung der Gottlosen« reklamiert wird (aaO 157) und daß die Formel von der Rechtfertigung des Gottlosen (Röm 4, 5) »den unentbehrlichen Schlüssel der paulinischen Rechtfertigungslehre hergibt« (149). So unbestreitbar mir diese Analyse scheint und so wenig damit KÄSEMANNs schöne in der Auseinandersetzung mit G. KLEIN und WILCKENS gewonnenen Darlegungen über das paulinische Verständnis einer in Gott allein ihre Kontinuität findenden, gleichwohl aber für Paulus unverzichtbaren Heilsgeschichte (152ff) relativiert werden sollen, ist in unserem Zusammenhang darauf hinzuweisen, daß Paulus zur Erkenntnis des die Gottlosen rechtfertigenden Gottes erst durch seine eigene Berufung und Rechtfertigung gelangt ist.

[39] Etwas anders als JOACHIM GNILKA, Der Philipperbrief (HThK X, 3), 1968, 194f meine ich, daß die Rechtfertigungsterminologie in Phil 3, 9f Paulus nicht nur beiläufig in knapper Parenthese in die Feder kommt, sondern in bewußt typisierender Absicht gesetzt ist. Nach wie vor wehre ich mich aber dagegen, Phil 3, 9 zum Schlüssel für das Verständnis des paulinischen Ausdrucks der Gottesgerechtigkeit zu machen, wie dies jetzt auch wieder BORNKAMM (Paulus, 146) vorschlägt. Freilich sollte man nicht derart abrupt zwischen Phil 3, 9 und Röm 10, 3 trennen wie CHRISTIAN MÜLLER, der in seinem Buch: Gottes Gerechtigkeit und Gottes Volk (FRLANT 86), 1964, 74 feststellt: »Der Apostel meint Phil. 3, 9 etwas ganz anderes als Röm. 10, 3.« Mir scheint es vielmehr historisch notwendig zu sein, Röm 10, 3 und Phil 3, 9 zu verbinden und von einer sich rechtfertigend mitteilenden Gottesgerechtigkeit zu sprechen, wobei Phil 3, 9 vor allem der Gabecharakter solcher Mitteilung gegenüber dem einzelnen im Blick ist. Deutlicher noch, als ich es in meiner Dissertation (Gerechtigkeit Gottes bei Paulus [FRLANT 87], 1966², 100f) z. St. tat, ist nämlich darauf zu achten, daß der bekannte von Paulus Phil 3, 9 gebrauchte Ausdruck *ἡ ἐκ θεοῦ δικαιοσύνη* jüdischem Denken entspricht (das sich bereits in Jes 54, 17 andeutet). Das Judentum sieht in Gottes Geist, in seinem Wort und in seinen Verhaltensweisen, z. B. Zorn oder Gerechtigkeit, Wirkungsgrößen, die, indem sie von Gott ausgehen, zugleich, wie es heißt, »von ihm her vor ihm« (= מאת bzw. מן קדם) wirksam sind. Zwei Beispiele mögen das erläutern. Während Jes 61, 1 im masoretischen Text lautet: »Der Geist des Herrn ruht auf mir, weil Jahwe mich gesalbt hat« (רוח אדני יהוה עלי יען משח יהוה אתי), übersetzt das Targum z. St.: »Der Prophet spricht: der Geist der Prophetie von vor Jahwe dem Herrn ruht auf mir« (רוח נבואה מן קדם יהוה אלהים עלי). Oder: Jes 63, 1 lautet eine Selbstprädikation Jahwes: »Ich bin es, redend in Gerechtigkeit, mächtig zu helfen« (רב להושיע). Das Targum hat dafür: »Er sprach, siehe, ich offenbare mich wie ich sprach in Gerechtigkeit, gewaltig ist vor mir die Macht zu erretten« (סגי קדמי חיל למפרק). Die *δικαιοσύνη ἐκ*

Gerade die zuletzt genannte Stelle schärft ein, daß der eigentliche Gewinn der Rechtfertigung – wenn man sich einmal dieses provozierenden Ausdrucks bedienen darf – in der »unüberbietbar großen Erkenntnis Christi Jesu meines Herrn« (Phil 3, 8) besteht[40]. Rechtfertigung ist also ein durch und durch christologischer und nur von der Christologie her zu begreifender Sachverhalt. Können wir folglich nunmehr auch von der Erkenntnis ausgehen, daß das dem Paulus vor Damaskus offenbarte Christusevangelium in sich – und nicht etwa erst in einer von Paulus nachträglich gezogenen theologischen Konsequenz! – Evangelium von der Rechtfertigung des Gottlosen durch Christus ist[41], dann zwingt uns gerade diese Erkenntnis, bei der Christologie des Paulus als dem Thema seines Lebens zu verweilen.

Wird in dieser Christologie das Handeln Gottes schlechthin sichtbar, und zwar als ein Handeln zugunsten des Menschen, welches dem Heils-

---

θεοῦ von Phil 3, 9 ist also die von Gott ausgehende, vor ihm als Gabe wirksame Gerechtigkeit, die von Gottes Wirken selbst nicht ablösbar ist. Hebräisch etwa: צדקת אל מן קדם אלהים o.ä. Sieht man diese Zusammenhänge, dann ist die Verbindung von Phil 3, 9 und Röm 10, 3 deutlich. Dann wird man aber eben auch nicht von einem für Paulus einzig beherrschenden Gabecharakter der Gottesgerechtigkeit sprechen wollen, sondern in der Gottesgerechtigkeit bei Paulus eine sich mitteilende, dem Glauben offenbare Rettungsmacht und Wirkungsgröße sehen müssen. Im Walten dieser Gottesgerechtigkeit sind Gott und Mensch als Geber und Empfänger unlösbar verbunden (zur Sache vgl. auch Anm. 28).

[40] Vgl. zum Text sehr schön BLANK, Paulus und Jesus, 231. Im Blick auf BULTMANNS These (Theologie des NT[5], 189), Sinn der Bekehrung des Paulus sei »die Preisgabe seines bisherigen Selbstverständnisses, d.h. die Preisgabe dessen, was bisher Norm und Sinn seines Lebens, das Opfer dessen, was bisher sein Stolz gewesen war (Phl 3, 4–7)«, schreibt BLANK: »So richtig der Gedanke des ›neuen Selbstverständnisses‹ ist, so ist doch gerade von Phil 3, 4–11 her deutlich, daß das ›Selbstverständnis‹ des Apostels von *der Christuserkenntnis her begründet ist;* es handelt sich um ein christologisch und in diesem Zusammenhang auch eschatologisch, im Hinblick auf das noch ausstehende Ende – der Parusie, aber auch, wie man für Phil erwägen muß, für das persönliche Lebensende des Apostels – begründetes Selbstverständnis. Endlich dürfte klar sein, daß es auch nach Phil 3, 4–11 nicht im ›Kerygma‹ grundgelegt ist, sondern in der Erfahrung der Wirklichkeit des Auferstandenen, der durch sich selbst das Ja zum Kreuz erst möglich macht (vgl. die Reihenfolge V. 10f.). Unter diesen vom Text her gebotenen Einschränkungen hat der Gedanke der ›Gewinnung des neuen Selbstverständnisses‹ sein relatives Recht.« (Hervorhebung bei BL.)

[41] So z.B. mit GRÄSSER, Das eine Evangelium, 316f. 338. GRÄSSER betont 316 Anm. 37 auch zu Recht, daß man die Rechtfertigungslehre bei Paulus nicht erst als aus dem antijudaistischen Kampf z.B. in Galatien erwachsen darstellen sollte. Wenn es in der Rechtfertigung um Explikation der Christologie geht, dann ist die polemische Frontstellung, gegen die sich der rechtfertigende Gott wendet, von Anfang an der Sünder schlechthin (vgl. KÄSEMANN, Rechtfertigung und Heilsgeschichte im Römerbrief, 125ff).

anspruch des Gesetzes ein Ende macht, dann kann man nämlich auch verstehen, weshalb Paulus Christologie betont als Christologie des Kreuzes treibt und von der Herrschaft des Christus primär als von der Herrschaft des Gekreuzigten sprechen will. Zunächst besteht freilich kein Zweifel daran, ist vielmehr ausdrücklich einzuschärfen, daß erst die Auferweckung Jesu durch Gott das paulinische Denken auf den Weg gebracht hat. Die Verkündigung des Paulus ist überhaupt nur dadurch und darin gerechtfertigt, daß er Bote des Auferstandenen und Zeuge des Gottes ist, der Jesus von den Toten auferweckt hat (vgl. 1Kor 15, 15)[42]. Aber die paulinische Erkenntnis Jesu Christi gewinnt ihre spezifische Eigenart, ihr soteriologisches Gewicht, ja ihren offenbarungsträchtigen Sinn erst in der von der Auferweckung her erzwungenen, erneuten Reflexion auf das Kreuz. Die Tora ließ das Kreuz und in dem Kreuz das Wirken Jesu als unter dem Fluche Gottes stehend erscheinen. Nun erscheint von der Auferweckung Jesu her umgekehrt das Kreuz als Entmächtigung der Tora. Weil Paulus von Gott selbst auf das Ende des Gesetzes im Kreuze und in der Auferweckung Jesu hingewiesen wird, wendet auch der mit dem Auferstandenen konfrontierte Apostel seine denkerische Energie ganz dem Kreuze zu. Für ihn und alle Menschen hat sich die Welt eben am Kreuz gewandelt. Wenn Paulus, wie wir schon eingangs hörten, in Korinth all sein Offenbarungswissen nur auf Jesus den Gekreuzigten konzentrieren will, wenn er, wie er kurz zuvor (1Kor 1, 18) sagt, das Evangelium nur als Wort vom Kreuz verstehen und verkündigen will, dann ist dies wiederum theologisch argumentierende und theologisch reflektierte Sprache, aber zuvor noch eine Verkündigung, die Gott selbst dem Paulus aufgegeben und eingeschärft hat.

Ziehen wir aus dem bisher Vorgetragenen zunächst eine Zwischenbilanz, so dürfen wir folgende Erkenntnis notieren: Wenn Paulus von »Evangelium« spricht, geht es ihm um die Botschaft vom gekreuzigten und auferstandenen Christus. Der Auferstandene wird von Paulus gepredigt als der Gekreuzigte, als das Ende des Gesetzes. Predigt des ge-

---

[42] Vgl. KÄSEMANN, Die Heilsbedeutung des Todes Jesu bei Paulus (1967; jetzt in: Paul. Perspektiven, 61–107), 98f: »Geht im Bereich des Historischen die Kreuzigung den Ostererscheinungen vorauf, so ist für den Glauben der Urgemeinde alles Erkennen Jesu im Sinne der Heilsgewißheit erst seit Ostern möglich. Das gilt für den Inkarnierten und Gekreuzigten ebenso wie für den Präexistenten und Erhöhten. Man wird solche Feststellung nicht auf die Erfahrung der Urgemeinde beschränken dürfen. *Sie gilt grundsätzlich und für alle Zeiten. Anders wäre eine Theologie des Wortes überhaupt nicht zu rechtfertigen.* Denn durch das Wort der Verkündigung handelt nach dem Zeugnis des gesamten Neuen Testamentes der Auferstandene. Er tut es selbst dann, wenn er vom sogenannten historischen Jesus erzählen läßt.« (Hervorhebung von mir)

kreuzigten Auferstandenen oder Predigt des Christus als Ende des Gesetzes ist Predigt der Rechtfertigung des Gottlosen. Diese, von Paulus unter Aufbietung aller kritischen Denkmittel entwickelten Spitzensätze seiner Theologie entfalten, was Paulus in seiner Christophanie selbst erfahren hat. Weil seine Berufung Begegnung mit dem gekreuzigten Auferstandenen im Namen und in der Autorität Gottes war, denkt Paulus in seiner Theologie das Handeln Gottes nach, ist seine Theologie zugleich Verkündigung und seine Verkündigung Theologie, und beide entfalten die auf Rettung der Welt hin angelegte Sendung des Christus. Zusammenfassend ausgedrückt: Paulus entfaltet in seinem Denken das Evangelium von Jesus Christus und weiß sich dazu gesandt, von diesem Evangelium her der Not der Welt im Namen Gottes zu begegnen. Die Welt aber, der Paulus mit dem Evangelium zu begegnen hat, ist nun die Welt unter dem Gesetz und in ihrer Mitte der Mensch.

V

Der knappe Abriß der Lebensgeschichte des Paulus, den wir zu geben versuchten, und die zuletzt angestellte Reflexion auf den christologischen Ansatz des paulinischen Denkens ergaben beide ein erstaunlich gleichsinniges Ergebnis. Beide Male stießen wir auf Gesetz und Evangelium als die beiden für Leben und Werk des Paulus bestimmenden Mächte. Strukturell stehen Gesetz und Evangelium bei Paulus in einem dialektischen Spannungsverhältnis. Das Gesetz konstituiert die Welt des vorchristlichen Paulus, die Welt, in welche das Evangelium von Jesus Christus unerwartet als eine das Gesetz überholende Verfügung Gottes einbricht. Wie unsere Überlegungen ergaben, ist der Fluch des Gesetzes und mit ihm das Kreuz der Bezugsrahmen, der dazu verhilft, das Evangelium inhaltlich als Rettungsmacht zu präzisieren. Dennoch ist dieses Folgeverhältnis von einem dem Evangelium vorgeordneten Gesetz nicht mehr der wirkliche Standpunkt des paulinischen Denkens und Verkündigens. Geht man vom paulinischen Denken selbst aus, so schafft hier das Evangelium überhaupt erst Freiheit und Möglichkeit, das Gesetz und seine Welt kritisch zu überdenken[43]. Man kann sich das an der Gedankenbewegung der ersten Kapi-

[43] Dies hat BORNKAMM (Paulus, 131) sehr schön herausgearbeitet: »Die unbestreitbar richtige historische Feststellung, daß sich ihm von der Position des Gesetzes aus der Sinn der Sendung Christi erschloß, reicht für ihn nicht zu. Sie trifft, so allgemein formuliert, für alle im Urchristentum zu, die aus dem Judentum herkamen. Für Paulus jedoch – und nur für ihn – gilt der Satz auch in seiner Umkehrung: Erst von Christus her erschloß sich ihm das Gesetz, und zwar als Lebensfundament und Horizont der unerlösten Wirklichkeit aller Menschen, der

tel des Römerbriefes klarmachen. Paulus stellt sich hier allem anderen voran als Zeuge des Evangeliums und das Evangelium als den rettenden Machterweis Gottes vor. Erst von dieser Grundlage (Röm 1, 1–17) aus wagt er es dann, die Welt von Heiden und Juden auf ihre gemeinsame Verfallenheit an das Gericht aufgrund des Gesetzes hin anzusprechen, eine Verfallenheit, aus welcher nur Gott durch Christus zu erretten vermag (Röm 1, 18–3, 20 und 3, 21 ff). Die Offenbarung des Evangeliums ist also die Bedingung der Möglichkeit der paulinischen Theologie, einer Theologie, die um die christologische Konfrontation von Evangelium und Gesetz kreist und um des Evangeliums willen das Gesetz in seiner Macht und Ohnmacht bedenkt.

Nun ist, wie Hans Joachim Schoeps m.E. sehr zu Recht feststellt, »die paulinische Gesetzesauffassung das komplizierteste Lehrstück seiner Theologie«[44]. Zeichen dessen ist schon, daß, wie wir eben sahen, eine einfache Alternative von Gesetz und Evangelium nicht mehr ausreicht, um den Stand der paulinischen Reflexion zu erfassen[45]. Paulus interpretiert, wenn ich recht sehe, gerade das Gesetz von Gottes Handeln in Christus her, und zwar in einer mehrschichtigen Gedankenführung, die ich jetzt nur andeuten kann: An Christus findet das unter die Herrschaft der Sünde geratene und damit zum Prinzip frommer und unfrommer Selbstbehauptung der Welt vor Gott verkehrte Gesetz ein Ende, das Gesetz also, welches nur noch ein Zerrbild des guten, geoffenbarten Gotteswillens ist. Christus selbst aber ist dem guten Willen Gottes im Gesetz untertan und bringt in seinem eigenen, von Paulus provozierend so genannten »Gesetz des Christus« (Gal 6, 2; vgl. 1Kor 9, 21) den guten Willen Gottes als Liebesgebot gerade zum Vorschein und zur Geltung. Christus ist also das Ende des Gesetzes und doch zugleich der gehorsame Sohn, der den Willen Gottes hochhält und vollzieht. So wird er als der Gekreuzigte zu dem im Namen Gottes über die Welt endgültig gebietenden Herrn. Sein Gesetz der Liebe ist nicht mehr das unter die Macht der

---

Juden und Heiden.« Vgl. auch Wolfgang Schrage, Römer 3, 21–26 und die Bedeutung des Todes Jesu Christi bei Paulus (in: Das Kreuz Jesu. Theol. Überlegungen, ed. P. Rieger [Forum Heft 12], 1969, 65–88), bes. 70.

[44] Paulus, 174.

[45] Dies gilt auch für den eingängigen, zunächst von Schlatter (z.B. Artikel Paulus, 212) geprägten und jetzt vor allem von Wilckens übernommenen (Bekehrung des Paulus, 285; Warum sagt Paulus usw., 70) Satz, bei Paulus »sei Christus an die Stelle des Gesetzes getreten«. Mit dieser These steht das gesamte Gesetzesverständnis des Paulus zur Debatte. Grundlegend für dies Verständnis scheint mir der Sachverhalt zu sein, daß Mose und Christus stets Antipoden bleiben. Folglich darf man nicht sagen, bei Paulus sei Christus an die Stelle des Mose getreten, sondern muß erkennen, daß der Sachverhalt vielschichtiger ist.

Sünde geratene Gesetz vom Sinai, sondern schon dessen positive Entsprechung[46]!

Freilich wird nun die Herrschaft des Christus von Paulus erst verkündigt und angesagt inmitten einer Welt, in der, wie Ulrich Luz es schön

---

[46] ANDREA VAN DÜLMEN, Die Theologie des Gesetzes bei Paulus (Stuttgarter Bibl. Monographien 5), 1968 hat sich leidenschaftlich dafür eingesetzt, daß man die Frage des Gesetzes bei Paulus von der Christologie her zu sehen, das Gesetz selbst aber bei Paulus als »eine einheitliche, in sich geschlossene Größe, deren Wesen eine weitere Differenzierung nicht entspricht«, zu betrachten habe (133 u. passim). Ich gebe VAN DÜLMEN zu, daß die besonders von BULTMANN (Christus des Gesetzes Ende, 1940, GuV II, 32–58 und Theol. d. NT⁵, 260–270) vorgetragene Lösung des Gesetzesproblems aufgrund anthropologischer Dialektik allein nicht zureicht (so richtig sie in ihrem Rahmen bleibt). Das Denken und Diskutieren auf der Ebene der Anthropologie erlaubt es zwar BULTMANN und allen, die ihm folgen, die schon von SCHLATTER, jetzt von VAN DÜLMEN und WILCKENS scharf gestellte Frage zu verneinen, ob die Rechtfertigungslehre des Paulus nicht das Ziel habe, aus Sündern, die das Gesetz nicht erfüllen können, Gerechte zu machen, die das Gesetz zu erfüllen imstande sind. So verstanden böte die paulinische Rechtfertigungslehre in der Tat nur eine christologische Modifikation der z.B. in den Qumrantexten imponierend selbstkritisch verfochtenen Gesetzesfrömmigkeit des Judentums. Diese Möglichkeit bleibt aber bestehen, solange man nicht auch auf den Gesetzesbegriff selbst und seine innere Dialektik bei Paulus eingeht. Übersehen scheint mir nämlich bei den genannten Exegeten der grundlegende Sachverhalt, daß der Apostel in einer den jüdischen Traditionskreis und Denkhorizont tatsächlich sprengenden Kühnheit die Schwäche des Gesetzes als Institution diskutiert (exemplarisch geschieht dies in Gal 3, 21 und Röm 8, 3; dazu gut O. KUSS, Nomos bei Paulus [MThZ 17, 1966, 173–227], bes. 218f und BLANK, Warum sagt Paulus usw., 89. 94f)! Da Paulus nun aber ebenso unverkennbar am Willen Gottes im Gesetz festhält (vgl. nur Röm 1, 18 – 3, 20 und 7, 7ff) und das von ihm selbst (kaum aber von Paulusgegnern, wie KLAUS WEGENAST, Das Verständnis der Tradition bei Paulus und in den Deuteropaulinen [WMANT 8], 1962, 38 Anm. 4, und DIETER LÜHRMANN, Das Offenbarungsverständnis bei Paulus und in paulinischen Gemeinden [WMANT 16], 1965, 68 vermuten) provozierend so genannte »Gesetz des Christus« (Gal 6, 2 vgl. mit 1Kor 9, 21) in Analogie zum Gesetz des Mose als Liebesgebot interpretiert, wird man sich entschließen müssen, die anthropologische Dialektik von Alt und Neu, Sünder und Gerechtem auch in der Gesetzesdiskussion selbst wiederzufinden, wobei sich das Gesetz des Mose und das Gesetz des Christus wie Alt und Neu gegenüberstehen. Ihre Kontinuität finden sie nur darin, daß das Gesetz des Mose der Gnade Gottes auch in seiner Schwäche zu dienen hat und Christus diesen uranfänglichen Liebeswillen Gottes durchsetzt und lebenschaffend vertritt. Indem Paulus Christus als präexistenten Gottessohn Adam und seiner Schuld sowie der Gesetzesgebung vom Sinai vorordnet, kann er tatsächlich denken, daß Christus den ursprünglichen Willen Gottes als Liebe vertritt, der sich im Gesetz des Mose zwar äußert, aber nicht lebenschaffend und lebenerhaltend wirksam wird. Was an dieser Darstellung »notgedrungen problematisch« ist, muß LUZ, der solchen Vorwurf erhebt (Geschichtsverständnis, 398 Anm. 4), erst zeigen, und zwar am besten an einer Behandlung des von ihm in seinem Buche ausgesparten Phänomens des Gesetzes des Christus.

formuliert, »das Gesetz noch keineswegs am Ende ist«[47]! Das Ende des Gesetzes wird mitten in die noch andauernde Herrschaft des Gesetzes hinein proklamiert! Paulus selbst erfährt dies ja höchst schmerzlich daran, daß sich die Juden seiner Zeit weitgehend gegen das Evangelium verschließen und daß die Welt der Heiden trotz Christus bei ihrer Weisheit bleibt. Paulus weiß sich also in eine Welt und zu Menschen gesandt, die dem Gesetz noch unterworfen, aber doch schon im Evangelium freigesprochen und gerechtfertigt sind. Paulus hat also Menschen zu dienen, die gleichzeitig vom Gesetz und vom Evangelium her beansprucht werden. Solchen Menschen Christus als Gekreuzigten und als Herrn zu verkündigen, ist Absicht seiner Theologie. Eben diese ihm im Opfergang des Christus vorgezeichnete apostolische und, wenn man so will, seelsorgerliche Verpflichtung führt Paulus ganz folgerichtig zum Thema der Anthropologie hin. Die anthropologischen Analysen des Apostels behandeln keine abstrakten Probleme[48], sondern sie versuchen, der Verständlichkeit und Eindringlichkeit des Evangeliums zu dienen angesichts des Anspruches, den Gott in Christus auf die Welt und den Leib jedes einzelnen Menschen erhebt. Weil der Kampf des Christus um die Welt heute und hier in jedem einzelnen Menschen entschieden wird (vgl. Röm 8, 2–11), widmet sich Paulus mit einem im Neuen Testament nur von Jesus vorgezeichneten Ernst dem Thema der Anthropologie und der Menschwerdung des Menschen. Aber diese Wertschätzung des Menschen, um derentwillen Gott seinen Sohn in die Welt gesandt hat (vgl. Gal 4, 4ff), sollte uns nicht die weltweiten Dimensionen vergessen machen, in der bei Paulus das Thema der Anthropologie erscheint. Die Anthropologie ist nicht der Leitfaden, sondern die »Tiefendimension« des paulinischen Denkens[49], dessen eigentlicher Gegenstand und Ursprung Gottes Handeln in Jesus Christus als dem gekreuzigten Auferstandenen, oder, wie Paulus auch sagt, Christus als das Ende des Gesetzes ist.

Ich schließe meinen historischen Teil mit der Frage, ob es nicht an der Zeit und ebenso historisch richtig wie theologisch wichtig wäre, die pau-

---

[47] Geschichtsverständnis, 157.

[48] Ich kann BORNKAMM (Paulus, 140) nur zustimmen, wenn er betont, keiner der anthropologischen Begriffe sei bei Paulus »als solcher Gegenstand der Reflexion. So wenig der Apostel jemals Wesen und Begriff Gottes abstrakt diskutiert oder die Schöpfung zu einem eigenen ›Lehrstück‹ macht, so wenig finden sich bei ihm auch theoretische Auslassungen über den Menschen.«

[49] So mit intensivem systematischem Interesse entfaltet von KÄSEMANN in seiner Studie »Zur paulinischen Anthropologie« (s.o. Anm. 8), der Ausdruck bereits RGG³ II, 1275; in sachlicher Nähe dazu KARL HERMANN SCHELKLE, Theologie des NT I (Kommentare u. Beiträge zum Alten u. Neuen Testament), 1967, 118 bis 148, bes. 131ff.

linische Theologie in den von Paulus selbst geprägten Kategorien des Gesetzes und des Christusevangeliums darzustellen[50]. Eine solche Dar-

[50] In diesem Zusammenhang erscheint mir mehreres wichtig, was ich jetzt nur andeuten kann: Zunächst erscheint es mir grundlegend, die von G. BORNKAMM in seinen bekannten Abhandlungen »Die Offenbarung des Zornes Gottes« (in: Das Ende des Gesetzes. Ges. Aufs. I [BEvTh 16], 1958², 9–33) und »Gesetz und Natur« (in: Studien zu Antike u. Urchristentum. Ges. Aufs. II [BEvTh 28], 1959, 93–118) eröffnete, von seinen Schülern H. KÖSTER, *ΝΟΜΟΣ ΦΥΣΕΩΣ*. The Concept of Natural Law in Greek Thought (in: Religions in Antiquity. Essays in Memory of E. R. Goodenough, ed. J. NEUSNER [Suppl. to Numen 14], Leiden 1968, 521–541) und E. BRANDENBURGER, Fleisch und Geist (hier bes. 106ff. 232f) fortgeführte, von H. FR. WEISS, Untersuchungen zur Kosmologie des hellenistischen und palästinischen Judentums (TU 97), 1966 (hier bes. 277ff. 283ff) und M. HENGEL, Judentum und Hellenismus (WUNT 10), 1969 (hier bes. 311ff. 316ff) selbständig vertiefte Einsicht aufzugreifen, daß die Tora gleichermaßen für das hellenistische und das palästinische Judentum ein kosmisches Prinzip gewesen ist, so daß HENGEL aaO plastisch von einer »Toraontologie« zu sprechen wagt, die in der Anthropologie ihre Spitze findet (dazu HENGEL, Nachfolge und Charisma, 34). Von diesem Hintergrund her scheint es geboten, die paulinischen Aussagen über den Nomos und die Weisheit zusammenzusehen und sich zu fragen, ob nicht auch Paulus gegen das Gesetz als eine die Welt insgesamt zusammenhaltende und den Menschen prägende Potenz ankämpft. Sollte das Christusevangelium dem polemischen Anspruch solch kosmisch bedeutsamen Gesetzes Einhalt gebieten, dann mußte es diesem Gesetz gewachsen sein. Die Grundrisse dieses Evangeliumsverständnisses habe ich in meinem Buche (Das paulinische Evangelium I) aufzuzeigen versucht: Das als Schöpferwort und machtvolle Verheißung verstandene Evangelium ist für Paulus in der Tat eine Größe, mit deren Hilfe sich die Herrschaft des gekreuzigten Auferstandenen in einer Weise proklamieren ließ, die dem Gesetz Einhalt gebietet und Gottes Willen zum Durchbruch verhilft. – Wenn G. KLEIN (Ev. Komm. 2, 1969, 736f) die traditionsgeschichtlichen Analysen meines Buches in allen Einzelheiten bezweifelt, muß er bessere Lösungen vortragen, von denen ich gerne lerne; was freilich seine Zweifel an dem heilsgeschichtlichen Denken des Paulus, das auch seine Evangeliumsvorstellung prägt, anbelangt, vermag ich nicht nachzugeben, auch nicht, wenn KLEIN die Anerkennung des *Ἰουδαίῳ τε πρῶτον καὶ Ἕλληνι* von Röm 1, 16 unter den Verdacht der Gesetzlichkeit stellt. Die Einsicht in ein ihn bleibend verpflichtendes heilsgeschichtliches Handeln Gottes hat Paulus, offenbar anders als KLEIN, nicht als Gesetz empfunden, sondern als Erfahrung der Treue Gottes, die für sein Evangelium konstitutiv ist. Vgl. zum Thema EICHHOLZ, Prolegomena, 178f, ferner die energische Kritik, die KÄSEMANN (Paul. Perspektiven, 152ff) an KLEINS Analyse von Röm 4 übt und die sich mit KÜMMELS (aaO [s. Anm. 30] 337f) Sorge gegenüber KLEINS Ansatz deckt. – Sieht man die skizzierten Zusammenhänge, dann scheint mir zumindest der Versuch gemacht werden zu müssen, ein Bild der paulinischen Christusverkündigung unter diesen historischen Voraussetzungen von Gesetz und Evangelium zu entwerfen. Bei dieser Arbeit wird sich der Rekurs auf antike Denkformen sicher nicht vermeiden lassen, und das führt zu der letzten sich stellenden Aufgabe. Es ist zu prüfen und ohne vorschnelle hermeneutische Kritik zu untersuchen, ob der paulinische Entwurf nicht theologische Denkanstöße bietet, welche es erlauben, die Theologie des Wortes Gottes aus ihren derzeit sich

stellung könnte Bultmanns Erkenntnissen dankbar verpflichtet bleiben und wäre vielleicht auch imstande, den Anspruch, den Paulus mit seiner Theologie für alle Zeiten erhebt, einprägsam zu formulieren. Denn sie würde dazu zwingen, die Frage kirchlich-theologischer Gesetzesinterpretation und Evangeliumsverkündigung, die Frage der sog. Ordnungen, der Eigengesetzlichkeit der Welt und der Freiheit des Glaubens heute und hier neu und kritisch zu durchdenken.

VI

Wir waren ausgegangen von der Aufgabe, vor der die evangelische Theologie heute damit steht, daß sie sich in der Nachfrage nach dem Evangelium neu ihrer Identität erinnern und auf ihren Auftrag besinnen muß. Was der mit Paulus befaßte Exeget in diese gesamttheologische Aufgabe einbringen kann, ist der Hinweis darauf, daß die Theologie des Evangeliums als Christologie begann, und zwar als Christologie der Versöhnung inmitten einer noch unversöhnten, unter dem Gesetz stehenden Welt. Das Element dieser Theologie ist das Wort, und dieses Wort ist die Praxis Gottes mit der Welt. Die evangelische Theologie wäre m.E. nicht schlecht beraten, wenn sie sich auf diesen ihren Ursprung besinnen und deutlich machen würde, daß das Evangelium wie einst so auch heute keine Leerformel ist, sondern das in sich eminent praktische Wort des Lebens und der Hoffnung, nämlich die Botschaft von und die Begegnung mit dem gekreuzigten und auferstandenen Christus, der uns als der Kommende Hoffnung gibt und in Dienst nimmt.

---

abspielenden Rückzugsgefechten und ihrer apologetischen Isolierung zu befreien und erneut zu dem zu machen, was sie m.E. nach dem Neuen Testament unzweifelhaft ist: der entscheidende Kern aller Theologie.

Achtzehn Thesen zur paulinischen Kreuzestheologie*

Eberhard Jüngel und Jürgen Moltmann sind gegenwärtig bemüht, die Identität der protestantischen Theologie neu zu bestimmen, und zwar von einer trinitarisch verstandenen Kreuzestheologie her. Die Exegese des Neuen Testaments kann sich über diese Bemühung nur freuen, weil sie damit herausgefordert wird, das Ihre zu dieser Selbstbesinnung beizu-

---

* Als ich im SS 1975 Seminar über die paulinische Kreuzestheologie hielt, hat Ernst Käsemann uns die Freude gemacht, die Ergebnisthesen dieses Seminars am 5. Juli 1975 kritisch mit uns zu diskutieren. Es liegt daher nahe, ihm gerade diese Thesenreihe in überarbeiteter Form zum 70. Geburtstag zu widmen. Um den Umfang eines Festschriftbeitrages nicht zu sprengen, habe ich auf einen Anmerkungsapparat verzichten müssen. Ich möchte aber wenigstens die Literatur nennen, die mir bei der Formulierung der folgenden Thesen besondere Hilfestellung gegeben hat.

Von *Ernst Käsemann* selbst sind vor allem drei Arbeiten zu nennen: Erwägungen zum Stichwort ‚Versöhnungslehre im Neuen Testament', in: Zeit und Geschichte, Dankesgabe an R. Bultmann zum 80. Geburtstag, hg. v. *E. Dinkler*, 1964, 47–59; *ders.*, Die Gegenwart des Gekreuzigten, in: Deutscher Ev. Kirchentag 1967, 1967, 424–437; *ders.*, Die Heilsbedeutung des Todes Jesu nach Paulus, in: Zur Bedeutung des Todes Jesu, hg. v. *F. Viering*, 1967, 11–34 (= *Käsemann*, Paulinische Perspektiven, ²1969, 61–107). – Neutestamentlich besonders wichtig erscheinen mir zZ: *Egon Brandenburger*, Σταυρός, Kreuzigung Jesu und Kreuzestheologie, in: Wort und Dienst, NF 10, 1969, 17–43; *Heinz-Wolfgang Kuhn*, Jesus als Gekreuzigter in der frühchristlichen Verkündigung bis zur Mitte des 2. Jahrhunderts, ZThK 72, 1975, 1–46; *Ulrich Luz*, Theologia crucis als Mitte der Theologie im Neuen Testament, EvTh 34, 1974, 116 bis 141; *Franz-Josef Ortkemper*, Das Kreuz in der Verkündigung des Apostels Paulus, SBS 24, ²1968; *Wolfgang Schrage*, Leid, Kreuz und Eschaton. Die Peristasenkataloge als Merkmale paulinischer theologia crucis und Eschatologie, EvTh 34, 1974, 141–175 und *Heinz Schürmann*, Jesu ureigener Tod, 1975. – Die Tradition vom leidenden Gerechten wird vor allem untersucht von *Dietrich Rößler*, Gesetz und Geschichte, WMANT 3, 1960, 88ff; *Lothar Ruppert*, Jesus als der leidende Gerechte? SBS 59, 1972 und *Odil Hannes Steck*, Israel und das gewaltsame Geschick der Propheten,

tragen und die Frage zu stellen, ob man in der Verkündigung des Kreuzes Jesu Christi das Zentrum der neutestamentlichen Heilsbotschaft sehen darf. Was eben diese Frage anbelangt, schulden die Exegeten vor allen anderen Ernst Käsemann Dank dafür, daß er in den vergangenen zwölf Jahren mit provokativem Elan sondergleichen die These *„crux sola nostra theologia"* verfochten und damit den Boden für die gegenwärtigen theologischen Bemühungen um die Kreuzestheologie bereitet hat. Die Exegeten sind Ernst Käsemann aber auch eine kritische Antwort auf seinen inhaltlich bemerkenswerten Versuch schuldig, die Heilsbedeutung des Kreuzes in deutlichem Anschluß an seinen Lehrer Rudolf Bultmann betont vom 1. Gebot her zu bestimmen: Christus geht für uns in den Tod als der Eine, der Gott bis zum Tode am Kreuze gehorsam bleibt; als dieser Eine und Gehorsame wird er von Gott auferweckt und zum Herrn der Welt inthronisiert; die Gemeinde gewinnt an der ein für allemal mit Gott verbindenden Kraft des Todes und der Auferweckung Jesu Teil, indem sie dem Gekreuzigten gehorsam als ihrem Herrn nachfolgt, dh indem sie eintritt in Jesu Erfüllung des 1. Gebotes, niemanden Herr sein läßt als Gott in Christus allein und dafür ihr Kreuz auf sich nimmt; solche Nachfolger dürfen sich Gottes als ihres in Christus gnädigen Vaters und der künftigen Auferweckung von den Toten getrösten. Ist dies der Kerngedanke dessen, was Käsemann, Paulus und Jesus zusammensehend, Kreuzestheologie nennt, ist nunmehr zu fragen, ob sich diese Definition tatsächlich mit den paulinischen und synoptischen Aussagen über das Kreuz deckt und dementsprechend als gültige Zusammenfassung neutestamentlicher Kreuzesbotschaft und reformatorischer theologia crucis bezeichnet werden kann.

WMANT 23, 1967, bes. 252ff. – Zur Frage des Kreuzigungsverständnisses in Qumran sind *Gert Jeremias,* Der Lehrer der Gerechtigkeit, StUNT 2, 1963, 127ff und *Yigael Yadin,* Pesher Nahum (4Q pNahum) Reconsidered, IEJ 21, 1971, 1–12 zu vergleichen. – Die systematisch-theologische Gegenwartsdiskussion wird bestimmt von *Eberhard Jüngel,* Vom Tod des lebendigen Gottes, in: *ders.,* Unterwegs zur Sache, BEvTh 61, 1972, 105–125; *ders.,* Gott ist Liebe. Zur Unterscheidung von Glaube und Liebe, in: Festschrift für Ernst Fuchs, hg. v. *G. Ebeling, E. Jüngel* und *G. Schunack,* 1973, 193–202 und den drei Arbeiten von *Jürgen Moltmann,* Der gekreuzigte Gott. Das Kreuz Christi als Grund und Kritik christlicher Theologie, [2]1973; *ders.,* Gesichtspunkte der Kreuzestheologie heute, EvTh 33, 1973, 346–365; *ders.,* Gedanken zur ‚trinitarischen Geschichte Gottes', EvTh 35, 1975, 208–223. – Übersichten über die (systematische) Diskussion der Gegenwart bieten *Hans-Georg Link,* Gegenwärtige Probleme einer Kreuzestheologie, EvTh 33, 1973, 337–345 und *Hans Georg Koch,* Kreuzestod und Kreuzestheologie, HerKorr 29, 1975, 147–156.

Bemüht man sich zunächst um eine Bestandsaufnahme der paulinischen Gedanken zum Thema, kann man eine Reihe von Feststellungen treffen, die sich in folgenden Thesen und Erläuterungen zusammenfassen lassen.

1. Bei der Verkündigung des Kreuzes geht es um das Ganze der paulinischen Theologie, und zwar in gesetzes- und weisheitskritischer Zuspitzung.

Unverkennbar prägt der Apostel die eigentlichen Spitzensätze seiner Kreuzesverkündigung in Auseinandersetzung mit den auf christliche Weisheit und pneumatische Stärke bedachten Enthusiasten von Korinth (vgl. 1Kor 1,13.17; 1,18ff.23ff.30; 2,2.8; 2Kor 4,7ff; 12,7ff; 13,4) und dem in Galatien drohenden, christlichen Nomismus (vgl. Gal 2,19f; 3,1ff.13; 5,11; 5,22ff; 6,12.14.17). Diese Frontstellung bedeutet freilich nicht, daß es bei der Verkündigung des Kreuzes um ein Thema geht, das sich dem Apostel erst aus der Polemik heraus aufdrängt und im Streit mit den Korinthern und Galatern erschöpft! Die eben genannten Passagen aus den Paulusbriefen werden ja durch pointierte Aussagen wie Phil 2,8; 3,18 oder die definitorische Rede von der Taufe als einem Mit-Christus-Gekreuzigtwerden in Röm 6,6 flankiert, und sie finden ihren liturgischen und argumentativen Nachhall in Kol 1,20 und Eph 2,16. Achtet man vollends auf die sich aus den genannten Stellen ergebende Konkordanz von Verkündigungsinhalten, erkennt man rasch, daß Paulus in seiner Kreuzestheologie nicht weniger als seine Rechtfertigungstheologie insgesamt diskutiert, und zwar mitsamt der Frage nach der Legitimität seines Apostolates. – Dementsprechend muß die zweite These lauten:

2. Der gekreuzigte Christus ist Paulus vor Damaskus als der von den Toten auferweckte Gottessohn, dh als „Ende des Gesetzes", erschienen und gilt dem Apostel von daher als die rettende Offenbarung Gottes schlechthin; von eben dieser Offenbarung ist im paulinischen Evangelium als dem „Wort vom Kreuz" die Rede.

Wenn Paulus das ihm aufgetragene Christusevangelium in 1Kor 1,17.18ff bewußt das „Wort vom Kreuz" nennt, faßt er damit einen dreifachen Sachverhalt zusammen: Kraft seiner Christusepiphanie vor Damaskus ist er vollgültiger, zur Heidenmission berufener Apostel und steht, was sein Amt anbetrifft, Petrus und den anderen, vor ihm berufenen Aposteln in nichts nach; in seiner Berufungsepiphanie ist ihm der als Gotteslästerer und Gesetzesbrecher zum Fluchtod am Kreuz verurteilte Jesus von Nazareth als der von Gott ins Recht gesetzte, verherrlichte Gottessohn erschienen, dh Christus als der Eine, in dessen Tod und Auferweckung das mosaische Gesetz an das Ende seiner den Sünder verfluchenden Macht gekommen ist (vgl. Röm 10,4); von der Begegnung mit dem auferweckten Christus her erweist sich für Paulus speziell das Kreuz Jesu als die Stätte, an der das mosaische Gesetz und die jüdisch mit dem Gesetz identifizierte Weisheit als Mächte, die den Sünder zur Selbstbehauptung vor Gott verführen, entlarvt und in dieser ihrer verführerischen, todbringenden Gewalt entmächtigt worden sind. – Fragt man genauer nach, wie Paulus den Tod Jesu Christi versteht und was er meint, wenn er von dem „für uns" gekreuzigten Christus spricht, muß man antworten:

3. Paulus sieht in dem gekreuzigten Christus primär den uns durch seine stellvertretende Lebenshingabe vom Fluch des Gesetzes befreienden, mit Gott versöhnenden Gottessohn, der kraft der Auferweckung zum Herrn der Welt und Fürsprecher der Gemeinde eingesetzt worden ist.

So sehr man unter dem Einfluß Bultmanns geneigt sein mag, die Dinge anders zu sehen, so sehr ist auf diesem Tatbestand zu insistieren. Die Rede vom Sühntod Jesu ist bei Paulus kein traditionelles Relikt, sondern die Bedingung der Möglichkeit seiner Rechtfertigungs- und Kreuzestheologie! Dies erhellt in unserem Zusammenhang aus 1Kor 1,13.23f.30; 2,2 ebenso wie aus Gal 2,19f; 3,1.13.

Die in 1Kor 1 und 2 entscheidenden christologischen Stichworte „für uns gekreuzigt", „Gottes Macht und Gottes Weisheit", „Gerechtigkeit, Heiligung und Erlösung" lassen sich innerpaulinisch gar nicht anders erläutern als von Röm 3,25f; 4,25; 5,8ff; 7,4; 8,3f.31ff; 1Kor 8,11; 11,23ff; 15,3–5.17; 2Kor 5,18–21 usw. her, und Kol 1,14.20; 2,14; Eph 1,7; 2,16ff bieten den deuteropaulinischen Kommentar dazu. Paulus übernimmt den schon vor ihm christlich auf Jesu Kreuzestod angewandten, alttestamentlich-jüdischen Gedanken vom Sühn- und Sündopfer auf breiter Basis. Er trennt im Gefolge dieser Tradition zwischen Sühne und Stellvertretungsgedanken keineswegs so wie seine modernen, die Sühnetraditionen des Alten Testaments religionsgeschichtlich und theologisch unterbewertenden Interpreten, sondern er erkennt in der stellvertretenden Lebenshingabe Jesu am Kreuz den Ermöglichungsgrund dafür, daß die Glaubenden von Gott im Akt der Rechtfertigung von ihren Sünden freigesprochen, neu angenommen und dem gekreuzigten Auferstandenen als ihrem Herrn zugeordnet werden. Der Gedanke der durch Christi Tod und Auferweckung gestifteten Versöhnung ist dem Apostel sogar so wichtig und für ihn von der Herrschaft des Auferstandenen so wenig abtrennbar, daß er – wie später dann Hebr 7,25; 9,24 und 1Joh 2,1f – von der Fürsprache des (als Versöhner!) zur Rechten Gottes inthronisierten Christus sprechen kann, welche den auf Erden Verfolgten und Bedrängten die Rechtfertigung auch auf den jüngsten Tag hin verbürgt: Röm 8,34.

Der Sachverhalt bestätigt sich von Gal 1,4; 2,19f; 3,1.13 her. Hier wird nicht nur deutlich, daß die Proklamation des gekreuzigten Christus die Verkündigung jenes Herrn ist, der sich selbst aus Liebe, dh in vollendeter Willensgemeinschaft mit seinem Vater, für uns in den Tod gegeben hat und dessen Lebenshingabe der Preis war, der uns vom Fluch des Gesetzes über den Sünder „losgekauft" hat, sondern man kann zugleich sehen, wie Paulus speziell vom Kreuzestod Jesu her seine These von Christus als dem „Ende des Gesetzes" begründet. Die von Yigael Yadin veröffentlichten Auszüge aus der Tempelrolle von Qumran (Kolumne 64,6–13) zeigen heute aufs deutlichste, daß schon das vorchristliche Judentum die in Gal 3,13 von Paulus zitierte Anweisung aus Dtn 21,(22+) 23 auf die Hinrichtung von Gesetzesfrevlern am Kreuz bezog und den Tod dieser Menschen als Verfluchung durch Gott und Menschen verstand. Daß die Juden auch Jesu Kreuzigung so gedeutet haben, belegen nicht erst die bekannten Stellen aus Justin, Dial c Tryph 89,2 und 90,1, sondern schon Joh 19,31ff mitsamt dem altertümlich-apologetischen „Kontrastschema" aus Apg 5,30; 10,39 und 13,29. Wenn der Apostel in Gal 3,13 seinerseits auf Dtn 21,23 zu sprechen kommt, greift er also in die urchristliche Debatte um das Verständnis des Kreuzestodes Jesu ein, nun aber so, daß er das jüdische Verdikt, Jesus sei den verdienten Fluchtod als Gotteslästerer und Gesetzesbrecher gestorben, kritisch gegen das Gesetz des Mose wendet: Im Tode und der Auferweckung Jesu ist nicht Jesus, sondern das den schuldlosen Gottessohn zu Unrecht verfluchende Gesetz in seiner das Gottesverhältnis verriegelnden Macht gescheitert. Der gekreuzigte und auferweckte Christus ist deshalb das „Ende des Gesetzes zur Gerechtigkeit für jeden, der glaubt" (Röm 10,4). Hätte Paulus den Gedanken der Sühne in Gestalt der stellvertretenden Lebenshingabe Jesu verworfen, hätte er gerade seine alles entscheidende, christologische These von Christus als dem Ende des Gesetzes nur unzureichend begründen können. Am Sühnegedanken hängt darum schon für den Apostel die kerygmatische und in seiner Zeit auch apologetisch-polemische Explizierbarkeit der exklusiven Heilsbedeutung des Todes Jesu. Reformatorisch ist es übrigens genauso, wie am schlüssigsten Luthers Lied „Nun freut euch, lieben Christen g'mein..." (EKG 239) und seine Schmalkaldischen Artikel von 1537 (vgl. Teil 2,1) dokumentieren. – Hat man dies gesehen und gewürdigt, kann man dann auch auf die andere Komponente der paulinischen Kreuzeschristologie eingehen und sagen:

4. Der gekreuzigte Christus ist als Versöhner und Herr der Gemeinde zugleich ihr Vorbild und ihre Hoffnung, weil er ihr von Paulus auch als der in urbildlichem Gehorsam leidende, gerechte Gottessohn und als von den Toten auferweckter Erstling derer, die entschlafen sind, verkündigt wird.

Vom Gehorsam Jesu Christi sprechen das bekannte Christuslied von Phil 2,6–11 ebenso wie zB Röm 5,17–19 und 8,3f. Wie stark Paulus am Gehorsam Jesu gerade im Zusammenhang seiner Kreuzesverkündigung interessiert ist, läßt Phil 2,8 erkennen. Spricht der Apostel vom Gehorsam Jesu Christi, verbinden sich für ihn damit drei Gedankengänge: Gerade in seiner Selbstentäußerung und in seinem Gehorsam ist Jesus der Schuldlose und Gerechte, der für Gottes Sache leidet und in den Tod geht (Phil 2,7ff; Röm 8,3f; 15,2f); der gehorsam in den Tod gehende Christus wird von Gott auferweckt, und zwar als „Erstling derer, die entschlafen sind" (1Kor 15,20); in beidem, in seinem Gehorsam und als Erstling der Auferweckten, ist Christus Vorbild, Herr und Hoffnung der Gemeinde, die zum Gehorsam des Glaubens und der Liebe berufen ist und sich auf ihrem Gehorsamsweg seines Leidensweges erinnern und seiner Auferweckung getrösten darf (vgl. Röm 14,15; 15,2f; Phil 1,29f; 2,3ff.12ff; 3,20f usw). Während die christologisch aufgegriffene Sühnetradition dazu verhilft, das *sola gratia* christologisch eindeutig zu explizieren, ist es das auf Christus bezogene (und mit dem Präexistenzgedanken verbundene, vgl. These 11), alttestamentlich tief verwurzelte und weit verzweigte Schema vom leidenden und geretteten Gerechten, welches es dem Apostel ermöglicht, den Weg des Gekreuzigten und Auferstandenen urbildlich zu interpretieren. Wie die synoptische Passionstradition oder die Aussagen der Apostelgeschichte vom Leiden und Tode Jesu als des Gerechten (vgl. Apg 3,14; 7,52) dokumentieren, hat Paulus aller Wahrscheinlichkeit nach auch für diesen zweiten Strang seiner Kreuzeschristologie bereits auf christliche Interpretationsschemata zurückgreifen können, ein Befund, der durch die sowohl bei Paulus als auch in alten synoptischen Texten vorkommende Rede von der „Preisgabe" Jesu an Leiden und Tod erhärtet wird (vgl. Röm 4,25; 8,32 mit Mk 9,31; 10,33; 14,41 Par). Beachtet man, daß schon alttestamentlich-jüdisch die Sühnetraditionen von den Überlieferungen, die vom leidenden Gerechten sprechen, unterschieden (nicht: geschieden) werden müssen und daß auch neutestamentlich beide Überlieferungsstränge unterschieden (nicht: geschieden) bleiben, erkennt man den Grund dafür, daß Paulus in seiner Kreuzeschristologie beide Interpretationslinien verbindet: Die Sühnetradition spricht von dem einmaligen Sterben Jesu und der einzigartigen, die stellvertretende Lebenshingabe Jesu als gültiges Ereignis der Sühne „ratifizierenden" Tat Gottes in Gestalt der Auferweckung Jesu „für uns" (zB Röm 4,25); die Aussagen von Christus als dem leidenden und geretteten Gottessohn erlauben es, Christus und die Gemeinde gemeinsam als Menschen zu sehen, die Gottes gerechtem Willen zu folgen haben und als Täter dieses Willens auf Erden ins Leiden geraten. – Innerhalb des zweiten Interpretationsstranges ist es nun für Paulus charakteristisch, daß er sich selbst als Apostel in ganz besonderem Maße mit dem leidenden Christus identifiziert, so daß man formulieren kann:

5. Paulus, der Apostel des gekreuzigten und auferstandenen Christus, wird seinen Gemeinden dadurch selbst zur Kreuzesverkündigung, daß er ihnen in seiner Leidensexistenz als der primäre und lebendige Kommentar seiner Kreuzestheologie begegnet.

Der Tatbestand als solcher erhellt aus den Korintherbriefen (vgl. 1Kor 2,1ff; 4,6–13; 2Kor 4,7–15; 6,1–10; 11,21–33; 12,7ff; 13,3f), dem Philipperbrief (c. 3) und Galaterbrief (vgl. 4,12ff; 5,11f; 6,17) mit aller Deutlichkeit. Zur Erläuterung sei deshalb nur folgendes hinzugefügt. So eng Paulus sich auch (zB in 2Kor 4,10ff; 13,4) an den leidenden Christus heranrückt, so wenig spricht er in seinen genuinen Briefen von einer Sühnkraft seines apostolischen Leidens (vgl. 1Kor 1,13). Zu solcher Redeweise sieht sich erst seine Schule (unter dem Eindruck des Paulusmartyriums?) berechtigt (vgl. Kol 1,24; Eph 3,1.13). – Die Leiden, die Paulus zB in 2Kor 11,23ff aufzählt, sind primär Leiden, die ihm aus seinem apostolischen Zeugnisdienst heraus erwachsen, doch erlauben es 2Kor 12,7ff oder Gal 4,13ff nicht, die Leiden des Paulus nur auf seine apostolisch-missionarischen Peristasen zu beschränken; sie schließen physische Schwäche und Krankheit durchaus ein. – Insgesamt aber fällt auf, in wie starkem Maße Paulus seine apostolische Kreuzesexistenz von

Überlieferungen her deutet, die der alttestamentlich-jüdischen Gesamttradition vom leidenden Gerechten zugerechnet werden können. Dies gilt sowohl für seinen Apostolat insgesamt (vgl. Gal 1,15 mit Jer 1,4f und 1QH 9,29; 1Kor 9,16 mit Jer 20,9) als auch für die spezielle Parallelisierung Christus – Apostel in 2Kor 4,10ff; 13,4 und für die sog. Peristasenkataloge (vgl. zu 2Kor 4,7ff vor allem Test Joseph 1,4–7; das Zitat aus Ps 118,17f in 2Kor 6,9f; die Verweise auf Jer 9,22f in 1Kor 1,31 [2Kor 10,17] mit dem Katalog 1Kor 4,6–13, usw). – Es gilt sogar für den μίμησις-Gedanken, mit dessen Hilfe Paulus sich selbst als Nachfolger des Gekreuzigten bezeichnet, um gleichzeitig die Gemeinde zur Nachfolge seiner selbst aufzurufen (vgl. 1Kor 4,16; 11,1; Phil 3,17), denn dieser μίμησις-Gedanke ist jüdisch nicht zufällig u. a. gerade in der exemplarischen Märtyrertradition von 4Makk 9,23; 13,9 beheimatet gewesen. Sieht man dies, wird eine weitere These möglich und zugleich eine Differenzierung nötig. Die These lautet:

6. Der seinem Verkündigungsauftrag gehorsam folgende, leidende Apostel kann sich selbst als Vorbild der Gemeinde verstehen, weil er Christus, seinem gekreuzigten Versöhner und Herrn, irdisch als leidender Gerechtfertigter nachfolgt.

Kann an dem Aufruf des Paulus zur Nachfolge seiner selbst angesichts der eben schon angeführten Belege kein Zweifel sein, ist nun aber doch zu fragen, in welchem Sinne Paulus das alttestamentlich-jüdische Interpretationsschema vom leidenden Gerechten übernimmt. Denn dieses Schema beschreibt gerade in seiner klassischen, vorchristlichen Ausformung (zB von Weish 2,12–20 + 5,1–7 oder äthHen 103,9–15) wie dann später durchweg im Rabbinat das Geschick des Gerechten als des vorbildlichen Gesetzesfrommen, der irdisch für seine Gesetzestreue leidet und, durch seine Leiden geläutert, in die Gottesherrschaft und Auferstehungsherrlichkeit eingeht. War der Apostel höchstens imstande, das Geschick Jesu in diesem Sinne zu betrachten, mußte er das Schema rechtfertigungstheologisch in dem Augenblick modifizieren, da er es für seine eigene Person und als allgemeine, christliche Existenzdeutung übernahm. Er hat dies in der Weise getan, daß er – wie Phil 3 klassisch zeigt – von sich selbst als dem exemplarisch Gerechtfertigten sprach, der um der Bezeugung der ihm und allen Glaubenden im Kreuz Christi eröffneten Rechtfertigung *sola fide* willen ins Leiden geführt wird, aber dennoch an dieser Bezeugung als dem eschatologischen Willen Gottes zur Liebe festhält. – Von hier aus öffnet sich nunmehr auch der kreuzestheologische Blick auf die Gemeinde insgesamt.

7. *Die christliche Gemeinde und in ihr der einzelne erfahren die erlösende und prägende Kraft des Kreuzes Christi speziell in der Situation des persönlichen und um des Glaubens willen erfahrenen Leidens, dh als leidende Gerechtfertigte, die, vom Apostel zum Glauben berufen, dem gekreuzigten und auferweckten Christus als ihrem Versöhner und Herrn nachfolgen.*

Zur Illustration dieser These können neben 1Thess 1,6f; 2,14 und Phil 1,27–30 vor allem Röm 5,3ff und 8,4–39 dienen. Hervorzuheben ist dabei vor allem dreierlei: Die Leiden, denen die Gemeinde unterworfen ist, erwachsen ihr sowohl aus ihrer exemplarischen, christlichen Zeugnisexistenz als auch aus dem apokalyptischen Weltgeschick heraus, in das die Gemeinde irdisch noch hineingebunden ist. Die Gemeinde hat in ihrer Nachfolgeexistenz den in Christus offenbar gewordenen, eschatologischen Willen Gottes in Gestalt des geistlichen Gesetzes Christi, dh der Liebe, zu erfüllen (vgl. Röm 8,2.4 und Gal 6,2). Schließlich darf sich die Gemeinde in ihrer von Paulus ausdrücklich mit Hilfe von Ps 44,23 hervorgehobenen Situation des Leidens um Christi willen des Gekreuzigten und Auferstandenen als der Verkörperung der Liebe Gottes und als des Bürgen ihrer Endrechtfertigung getrösten (Röm 8,31–39). Der gekreuzigte Christus ist als Herr der Gemeinde zugleich auch ihr Versöhner. Versöhnung, Leidensnachfolge und Hoffnung auf die künftige Auferweckung von den Toten gehören bei Paulus unlöslich zusammen. – Auf eben diesen Sachverhalt ist nunmehr noch näher hinzuweisen:

8. *Wie die Taufe an der Gehorsams- und Leidensexistenz des Christus im Zeichen vollbrachter Sühne und in der Hoffnung auf Auferweckung beteiligt, so läßt auch das Abendmahl die Getauften teilhaben an der durch Jesu Sühnetod eröffneten Gottesgemeinschaft und stellt sie bis zur Parusie hinein in die Nachfolge des gekreuzigten und auferstandenen Christus.*

Die These verbindet die Aussagen des Paulus über Taufe und Nachfolge aus Röm 6,1–23 mit seinem Verständnis des Abendmahls in 1Kor 11,23ff. Dabei ist für den Apostel charakteristisch, daß gerade auch die Eucharistie nach 1Kor 11,26 als sakramentale Verkündigung des Sühnetodes Jesu in den Nachfolge- und Hoffnungszusammenhang hineinstellt. Eine Verselbständigung des soteriologischen Elementes in der paulinischen Christologie gegenüber dem paränetischen läßt also die paulinische Abendmahlstheologie ebensowenig zu wie die paulinische Taufinterpretation mit ihrem Grundsatz vom Mit-Christus-gekreuzigt-Werden (Röm 6,6). – Ein Blick auf den für Paulus so charakteristischen Begriff des „Leibes Christi" bestätigt diese Untrennbarkeit von Soteriologie und Paränese.

9. Die Gemeinschaft der durch Jesu Lebenshingabe mit Gott Versöhnten und an seiner Gehorsams- und Leidensexistenz teilhabenden Getauften heißt bei Paulus „Leib Christi".

Gerade wenn man nach dem Scheitern des Versuches, die Konzeption vom „Leibe Christi" bei Paulus aus der (vorchristlichen) Gnosis heraus zu erklären, zu dem zurückkehrt, was sich in den paulinischen Texten wirklich sehen läßt, stößt man auf den in der These zusammengefaßten Befund: Die Gemeinde wird nach 1Kor 10,16f und Röm 7,4 zur Gemeinschaft des Leibes Christi vereint aus der versammelnden und mit Gott versöhnenden Kraft der Lebenshingabe Jesu heraus; sie bildet als solchermaßen konstituierte Gemeinschaft das die Herrschaft Jesu Christi in der Welt bezeugende, in 1Kor 12,4ff und Röm 12,3ff der detaillierten Ermahnung des Apostels unterliegende σῶμα Χριστοῦ. Leib Christi heißt die Gemeinde bei Paulus also deshalb, weil sie aus dem Opfer des Lebens und des Leibes Jesu Christi erwächst, das Werk des Auferstandenen irdisch in der Welt vorantreibt und sich in diesem Zeugniswerk des Beistandes des Geistes und ihrer künftigen Auferweckung erfreut. – Verfolgt man diesen Gedanken noch einen Moment weiter, ergibt sich die nachfolgende These:

10. Der Gottesdienst der in der Kreuzesnachfolge stehenden Gemeinde besteht nach Paulus in der Anbetung Gottes und seines Sohnes, in der Hingabe der Leiber an das irdische Christuszeugnis und in der befreienden Praxis der die Lasten der Schwachen tragenden, Christus allen Menschen zueignenden Liebe; gerade dieser Gottesdienst führt die Gemeinde ins Leiden hinein, läßt sie aber auch in diesem Leiden den Beistand des Auferstandenen erfahren.

An keinem Textzusammenhang in den Paulusbriefen läßt sich dieser Sachverhalt konzentrierter belegen als an Röm 12–15. Nur folgendes ist dabei besonders hervorzuheben: Der Aufruf zur Aufopferung des leiblichen Lebens in Röm 12,1f wäre mißverstanden und mit Röm 8,14f. 26ff; 1Kor 11,20ff; 14,26ff usw. schlechterdings nicht in Einklang zu bringen, wollte man aus ihm den Aufruf zum „Gottesdienst im Alltag der Welt" (E. Käsemann) derart exklusiv vernehmen, daß darüber die Anbetung Gottes in Gebet, Lobgesang und Paraklese vernachlässigt oder gar abrogiert würde. – Es ist überaus eindrücklich und bedenkenswert, wie intensiv Paulus gerade in Röm 12,14ff; 13,8ff; 14,15ff; 15,1ff.7ff die Gemeinde an die Liebe und das Versöhnungszeugnis als ihre eigentliche Lebensdimension weist. Dies steht im Einklang mit 1Kor 13; Gal 5,14f; 6,1f oder Phil 2,1–11 und unterstreicht, in wie starkem Maße die Gemeinde nach Paulus die Liebe als die Sache Jesu zu bezeugen hat. – In welcher Weise dieses unter Aufopferung von Leib und Leben gewagte Versöhnungs- und Glaubenszeugnis die Gemeinde ins Leiden stellt, beweisen 1Thess 1,6; 2,14ff; Phil 1,29f oder Röm 8,35ff, wobei es gerade nach Röm 8,4ff.15.26.34 der Geist als Kraft und Präsenz des Auferstandenen bei seiner Gemeinde ist, welcher sie auf ihrem Wege trägt und durch das Leiden der Liebe Gottes entgegenführt.

Hängen Versöhnung, Kreuzesnachfolge und Hoffnung für die Gemeinde solchergestalt unlöslich zusammen und ist Christus ihr Versöhner nur als ihr Herr, als ihr Herr aber eben auch der bleibende Bürge ihrer Rechtfertigung und Versöhnung, ist in einer weiteren These auf die immer wieder vernachlässigte, christologisch-schöpfungstheologische Gesamtdimension der paulinischen Kreuzestheologie zu verweisen:

11. Paulus verkündigt gerade den gekreuzigten und auferstandenen Christus als Mittler der Schöpfung und Vollender aller Werke Gottes; die paulinische Kreuzestheologie hat somit universalen Horizont und eine sich von der Urzeit bis zur endzeitlichen Erlösung spannende, geschichtliche Reichweite.

Traditionsgeschichtlich steht die paulinische Rede von Christus als der εἰκών Gottes (2Kor 4,4f), vom Gekreuzigten und Auferstandenen als dem Mittler von Schöpfung und Erlösung (1Kor 8,6) oder auch von Christus als der uns von Gott gesetzten Macht und Weisheit Gottes (1Kor 1,24.30; 2,6ff) in einem spezifischen Traditionszusammenhang, der auch für die deuteropaulinischen Belege einer Kreuzestheologie in Kol 1,20; 2,13–15 und Eph 2,16 konstitutiv ist. Es handelt sich um die Verbindung von priesterlicher und weisheitlicher Tradition in den späteren Schichten des Alten Testaments. Kraft der Verknüpfung dieser beiden Traditionsstränge konnte man den kultischen Vollzug von Sühne, vor allem am großen Versöhnungstag, als durch die Weisheit Gottes vermitteltes Schöpfungs- und Befriedungshandeln Gottes interpretieren, als einen Akt, durch welchen die mit ihrem Schöpfer zerfallene Welt neu gestaltet und befestigt wird. Solche Tradition tritt für uns bisher beispielhaft in Sir 24 und 50, in der Tempelsymbolik von Ps 46,5f; Ez 47; in Texten wie 3Makk 2,1–20; TestL 3; 18 zutage, oder auch in dem auf Simeon, den Gerechten, (3.Jh. vChr) zurückgeführten Spruch aus den Pirke Abot I 2, daß die Welt auf drei Dingen aufruhe, auf der Tora, auf dem Kultus und auf den Liebeswerken. Interpretierte man dann christlich Kreuz und Auferweckung Jesu als von Gott gestiftetes, eschatologisches Sühneereignis und stellte man dieses Ereignis in den Zusammenhang der genannten Traditionen hinein, dann durfte und mußte man sogar den Gekreuzigten und Auferstandenen als Verkörperung der Himmlisches und Irdisches neu verbindenden Weisheit Gottes, als Mittler der von Urzeit an von Gott gewollten neuen Schöpfung, als himmlischen Hohenpriester und als das herrliche Ebenbild des unsichtbaren Gottes verstehen. Eben dies geschieht in den genannten Texten und in Röm 8,34 schon bei Paulus, und zwar nicht losgelöst von seiner Kreuzesverkündigung, sondern, wie die Belege aus 1Kor 1,21ff.30f; 2,2.6ff und Röm 8,3f.31ff zeigen, in ihrem Zentrum. Gönnt man dementsprechend der paulinischen Kreuzesverkündigung ihr eigenes, unverstelltes Wort, muß man mit Nachdruck von einer schöpfungstheologischen Dimension dieser Theologie sprechen. Eine gesetzes- und weisheitstheologisch begründete natürliche Theologie wird von Paulus in 1Kor 1,18–25 nicht nur kreuzestheologisch antithetisiert, sondern gleichzeitig christologisch-schöpfungstheologisch überboten! Freilich geht es dabei um einen Schöpfungsakt aus dem Tode und dem Zerbrechen aller menschlichen καύχησις heraus, womit wir wieder bei der Frontstellung stehen, in der Paulus seine aktuellen kreuzestheologischen Argumente formuliert:

12. Wenn Paulus – wie in Korinth oder Galatien – bewußt und exklusiv den gekreuzigten Christus verkündigt, dann wendet er sich gegen ein Christus- und Glaubensverständnis, das in angemaßter Stärke oder anmaßender Sorge den einmaligen Sühne- und den prototypischen Leidensaspekt des Kreuzes Christi zu überspielen droht und deshalb darauf aufmerksam gemacht werden muß, daß Gott in Christus nur diejenigen rettet, die als Frevler vor ihm zunichte geworden sind und auch als Glaubende irdisch bis zum jüngsten Tage schwach und angefochten bleiben.

Nachdem die einschlägigen Belege für diese Beobachtungen schon oben zur ersten These aufgeführt worden sind, muß hier nur noch erwähnt werden, daß die „angemaßte Stärke“ die Versuchung der Pneumatiker in

Korinth, die „anmaßende Sorge“ aber der den Galatern angeratene Irrweg des Nomismus gewesen zu sein scheint. Paulus wendet sich interessanterweise beide Male gegen frühe Fehlformen christlicher Theologie, Fehlformen freilich, hinter denen für ihn sogleich der von ihm selbst als Pharisäer und Verfolger der Gemeinde beschrittene Abweg jüdischer Gesetzes- und Weisheitstheologie auftaucht. In seiner Kreuzestheologie kämpft Paulus für die existentielle Erfahrungs- und Glaubensdimension seiner zB in Röm 4 dargelegten Rechtfertigungstheologie, wonach Gott, der das Nichtseiende ins Sein ruft, der die Toten lebendig macht und der den um unserer Sünden willen dem Tode preisgegebenen Jesus um unserer Rechtfertigung willen auferweckt hat (Röm 4,17.25), ein Gott ist, der den Frevler (= τὸν ἀσεβῆ) aus dem Nichts heraus neu schafft, indem er ihn aus Gnade allein rechtfertigt. Der Glaubende wird nach Paulus diesem schöpferischen Rechtfertigungshandeln Gottes in und durch Christus nur dann gerecht, wenn er seine Nichtigkeit vor Gott bleibend erkennt, sich also seines ihm in Christus zugesprochenen Heils, seines neuen Seins in der Versöhnung, nur in seiner Schwachheit und in der Leidensnachfolge des Christus rühmt, der als Auferstandener der aus Liebe und in Liebe leidende Gottessohn bleibt. Nach 2Kor 12,7–10 ist Paulus selbst der erste Zeuge und Bürge solcher Glaubensexistenz.

Ist dann aber nicht die paulinische Kreuzestheologie ein bloßer Individualentwurf im Neuen Testament? Dieser immer wieder gestellten und (abwertend) bejahten Frage ist, ehe wir zu einem theologischen Ergebnis kommen können, noch kurz nachzugehen. Dies geschieht am besten so, daß geprüft wird, ob sich Paulus mit seiner Kreuzesverkündigung von der synoptischen Jesusüberlieferung entfernt, oder ob er sich mit ihr berührt und sie weiterführt. Die heutige Forschungssituation, in der Paulus zT extrem weit von Jesus und den Synoptikern abgerückt wird, nötigt dazu, zuerst mit einer traditionsgeschichtlichen Feststellung fortzufahren.

13. Die Parallelität von 1Kor 11,23ff und der synoptischen Abendmahlsüberlieferung; von 1Kor 15,3ff und Mk 10,45 Par, der synoptischen Grablegungstradition, Mk 16,1–8 Par, sowie Lk 24,34; von Röm 4,25; 5,8f; 8,32 und Mk 9,31; 10,33; 14,41 Par erlaubt die Annahme, daß Paulus die Grundzüge der in Jerusalem tradierten, evangelistischen Passionsgeschichte ebenso gekannt hat wie die schon in der Urgemeinde gebräuchliche Deutung des Todes und der Auferweckung Jesu als Sühneereignis.

Die Verbindung zwischen Paulus und der Jerusalemer Passionsüberlieferung wird noch dadurch verstärkt, daß der Apostel mit seiner apologetisch-gesetzeskritischen Deutung von Dtn 21,23 in Gal 3,13 in die von Jerusalem ausgehende, urchristlich-jüdische Kontroverse um das rechte Verständnis des Todes Jesu eingreift (s. oben zu These 3). Von 1Thess 2,15 aus kann man zusätzlich zurückschließen auf eine Vertrautheit des Apostels mit der kritischen, urchristlichen Rede vom jüdischen Prophetenmord, wie sie in Apg 7,52 hervortritt. 2Kor 4,10ff; 13,4 und Röm 15,3f zeigen schließlich, daß Paulus auch jene, den ältesten synoptischen Passionsbericht tragende Konzeption vom Sterben Jesu als des leidenden Gerechten gemäß Ps 22 und 69 bekannt gewesen sein muß. – Hat man demnach zureichenden Grund, von einer auch dem Apostel zu Gebote stehenden Kenntnis der Jerusalemer Passionstradition zu sprechen, kann man zu Jesus selbst zurückgehen:

14. Jesus selbst ist von der Deutung seines Sterbens als Sühne nicht auszunehmen; die Abendmahlstexte zeigen vielmehr übereinstimmend, daß er sich beim letzten Mahl mit den Seinen in Jerusalem stellvertretend für sie dem Tode geweiht hat.

So extrem schwierig und umstritten der Komplex von Fragen ist, die dem Ursprungscharakter der urchristlichen Abendmahlsfeier und den sog. Einsetzungsworten gelten, so wenig läßt sich die Grundaussage von Mk 14,17ff Par und 1Kor 11,23ff einfach als historisch-legendär bezeichnen. Man hat vielmehr davon auszugehen, daß Jesus sich beim Abschiedsmahl im engsten Kreis stellvertretend für die Seinen dem Tode geweiht hat, und zwar unter Verweis auf den aus dem Opfer seiner Lebenshingabe heraus von Gott neu zu konstituierenden „Bund" von Ex 24 und Jer 31,31ff. Man kann dies deshalb sagen, weil auf Ex 24,5–8 nicht nur in Mk 14,24 Par, sondern auch in 1Kor 11,25 und Lk 22,20 Bezug genommen wird. Die in den Abendmahlszusammenhang weisende, auf Jes 53,10ff und vor allem den hebräischen Text von Jes 43,4 rekurrierende Menschensohntradition von Mk 10,45 (vgl. mit 1Tim 2,5–6) bestätigt diesen Zusammenhang. – Von hier aus ist ein weiterer Rückschluß möglich.

15. Nicht nur aus den Abendmahlstexten, sondern auch aus Lk 13,31 bis 33; Mk 9,31 Par und 10,38 Par läßt sich ersehen, daß Jesus im Verlauf seines Wirkens mit seinem eigenen, gewaltsamen Ende in Jerusalem gerechnet hat; er ist diesem Ende nicht ausgewichen, sondern hat es ohne Fluchtversuch, gehorsam auf sich genommen.

Fragt man, wie Jesus unter diesen Umständen seinen eigenen Weg in den Tod verstanden hat, stößt man auf einen komplexen Deutungshintergrund. Ihm, der ja bereits den Tod Johannes des Täufers vor Augen hatte, standen für die Sinndeutung seines Weges sowohl die alttestamentlich-jüdischen Traditionen vom leidenden Gerechten, die jüdischen Märtyrertexte, die Überlieferungen vom Geschick der gewaltsam umgekommenen Propheten, das Gottesknechtslied von Jes 53 und die Tradition vom Märtyrermessias aus Sach 12,10; 13,7 zur Verfügung. Ist dies richtig gesehen, kann man davon ausgehen, daß Jesus selbst in jenen beiden Traditionen stand und dachte, die für die paulinische Kreuzestheologie konstitutiv sind, in der Sühnetradition und der Überlieferung vom leidenden Gerechten.

16. Nach Mt 8,20 / Lk 9,58 und Mt 10,38.39 / Lk 14,27 (+ 17,33) hat Jesus seine Jünger in die Nachfolge seiner selbst als des heimatlosen, vom Tode bedrohten Menschensohnes berufen; dabei hat er ihnen nach Mt 5,43ff / Lk 6,27ff und Mk 10,42ff die sich selbst aufopfernde (Feindes-)Liebe zum Grundgebot gemacht.

Ist der Sachverhalt, um den es geht, nach den angegebenen Stellen deutlich, bedarf das bekannte Wort Jesu vom Kreuztragen (Mt 10,38 / Lk 14,27; Mk 8,34 Par) doch noch kurzer Erläuterung. Mk 8,34 Par verraten deutlich nachösterliche Bearbeitung. Während das für Mk 8,34 Par charakteristische αἴρειν τὸν σταυρόν durch Mk 15,20b Par direkt mit dem Passionsgeschehen verkoppelt wird, ist der in Lk 14,27 (und Joh 19,17) auftauchende Ausdruck βαστάζειν τὸν σταυρόν sogar antiker term techn für das Schleppen des Kreuzes(querbalkens) zum Richtplatz. Auch Lk 14,27 verweist also auf Jesu Kreuzigung. Will man nicht von der allzu einfachen Annahme ausgehen, Jesus habe seine Kreuzigung durch die Römer vorausgesehen und seine Jünger unter diesen Auspizien in die Kreuzesnachfolge gerufen, kann man das Wort vom Kreuztragen nur dann Jesus selbst zuweisen, wenn man für das bisher in anderen Texten nicht nachgewiesene λαμβάνειν τὸν σταυρόν von Mt 10,38 eine plausible, auf Jesus selbst zurückzuführende Sinndeutung finden kann. Ein Rückgriff Jesu auf eine zelotische Formel (M. Hengel) erscheint mir ebenso schwer denkbar wie ein hinter dem Wort sichtbar werdender Rekurs Jesu auf die kultische Signierung mit dem in althebräischer Schrift kreuzförmig geschriebenen, letzten Buchstaben des hebräischen Alphabets, dem Taw (E. Dinkler). Dann bleibt nur die von J. Jeremias zu Mk 8,34 vorgeschlagene Deutung des Wortes: „Sich darauf einzulassen,

Jesus zu folgen, bedeutet, sich an ein Leben zu wagen, das ebenso schwer ist wie der letzte Gang eines zum Tode Verurteilten" (Nt. Theologie I, [2]1973, 232), zumal man diese Deutung mit den oben (zu These 3) erwähnten Passagen aus der Tempelrolle von Qumran verbinden kann. Nach Kolumne 64,7–10 hat der Jude den Kreuzestod (gemäß Dtn 21, 23) verdient, der Übles gegen sein Volk (Israel) getan oder ein todeswürdiges Verbrechen begangen hat, der zu den Heiden geflohen ist, sein Volk verflucht hat usw.. Versteht man Jesu Wort vom Kreuznehmen von hier aus, dann ruft es in die Nachfolge dessen, der sich selbst um seiner Sendung willen in einen tödlichen Konflikt mit dem offiziellen Israel verwickelt sah und von seinen Jüngern die Bereitschaft fordert, seinen damit vorgezeichneten Weg wagemutig mitzugehen, also Jesu Konflikt mit durchzustehen, und zwar in äußerster Leidensbereitschaft bis hin zum Tode. So interpretiert, bräuchte man Mt 10,38 Par dem irdischen Jesus nicht abzusprechen, könnte vielmehr verstehen, wie es von diesem Wort aus angesichts des faktischen Todes Jesu am Kreuz dann zu den anderen, direkt mit Jesu Passion verbundenen, synoptischen Versionen desselben Wortes gekommen ist. – Aber wie dem immer sei, unser Gesamtdurchgang von These 13–16 erlaubt die historisch und theologisch nicht eben unwichtige Schlußfolgerung:

17. Die Grundzüge der paulinischen Kreuzestheologie lassen sich vom Kernbestand der synoptischen Jesusüberlieferung aus bestätigen; Paulus verkündigt, was Jesus selbst gewollt und gelebt hat.

Kommen wir von dieser Feststellung auf die eingangs gestellten Fragen an Ernst Käsemanns Fassung der Kreuzestheologie zurück, läßt sich sogleich folgendes sehen: Wenn Käsemann die Kreuzestheologie bewußt im Rahmen des Jesus und die Gemeinde verbindenden 1. Gebotes ansetzt, legt er den Ton auf eine für Paulus und Jesus wirklich entscheidende theologische Komponente. Traditionsgeschichtlich gesprochen, handelt es sich dabei um die Traditions- und Lebensdimension des leidenden Gerechten bzw. Gerechtfertigten. In dem Maße freilich, wie Käsemann zugunsten dieser einen Komponente der biblischen Kreuzestheologie die Sühnetradition auf den Stellvertretungsgedanken reduziert, im übrigen aber als von Paulus bereits überwundenes Traditionselement anspricht und inhaltlich kritisiert, entfernt er sich vom Apostel ebenso wie von der Passionstradition und m. E. auch von Jesus selbst. Es dürfte deshalb nicht ratsam sein, solche Kritik fortzuführen, weil sonst nicht nur eine historisch verzerrte Perspektive entsteht, sondern auch das reformatorische *sola fide propter Christum* nicht mehr eindeutig explizierbar ist.

Die Frontstellung, die Käsemann zu seiner Akzentsetzung veranlaßt hat, ist freilich kirchlich nach wie vor akut. Es handelt sich dabei um eine gerade mit Hilfe des christologischen Sühnegedankens kirchlich verselbständigte Soteriologie, welche den Nachfolge- und Gehorsamsgedanken zu einem christlich beliebigen Adiaphoron degradiert. Angesichts dieser Fehlentwicklung ist mit Käsemann darauf zu insistieren, daß sich neutestamentlich Christus der Versöhner von Christus dem Herrn nicht trennen läßt, und daß weder Jesus selbst, noch die Jerusalemer Passionstradition, geschweige denn Paulus von der für uns geschehenen Aufopferung (Jesu) am Kreuz sprechen, ohne die Gemeinde gleichzeitig in die Kreuzesnachfolge zu stellen. Der in der 2. Barmer These formulierte Grundsatz: „Wie Jesus Christus Gottes Zuspruch der Vergebung aller unsrer Sünden ist, so und mit gleichem Ernst ist er auch Gottes kräftiger Anspruch auf unser ganzes Leben ...“ hat neutestamentlich in der Tat alles für sich. Unsere Abschlußthese lautet darum:

18. Kreuzestheologie nach paulinischer und reformatorischer Definition verpflichtet zur ständigen theologischen Sachkritik an allen Positionen von Glauben und Theologie, die sich dem Anspruch Jesu Christi, der als Auferstandener der für uns Gekreuzigte bleibt und als solcher in die Nachfolge ruft, zu entziehen versuchen.

Zur paulinischen Christologie[1]

I

Fragt man nach den entscheidenden Impulsen und Akzenten in der paulinischen Christologie, muß man zweierlei im Auge behalten, die spezifische Christuserfahrung des Apostels selbst und den Umstand, daß Paulus zwar sehr früh, aber doch nicht als erster urchristlicher Missionar Christus zu verkündigen hatte. Inmitten seiner Verfolgertätigkeit und seines militanten Engagements für das mosaische Gesetz erschien Christus dem Pharisäer Paulus in der Herrlichkeit des Sohnes Gottes (vgl. Gal 1, 11–17). Eben der Herr, um deswillen die von Paulus verfolgten Christen vom jüdischen Gesetz abfielen, um sich Christus zuzuwenden, macht sich Paulus als der von Gott Erhöhte und Bestätigte kund; er beruft seinen irdischen Widersacher zum Apostel und nötigt ihn zu der Erkenntnis, daß nicht der Weg des Gesetzes, sondern nur der Glaube an Christus zum Heil führt. Seit dieser Wende in seinem Leben verkündigt Paulus Christus als »das Ende des Gesetzes« (Röm 10, 4). Wie Christus

---

[1] Der nachstehende Aufsatz war für die seit langem geplante Festschrift für N. A. Dahl bestimmt, konnte dort aber (aus von mir unverschuldeten Gründen) nicht in der von mir gewünschten Fassung erscheinen. Ich stelle die Vorlesung deshalb jetzt in der ZThK zur Diskussion. Da es sich nur um eine Übersichtsskizze handelt, habe ich auf einen Anmerkungsapparat verzichtet. Meine Überlegungen führen die in meiner Erlanger Antrittsvorlesung: Das Ende des Gesetzes. Über Ursprung und Ansatz der paulinischen Theologie (ZThK 67, 1970, 14–39) geäußerte Sicht weiter und gehören zusammen mit jenen drei Aufsätzen, in denen ich mich kürzlich mit der christologischen Frage im Rahmen einer Biblischen Theologie des Neuen Testaments beschäftigt habe: Jesus als Versöhner. Überlegungen zum Problem der Darstellung Jesu im Rahmen einer Biblischen Theologie des Neuen Testaments (in: Jesus Christus in Historie und Theologie. Ntl. Festschr. f. H. Conzelmann zum 60. Geb., hg. v. G. Strecker, 1975, 87–104); Zur neueren Exegese von Röm. 3, 24–26 (in: Jesus und Paulus. Festschr. f. W. G. Kümmel zum 70. Geb., hg. v. E. E. Ellis u. E. Grässer, 1975, 315–333); Achtzehn Thesen zur paulinischen Kreuzestheologie (in: Rechtfertigung. Fest-

aber nun im einzelnen als solches Ende der Tora, als Herr der unter seinem Gebot stehenden Gemeinde und als Bahnbrecher der Gnade Gottes zu verkündigen sei, dies entschied sich für den Apostel nicht nur im kritischen Rückblick auf seinen eigenen, dem Gesetz geweihten Lebensweg, sondern wesentlich auch dadurch, daß die von ihm zunächst verfolgte, dann aber in ihrem Missionswerk unterstützte Gemeinde bereits christologisches Gedankengut besaß, das nun an Paulus überging und von ihm weiterentwickelt wurde. Die eigentlichen Spitzensätze der Christusverkündigung des Apostels sind diesen Gesamtumständen entsprechend gesetzeskritisch. Sein christologisches Denken aber hat als Basis das Formel- und Bekenntnisgut der christlichen Missionsgemeinde, das Paulus schon vorgegeben war und dessen er sich in seiner Verkündigung bediente wie andere Apostel und Missionare neben ihm. Auch und gerade in der paulinischen Christologie ist also auf Tradition und Interpretation zu achten.

---

schr. f. E. Käsemann zum 70. Geb., hg. v. J. FRIEDRICH, W. PÖHLMANN u. P. STUHLMACHER, 1976, 509–525).

Bei meiner Übersicht fuße ich (in Anknüpfung und Kritik) vor allem auf folgender Literatur: J. BLANK, Paulus und Jesus, 1968; G. BORNKAMM, Paulus, 1969, 121ff. 249ff; R. BULTMANN, Die Bedeutung des geschichtlichen Jesus für die Theologie des Paulus (GuV I, 1954², 188–213); DERS., Theologie des NT, 1965⁵, 292ff; H. CONZELMANN, Grundriß der Theologie des NT, 1967, 222ff; G. DELLING, Der Kreuzestod Jesu in der urchristlichen Verkündigung, 1972, 9–45; G. EICHHOLZ, Die Theologie des Paulus im Umriß, 1972, 101ff; H. GESE, Die Sühne; Der Messias (in: DERS., Zur biblischen Theologie. Alttestamentliche Vorträge, 1977, 85–106. 128–151); M. HENGEL, Der Sohn Gottes, 1975; O. HOFIUS, Der Christushymnus Philipper 2, 6–11, 1976; E. KÄSEMANN, Die Heilsbedeutung des Todes Jesu bei Paulus (in: DERS., Paulinische Perspektiven, 1969, 61–107); DERS., Erwägungen zum Stichwort »Versöhnungslehre im Neuen Testament« (in: Zeit u. Geschichte. Dankesgabe an R. Bultmann zum 80. Geb., hg. v. E. DINKLER, 1964, 47–59); W. G. KÜMMEL, Die Theologie des Neuen Testaments nach seinen Hauptzeugen, 1976³, 134–153; U. LUZ, Das Geschichtsverständnis des Paulus, 1968, 139ff; W. SCHMITHALS, Paulus und der »historische Jesus« (in: DERS., Jesus Christus in der Verkündigung der Kirche, 1972, 36–59); W. SCHRAGE, Das Verständnis des Todes Jesu Christi im NT (in: Das Kreuz Christi als Grund des Heils, hg. v. F. VIERING, 1967, 49–89), bes. 77ff; H. SCHÜRMANN, »Das Gesetz des Christus« (in: DERS., Jesu ureigener Tod, 1975, 97–120); E. SCHWEIZER, Zum religionsgeschichtlichen Hintergrund der »Sendungsformel« Gal. 4, 4f; Röm. 8, 3f.; Joh. 3, 16; 1. Joh. 4, 9 (in: DERS., Beiträge zur Theologie des NT [Ntl. Aufsätze 1955–1970], 1970, 83–95); H. THYEN, Studien zur Sündenvergebung, 1970, 163ff; U. WILCKENS, Christologie und Anthropologie im Zusammenhang der paulinischen Rechtfertigungslehre (ZNW 67, 1976, 64–82); DERS., Christus, der »letzte Adam« und der Menschensohn (in: Jesus und der Menschensohn. Für A. Vögtle zur Vollendung des 65. Lebensjahres, hg. v. R. PESCH u. R. SCHNACKENBURG, 1975, 387–403).

Freilich muß man sich gegenwärtig bei dieser Unterscheidung vor einem doppelten modernistischen Fehlurteil hüten. Die Breite, in der Paulus gerade christologische Gemeindeüberlieferung aufgreift, könnte annehmen lassen, daß die Christologie für den Apostel überhaupt nur ein Traditionsphänomen sei, während sein eigentliches Interesse erst bei den soteriologischen und anthropologischen Konsequenzen dieser Christologie liege. Solche Auffassung wird durch kontinuierliche Beteuerungen des Paulus wie Phil 1, 15–17; Gal 1, 11ff. 16; 3, 1; 1Kor 1, 30f; 2, 1f; 2Kor 4, 1–6; 5, 16–21; Röm 1, 1ff. 16f; 3, 24–26; 5, 1–11; 10, 4. 9f usw. korrigiert. Christus ist nicht nur die Voraussetzung, sondern auch der beherrschende Inhalt des paulinischen Evangeliums! – Aber auch das andere Mißverständnis liegt nahe, als sei das Spezifische der paulinischen Christusverkündigung nicht auch schon in den vom Apostel aufgenommenen Traditionssätzen, sondern erst in jenen (wenigen) Interpretamenten zu suchen, die Paulus zum Traditionsmaterial hinzufügt. Gegen diese weitverbreitete Auffassung spricht der oft so rätselhaft erscheinende Umstand, daß Paulus, der Phänomen und Wert christlicher Paradoseis sehr wohl zu schätzen weiß (vgl. nur 1Kor 11, 23ff oder 1Kor 15, 1ff), nirgends eine förmliche Kritik solcher Traditionen vorträgt, sie vielmehr stets nahtlos in seine eigene Darstellung übergehen läßt. Für eine überlieferungsgeschichtlich reflektierte, aber auf Paulus konzentrierte Exegese bedeutet dies, daß sie nicht einfach nur auf die speziell-paulinischen Interpretationssätze abheben darf, sondern daß sie zeigen muß, wie Paulus die Gehalte der von ihm zitierten Christusüberlieferung bejaht und auf ihrer Basis zur Proklamation Jesu Christi als des Endes des Gesetzes fortschreitet.

Was zunächst die vom Apostel in Zitaten und Motiven übernommene christologische Überlieferung anbetrifft, so ist diese nicht nur recht umfangreich, sondern auch höchst vielgestaltig. Es finden sich bei Paulus nicht nur Formeln, die von Christus in ganz alttestamentlichem Stil als dem Träger der Verheißung sprechen (Röm 1, 3f), hymnische Preislieder auf Christus als den menschgewordenen, gehorsam in den Tod gehenden und über alle Mächte gemäß Jes 45, 23 erhöhten Herrn (Phil 2, 6–11), Texte, die von Christus als der Verkörperung der präexistenten Schöpferweisheit reden (1Kor 8, 6), und Überlieferungen, welche in bekenntnis- und formelhafter Zusammenfassung von der bevorstehenden Ankunft des Auferstandenen zum Weltgericht und zur Welterlösung handeln (1Thess 1, 9f; 4, 15ff; Phil 3, 20f), sondern auch eine besondere Fülle von Material, in welchem von der Heilswirksamkeit und -bedeutung des Todes und der Auferweckung Jesu die Rede ist (vgl. nur Röm 3, 25f; 4, 25; 5, 8f; 8, 3f; 10, 9f; 14, 15; 1Kor 1, 30; 8, 11; 15, 3–5; 2Kor 5,

21; Gal 1, 4; 4, 4f usw.). Gemeinsam ist all diesem differenzierten Überlieferungsgut seine Herkunft aus judenchristlichen Gemeindekreisen. Nur dort – und d.h. für die Aufbruchs- und Wirkenszeit des Paulus konkret: in Jerusalem und Antiochien – ist die biblisch gesättigte Sprache und Motivik solcher Tradition denkbar und konnte in der knappen Zeit des wirklich vorpaulinischen Christentums ein christologisches Aussagegut erwachsen, das im Rekurs auf das Alte Testament, in Anknüpfung, aber auch im Widerspruch zur Überlieferung des semitisch- und griechisch-sprachigen Judentums von Christus als dem Weltenschöpfer, dem messianischen Erlöser und Vollender sprach. Paulus fußt also auf der schon ausgesprochen differenzierten Christologie der Urgemeinde von Jerusalem und der vom Stephanuskreis begründeten Missionsgemeinde von Antiochien, ja er ist für uns sogar einer der wichtigsten Tradenten des von dort stammenden christologischen Materials im Neuen Testament.

Auf die Fülle und Differenziertheit des von Paulus angeführten Traditionsmaterials hinzuweisen, bedeutet freilich nicht zu behaupten, daß auch die uns in den Briefen des Apostels entgegentretende Christologie disparat und ungeordnet wäre. Das Gegenteil ist der Fall. Es lassen sich nämlich in den Paulusbriefen drei christologische Denkbewegungen erkennen, die aufeinander bezogen sind und gebündelt der paulinischen Theologie insgesamt christologische Struktur und Kontur geben. Die erste Denkbewegung spricht von der die Welt bestimmenden und verändernden Sendung Jesu als des messianischen Gottessohnes; diese Sendung hat in Tod und Auferweckung des Jesus-Messias ihren eigentlich heilschaffenden Zielpunkt. Die zweite Denkbewegung spricht dann von Tod und Auferweckung Jesu als dem eschatologischen Vollzug jener Sühne und Versöhnung, welche nicht mehr nur Gemeinschaft zwischen Gott und seinem Eigentumsvolk Israel, sondern »Friede« zwischen Gott und allen Glaubenden aus Juden und Heiden schafft. Wie schon die Menge des zitierten Materials erkennen läßt, scheint hier der eigentliche Hauptakzent der paulinischen Christusverkündigung zu liegen. Die dritte Denkbewegung schließlich spricht von dem Werk, das der auferweckte Gekreuzigte als Versöhner und Herr im Namen Gottes bis zur Parusie zu vollbringen hat. Kraft dieser drei Denkbewegungen erscheint der gekreuzigte und auferweckte Christus bei Paulus insgesamt als das Ende des Gesetzes für alle Glaubenden, als Herr und Offenbarer der Gnade und des Willens Gottes für alle Zeiten, oder, was für Paulus dasselbe besagt, als die Verkörperung und als der Vollstrecker der heilschaffenden Gottesgerechtigkeit für Juden und Heiden, d.h. für die ganze Welt.

II

Versucht man, diese Denkbewegungen in gebotener Kürze detaillierter nachzuzeichnen, so ergibt sich folgendes Bild. Wie z.B. das Römerbriefpräskript, 1Kor 8, 6 oder Phil 2, 6ff zeigen, ist für Paulus Christus nicht mehr nur der kraft seiner Auferweckung zum Gottessohn eingesetzte Herr und Retter, wie für einen Teil des im Maranatha (1Kor 16, 23; Apk 22, 20), in Formeln wie Apg 2, 36 oder der Paradosis von Röm 1, 3f zu Wort kommenden Judenchristentums. Die paulinische Christologie setzt bereits ein mit der Dimension der Präexistenz Jesu. Diese Dimension des präexistenten Seins und Wirkens Jesu wurde urchristlich gewonnen durch eine weisheitlich-messianische Aufweitung der eben genannten christologischen Ursprungstraditionen. Schon in den späten Schichten des Alten Testaments war die präexistente Schöpferweisheit Gottes (Spr 8, 22ff; Weish 7, 21ff; Sir 24, 1–22) mit dem Gesetz identifiziert worden (vgl. Sir 24, 23ff; Bar 3, 32 – 4, 4). In der alttestamentlich-jüdischen Geschichte der Messiaserwartung erscheint der Messias von Jes 11, 1ff an als Träger der Weisheit (und Hüter der Gerechtigkeit) und nach Ps 2, 7; 110, 1ff als Gott-geborener Sohn, dessen Ursprung in die Urzeit zurückreicht (Mi 5, 1). Mit Dan 7, 13ff und der Henochtradition tritt diese Messiaserwartung mit der prophetischen Menschensohnüberlieferung zusammen und bildet schon in äthHen 48, 2ff. 10; 49, 1–4 und 61f ein transzendentes, universales Erwartungsmuster, das von der präexistenten Nennung des Messiasnamens und der kosmischen Funktion des Menschensohn-Messias selbst ausgeht. Das von Jesu Anspruch, der Menschensohn-Messias zu sein, herkommende junge Christentum tritt in diese israelitischen Erfahrungs- und Interpretationsvollzüge ein; es folgt ihnen und kontrastiert sie gleichzeitig in seiner Christologie. Da nach der Glaubensüberzeugung der ersten christlichen Generation nichts Umfassenderes und Grundlegenderes erfahren und gedacht werden kann als Gottes befreiende, das Leben neu ordnende Gnade in Christus, spricht man von Christus im Stil und unter Aufnahme der alttestamentlich-jüdischen Weisheitstheologie (vgl. 1Kor 8, 6; Kol 1, 15–20 usw.) und bekennt ihn gleichzeitig als den schon vor aller Zeit bei Gott befindlichen und wirksamen Schöpfer, als den in die Welt gesandten messianischen Versöhner und Gottessohn (vgl. Gal 4, 4f; Joh 3, 16f; Phil 2, 6f usw.). Paulus greift diese Denk- und Verkündigungsmöglichkeit bereitwillig auf und gebietet mit ihrer Hilfe und auf Grund seiner Erfahrung dem totalen Herrschaftsanspruch des mosaischen Gesetzes und der das Gesetz pervertierenden Sünde Einhalt (Gal 4, 4; Röm 8, 3f). Die Sendung des Sohnes Gottes in die Welt führt die neue Zeit der Freiheit vom Gesetz und von der Sünde herauf, und zwar dadurch, daß diese Sendung in die Welt und ins Menschsein in der gehorsamen Lebensaufopferung Jesu, d.h. in seinem Kreuzestode, gipfelt. Wie der von Paulus in Phil 2, 6–11 rezipierte, sich an Jes 53 und die deuterojesajanische Heilsverkündigung anschließende Christushymnus zeigt, war auch dieser Gedanke Paulus schon vorgegeben. Neuere Forschungen zum Stil und Aufbau dieses berühmten Textes machen es wahrscheinlich, daß der lange Zeit als paulinisches Interpretament geltende V. 8b (*θανάτου δὲ σταυροῦ*) dem Hymnus schon ursprünglich zugehört hat.

Was das Menschsein Jesu und den Sinn der Sendung des irdischen Jesus anbetrifft, so betont Paulus dreierlei: Jesus ist als Davidide und Messias in Israel erschienen, um dem erwählten Gottesvolk gegenüber die Verheißungen auf den kommenden Gottessohn einzulösen (Röm 1, 3; 9, 5; 15, 8; 2Kor 1, 20). Sein Sein war ganz bestimmt durch die sich im Gehorsam gegenüber dem Willen Gottes für andere aufopfernde Liebe (Röm 5, 18f; 14, 15; 15, 3. 8; 1Kor 8, 11; Gal 1, 4; Phil 2, 5ff). Kraft dieses Gehorsams besaß Jesu Dasein den Charakter der Sündlosigkeit, d.h. jener Fehllosigkeit, die den Menschgewordenen zum makellosen Sündopfer für die Schuld der Welt qualifizierte (2Kor 5, 21; Röm 8, 3).

Paulus hat also durchaus ein profiliertes Bild vom Wirken Jesu, und man sollte ihm dieses Bild nicht mehr länger von 2Kor 5, 16 her bestreiten. Diese Stelle ist auf die paulinische Neuerkenntnis des Christus infolge seiner Berufung zum Apostel zu beziehen und gibt für ein angebliches Desinteresse des Paulus am irdischen Jesus nichts her: Paulus hat als Verfolger des christlichen Glaubens in Christus den zu Recht am Kreuz hingerichteten, frevlerischen Messiasprätendenten gesehen und die Gemeinde deshalb verfolgt, weil sie diesen Menschen als Herrn und Christus bekannt hat; jetzt, als Apostel Jesu Christi, sieht er den Christus nicht mehr so, sondern er bekennt ihn als den Versöhner und Gottessohn. – Bedenkt man in diesem Zusammenhang die immer wieder reflektierte, spärliche Verwendung, die der Apostel in seinen Briefen von der Jesusüberlieferung macht, läßt sich folgendes sehen. Zunächst ist die gattungsgeschichtliche Differenz zwischen der erzählenden Jesuspredigt (vgl. z.B. Apg 10, 34–43), dem narrativen Evangelium insgesamt und den apostolischen Briefen zu beachten. Der apostolische Brief bot nur wenig Möglichkeiten, das narrative Kerygma zu entfalten. Die Herrenmahlstradition von 1Kor 11, 23ff und die Paradosis von 1Kor 15, 3–5. 6–8 zeigen, daß Paulus die Grundzüge der Passionsüberlieferung und der Jerusalemer Grabestradition kennt und daß er außerdem reiche Nachrichten von Jesu Auferweckung und Erscheinungen besaß. – Texte und Aussagen wie 1Thess 1, 10; 4, 15ff; 1Kor 15, 47. 50ff scheinen auf der synoptischen

Menschensohnüberlieferung aufzuruhen. – Die in die paulinischen Paränesen verflochtenen direkten und indirekten Bezugnahmen auf Jesusworte (vgl. 1Kor 7, 10 mit Mk 10, 11f; 1Kor 9, 8 mit Lk 10, 7b/Mt 10, 10b; Gal 5, 14 und Röm 13, 8–10 mit Mk 12, 30f Par.; 1Kor 4, 12; 6, 7 und Röm 12, 14. 17. 21 mit Lk 6, 27f Par.; Röm 14, 14. 20 mit Mk 7, 15; 1Kor 13, 2 mit Mk 11, 23 usw.) beweisen außerdem, daß der Apostel die Kenntnis von Q-Stoffen, aber auch von Markusüberlieferung in seinen Gemeinden voraussetzt und daß er diesem Material selbst teilweise höchste Autorität zumißt. Wenn der Apostel freilich besonderen paränetischen Ton auf das von Jesus selbst mit seinem Opfertod besiegelte Gebot von der Nächsten- und Feindesliebe legt und sein christologisches Hauptaugenmerk auf Jesu Tod am Kreuz und seine Auferweckung richtet, dann liegt dies daran, daß sich ihm selbst der Heilssinn der Sendung Jesu von Kreuz und Auferweckung her erschlossen hat und daß er, der historisch stets konfrontiert war mit der Missionspredigt der in der Jesustradition besonders bewanderten Jerusalemer Apostel und des Petrus, darum auch auf der besonderen Bedeutung des Sühntodes Jesu insistiert. So ist die Eklektik und zögernde Verwendung von Jesusüberlieferung bei Paulus von seinem Briefstil her verständlich, und sie ist außerdem eigenständig motiviert und akzentuiert. Der Befund nötigt m. E. aber nicht dazu, die Jesustradition als für die paulinische Christologie irrelevant anzusprechen. Vor einem solchen Urteil sollte uns auch die Überlegung zurückhalten, daß wir von der aktuellen Predigtweise des Apostels wenig wissen. Er hat in diesen Predigten sicher mehr und auch andere Themen berührt, als sie in seinen uns erhaltenen Briefen angesprochen werden.

Christus ist nach Paulus dadurch zum Herrn der Gemeinde und designierten Gebieter der Welt geworden, daß er im Gehorsam gegenüber Gott nicht irgendeinen, sondern gerade den Opfertod am Kreuz gestorben ist. Die Sendung Jesu geschah aus der Absicht Gottes heraus, die Welt durch die Lebenshingabe Jesu am Kreuz zu retten. Der sich bereits vor aller Zeit in Christus, dem Sohn, zusammenfassende Heilsratschluß Gottes findet in der Sendung und Preisgabe dieses Sohnes, der den Willen Gottes als den seinen übernahm, seinen soteriologischen Höhepunkt. Die erste christologische Denkbewegung geht daher organisch in die zweite über.

III

Unter den vielfältigen Interpretationen der früh-nachösterlichen Christologie nimmt die Bekenntnisaussage, Christus sei »für uns« gestorben (vgl. 1Kor 15, 3 und die Abendmahlsformulare Mk 14, 22–25 Par.; 1Kor 11, 23–26), eine ganz besondere Stellung ein, und zwar aus zwei Gründen. Erstens wurde in dieser Aussage Sinn und Ziel des in der Passion gipfelnden messianischen Versöhnungswerkes Jesu von Nazareth prägnant erfaßt. Jesus hatte in der Absicht gewirkt, zwischen Gott und den Menschen seiner Zeit durch sein eigenes Wirken neu und unverbrüchlich Gemeinschaft zu stiften. Dieser messianische Anspruch, Jesu provozierende Worte und seine nicht minder provozierenden Zeichenhandlungen, vor allem die Tischgemeinschaften und die Tempelreinigung, hatten konsequent zu seinem Tode geführt, und Jesus hatte sich diesem Ende nicht etwa durch Flucht entzogen, sondern es willentlich in Bewährung seiner messianischen Sendung auf sich genommen. – Die christologische Rede vom Sterben Jesu »für uns« ist aber auch deshalb hochbedeutsam, weil mit Hilfe eben dieser auf Jes 53, die Opfer- und Sühnetradition des Alten Testaments abgestützten Formel das zunächst stumme Rätsel des Kreuzestodes Jesu kerygmatisch durchdrungen und soteriologisch begreifbar wurde, und zwar als wesentlicher Bestandteil des Wirkens Gottes durch Jesus für die Menschen. Wo man zunächst nur in Kontrastaussagen sprach: »Ihr Juden habt Jesus gekreuzigt, Gott aber hat ihn auferweckt« (Apg 2, 23; 10, 39), da führte das *ὑπὲρ ἡμῶν* apologetisch und missionarisch entscheidend weiter: Gott hat nicht nur das Unheil des Todes Jesu durch die Auferweckung ins Gegenteil gewendet, sondern er hat schon im Tode Jesu, und zwar gerade durch die stellvertretende Lebenshingabe seines Sohnes, Heil erwirkt. Jesu Kreuz gehört also in das Heilshandeln Gottes mit hinein und ist mit der Auferweckung unlösbar verbunden. Gott wirkt Sühne und Heil in der Preisgabe Jesu an den Tod und ratifiziert diese Sühne durch Jesu Auferweckung.

Wie die Abendmahlsüberlieferung und 1Kor 15, 3ff zeigen, sind die genannten *ὑπέρ*-Formeln schon in Jerusalem ausgebildet und tradiert worden. Aller Wahrscheinlichkeit nach ist es dann der Stephanuskreis gewesen, der noch in Jerusalem oder kurze Zeit später in Antiochien die Paradosis von Röm 3, 25. 26a geformt und das Wagnis auf sich genommen hat, antitypisch zum höchsten jüdischen Sühnebegängnis, der Feier des großen Versöhnungstages gemäß Lev 16, von der alle kultische Sühne überbietenden und hinfort erübrigenden öffentlichen Einsetzung Jesu zur kapporaet = *ἱλαστήριον*, d.h. zur Stätte der Offenbarung Gottes und der von Gott ein für allemal gestifteten Sühne, zu sprechen. Die christliche Missionsgemeinde hat sich mit diesen Sätzen frei gemacht vom Tempel in Jerusalem und der im Tempel praktizierten kultischen Tora.

Interessanterweise treffen wir nun bei Paulus gerade diese Überlieferungen wieder, und zwar nicht irgendwo an der Peripherie, sondern im

Herzen seiner Christusverkündigung. Wir können sogar sagen, was den Apostel dazu veranlaßt hat, die Heilsbedeutung des Kreuzestodes Jesu ganz besonders zu betonen und zu entfalten. Mochten sich die anderen Apostel, Petrus voran, auf ihre Begegnungen mit dem irdischen Jesus berufen und dementsprechend nicht nur als Zeugen des Auferstandenen, sondern auch als Träger und Tradenten der Jesus-Überlieferung auftreten, für Paulus hatte sich die Welt gewandelt, indem sich ihm der im Zeichen von Dtn 21, 22f Gekreuzigte vor Damaskus als der Auferstandene zu erkennen und damit zu verstehen gab, daß er gerade nicht den verdienten Fluchtod des Gotteslästerers und Gesetzesbrechers gestorben sei, wie Jesu jüdische Gegner, Paulus zuerst inbegriffen, meinten, sondern daß, umgekehrt, von Gott durch den Tod des schuldlosen Jesus der Fluch des Gesetzes von den Sündern genommen worden war. Für den Apostel wird deshalb gerade das *ὑπὲρ ἡμῶν* und mit ihm die kult- und tempelkritische Paradosis aus dem Stephanuskreis zum Fundament seiner Rechtfertigungstheologie. Die Sühne- und Versöhnungstradition ist also nicht nur, wie man gelegentlich gemeint hat, ein von Paulus neben manchem anderen auch noch referiertes, traditionelles Teilelement seiner Christologie, sondern vielmehr die Basis seiner christologisch fundierten Rechtfertigungsverkündigung.

Woraus läßt sich dies entnehmen? Vor allem aus der Einsicht, daß in eben dem Überlieferungszusammenhang, von dem wir sprechen, die christliche Rechtfertigungsterminologie verankert ist, und zwar schon vor Paulus und dann vor allem bei ihm selbst. In einer wahrscheinlich schon vorpaulinischen, auf Jes 53 fußenden (Jerusalemer?) Formel heißt es von Christus in Röm 4, 25: »Der (von Gott) dahingegeben wurde wegen unserer Übertretungen / und (von Gott) auferweckt wurde wegen unserer Rechtfertigung.« In stark traditionsgesättigter, an die messianische Tradition von Jer 23, 5f erinnernder Weise spricht der Apostel in 1Kor 1, 30 davon, Christus sei uns von Gott zur Weisheit, zur Gerechtigkeit, zur Heiligung und zur Erlösung gemacht worden (vgl. auch 1Kor 6, 11). In einer ebenfalls traditionellen, von Paulus wahrscheinlich zitatweise in seinen Brief eingeflochtenen Formulierung, 2Kor 5, 21, lesen wir, daß Gott »den, der von keiner Sündenschuld wußte, für uns zum Sündopfer (= Opfer für Sündenschuld) gemacht hat, damit wir durch ihn zur Gottesgerechtigkeit würden«, d.h. zur Seinsweise der vor Gott Gerechten gelangten. Daß man die umstrittene Wendung *ἁμαρτίαν ἐποίησεν* in dem angegebenen Sinne übersetzen muß, zeigt die Septuagintaübersetzung z.B. von Lev 4, 21. 24; 5, 12; 6, 18 und Hos 4, 8, wo jedes Mal hebräisches ḥattat = »Opfer für die Sünde« mit *ἁμαρτία* übersetzt wird; *ἁμαρτία* ist hier Kürzel für den sonst in der Septuaginta für das

Sündopfer eintretenden, vollen terminus technicus: *τὸ περὶ* (gelegentlich auch *ὑπὲρ*) *ἁμαρτίας* (*δῶρον* o.ä.). Eben dieser Ausdruck begegnet uns dann in Röm 8, 3 und bezeichnet hier erneut Christus als das von Gott selbst eingesetzte (fehllose) Sündopfer. Die Rechtfertigung der Frevler wird also dadurch ermöglicht, daß Gott durch die Einsetzung Jesu zum Sühnopfer selbst jene Sühne schafft, kraft welcher die Sünder von ihrer sie belastenden und zugleich beherrschenden Sünde freigesprochen werden können. Der biblische Opfer- und Sühnegedanke ist es, der es Paulus erlaubt, Rechtfertigung durch Christus theologisch zu denken. Dieser christologisch gewendete Opfer- und Sühnegedanke kommt mitsamt der Rechtfertigungsterminologie dem Apostel von Jerusalem und Antiochien her zu. Paulus kritisiert ihn keineswegs, sondern greift ihn im Gegenteil immer wieder auf. Neben Röm 5, 1–11 zeigt dies besonders deutlich der berühmte Passus Röm 3, 24–26.

Paulus rekurriert hier auf die im Stephanuskreis geformte, oben erwähnte Paradosis. Er zitiert sie in V. 25. 26a, geht also seinerseits davon aus, daß mit der öffentlichen Einsetzung Jesu als kapporaet von Gott ein für allemal Sühne geleistet und so für die Rechtfertigung der Sünder Grund gelegt wurde. Wie die Christen vor ihm teilt auch Paulus die Auffassung, daß solche Einsetzung Jesu der sich in der Vergebung der Sünden auswirkende eschatologische Erweis der heilschaffenden Gottesgerechtigkeit sei. Doch führt der Apostel diese traditionellen Aussagen nicht nur durch den Zusatz *διὰ πίστεως* in V. 25, sondern auch durch seine Hinführung auf das Traditionszitat in Röm 3, 21–24 und dann die Aufnahme und Weiterführung der Traditionsterminologie in V. 26b weiter. Dabei macht er vor allem folgendes deutlich: Die von Gott in Christus erwirkte Sühne kann nur im Glauben angeeignet werden, d.h. in der dankbaren und zugleich gehorsamen Anerkennung jenes Heilswirkens Gottes, zu dem die aus der geschöpflichen Herrlichkeit herausgefallenen Sünder gar nichts beizutragen vermochten. Indem dieses Heilswirken Gottes in Christus im Glauben und nur in ihm angeeignet wird, wird die Reichweite dieses Heilsgeschehens bis an die Grenzen der Welt erweitert: Nicht mehr nur Israel als das Eigentumsvolk Gottes allein, sondern alle Glaubenden aus Juden und Heiden werden der heilschaffenden Gerechtigkeit Gottes teilhaftig. Denn Gott ist und will ein Gott sein, der seine Gerechtigkeit darin erweist, jeden, der des Glaubens an Jesus ist, von seiner Schuld loszusprechen und so neu zu schaffen. Der Horizont der Paradosis von Röm 3, 25f wird von Paulus also universal aufgefaßt. Für ihn ist Christus der Versöhner der Welt und nicht nur Israels allein. Gottes Gerechtigkeit öffnet sich in heilschaffender Weise über die Grenzen des erwählten Gottesvolkes hinaus allen glaubenden

Menschen. Alle Menschen werden als Glaubende in die endzeitliche Bundes-Verpflichtung einbezogen, die in Jesu Sühntod neu konstituiert worden ist und deren christologische Stiftung die Gemeinde in der Herrenmahlsfeier nach 1Kor 11, 23ff begeht. Gott ist der Gott, der die Heidenwelt und Israel in den Ungehorsam beschlossen hat, um sich in Ausübung seiner Gerechtigkeit in Christus allen gegenüber zu erbarmen (Röm 11, 32).

Wird der Gegensatz zur Gesetzesfrömmigkeit schon in Röm 3, 21; 5, 20 deutlich markiert, erhält die paulinische Rechtfertigungslehre ihre eigentlich gesetzeskritische Spitze in Röm 8, 3f; 10, 4 und Gal 3, 13f. Paulus weiß aus eigener Glaubenserfahrung, daß das Gesetz auch den frommen Juden, der sich ganz dem Gesetzesgehorsam weiht und nach pharisäischem Maßstab ein tadelsfreier Gerechter ist (Phil 3, 6), nicht rettet, sondern ihn zum Feind und Widersacher Gottes machen kann. Dementsprechend formuliert er im Galater- und Römerbrief christologisch ähnlich gesetzeskritisch. Gott sandte seinen Sohn als menschgewordenes, fehlloses Sündopfer, um selbst zu tun, was dem mosaischen Gesetz in seiner Schwäche nicht gelang, nämlich das Urteil über die Sünde zu fällen und gleichzeitig zum wahren Gehorsam gegenüber dem Willen Gottes anzuleiten. Erst und nur im Sündopfer Christi, das Gott selbst stiftet, wird die Sünde gesühnt und für die Glaubenden ein neues Sein im Geist eröffnet, aus dem heraus sie zum vollendeten Gehorsam bereit und fähig sind. Erst kraft des Opfers Christi wird die Schuldverstrickung, die das Gesetz eben nicht beseitigen konnte, in die es vielmehr selbst einbezogen war und die es zusätzlich noch provoziert hat, zerbrochen und aufgehoben (Röm 8, 3f). Oder mit Gal 3,13f formuliert: Indem Christus selbst den Todesfluch von Dtn 21, 22f auf sich nahm, wurde dieser Fluch von denen abgewendet, denen er eigentlich galt, den Sündern, die paradoxerweise gerade durch das Gesetz in ihrer Sünde festgehalten und immer tiefer in sie verwickelt wurden. In der stellvertretenden Lebenshingabe Jesu, d.h. durch seinen Kreuzestod, wurde die unweigerlich zum Tode führende Macht des vom Gesetz ausgehenden Fluchs über alle Sünder zerbrochen. Der schuldlose Gottessohn übernahm das Todesgeschick der Sünder und verwies eben dadurch das Gesetz mit seinem tödlichen Herrschaftsanspruch in seine Schranken.

Man mache sich die Kühnheit dieses Gedankenganges klar. Galt, wie wir im Blick auf die Tempelrolle von Qumran, Kol. 64, 6–13, mit einiger Sicherheit sagen können, Jesus seinen jüdischen Gegnern, und wahrscheinlich auch dem Pharisäer Paulus, als der gemäß Dtn 21, 22f zu Recht Gekreuzigte und von Gott verfluchte Lästerer und Gesetzesverächter, wendet der Christ gewordene Schriftgelehrte Paulus eben diese

Auffassung auf das Gesetz selbst zurück und proklamiert statt des Scheiterns Jesu vor dem unerbittlichen und gerechten Gesetz das Zerbrechen des Gesetzesfluches und damit der dem alten Äon angehörenden Gesetzeswirklichkeit im Tode Jesu, des Gerechten. Dies hatte vor Paulus keiner zu denken gewagt. Aber für Paulus ist Christus wirklich das Ende des mosaischen Gesetzes (Röm 10, 4), und zwar zum Heil und zur Gerechtigkeit jedes Glaubenden.

IV

Nun wohnt freilich auch solcher Rechtfertigungsverkündigung eine gewisse Problematik inne insofern, als die Dimension und Reichweite der von Gott in Jesus vollzogenen Sühne noch besonders diskutiert werden muß. Die Paradosis von Röm 3, 25. 26a bezog die durch Jesu Lebenshingabe erwirkte Sühne ausdrücklich auf die Sünden der Vergangenheit. Sofern mit dem Gedanken der Rechtfertigung die Vorstellung der Neuschöpfung verbunden ist, scheint zunächst dasselbe zu gelten, und zwar nicht nur für die vorpaulinische Tradition, sondern, wie 2Kor 5, 17ff zeigt, auch für Paulus. In beiden Fällen stellt sich unvermeidlich die Frage, wie sich denn fortan das Dasein der gerechtfertigten und neugeschaffenen Einzelnen darstellt. Als Sein im Geist und somit in der Sündlosigkeit? Schon Paulus hat gewußt, daß dies ein enthusiastischer Wunschtraum ist. Zum Beleg kann man auf seine Auseinandersetzungen im 1. Korintherbrief sowie auf Röm 8, 5–11 verweisen. Unterliegen also die Gerechtfertigten, sofern sie erneut sündigen, erneut dem Gericht? Tilgt die Rechtfertigung generell nur die Sünden, die vor der Taufe und Eingliederung in die Gemeinde begangen wurden, und kommt es für die Gerechtfertigten nach Gal 5, 6 nunmehr darauf an, mit allem Ernst dem von Jesus neu aufgerichteten Willen Gottes in Gestalt des Liebesgebotes zu folgen, d.h. auf Taten und Erweise der Liebe, kraft derer sie dann im Endgericht von Christus als gerecht anerkannt werden? Man hat Paulus bis in die jüngste Zeit herein verschiedentlich so interpretiert. Doch würde man sich, wenn man diesen auf Gal 5, 6; 1Kor 7, 19; Phil 2, 12ff und Röm 8, 4ff; 14, 9ff gestützten Gedanken für Paulus absolut setzt, einer erheblichen Einseitigkeit schuldig machen. Man kann dies mit so großer Sicherheit sagen, weil Paulus seine Rechtfertigungslehre eben christologisch entwirft und die paulinische Christologie noch eine dritte Dimension hat, der auch das Rechtfertigungsdenken des Apostels folgt. Es geht dabei um Stellung und Werk des Auferstandenen.

Paulus sieht in Christus, dem gekreuzigten und auferstandenen Gottessohn, den Herrn, der das noch unvollendete Werk Gottes zum Ziel führen soll, und zwar in dreierlei Hinsicht: Der Auferstandene ist bestellt und bevollmächtigt, das All insgesamt in den Frieden mit Gott zurückzuführen, und dieses Ziel ist erst erreicht, wenn der Tod definitiv seine Macht und Wirksamkeit über die Welt verloren haben wird (1Kor 15,25ff. 53ff). – Durch Christus, den Auferstandenen, soll, wenn der Ruf des Evangeliums die Heidenwelt durchlaufen hat, auch das gegenwärtig noch im Unglauben verharrende Israel zu dem ihm von Gott verheißenen Heil kommen. Paulus kann deshalb in Röm 11, 25ff die Parusie als das Kommen des Erlösers vom Zion her beschreiben, als Heimholung Israels in den Frieden mit Gott und die Realität der neuen Bundes-Verpflichtung von Jer 31, 31ff. – Der Auferstandene soll schließlich auf seinem Wege zur Unterwerfung des Alls die Glaubenden in ihrem Sein als gerechtfertigte Sünder tragen, er soll sie als Herr begleiten und bewahren, bis das Ziel, die neue Welt Gottes, wirklich erreicht ist (Röm 8, 12–39). Paulus arbeitet den Charakter dieses Bewahrens in seiner Kreuzestheologie ganz besonders aus, und zwar von dem doppelten Grundgedanken aus, daß die Glaubenden in der Nachfolge ihres gekreuzigten Herrn Täter des von diesem Herrn aufgerichteten, wahren Willens Gottes in Gestalt der Liebe sind und daß die tragende und vergebende Macht des gekreuzigten Auferstandenen gerade in den Schwachen, um Jesu willen Leidenden, mächtig ist (2Kor 12, 9f). – Interessanterweise divergieren diese drei Hinsichten auf das Werk des Auferstandenen nicht, sondern sie konvergieren darin, daß sie den Auferstandenen vom Tage seiner Auferweckung an bis zur Parusie als eben den messianischen Versöhner und Herrn zeichnen, der die Welt in den Stand der erfüllten Rechtfertigung, d.h. den endzeitlichen Schöpfungsfrieden, führen soll. Christus, der Gekreuzigte und Auferstandene, bleibt für Paulus auch als gegenwärtig und zukünftig wirkender, auferstandener Herr der Rechtfertiger und Versöhner, der er in seinem Opfertode wurde, als den ihn Gott öffentlich eingesetzt hat und an den die Gemeinde zu ihrem Heile glaubt. Die dritte Denkbewegung in der paulinischen Christologie folgt aus der ersten und zweiten und läßt Jesus als messianischen Mandatar der heilschaffenden Gottesgerechtigkeit erscheinen bis zum Jüngsten Tag. Neben 1Thess 5, 9f und Röm 5, 8–11 ist der sprechendste Beleg dafür Röm 8, 31ff. Gott hat seinen Sohn für die Glaubenden aufgeopfert, hat ihn durch die Auferweckung in seinem Amt als Versöhner bestätigt, und hinfort wirkt Christus, der für uns Gekreuzigte und Auferweckte, als Fürsprecher für die Seinen vor Gott gegen jeden Ankläger, zumal im Jüngsten Gericht. Keine Macht im Himmel oder auf der Erde kann also die Glaubenden von dem Frieden und der Liebe scheiden, die ihnen von Gott her in Christus eröffnet worden sind. 1Kor 3, 15 besagt in der Sache dasselbe.

Statt einer punktuell auf die Taufe eingeschränkten Rechtfertigung verkündet Paulus Rechtfertigung durch Christus als eine das Leben der Menschen und die Geschichte insgesamt bis zum Jüngsten Tage durchherrschende Bewegung. Wie Christus kraft seiner Lebenshingabe am Kreuz der Herr und Versöhner geworden ist und stets neu als dieser Versöhner wirkt bis zum Ende der Welt, so ist auch das neue Sein der Gerechtfertigten ein »Sein im Werden« unter dem Kreuz (E. Jüngel) und in der Hoffnung auf die Vollendung.

V

Zum Schluß bleiben noch zwei Fragen, nämlich wie und warum Christus als Versöhner und Erlöser der Glaubenden nach Paulus zugleich Richter der Welt sein kann, und ob man die Christologie des Paulus in einer paulinischen Ziel- und Gesamtdefinition zusammenfassen darf.

Auf die erste Frage ist zu antworten, daß Christus als Rechtfertiger und Versöhner nicht nur Richter der Welt sein kann, sondern sogar sein muß, sofern das in ihm sich eröffnende Heil wirklich Gottes unüberbietbare, eschatologische Setzung ist. Wenn Gott in Christus die Rettung der Welt eröffnet, die nur im Glauben anerkannt und angeeignet werden kann, dann bedeutet die Glaubensverweigerung in Zeit und Ewigkeit den Ausschluß vom Heil. Paulus kann Christus gerade deshalb mit solcher Energie und Kühnheit als den Versöhner und Herrn verkündigen, weil für ihn jenseits der Versöhnung und der Herrschaft Christi das zeitliche und ewige Unheil schon Wirklichkeit ist und endzeitlich als solches in Erscheinung treten wird. Stellen wie 1Kor 4, 5; 2Kor 5, 10; Röm 2, 16 unterscheiden die paulinische Christologie von einer Glauben und Unglauben nivellierenden Allversöhnungslehre und schärfen ein, daß anders als durch Glauben an Christus, den Herrn und Retter, der Friede als Gemeinschaft mit Gott weder zeitlich noch ewig gewonnen werden kann.

Bleibt noch die zweite Frage. Wer die drei Bewegungen zusammenfassen will, welche die paulinische Christologie durchmißt, die Bewegung der Sendung, der Aufopferung Jesu am Kreuz und der Vollendung des Versöhnungswerkes Gottes durch den Auferstandenen, und wer gleichzeitig eine Zieldefinition sucht, welche den rechtfertigungstheologischen Schwerpunkt dieser Christologie bei Tod und Auferweckung Jesu erfassen soll, der muß m.E. sagen, daß für Paulus Christus die heilschaffende Gottesgerechtigkeit in Person ist. Gottes Gerechtigkeit ist alttestamentlich und jüdisch die die Welt zu ihrem Heil ordnende Verhaltensweise Gottes. Im Messias wendet Gott seine Gerechtigkeit seinem Volke (und der Welt) zu (vgl. Jes 11, 1–10; Jer 23, 5ff). Auch bei Paulus wird Gott in seinem Christus offenbar als der Gerechte, der aus freier Gnade das Heil der ihm entfremdeten Welt heraufführt und durchsetzt (1Kor 1, 30). Dementsprechend ist die Christologie das eigentliche Hauptthema des paulinischen Evangeliums, in welchem das sich in Christus, dem für uns gekreuzigten Messias, verwirklichende Heil, die Gottesgerechtigkeit, dem Glauben aller Menschen geoffenbart wird (Röm 1, 1ff. 16f).

Ein letztes erscheint beachtenswert. Wir sagten, daß in den »für uns«-Aussagen der Jerusalemer und der antiochenischen Christustradition das Wirken Jesu als des messianischen Versöhners besonders prägnant erfaßt werde. Jene Tradition aber bildet, von Jerusalem und Antiochien her dem Paulus überliefert, auch den Grundbestand der paulinischen Rechtfertigungschristologie. Die paulinische Christologie ist darum kein isolierter oder isolierbarer Individualentwurf, sondern ein auf der Basis ältester kerygmatischer Christusüberlieferung entfaltetes, eigenständiges Verkündigungswerk von höchster theologischer Prägnanz. In der paulinischen Christologie wird endgültig auf den Begriff gebracht, wer Jesus war, wozu er gelebt und gelitten hat. Jesus und die paulinische Christologie sind dementsprechend keine Konkurrenzthemen biblischer Theologie. Vielmehr bildet Jesu Versöhnungswerk die Basis für das paulinische Denken, und die paulinische Christologie lehrt, das Werk Jesu auf seinen soteriologischen Kern hin zu durchdringen.

„Er ist unser Friede“ (Eph 2,14)

Zur Exegese und Bedeutung von Eph 2,14–18

In Eph 2,14–18 faßt sich ein wesentlicher Teil der biblischen Traditionsarbeit zum Thema Friede und Versöhnung zusammen. Umso schmerzlicher ist es festzustellen, daß gerade dieser Text in der gegenwärtigen Exegese noch stark umstritten ist. So stark, daß die Potenz dieser neutestamentlichen Überlieferung in die protestantische Gegenwartsdebatte um Frieden und Versöhnung in der Kirche und durch die Kirche in der Welt kaum eingebracht worden ist[1] und auch noch nicht wirklich mit Aussicht auf Gehör eingebracht werden kann. Umso notwendiger ist der Versuch, über unseren Briefabschnitt Klarheit zu gewinnen. Es geht dabei um folgende drei Fragenkreise: Von welcher Traditions- und Vorstellungsbasis geht der Text aus? Welche literarische Gestalt hat er? Wohin tendieren die Aussagen im Rahmen des Epheserbriefes und seiner ursprünglichen historischen Situation? Da wir den gründlichsten neuen Epheserkommentar Joachim Gnilka verdanken[2] und er sich überdies gerade mit Eph 2,14–18 besonders eingehend befaßt und diesem Text über seinen Kommentar hinaus noch eine separate Abhandlung gewidmet hat[3], ist es angemessen, Eph 2,14–18 speziell im Gespräch mit Gnilka neu zu durchdenken.

[1] Vgl. dazu *Schmidt, H.:* Frieden, Themen d. Theologie 3 (Stuttgart 1969) S. 145ff; *Hegermann, H.:* Die Bedeutung des eschatologischen Friedens in Christus für den Weltfrieden heute nach dem Zeugnis des Neuen Testaments, in: Der Friedensdienst der Christen. Beiträge zu einer Ethik des Friedens, hrsg. von *W. Danielsmeyer* (Gütersloh 1970) S. 17–39, bes. S. 27; *Stuhlmacher, P.:* Der Begriff des Friedens im Neuen Testament und seine Konsequenzen, in: Historische Beiträge zur Friedensforschung, hrsg. von *W. Huber*, Studien zur Friedensforschung, hrsg. von *G. Picht* und *H. E. Tödt*, Bd. 4 (Stuttgart-München 1970) S. 21–69, bes. S. 54ff. *Brandenburger, E.:* Frieden im Neuen Testament (1973) S. 66f.

[2] Der Epheserbrief, Herders theol. Kommentar z. NT. X,2, (Freiburg i. Br. 1971) im folgenden abgekürzt: *Gnilka*, Komm. oder nur Komm.

[3] Christus unser Friede – ein Friedens-Erlöserlied in Eph 2,14–17. Erwägungen zu einer neutestamentlichen Friedenstheologie, in: Die Zeit Jesu. Festschrift für H. Schlier, hrsg. von *G. Bornkamm* und *K. Rahner* (Freiburg i. Br. 1970) S. 190–207; im folgenden abgekürzt: *Gnilka*, Abh. oder nur Abh.

I

Will man die exegetische Kontroverse um Eph 2,14ff möglichst kurz darstellen, muß man vom Widerstreit zweier Positionen sprechen, den Gnilka zu überwinden bemüht ist. Auf der einen Seite steht die vor allem von Heinrich Schlier und Ernst Käsemann inspirierte Auslegung[4]. Sie geht religionsgeschichtlich aus von dem kosmologischen Denken der – ihrer Meinung nach – vorchristlichen, eventuell jüdisch beeinflußten Gnosis und ihres Erlösermythos. Eph 2,14–18 setzen dabei vor allem im Gedanken der die Welt durchziehenden, sie in zwei Sphären trennenden Welt- bzw. Himmelsmauer (V. 14), in der Vorstellung, daß Christus durch seine Erdenfahrt in diese Mauer eine Bresche schlägt (V. 14) und schließlich in der Konzeption von dem einen neuen, durch Christus geschaffenen Menschen (V. 15) das Denken dieser (jüdischen) Gnosis voraus und machen es zugleich der christlichen Verkündigung von der Versöhnung durch Christi Kreuzestod (kritisch) dienstbar. Während Schlier in unserem Text neuerdings nur zwei Traditionsstufen unterscheiden möchte, nämlich ein gnostisierendes Judentum, das auf die im Epheserbrief angesprochenen phrygischen Christengemeinden Einfluß hatte, und die diesem Einfluß kritisch entgegengestemmte, von Paulus selbst hymnodisch durchgefeilte Textaussage[5], muß man von Käsemann herkommend mindestens drei Traditionsschichten voneinander abheben, nämlich das ursprüngliche gnostische Vorstellungsschema, dann dessen Aufnahme in eine dem deuteropaulinischen Verfasser des Epheserbriefes schon vorgegebene Christusliturgie und drittens die kritische Interpretation dieser liturgischen Paradosis durch den Briefverfasser selbst[6]. Während Käsemann selbst den Umfang der Paradosis nur erst annähernd beschreibt[7], haben Gottfried

---

[4] Vgl. *Schlier, H.:* Christus und die Kirche im Epheserbrief, BHTh 6 (Tübingen 1930) S. 18ff, und heute vor allem: Der Brief an die Epheser (Düsseldorf ²1958) S. 118–145, *Käsemann, E.:* Leib und Leib Christi, BHTh 9 (Tübingen 1933) S. 138ff, und heute vor allem: Artikel Epheserbrief. RGG II³. Sp. 517–520; dann die Meditation: Epheser 2,17–22, in: Exegetische Versuche und Besinnungen (= EVB) I (Göttingen 1960) S. 280–283; Das Interpretationsproblem des Epheserbriefes, in: EVB II (Göttingen 1964) S. 253–261; Das theologische Problem des Motivs vom Leibe Christi, in: Paulinische Perspektiven (Tübingen 1969) S. 178–210, bes. S. 190f.

[5] Der Brief an die Epheser S. 123 Anm. 1.

[6] Vgl. EVB I, S. 280 und Käsemanns Artikel: Epheserbrief (S. Anm. 4) S. 518.

[7] In EVB I, S. 280 spricht Käsemann von 14–16 als einem „überarbeiteten liturgischem Fragment“, und im Anm. 4 und 6 genannten Artikel Sp. 519 davon, daß in V. 14–17 ein hymnisches Fragment zugrundeliege.

Schille[8], Petr Pokorný[9], Jack T. Sanders[10] u.a. in recht unterschiedlicher Weise je einen dem Text zugrundeliegenden Christushymnus zu rekonstruieren versucht. Gegen diese Rekonstruktionsversuche hat aber Reinhard Deichgräber in seiner glänzenden Dissertation über „Gotteshymnus und Christushymnus in der frühen Christenheit“[11] philologisch Einspruch erhoben und unter Verweis auf die Kommentare von Martin Dibelius – Heinrich Greeven[12] und Hans Conzelmann[13] betont: „Die Verse 14–18 sind eine zum Teil in gehobener *Prosa* formulierte Erklärung, wie es durch Christi Erlösungswerk dazu kam, daß die einst Fernen jetzt mit zu den Nahen gehören dürfen: der Erlöser hat den trennenden Zaun fortgenommen“[14]. Doch ist er, wie gleich zu zeigen sein wird, mit dieser Kritik bisher nicht durchgedrungen.

Ebensowenig hat sich die Gegenposition gegen die „gnostische“ Interpretation des Textes durchsetzen können. In mehreren Arbeiten hat vor anderen Ernst Percy die Interpretation des (Kolosser- und) Epheserbriefes vom gnostischen Denkmilieu her als irrig zurückgewiesen und statt dessen vorgeschlagen, von jüdischen Vorstellungshorizonten auszugehen[15], und zwar für Eph 2,16 von der „Vorstellung vom Stammvater, der alle seine Nachkommen in sich einschließt“[16] und für V. 13f.17 von Jes 57,19 und seiner jüdischen Auslegung[17], während sich die restlichen Gedanken des Textes nach Percy aus der paulinischen Tradition heraus erklären lassen. Franz Mußner hat diesen Ansatz in seiner Habilitationsschrift über „Christus, das All und die Kirche“ noch fortgeführt[18] und auf einer traditionsgeschichtlich gegenüber Percy wesentlich verbreiterten Basis zu zeigen versucht, daß für Eph 2,13–18 „ein a(l)t(testament)l(ich)-rabbinischer Hintergrund viel wahrscheinlicher ist als ein gnostischer“[19]. Der Annahme

[8] Frühchristliche Hymnen (Berlin 1965) S. 24–31.

[9] Epheserbrief und gnostische Mysterien: ZNW 53 (1962) S. 160–194, bes. S. 182ff. Vgl. auch *Pokornýs* Studie: Der Epheserbrief und die Gnosis (Berlin 1965) S. 114f.

[10] Hymnic elements in Ephesians 1–3: ZNW 56 (1965) S. 214–232, bes. 216ff.

[11] Studien zur Umwelt d. NTs., hrsg. von *K. G. Kuhn* Bd. 5 (Göttingen 1967) S. 165–167.

[12] An die Kolosser, Epheser, an Philemon. HNT 12 (Tübingen ³1953) S. 69.

[13] Der Brief an die Epheser, NTD, Gesamtausgabe Bd. 3 (Göttingen 1968) S. 67ff.

[14] A.a.O. (s. Anm. 11) S. 167, Hervorhebung von mir.

[15] Der Leib Christi (Σῶμα Χριστοῦ) in den paulinischen Homologumena und Antilegomena. Lunds Universitets Årsskrift, N.F. Avd. 1, Bd. 38,1 (Lund 1942); Die Probleme der Kolosser- und Epheserbriefe. Acta Reg. Societatis Humaniorum Litterarum Lundensis 39 (Lund 1946) S. 278–288; Zu den Problemen des Kolosser- und Epheserbriefes: ZNW 43 (1950/51) S. 178–194, bes. 187f.

[16] Die Probleme der Kolosser- und Epheserbriefe (s. Anm. 15) S. 285 Anm. 38.

[17] A.a.O. S. 283.

[18] Trierer Theologische Studien 5 (Trier 1955) S. 76ff.

[19] A.a.O. (s. Anm. 18) S. 96.

liturgischer Tradition in unserem Text stehen beide Autoren skeptisch gegenüber, wobei Mußner vor einem bindenden Entscheid erst die Entwicklung „einer sauberen Methode“ fordert, „die es ermöglicht, Tradition und Redaktion klar voneinander zu scheiden“[20]. Wie recht er mit dieser Forderung hat, wird sich gleich zeigen.

Zunächst aber ist nun Gnilkas, beide Interpretationswege kombinierender Lösungsversuch zu skizzieren. Religionsgeschichtlich sieht sich Gnilka im Blick auf die unseren Brief(abschnitt) betreffenden Arbeiten von Harald Hegermann[21], Carsten Colpe[22] und Eduard Schweizer[23] genötigt, „von den so interessanten Thesen Schliers und Käsemanns (Abschied zu nehmen)“[24] und den gedanklichen Hintergrund des Epheserbriefes im Bereich der hellenistischen Synagoge zu suchen[25]. Man wird dem ebenso gern zustimmen wie Gnilkas These vom durchgängig deuteropaulinischen Charakter des Briefes. Gnilka wertet somit die von Percy, Mußner u.a. beigebrachten jüdischen Parallelen zum Gesetz als Zaun um Israel, von der Schriftexegese in V. 13 und 17 usw. positiv. Doch möchte er gleichzeitig auch den Sachgehalt der Schlierschen Auslegung und die hymnologischen Untersuchungen Schilles und seiner Nachfolger positiv würdigen. Die Folge ist, daß Gnilka trotz des erwähnten Einspruches von Deichgräber an der These festhält, in unserem Text werde ein ursprünglich kosmologisch orientiertes christliches „Friedens-Erlöserlied“ vom Briefsteller kritisch interpretiert, und zwar durch Hinweis auf die gerade am Kreuz vollbrachte Erlösungstat des Christus. Im Bewußtsein, daß es sich um einen in manchen Punkten hypothetisch bleibenden Entwurf handelt, versucht auch Gnilka, aus Eph 2,14–17 einen klar aufgebauten Hymnus zu rekonstruieren, indem er hymnische Tradition und Redaktion durch den Verfasser des Briefes voneinander abhebt. Zur Methode solcher Differenzierung stellt Gnilka fest, daß „bei der Gewinnung vorgegebener Traditionen“ „theologische Überlegungen . . . ohne Zweifel den Vorrang gegenüber formalen (haben)“, fügt aber ausdrücklich hinzu: „Wenn sich aber

[20] A.a.O. (S. Anm. 18) S. 96 Anm. 96 (= S. 97).

[21] Die Vorstellung vom Schöpfungsmittler im hellenistischen Judentum und Urchristentum. TU 82 (Berlin 1961) S. 145f.

[22] Zur Leib-Christi-Vorstellung im Epheserbrief, in: Judentum, Urchristentum, Kirche. Festschrift für J. Jeremias, hrsg. von *W. Eltester*. Beihefte zur ZNW 26 (Berlin ²1964) S. 172–187. Vgl. auch *Colpes* Habilitationsschrift: Die religionsgeschichtliche Schule. Darstellung und Kritik ihres Bildes vom gnostischen Erlösermythus. FRLANT 78 (Göttingen 1961).

[23] Vgl. neben anderen Arbeiten *Schweizers* seine Abhandlung: Die Kirche als Leib Christi in den paulinischen Antilegomena, in: Neotestamentica (Zürich-Stuttgart 1963) S. 293–316.

[24] Komm. (s. Anm. 2) S. 38 Anm. 3.

[25] Komm. (s. Anm. 2) S. 43f.

mit einem sonst fremden und ungeläufigen Begriff eine Vorstellung verbindet, die sich in ein nachweisbares Konzept nicht oder nur schwer einfügen läßt, verdient auch das Formale Beachtung."[26] Indem er die eingeklammerten Textpassagen als Redaktion ausscheidet, gewinnt er einen neunzeiligen Hymnus:

(14) Αὐτὸς (γάρ) ἐστιν (ἡ) εἰρήνη ἡμῶν, ὁ ποιήσας τὰ ἀμφότερα ἕν καὶ τὸ μεσότοιχον (τοῦ φραγμοῦ) λύσας, τὴν ἔχθραν, ἐν τῇ σαρκὶ (αὐτοῦ). (15) (τὸν νόμον τῶν ἐντολῶν ἐν δόγμασιν) καταργήσας, ἵνα (τοὺς δύο) κτίσῃ ἐν αὐτῷ (εἰς ἕνα) καινὸν ἄνθρωπον ποιῶν εἰρήνην. (16) (καὶ ἀποκαταλλάξῃ τοὺς ἀμφοτέρους ἐν ἑνὶ σώματι τῷ θεῷ διὰ τοῦ σταυροῦ), ἀποκτείνας τὴν ἔχθραν ἐν αὐτῷ. (17) καὶ ἐλθὼν εὐηγγελίσατο εἰρήνην (ὑμῖν) τοῖς μακρὰν καὶ (εἰρήνην) τοῖς ἐγγύς. (18) (ὅτι δι' αὐτοῦ ἔχομεν τὴν προσαγωγὴν οἱ ἀμφότεροι ἐν ἑνὶ πνεύματι πρὸς τὸν πατέρα.)

Der Hymnus selbst hat demnach folgenden Wortlaut und Aufbau[27]:

Αὐτός ἐστιν εἰρήνη ἡμῶν
ὁ ποιήσας τὰ ἀμφότερα ἕν
καὶ τὸ μεσότοιχον λύσας
τὴν ἔχθραν ἐν τῇ σαρκὶ καταργήσας
ἵνα κτίσῃ ἐν αὐτῷ καινὸν ἄνθρωπον
ποιῶν εἰρήνην
ἀποκτείνας τὴν ἔχθραν ἐν αὐτῷ
καὶ ἐλθὼν εὐηγγελίσατο εἰρήνην
[τοῖς μακρὰν καὶ τοῖς ἐγγύς].

Gnilkas Textanalyse erwächst insgesamt also aus der kritischen Zusammenschau der bislang widerstreitenden Auslegungen. Leider vermag aber auch sie noch nicht wirklich zu befriedigen, weil die von Gnilka angegebenen traditionskritischen Kriterien der Prüfung nicht standhalten, weil er die in V. 13–18 vom Epheserbrief vorgetragene christologische Auslegung von Jes 9,5f; 52,7 und 57,19 zu wenig beachtet und seine Interpretation statt dessen aus einer exegetischen Sicht erwächst, welche die von ihm grundsätzlich als unhaltbar erkannten Thesen des „gnostischen" Textverständnisses faktisch doch noch weiterführt, statt sich von ihnen freizumachen.

---

[26] Abh. (s. Anm. 3) S. 195; sachlich gleich im Komm. (s. Anm. 2) S. 147f.

[27] In kolometrischer Abgrenzung abgedruckt Abh. (s. Anm. 3) S. 197f und Komm. (s. Anm. 2) S. 149.

II

Ein grundlegendes Kriterium aller Exegese ist es, daß sich die Auslegung vor allem anderen am Text ausweisen lassen muß. Anders als Gnilka meine ich darum, daß gerade in der Traditionskritik und Gattungsforschung die formalen, d.h. die grammatischen, die philologischen und die literarkritischen Überlegungen vor theologischen und religionsgeschichtlichen Argumentationen den Vorrang haben müssen. Andernfalls begibt sich unsere Analyse von Anfang an auf unsicheres, nur noch hypothetisch erschließbares Terrain. Die extreme Hypothesenfreundlichkeit der „gnostischen“ Forschung gerade zu unserem Text unterstreicht diesen Sachverhalt zur Genüge[28].

Sprachlich empfindet Gnilka die neutrische Rede von τὰ ἀμφότερα in V. 14 als besonders auffälliges Traditionskriterium. Er notiert ferner den durch das V. 14 einleitende αὐτός markierten Er-Stil und die zahlreichen Partizipialkonstruktionen des Textes als hymnodische Charakteristika und weist darauf hin, daß sich im Text des Hymnus einige hapax legomena finden, nämlich τὰ ἀμφότερα, τὸ μεσότοιχον τοῦ φραγμοῦ und ἔχθρα[29].

So sehr das αὐτός von V. 14 und die partizipialen Formulierungen auf hymnische Tradition weisen *können*[30], so unsicher und ambivalent sind freilich die restlichen Hinweise. Im Neuen Testament „(steht) das Neutrum zuweilen mit Bezug auf Personen, wenn es nicht auf die Individuen, sondern auf eine generelle Eigenschaft ankommt“[31]. Da im Kontext unse-

---

[28] *D. Lührmann* hat in seinem Aufsatz: Rechtfertigung und Versöhnung: ZThK 67 (1970) S. 437–452 den alten Hypothesen eine m.M.n. unbegründbare neue hinzugefügt. Er schreibt zu Eph 2,13–17: „Zugrunde liegen kosmologische Vorstellungen, nach denen Himmel und Erde durch eine Wand voneinander getrennt sind. Sie verbinden sich hier mit der Auffassung vom Gesetz als ‚Zaun‘. Wenn aber die Wand mit dem Gesetz identifiziert wird, muß man den Himmel mit Israel, die (negativ qualifizierte) Erde mit den Heiden gleichsetzen. Der Ertrag des Heilsgeschehens liegt in der Durchbrechung der Mauer des Gesetzes, wodurch den Heiden der Weg zu Israel offensteht“ (S. 447). Zur Frage einer solchen Vermutungen gegenüber versuchsweise wieder methodisch sicherer ausweisbaren Gattungsforschung vgl. meine „Thesen zur Methodologie gegenwärtiger Exegese“ in: ZNW 63 (1972) S. 18–26, vor allem These 6 und 7, und ihre nähere Erläuterung in meiner Studie: Zur Methoden- und Sachproblematik einer interkonfessionellen Auslegung des Neuen Testaments. Evangelisch-Katholischer Kommentar zum Neuen Testament, Vorarbeiten Heft 4 (Zürich-Neukirchen 1972) S. 11–55, vor allem S. 29ff. 35ff.

[29] Komm. (s. Anm. 2) S. 139.148 und Abh. (s. Anm. 3) S. 196.

[30] Vgl. *Deichgräber*, a.a.O. (s. Anm. 11) S. 165f aber auch seine Feststellung S. 167: „Nicht jedes christologische Stück ist ein Christushymnus, auch dann nicht, wenn Spuren hymnischer Terminologie sichtbar sind.“

[31] Blaß-Debrunner § 138,1 (= [9]1954, S. 92). *Gnilka*, Komm. (s. Anm. 2) S. 139 Anm. 3 möchte diese grammatische Möglichkeit erst für das Verständnis von τὰ ἀμφότερα durch die Redaktion des Hymnus zugestehen; mit welchem Recht?

rer Verse, nämlich in V. 11.13 (vgl. mit V. 17) die von Christus versöhnten Menschengruppen sogar mehrfach generalisierend als ἀκροβυστία, περιτομή und οἱ μακρὰν bzw. ἐγγὺς (ὄντες) angesprochen werden, ist das neutrische τὰ ἀμφότερα grammatisch völlig korrekt, hat in 1 Kor 1,27.28 und Hebr 7,7 sprachliche Parallelen und läßt sich philologisch nicht mehr ohne weiteres als Traditionselement reklamieren. – Die Ergebnisse der Wortstatistik widerraten der Annahme einer hymnischen Tradition ebenfalls, wenn man sie nur vollständig genug betrachtet. Während ἀμφότερος nur in 2,14.16.18 vorkommt, ἔχθρα im Epheserbrief ebenfalls nur in 2,14.16 bezeugt und μεσότοιχον V. 14 sogar hapax legomenon im Neuen Testament ist, befinden sich unter den von Gnilka als Redaktionszusätze angesprochenen Versteilen ebenfalls Ausdrücke, die vom Epheserbrief nur in unserem Text gebraucht werden, nämlich φραγμός (V. 14), νόμος (τῶν ἐντολῶν) und δόγμα (V. 15), ἀποκαταλλάσσω und σταυρός (V. 16). Umgekehrt ist der sog. Traditionstext durchsetzt von Ausdrücken, welche im Epheserbrief mehrfach und z.T. sogar bevorzugt gebraucht werden: Der Brief gebraucht αὐτός mehrfach betont wie in V. 14: 4,11; 5,23. Nach den Vorkommen in (1,2) 2,14.15.17 (2mal); 4,3; 6,15.23 darf εἰρήνη direkt als Vorzugswort des Briefes gelten. Ebenso Formulierungen mit εἷς, vgl. 2,14.15.16.18; 4,4.5.6. κτίζειν wird außer in 2,10.15 noch in 3,9; 4,24 gebraucht. Die Rede vom καινὸς ἄνθρωπος taucht wörtlich in 4,24 wieder auf. εὐαγγελίζεσθαι findet sich in 2,17, 3,8. Ganz ähnlich wie in V. 17 wird in 6,15 vom „Evangelium des Friedens“ gesprochen, wobei Jes 52,7 im Hintergrund steht wie in Eph 2,14–18 auch. Schaut man vollends auf den Kontext von V. 14–18, wo sich die singulären Ausdrücke häufen – ἀκροβυστία und περιτομή werden im Epheserbrief nur in 2,11 gebraucht, ἄθεος in V. 12 ist sogar hapax legomenon im Neuen Testament, ebenso steht es mit συμπολίτης in V. 19, συνοικοδομεῖν in V. 22 usw. – wird erkennbar, daß sich ein vorgegebener Text in V. 14–17 wortstatistisch nicht eindeutig nachweisen läßt. Da schließlich ein überladener Partizipialstil den ganzen Epheserbrief durchherrscht und nicht nur Merkmal von Eph 2,14ff ist, muß man folgern, daß sich vom Wortgebrauch, vom Stil und von der Grammatik her ein vorpaulinischer Hymnus in Eph 2,14–18 ebensowenig erschließen läßt wie etwa ein Tauflied in 2,19–22[32].

[32] Ein solches Tauflied hat *W. Nauck* in Eph 2,19–22 erkennen wollen, vgl. seinen Aufsatz: Eph 2,19–22 – ein Tauflied?: EvTh 13 (1953) S 362–371. Schon Käsemann aber hat in seiner Meditation über Eph 2,17–22 (s. Anm. 4) gegen Nauck eingewandt, die Annahme eines Taufhymnus erscheine ihm „stilkritisch unbeweisbar und sachlich unangemessen“ (a.a.O. 282). Schlier hält Naucks These in seinem Kommentar z.St. ebenfalls für unbewiesen, und Gnilka

Gerade wenn ich mir mit Gnilka über die „Mehrdeutigkeit der Terminologie“ im Epheserbrief durchaus im klaren bin[33], empfinde ich aber auch seine Sachargumente für die Existenz eines vorpaulinischen Erlöserliedes in Eph 2,14–17 als wenig einleuchtend. – Daß in V. 14–18 „Christus selber (αὐτός) als jener in Erscheinung tritt, der die Pazifizierung, Erlösung und Versöhnung wirkt“ meint eben nicht, daß „damit eine für den Epheserbrief sonst und durchgängig charakteristische Sicht durchbrochen (ist), nach der Gott der Initiator und Wirker der Rettung der Menschen ist, und zwar Gott, der in Christus wirkt“[34], sondern ist, wie 5,2.25f deutlich zeigen, eine vom Verfasser des Briefes sogar mehrfach gebrauchte Parallelaussage zu der anderen. Als Traditionscharakteristikum kann sie umso weniger bezeichnet werden, je deutlicher man sieht, daß solche Parallelaussagen von der durch Gott und der durch Christus selbst gewirkten Versöhnung das ganze paulinische Schrifttum durchziehen (vgl. nur Gal 1,4; 3,13 mit 4,4f, oder Röm 5,6 mit 5,8f; 3,25f). – Daß man in μεσότοιχον eine ursprünglich kosmische Trennmauer sehen müsse, die erst redaktionell vom Epheserbrief mit dem „Zaun“ des Gesetzes identifiziert worden wäre, entspricht zwar der vor allem durch Schlier inaugurierten Interpretation von V. 14, aber nicht dem von Gnilka selbst zitierten hellenistisch-jüdischen Vergleichsmaterial aus dem Aristeasbrief, wo in §§ 139 und 142 das Gesetz *gleichzeitig* als eherne Mauer und Israel umzäunendes Gehege bezeichnet wird. Wer von diesem Material ausgeht, wird die gnostische Interpretation von μεσότοιχον und vor allem die redaktionsgeschichtliche Differenzierung von einer Mauer hier und dem Zaun des Gesetzes da als unmotiviert empfinden[35]. Vielmehr bezieht sich beides

---

stellt ebenso wie Käsemann fest, Naucks Auffassung lasse sich „weder von der Struktur noch von der Form her ... rechtfertigen. Der Stil ist ganz der des Verf(assers)“ (Komm. S. 153). Wahrscheinlich hat nur die Faszination der „gnostischen“ Hintergrundsanalyse ein gleich kritisches Urteil gegenüber Eph 2,14ff verhindert.

[33] *Colpe*, Zur Leib-Christi-Vorstellung im Epheserbrief (s. Anm. 22) S. 186. Die Mehrdeutigkeit äußert sich in unserem Briefabschnitt in der umfassenden Dimension des Friedens- und Feindschaftsgedankens und in der Doppelsinnigkeit des Leib-Begriffes V. 16. Schließlich ist im Auge zu behalten, daß, wie vor allem *Hengel, M.:* Judentum und Hellenismus. WUNT 10 (Tübingen ²1973) S. 311ff.316ff herausgestellt hat, die Tora für das hellenistische und rabbinische Judentum eine ontologisch und kosmologisch wirksame Macht gewesen ist. Der Neuschöpfungs- und Versöhnungsgedanke unseres Textes steht also antithetisch gegen einen kosmologisch-ontologischen Absolutheitsanspruch der Tora.

[34] Abh. (s. Anm. 3) S. 194.

[35] Dies gilt besonders im Blick auf die in Anm. 33 erwähnte Toraontologie. Bedenkt man, daß die unmittelbare Kenntnis und der Besitz der Tora die Juden ihrem Selbstverständnis nach zu einer sie von den Heiden unterscheidenden, dem Schöpfer wahrhaft gerecht werdenden Lebensweise verhilft, erscheinen die das Gesetz betreffenden Sätze des Aristeasbriefes erst

auf das Gesetz, und V. 15a setzt diesen Gedanken ganz sachgemäß fort. Damit aber entfällt die Vorstellung von zwei durch eine undurchdringliche Mauer geschiedenen kosmischen Sphären, die dem Weltbild des Epheserbriefes in V. 14–18 zu widersprechen und auf Tradition zu weisen schien. Nimmt man hinzu, daß das neutrische τὰ ἀμφότερα ja keineswegs kosmische Bereiche, sondern sogar grammatisch korrekt bestimmte Menschengruppen bezeichnet, wird die kosmologische Thetik der gnostischen Interpretation vollends hinfällig, hinfällig aber auch der Anhalt für Gnilkas Versuch, ein ursprünglich spekulativ-kosmologisches Denken des Hymnus von dem personalen, geschichtlich-völkischen des redigierenden Briefverfassers zu unterscheiden. Die in V. 14 erwähnte σάρξ Christi nach Joh 1,14 auf die Inkarnation zu beziehen, erscheint jetzt als mehr als gewagt, weil es von dem herabsteigenden Erlöser nun ja auch keine Bresche mehr in die kosmische Trennmauer zu schlagen gibt. Vielmehr meinen σάρξ

---

in ihrem wahren Licht: „(138) Denn was soll man vollends von der Torheit der anderen denken, der Ägypter und derer, die ihnen ähnlich sind? Diese haben ihr Vertrauen auf Tiere, und zwar meist kriechende und wilde, gesetzt, beten diese an und opfern ihnen, den lebenden, und wenn sie tot sind (139). Indem nun der Gesetzgeber, den Gott zur Erkenntnis aller Dinge fähig gemacht hat, alles dieses in seiner Weisheit erwog, umgab er uns mit einem undurchdringlichen Gehege und mit ehernen Mauern (περιέφραξεν ἡμᾶς ἀδιακόποις χάραξι καὶ σιδηροῖς τείχεσιν), damit wir mit keinem der anderen Völker irgend eine Gemeinschaft pflegten, rein an Leib und Seele, frei von törichtem Glauben, den einen und mächtigen Gott über alle Kreatur verehrend. (140) Darum nennen uns die Meister der Ägypter, ihre Priester, ... ‘Gottesmenschen‘ (ἀνθρώπους θεοῦ), ein Name, der den übrigen nicht zukommt, sondern nur dem, der den wahren Gott verehrt ... (142) Damit wir nun nicht durch Gemeinschaft mit anderen uns befleckten und durch Verkehr mit Schlechten verdorben würden, umhegte er uns auf allen Seiten mit Reinheitsgesetzen (πάντοθεν ἡμᾶς περιέφραξεν ἁγνείαις), in Speise, Trank, Berührung, in dem, was wir hören und sehen.“ Dies wird im nachfolgenden Text ganz ontologisch und kosmologisch, nämlich dahingehend erläutert, daß die Einzelgesetze die Israeliten dazu anhalten, der den Menschen bis in seine Glieder hinein und dazu den ganzen Weltlauf durchwaltenden Schöpferkraft und Weisheit Gottes in Gottesfurcht und Gerechtigkeit zu gedenken (vgl. vor allem §§ 157ff) und hieraus gleichzeitig die Lehre zu ziehen, „daß wir von allen Menschen unterschieden sind“ (διότι παρὰ πάντας ἀνθρώπους διεστάλμεθα), § 151; Übersetzung nach P. Wendland, Kautzsch AP I, S. 17f. Bedenkt man ferner das von *Weiß, H.Fr:* Untersuchungen zur Kosmologie des hellenistischen und palästinischen Judentums. TU 97 (Berlin 1966) S. 277ff skizzierte ontologische Toraverständnis Philos, erscheint es umso unmöglicher, ja sachlich falsch zu sein, in unserem Text erst eine nachträgliche Identifikation von „Mauer“ und „Zaun“ des Gesetzes anzunehmen. In V. 12 ist ja deutlich genug die Rede davon, daß die Heiden einst von der durch das Gesetz konstituierten jüdischen πολιτεία (= civitas) ferngehalten wurden, nämlich eben durch die diese civitas umgebende und die Heiden von den Juden fernhaltende Umfriedung der Tora. Bezieht man, wie es nötig ist, Vv. 11–13 direkt auf V. 14ff, wird der Text ganz klar. Zu πολιτεία V. 12 vgl. neben Gnilkas Kommentar z.St. *Hengel, M.:* Die Synagogeninschrift von Stobi: ZNW 57 (1966) S. 145–183, bes. S. 180f und *Bell, H. I.:* Jews and Christians in Egypt (Oxford 1924) S. 13.

V. 14 und sicher auch σῶμα in V. 16 den in den Tod gegebenen Kreuzesleib des Christus, wie es Kol 1,22 und der paulinischen Versöhnungstradition nach Röm 7,4; 8,3[36] terminologisch auch recht deutlich entspricht. Die Betonung der Versöhnung gerade durch das Kreuz Christi in V. 16 ist zwar theologisch überaus wichtig, aber es besteht wiederum kein wirklicher Anlaß mehr, diesen Hinweis in Analogie zu den Interpretationszusätzen von Phil 2,8 und Kol 1,20 erst der Redaktion zuzuweisen und dem Hymnus eine Außerachtlassung des Kreuzes anzulasten[37]. V. 16a stammt vielmehr von demselben Briefsteller, der V. 14–18 insgesamt geschrieben hat. In welche Schwierigkeiten Gnilka mit seinem Rekonstruktionsversuch gerät, zeigt schließlich der Schluß des von ihm postulierten Hymnus. Bei der letzten Zeile dieses Hymnus handelt es sich um ein Zitat aus Jes 57,19 und damit im Kontext von Eph 2,11ff um die Wiederaufnahme einer in V. 13 bereits begonnen exegetischen These des Verfassers. Gnilka aber, der diese Schlußzeile dem Hymnus zwar nur noch mit Fragezeichen zurechnet, beachtet das Schriftzitat kaum und möchte annehmen, daß mit den „Fernen“ und den „Nahen“ im Hymnus ursprünglich kosmische Mächte bezeichnet waren[38]. Leider aber hat diese Annahme in der jüdischen Interpretationsgeschichte von Jes 57,19 keinerlei Anhalt[39] und zeigt nur, daß Gnilka den exegetischen Zusammenhalt der Verse 13–18 nicht wirklich erkannt hat. Damit aber stehen wir bereits bei der positiven Gegenthese zu seiner m.E. weder philologisch noch traditionskritisch und auch sachlich nicht hinreichend fundierten Analyse.

[36] Die Beziehung auch von Röm 8,3 auf die Versöhnungstradition ist dadurch gesichert, daß man, dem technischen Sprachgebrauch der Septuaginta folgend, καὶ περὶ ἁμαρτίας mit „und als Sühnopfer“ übersetzen muß, vgl. *Schweizer, E.:* Zum religionsgeschichtlichen Hintergrund der „Sendungsformel“ Gal 4,4f, Röm 8,3f, Joh 3,16f, 1 Joh 4,9, in: Beiträge zur Theologie des Neuen Testaments, Neutestamentliche Aufsätze 1955–1970 (Zürich 1970) S. (83–95) 94. *Gnilka,* Komm. (s. Anm. 2) S. 141 Anm. 3 hält Kol 1,22 für „keine echte Parallele“; warum nicht?

[37] So *Gnilka,* Abh. (s. Anm. 3) S. 199; ähnlich auch schon *Schlier,* Der Brief an die Epheser², S. 135. Ob Kol 1,20 tatsächlich erst ein Zusatz zum Hymnus von Kol 1,15–20 ist, kann hier nicht erörtert werden; die Wortstatistik spricht dagegen.

[38] Abh. (s. Anm. 3) S. 200, ebenso Komm. (s. Anm. 2) S. 150.

[39] Mit den „Fernen“ und „Nahen“ werden in der jüdischen Interpretation von Jes 57,19 bußfertige Sünder und Gerechte innerhalb Israels bezeichnet (so z.B. im Targum z.St. und in den bei Billerbeck I, 167.215f zitierten Stellen) oder Heiden und Juden, denen Gott sein Heil zuwendet (vgl. *Billerbeck* III 586; *Dibelius-Greeven,* Komm. zu Eph 2,14 u.a.). Darüber hinaus ist die Rede von den „Fernen“ (רְחוֹקִים) = Heiden und den „Nahen“ (קְרוֹבִים) = Juden jüdisch ganz geläufige (Missions-)Terminologie. Da in den jüdischen Texten meines Wissens nie kosmische Mächte als Ferne oder Nahe angesprochen werden, im heutigen Text von V. 17 aber auch nur Menschen gemeint sind, scheint es mir nicht ratsam zu sein, bei der Exegese von Eph 2,17 aus dem Sprachduktus der jüdischen Tradition auszubrechen.

III

Unsere Gegenthese lautet: In V. 13–18 bietet der Verfasser eine christologische Exegese von Jes 9,5f; 52,7; 57,19. Diese Exegese dient im Rahmen von V. 11–22 dazu, die Versöhnung von Heiden und Juden durch Christus mit Gott und untereinander so auszusagen, daß gleichzeitig das Wunder der Aufnahme gerade der Heiden in die Kirche und das Wesen dieser Kirche als des versöhnten neuen Gottesvolkes sichtbar wird.

Daß in unseren Versen Schriftexegese getrieben wird, ist eine bereits von Dibelius[40], Percy[41], Conzelmann[42], Deichgräber[43], und Mußner[44] vertretene, wenn ich recht sehe, nur noch für V. 14 und 17 nicht wirklich konsequent durchgeführte These. Sie stützt sich auf folgende Beobachtungen. Wie Gnilka selbst in der Nachfolge Colpes herausstellt, erweist sich der Verfasser des Epheserbriefes in 1,22; 4,8ff und 5,31f als durchaus vertraut mit jüdischer Auslegungsmethodik, nur daß er diese jeweils im Dienste seiner christlichen Glaubensanschauung einsetzt[45]. Von hier aus gesehen ist es also nicht ungewöhnlich, wenn in 2,13ff ebenfalls eine methodisch vom Rabbinat her inspirierte, christologische Schriftexegese auftaucht. Sie verbindet vom Stichwort εἰρήνη her drei Schriftstellen miteinander, nämlich Jes 57,19 (V. 13 und 17), Jes 9,5f (V. 14) und Jes 52,7 (V. 17). Die Zitatenverbindung ist formal ganz jüdisch. Der für die Fernen und Nahen in Jes 57,19 angesagte „Friede“ wird durch den „Friedefürst“ genannten Messias verwirklicht (Jes 9,5f), und zwar so, daß der Messias gemäß Jes 52,7 als Verkündiger des Friedens für diese Fernen und Nahen auftritt. In jüdischen Texten liegt uns sowohl die gemeinsame Beziehung von Jes 52,7 und 9,5f auf den Messias als auch die messianische Interpretation von Jes 52,7 vor[46]. Unser Briefsteller ist mit der Möglichkeit solch messianischer Exegese offensichtlich vertraut, nur daß er sie jetzt christologisch wendet. Die „Fernen“ und „Nahen“ von Jes 57,19 sind für ihn Heiden und Juden, die εἰρήνη das im Versöhnungswerk Christi sich darstellende Heil Gottes, der in Jes 9,5f und 52,7 gemeinte Messias ist Christus selbst, und die Erfüllung der Schriftverheißung ist

---

[40] Komm. (s. Anm. 12) S. 69.

[41] Die Probleme der Kolosser- und Epheserbriefe (s. Anm. 15) S. 283.

[42] Komm. (s. Anm. 13) S. 68f.

[43] Gotteshymnus und Christushymnus in der frühen Christenheit (s. Anm. 11) S. 167 Anm. 1.

[44] Christus, das All und die Kirche (s. Anm. 18) S. 100ff.

[45] Vgl. Komm. (s. Anm. 2) S. 29.96.206ff und *Colpe*, Zur Leib-Christi-Vorstellung im Epheserbrief (s. Anm. 22) S. 178ff. 182ff.

[46] Vgl. *Billerbeck* III S. 9ff. 587. *Mußner*, Christus, das All und die Kirche (s. Anm. 18) S. 101 und *Stuhlmacher, P.:* Das paulinische Evangelium I. FRLANT 95 (Göttingen 1968) S. 148.

in dem die Kirche aus Heiden und Juden begründenen Werk der Friedensstiftung und Versöhnung durch Christus gegeben. Man wird zugestehen können, daß sich diese Exegese in die von judenchristlichen Materialien gesättigten Verse 11–22 ebenso gut einfügt wie in den Traditionsbefund des Epheserbriefes insgesamt, und man darf auch behaupten, daß diese Exegese sich inhaltlich in den verheißungsgeschichtlichen Argumentationsgang von V. 11–22 hervorragend einpaßt.

Unter diesen Umständen kann man es wagen, folgende Skizze des Gedankenganges von V. 11–22 und besonders 14–18 zu geben. Die Verse 11 und 12 weisen auf die Rechtfertigungsverkündigung von 2,1–10 zurück und erinnern die speziell angesprochenen Heidenchristen in judenchristlich geprägter Terminologie an ihre einstige Ausgeschlossenheit von der israelitischen Gemeinde und des dieser verheißenen, jetzt der Kirche als dem wahren Israel überkommenen Heils. V. 13 verkündet die wunderbare, von Gott in Christi Sühntod ermöglichte und vollzogene Wende. Der in der Schrift (Jes 57,19) niedergelegten Zusage gemäß, hat Gott im blutigen Tode Jesu Heil und Vergebung für die Fernen, d.h. die Heiden, (und für die Nahen, d.h. die Juden) gestiftet und eben damit die bisher durch das Gesetz von seiner Heilswirklichkeit Ausgeschlossenen durch Christus in seine Nähe gezogen. V. 14a schließt mit kausal-verknüpfendem „denn“[47] an V. 13 an und stellt jenen Grundsatz auf, der bis hin zu V. 17 mit Hilfe von Nebensätzen im Partizipialstil erläutert wird. Er, der dem Tode preisgegebene und, wie 1,20; 2,6 ausführen, von Gott auferweckte und in den Himmeln zur Rechten Gottes inthronisierte Christus, er ist unser Friede. Er ist der in Jes 9,5f verheißene Messias. Das Heil, der Friede, ist durch ihn verwirklicht worden und in ihm beschlossen. Was die Schrift als kommend verhieß und was Israel sich erst von der Zukunft erhoffte, in Christus hat es sich für die Gemeinde bereits erfüllt. Christus ist der Stifter neuer, unverbrüchlicher Gemeinschaft zwischen Gott und den begnadeten Sündern aus Heiden und Juden. Wie er diese Gemeinschaft gestiftet hat und was sie bedeutet, entfalten die Verse 14b.15 und 16. Um sie zu verstehen, muß man sich klarmachen, daß die Identifikation von Christus und Friede, der alttestamentliche Rede von Ri 6,24 „Der Herr ist Heil“ = יְהוָה שָׁלוֹם analog, eine dynamische Redeweise ist: Christus ist die Wirklichkeit des Friedens, und dieser Friede ist bleibend an Jesu Geschick und seine Person gebunden. Der Friede selbst aber wird verstanden als Versöhnung, d.h. als Stiftung von Gemeinschaft

---

[47] Vgl. *Deichgräber*, Gotteshymnus und Christushymnus in der frühen Christenheit (s. Anm. 11) S. 166.

zwischen Gott und den Menschen durch den von Gott veranlaßten und in der Auferweckung als gültig „ratifizierten“ Sühntod Christi[48]. Diese Interpretation des Kreuzestodes Jesu mit Hilfe der alttestamentlich-jüdischen Sühnopfervorstellung[49] war eine gedankliche und theologische Leistung der Urchristenheit ersten Ranges, weil damit das Wirken Gottes im Tode Jesu und mittels seines Todes für die Menschen theologisch denkbar und kerygmatisch aussagbar gemacht worden ist. Diese Interpretation war bereits Paulus vorgegeben (vgl. nur Röm 3,25f; 4,25), wurde vom Apostel aufgegriffen und zum Ermöglichungsgrund seiner gesetzeskritischen Rechtfertigungstheologie erhoben (vgl. z.B. Röm 5,1ff; 8,2–11.31ff; 2 Kor 5,17ff usw.), und wird nun hier im Epheserbrief weiter durchdacht und ausgelegt, und zwar in einer auf Paulus fußenden, aber auch über ihn ekklesiologisch hinausführenden Weise.

V. 14b.15 und 16 erläutern V. 14a in drei Sachaussagen: Christus hat – erstens – das Gesetz abgetan; er hat – zweitens – die Feindschaft beseitigt; er hat – drittens – Juden und Heiden kraft seines leibhaftigen Opfers in der Kirche zusammengeführt und neugeschaffen. Der Blick der Verse ruht also auf dem Wunder der Zusammenführung von Heiden und Juden zum eschatologischen Gottesvolk, und der Versöhnungsgedanke von V. 14ff spielt keineswegs nur zwischen dem Einzelnen und seinem Gott, sondern schließt die wunderbare Stiftung neuer menschlicher Gemeinschaft per definitionem mit ein. Diese Ganzheitlichkeit des Friedens- und Versöhnungsverständnisses ist sogar das eigentliche Merkmal unseres Textes[50]. Sie muß vom Verfasser aber nicht einer ursprünglich kosmisch-

---

[48] Da Versöhnung durch das von Gott selbst eingesetzte oder von Christus in freiwilliger gehorsamer Selbstpreisgabe erbrachte Sühnopfer in der paulinischen Tradition und im Epheserbrief, wie oben gezeigt, Parallelaussagen sind, darf man auch unseren Text aus dem stets von Gottes Initiative gelenkten Gesamtgedanken heraus interpretieren.

[49] Vgl. dazu *v. Rad, G.:* Theologie des Alten Testaments, Bd. 1 (München [6]1969) S. 275ff und *Koch, Kl.:* Sühne und Sündenvergebung um die Wende von der exilischen zur nachexilischen Zeit: EvTh 26 (1966) S. 217–239, bes. S. 227ff.“ *Sjöberg, E.:* Gott und die Sünder im palästinischen Judentum. BWANT 79 (Stuttgart 1939) S. 175ff. *Lohse, E.:* Märtyrer und Gottesknecht. FRLANT 64 (Göttingen [2]1963) S. 20–23 und passim. Die alttestamentlich-jüdische Überlieferung hat ihren für das Neue Testament und sein Verständnis des Sühnetodes Jesu entscheidenen Grundzug darin, daß die kultische Sühne als von Gott gestiftete gilt und daß das Sünd- und Sühnopfer das von Gott gnädig zugelassene Medium ist, auf das menschliche Schuld übertragen und so zwischen Jahwe und dem Volk weggeschafft werden darf.

[50] So auch *Gnilka,* Komm. (s. Anm. 2) S. 143 und *Dinkler, E.:* Artikel „Friede“, in: RAC VIII Sp. (434–505) 464: „Das Besondere des Gedankens ist hier, daß εἰρήνη sowohl das durch Christus erneuerte Verhältnis Gottes zum Menschen wie das der Menschen, also der nahen u(nd) fernen, untereinander bestimmt, Christus also F(riede) zwischen Gott u(nd) Mensch wie zwischen Mensch u(nd) Mitmensch stiftet.“

spekulativ gewendeten Friedensidee kritisch abgerungen werden, sondern sie wird von ihm geradlinig aus der Verheißung der Schrift und den paulinischen Versöhnungsaussagen heraus entfaltet, und zwar in kritischer Konfrontation zum Machtanspruch des Gesetzes.

Daß das Gesetz abgetan ist, das Gesetz, das in V. 14.15 im Anschluß an jüdisch-kosmologische Sprechweise als „Trennwand des Zaunes“[51] und dann christlich als „Gesetz mit seinen Geboten und Satzungen“ bezeichnet wird, versteht man am besten, wenn man folgendes bedenkt. Für das Judentum war das ihm geoffenbarte Gesetz nicht nur eine Gebotssammlung, sondern zugleich Grundlage seiner Lebensordnung und Schutzwehr seiner Lebensweise. Geschützt wurden vom Gesetz ein Lebensraum und eine Lebensart, von welcher die Heiden ausgeschlossen blieben, sofern sie sich nicht ausdrücklich zum Judentum bekehren und beschneiden lassen wollten. Das Gesetz wirkte somit ganz massiv als eine Heiden und Juden ideell und praktisch trennende Scheidewand. 3 Makk 3,3.4 heißt es mit fast wörtlichen Anklängen an V. 12 und 14: „Die Juden aber bewahrten gegenüber den Königen ständig eine wohlwollende Gesinnung und unwandelbare Treue. (4) Weil sie aber Gott fürchteten und nach seinem Gesetz wandelten und in Hinsicht auf die Speisen eine Absonderung vollzogen, erschienen sie aus diesem Grunde einigen als hassenswert.“[52] Ein generell recht gespanntes Verhältnis zwischen Juden und Heiden in den Städten der Diaspora war die natürliche Folge solcher religiösen Absonderung. Unser Text kommt auf das in diesem Sinne Spaltung wirkende Gesetz von christlicher Sicht her ausgesprochen kritisch zu sprechen. Es tritt nämlich zum Verständnis des Nomos als gefährlicher Trennwand zwischen Juden und Heiden noch die speziell von Paulus ausgearbeitete Einsicht hinzu, daß dieses Gesetz alle Menschen, die ihm untertan sind, vor Gott auf sich selbst stellt und sie zur eigenmächtigen Selbstbehauptung vor Gott dem Richter zwingt (vgl. Röm 7,7–25; Gal 3,19ff). Die Tora gilt in unseren Versen darum nicht nur als eine die Welt in feindliche Menschengruppen zertrennende, sondern auch die Gemeinschaft zwischen Gott und den Menschen verriegelnde, zwischen Gott und alle seine Geschöpfe die Feindschaft des Gerichtes setzende und sie nährende Macht. Die bedrängende, weltweite Macht dieses Gesetzes hat Christus gebrochen, indem er in seinem Opfertod das Gesetz an das Ende seines Feindschaft setzenden Wirkens und damit wieder Gott zu den

[51] Vgl. dazu Anm. 33 und 35.

[52] (3) οἱ δὲ Ἰουδαῖοι τὴν μὲν πρὸς τοὺς βασιλεῖς εὔνοιαν καὶ πίστιν ἀδιάστροφον ἦσαν φυλάττοντες, (4) σεβόμενοι δὲ τὸν θεὸν καὶ τῷ τούτου νόμῳ πολιτευόμενοι χωρισμὸν ἐποίουν ἐπὶ τῷ κατὰ τὰς τροφάς, δι᾽ ἣν αἰτίαν ἐνίοις ἀπεχθεῖς ἐφαίνοντο.

Menschen und die Menschen zu ihrem Schöpfer brachte. Mit der Beseitigung des Gesetzes aber ist nunmehr auch die Heiden und Juden bisher voneinander trennende Scheidewand durchbrochen und in der Kirche der Grund für eine neue menschliche Gemeinschaft zwischen den ehemals tief verfeindeten Juden und Heiden gelegt. Die neue kirchliche Lebensordung heißt jetzt „Friede“ bzw. Versöhnung und endgültige Gottesgemeinschaft.

Die in V. 14 und 16 zweimal angesprochene „Feindschaft“ meint, in ähnlicher Doppelschichtigkeit der Begriffsbestimmung wie bei „Friede“ auch, jene zwischen Gott und den Sündern waltende und nach urchristlicher Anschauung den ganzen Kosmos erfassende gerichtliche Konfrontation, die Rebellion der Sünder und der Sünde gegen Gott[53], einerseits und die zwischen den beiden Teilen der Menschheit, zwischen Juden und Heiden, herrschende Situation von Haß und Argwohn[54] andererseits. Aber auch diese, durch das Gesetz wachgehaltene und stabilisierte doppelte Feindschaft hat Christus aufgehoben, und zwar durch seine leibliche Hingabe am Kreuz[55], welche dem Gesetz die Macht nahm. Wie V. 14b und 16 zeigen, will unser Text ausdrücklich eine Interpretation des Kreuzes Jesu und seiner in der Auferweckung sichtbar werdenden Sinnhaltigkeit geben. Sinn des Sühnetodes Jesu am Kreuz ist die Beseitigung der (doppelten) Feindschaft. Die Aufhebung der Feindschaft wurde vollzogen, indem Christus Sühne leistete für die Schuld von Heiden und Juden und dadurch neue, von Schuld und Gerichtsspruch unbelastete Gemeinschaft zwischen Gott und seinen Geschöpfen ermöglichte. Damit stehen wir beim dritten.

Der Sinn des Kreuzes ist die Stiftung neuer Gemeinschaft zwischen Gott und den Menschen und die sich in solcher „Näherung“ Gottes vollziehende Neuschöpfung von Heiden und Juden zu dem einen neuen Menschen, der Gott in Freiheit und Dankbarkeit dienstbar ist. Die Urchristenheit hat den schon jüdisch sehr konkret gefaßten Gedanken der Neuschöpfung durch Vergebung von Schuld[56] aufgegriffen und, wie vor

[53] Zum Verständnis von „Feindschaft“ als des Gegensatzes des gerechten Gottes zu den Frevlern vgl. Röm 5,8ff; *W. Foerster*, ThW II S. 812,7ff. 38ff, S. 814,9ff und S. 815,1ff; *Billerbeck* III S. 591f.

[54] Zur Feindschaft zwischen Juden und Heiden vgl. das Zitat aus 3 Makk 3,4 in Anm. 52 und die unten in Anm. 62 und 63 aufgeführten zeitgeschichtlichen Materialien.

[55] Mit *E. Schweizer*, ThW VII, S. 137,17f und S. 1075,7f beziehe ich ἐν τῇ σαρκὶ αὐτοῦ V. 14 und ἐν ἑνὶ σώματι V. 16 primär auf die Lebenshingabe Jesu am Kreuz, ohne die Parallelität des zweiten Ausdrucks zu 4,4 leugnen zu wollen, s. dazu Anm. 33 und 57.

[56] Vgl. zur jüdischen Tradition vor allem *Sjöberg, E.:* Wiedergeburt und Neuschöpfung im palästinischen Judentum: StTh 4 (1950) S. 44–85; *ders.:* Neuschöpfung in den Toten-Meer-

allem 2 Kor 5,17 zeigt, im Rahmen ihrer Tauflehre ausgewertet. Von dieser Tradition herkommend, kann unser Text in V. 15 die Neuschöpfung von Heiden und Juden als Resultat der in Kreuz und Auferweckung gestifteten Versöhnung bezeichnen. Eph 4,24 greift denselben Gedanken dann paränetisch wieder auf[57]. Der schöpferische Sinn des Kreuzes ist also, um einmal mit Paulus selbst zu sprechen, der, daß es im Raum der Kirche „weder mehr Jude noch Grieche, weder Sklave noch Freien, weder Mann noch Frau gibt“, vielmehr „alle einer sind in Christus Jesus“ (Gal 3,28). Die Versöhnung kommt zum Ziel in der Schöpfung des neuen Menschen und damit der Überwindung der alten Trennung von Heiden und Juden in der neuen Lebensgemeinschaft der Gemeinde. Gegenüber der von Feindschaft durchzogenen alten Welt unter dem Gesetz bietet somit die Gemeinde als Leib Christi nach Meinung unseres Briefes eine neue Lebensalternative, einen Raum neuer Freiheit und Geschöpflichkeit. Bei der doppelschichtigen Begrifflichkeit des Epheserbriefes ist es wahrscheinlich, daß in dem ἐν ἑνὶ σώματι von V. 16 nicht nur der Gedanke der leiblichen Hingabe Jesu am Kreuz allein, sondern zugleich der Gedanke der durch diese Hingabe gestifteten Kirche betont wird, eine von der Traditionsgeschichte des paulinischen Leib-Christi-Gedankens her ja ausgesprochen naheliegende Assoziation[58].

Rollen: StTh 8 (1954) S. 131–136; *Jeremias, J.:* Die Kindertaufe in den ersten vier Jahrhunderten (Göttingen 1958) S. 38–44. Mit dem neutestamentlich-paulinischen Befund befaßt sich umfassend *Schwantes, H.:* Schöpfung der Endzeit. Aufsätze und Vorträge zur Theologie und Religionswissenschaft 23 (Berlin 1963) und experimentell meine Studie: Erwägungen zum ontologischen Charakter der καινὴ κτίσις bei Paulus: EvTh 27 (1967) S. 1–35, bes. S. 22ff.

[57] Der Unterschied unserer Stelle zu Eph 4,24 besteht, wie *Mußner:* Christus das All und die Kirche (s. Anm. 18) S. 86 und *Gnilka,* Komm. (s. Anm. 2) S. 140 zu Recht betonen, darin, daß in Eph 4,24 auf das neue Verhalten der Getauften geblickt wird, während Eph 2,15 skizziert, wie es zu ihrer neuen ekklesiologischen Existenz kam. Beides aber sind Parallelaspekte ein und desselben Sachverhaltes, nämlich der – real verstandenen – Neuschöpfung durch Christi Sühnetod im Glauben und durch die in die Gemeinde eingliedernde Taufe.

[58] E. Käsemann äußert sich in seiner Abhandlung über „Das theologische Problem des Motivs vom Leibe Christi“ (s. Anm. 4) S. 191ff ausgesprochen kritisch zu der Verbindung von Kreuzesleib, eucharistischem Leib Christi und Kirchenbegriff und möchte den ekklesiologischen Leib als „irdischen Leib des Auferstandenen und Erhöhten“ vom allein Jesus zukommenden Kreuzesleib unterscheiden, andernfalls komme man „zu einem abstrusen Ergebnis, vor welchem nur Passionsmystik sich nicht zu fürchten braucht“ (S. 194). Auch ich bin in meiner Dissertation: Gerechtigkeit Gottes bei Paulus, FRLANT 87 (Göttingen ²1966) S. 212ff Käsemann weitgehend gefolgt. Freilich meine ich jetzt angesichts der Schwierigkeiten, in welche die Gnosisforschung geraten ist und angesichts der Tatsache, daß im Leib-Christi-Gedanken vom Paulus zugestandenermaßen verschiedene Traditionen und Vorstellungen verbunden werden, feststellen zu sollen, daß ursprünglich zwar der Kreuzesleib Jesu und das eucharistische Element einerseits und der Gemeindegedanke als Leib und Organismus andererseits getrennten

Ehe der Text ausdrücklich seine in Vv. 11f schon vorbereiteten ekklesiologischen Konsequenzen zieht, weist er in V. 17 zusammenfassend auf die christologische Erfüllung von Jes 57,19 in der Erscheinung Jesu hin. Sie ist mit dem „Kommen“ gemeint, vgl. 1 Tim 1,15[59]. In der Erscheinung Jesu erfüllt sich die Hoffnung Israels auf den verheißenen messianischen Evangelisten und Friedensherold, und diese Sendung Jesu ist als Verwirklichung der Versöhnung für Juden und Heiden die Erfüllung der in Jes 57,19 geäußerten Verheißung des kommenden Heils. Die Interpretationen von Jes 57,19 in V. 13 und Jes 9,5f in V. 14 laufen also über die Brücke eines christologischen Verständnisses von Jes 52,7 in V. 17 zusammen. V. 18 erläutert dies bestätigend noch dadurch, daß hingewiesen wird auf den durch die Versöhnung eröffneten Zugang zum Vater, den die durch die Taufe neugeschaffenen Heiden und Juden in der Kirche gewonnen haben. Die Parallele zu Röm 5,1f ist deutlich. Im Rückgriff auf V. 11 und 12 werten Vv. 19–22 dieses Ergebnis dann wieder ekklesiologisch aus. Die Heidenchristen sind nun nicht mehr ohne Bürgerrecht im (eschatologischen) Israel, sie sind vielmehr zusammen mit den Judenchristen Hausgenossen Gottes. Die Kirche als Tempel, Bau und Wohnstatt Gottes wird zusammengehalten von Christus als dem Schlußstein, ist aber selbst erst im Werden, d.h. eine auf Vergrößerung und Bewährung angelegte, durch Christus geschaffene Missionsgemeinschaft, deren Grundlage und Lebenswirklichkeit Versöhnung und Friede heißt (vgl. 4,1ff; 6,15).

Es ist also insgesamt durchaus möglich, unseren Text ohne Anleihen bei späteren gnostischen Theologumena und auch ohne die schwierige Hypothese eines zugrundeliegenden Hymnus zu interpretieren, und solche Interpretation hat den Vorteil, all jene sprachlichen und sachlichen Schwierigkeiten zu vermeiden, in die Gnilka und seine Vorgänger notwendig geraten.

Denkbereichen entstammen, aber bereits vom Apostel bewußt unter der einen Bezeichnung σῶμα Χριστοῦ verbunden werden. Ich möchte von hier aus jetzt z.B. G. Bornkamm in seiner Feststellung zustimmen, daß nach dem Verständnis des Paulus „der im Sakrament empfangene Todesleib Christi und ebenso das Anteilempfangen an Christi Blut, d.h. seinem Sterben, und die ‚neue Heilsordnung‘ (der ‚neue Bund‘ 1 Kor 11,25), sich darstellend in der Gemeinde, unlöslich zusammen(gehören)“, Paulus (Stuttgart 1969) S. 200. Ich hoffe, darin auch mit Gnilka (Komm. S. 99ff) einig zu sein.

[59] Gerade wenn hinter unserem Vers eine christologische Interpretation des Freudenboten von Jes 52,7 steht, ist es nicht ratsam, die Wirksamkeit Jesu als des Friedensevangelisten nur auf seine österliche Wirksamkeit zu begrenzen. Vielmehr ist Jesus der Erfüller von Jes 52,7 in seinem Kommen, das Tod und Auferweckung umschließt, also in seiner Sendung insgesamt.

IV

Gnilka hat mit Recht, aber leider noch in gewissem Alleingang, unter den derzeitigen Exegeten unseres Briefabschnittes darauf hingewiesen, daß sich von Eph 2,14–17 her Grundlinien einer neutestamentlichen Friedenstheologie ergeben. Nach Eph 2,14ff bedeutet „Friede" die durch Christi Sühnetod gestiftete, in der Kirche als dem Leib Christi im Glauben wirkliche neue Gemeinschaft Gottes mit den Menschen und gleichzeitig die neue Gemeinschaft bislang verfeindeter, aber durch die Vergebung ihrer Schuld für eine neue mitmenschliche Begegnung freigewordener Menschen. Friede wird hier als umfassendes, Gott und Mensch und Mensch und Mitmensch durch Christus verbindendes und in Christus personal repräsentiertes Versöhnungsgeschehen definiert. Die Paränese des Epheserbriefes ruft in Kapitel 4–6 zur Bezeugung dieser Versöhnungswirklichkeit im Leben der Gemeinde und in der Begegnung dieser Gemeinde mit der Welt auf. Von hier aus hat Gnilka völlig recht, wenn er betont, daß in unserem Brief und vor allem in Eph 2,14ff die Kirche als „die Zwischeninstanz in den Blick (kommt), die die durch Christus grundsätzlich gewirkte Pazifizierung der Welt in die Geschichte hinein realisiert"[60]. Seine These bekommt umso größeres Gewicht, je deutlicher man sieht, daß sich in Eph 2,14ff der Hauptteil der biblischen Traditionsarbeit zum Thema Friede und Versöhnung zusammenfaßt, weil hier die Linien der alttestamentlich-jüdischen Tradition, des auf Versöhnung abzielenden Wirkens Jesu, die Grunderfahrung der Urgemeinde und die paulinische Rechtfertigungs- und Versöhnungsverkündigung zusammenlaufen. Doch kann ich darauf im Rahmen dieser Studie nur hinweisen. Wichtig aber ist es, in unserem Zusammenhang noch aufzuzeigen, wie konkret die skizzierte Friedensverkündigung ursprünglich gemeint gewesen sein dürfte. Die traditionsgesättigte und verallgemeinernd-theologische Sprechweise des Epheserbriefes hat jedenfalls in den jüngeren Kommentaren dazu verleitet, die Frage nach den zeitgeschichtlichen Verhältnissen, in welche der Brief hineinspricht, nicht mehr wirklich genau genug zu stellen[61]. Die bekannten, in

[60] Abh. (s. Anm. 3) S. 204.

[61] Auch in dieser Hinsicht bemüht sich Gnilka in seinem Kommentar S. 45ff um einen Neuansatz. Freilich kommt er über die sehr weitgefaßte und stark am Vorbild des Kolosserbriefes orientierte These nicht hinaus, der Epheserbrief stelle den Versuch dar, „in einer Zeit auflösender Tendenzen, der Krise, des religiösen Individualismus, der Geschichtslosigkeit ..., das Heil Gottes, das sich in der universalen Kirche in geschichtlicher Form dargestellt hat, und die konkrete Verantwortung der Christen abzusichern". Dieser Briefabsicht ist nach Gnilka auch das unseren Briefabschnitt beherrschende Thema der Vereinigung von Heiden und Juden in der einen Kirche ein- und unterzuordnen. Ich meine im Blick auf *v. Soden, H.*: Der Brief

der Textüberlieferung von 1,1 begründeten Schwierigkeiten bei einer genauen Lokalisierung und Charakterisierung des Briefes machen die Frage nach den Lebensverhältnissen, in welche das Schreiben hineinwirken wollte, nicht eben leichter. Doch läßt sich immerhin von ein paar eindeutigen Daten ausgehen. Unser Brief richtet sich in den Jahren nach 70 an die christliche(n) Gemeinde(n) in den kleinasiatischen Städten. Sein Hauptanliegen ist es, den immer wieder betont angesprochenen Heidenchristen einzuschärfen, daß für sie die Kontinuität zu den heilsgeschichtlichen Anfängen der Gemeinde im Judenchristentum ekklesiologisch lebenswichtig bleibt, weil das Wunder und Wesen der Gemeinde gerade darin besteht, daß die Heiden zusammen mit den Juden in ihr zu dem einen neuen Gottesvolk berufen worden sind, in welchem sich die Verheißung Gottes konkretisiert. Der Epheserbrief äußert diese Thesen in einer Zeit, da Jerusalem, für Juden und Christen bislang der eigentliche heilsgeschichtliche Mittelpunkt und Vorort der Welt, in Trümmern lag, da der Rest der Urgemeinde wahrscheinlich nach Pella im Ostjordanland geflohen war, das Judenchristentum also geschichtlich zu verkümmern begann, und sich für die Gemeinden in Kleinasien die Frage stellte, wohin sie sich fortan geistlich ausrichten sollten. Gerade im Blick auf Eph 2,14ff und die dort apostrophierte Feindschaft zwischen Juden und Heiden läßt sich zeitgeschichtlich sogar noch mehr sagen. In der Diaspora Kleinasiens und Ägyptens hatte sich trotz der Toleranzedikte Caesars und des Augustus zwischen der in den Städten zumeist zahlreichen Judenschaft und der heidnisch-einheimischen Bevölkerung in Jahrhunderten ein Feindschaftsverhältnis entwickelt, das vor allem in der gegenseitig so unterschiedlichen religiösen Lebensweise begründet war, zusätzliche Nahrung aus dem Neid der Heiden auf die den Juden von Rom zugestandenen Privilegien der freien Religionsausübung, der Befreiung vom Militärdienst usw. erhielt, und sich gerade in den städtischen Kommunen wiederholt in Pogromen entlud. Gerade in der Zeit nach 70 steigerte sich die Aversion der Juden gegen die Heiden, die Israel seines Tempels beraubt und diesen geschändet hatten, noch ganz besonders[62]. Am genauesten sind wir aus Alexandrien

an die Epheser. Hand-Commentar zum NT III, 1 (Freiburg i. Br. 1891) S. 82ff und die von *Goppelt*, *L.*: Die apostolische und nachapostolische Zeit, in: Die Kirche in ihrer Geschichte. Ein Handbuch hrsg. von *K. D. Schmidt* und *E. Wolf*, Bd. 1, Lfg. A (Göttingen [2]1966) in §§ 16 und 17 (= S. 80ff. 84ff) gegebene Skizze umgekehrt akzentuieren, die Thematik von 4,14 dem Thema der Einheit von Juden und Heiden in der Kirche unterordnen und mit Käsemann sagen zu sollen: „Eine heidenchristliche Gemeinde, die sich als Orthodoxie gegen Irrlehre abgrenzen muß (4,14) und die Bindung an das Judenchristentum zu verlieren droht, bedarf der Belehrung über das Wesen der Una Sancta" (Artikel Epheserbrief, RGG II[3] Sp. 517).

[62] Vgl. *Billerbeck* III S. 139ff. 144ff; IV,1 S. 353ff und *Schürer* III[4] S. 126f. 150ff.

über die Auseinandersetzungen zwischen Judenschaft und einheimischer Stadtbevölkerung in den Jahren 38–41 n. Chr. unterrichtet[63], doch dürfen wir die dortigen Verhältnisse mit aller Vorsicht als Modellfall einer Lage und gespannten Atmosphäre betrachten, wie sie auch nach 70 noch in Städten wie Ephesus gegeben war und sich jederzeit neu in Judenverfolgungen entladen konnte. Weit entfernt davon, nur eine lebensferne theologische Lehre vorzutragen, zielt unser Ephesertext vielmehr hinein in die Welt des antiken Antisemitismus und der jüdischen Heidenverachtung und verkündet *hier* die Überwindung der Juden und Heiden bislang trennenden Feindschaft durch Christus den Versöhner. Indem in der christlichen Gemeinde die einst scharf getrennten Juden und Heiden als neugewordene, brüderlich geeinte Menschen zusammenlebten und der Epheserbrief sogar die Heidenchristen speziell auffordert, sich der eigenen Angewiesenheit auf die judenchristlichen Ursprünge bewußt zu bleiben, wuchs der Gemeinde nolens volens die Aufgabe und Möglichkeit zu, in ihrer Zeit ein die alten ethischen und religiösen Antagonismen überwindendes Modell von Realversöhnung zu bieten. Die von der Versöhnung konstituierte christliche Gemeinde stellte damit zu ihrer Zeit eine auch sozial für ihre Umwelt interessante Antwort auf die allgemeine spätantike

---

[63] Vgl. den berühmten Brief des Kaisers Claudius an die Alexandriner aus dem Jahre 41, wo es in Kolumne 4, Zeile 79ff und 5, Zeile 1ff heißt: „... und ich sage euch ein für alle Mal, daß ich, wenn ihr nicht mit dieser verderblichen und eigensinnigen Feindschaft gegeneinander aufhört (ἂν μὴ καταπαύσηται τὴν ὀλέθριον ὀργὴν ταύτην κατ' ἀλλήλων αὐθάδιον), dazu gezwungen sein werde, euch zu zeigen, wie ein an sich wohlwollender Fürst sein kann, wenn man ihn zu gerechtem Zorn reizt. Deshalb beschwöre ich euch jetzt noch einmal, daß ihr, die Alexandriner, euch einerseits geduldig und freundlich gegenüber den Juden betragt, die seit langer Zeit in derselben Stadt gewohnt haben (Kol. 5) und keinen der von ihnen befolgten Riten zur Anbetung ihrer Götter schändet, sondern ihnen erlaubt, ihren Gebräuchen wie zu den Zeiten des göttlichen Augustus nachzugehen, welche ich, nachdem ich beide Seiten angehört, ebenfalls sanktioniert habe; und andererseits befehle ich den Juden ausdrücklich, nicht auf mehr Privilegien, als sie früher besaßen, hinzuarbeiten, und in Zukunft keine besonderen Gesandtschaften mehr auszusenden, als ob sie in einer anderen Stadt lebten, etwas, was noch nie vorgekommen ist; und sich nicht mit Gewalt in die Wettspiele ... einzudrängen, und nicht neue Juden herbeizuziehen ...; im anderen Falle will ich sie mit allen Mitteln vertreiben als Erreger einer allgemeinen Plage für die ganze Welt. Wenn ihr von diesen Dingen ablaßt und in gegenseitiger Nachsicht und Freundlichkeit miteinander leben wollt, will ich meinerseits die wohlwollendste Sorge für die Stadt bezeigen, wie sie euch auch von meinen Vorfahren bezeigt wurde"; Übersetzung nach *Barrett, C. K.:* Die Umwelt des Neuen Testaments. WUNT 4 (Tübingen 1959) hrsg. und übersetzt von *C. Colpe*, S. 57; griechischer Text und Kommentar bei *Bell, H. I.:* Jews and Christians in Egypt, (s. Anm. 35), S. 25.36f. Christen, die solche öffentlichen Proklamationen kannten, muß gerade auch die Paränese von Eph 4 ausgesprochen aktuell und lebensnah erschienen sein.

Friedenssehnsucht dar[64], und ihr war speziell aufgegeben, den Antisemitismus und Antipaganismus ihrer Umwelt durch das christliche Versöhnungs- und Lebenszeugnis praktisch zu überbieten.

Gerade unter der Rückerinnerung an die Zeitumstände, in die der Epheserbrief hineinzuwirken hatte, wird die Bedeutung und der Anspruch seines ganzheitlich-christologischen, auf die Gemeinde abzielenden Friedens- und Versöhnungszeugnisses provozierend deutlich. So wenig es von hier aus möglich ist, die christliche Rede von der Versöhnung auf das religiös verinnerlichte Verhältnis des Einzelnen zu Gott zu reduzieren oder die Kirche aus der Aufgabe einer realen Bezeugung von Frieden und Versöhnung zu entlassen, so deutlich dürfte die Bedeutung gerade unserer Tradition für eine biblisch fundierte Theologie der Versöhnung und Friedenspraxis sein[65]. Unser Text stellt für die gegenwärtige Debatte um Friede und Versöhnung also eine christliche Potenz dar, die es neu zu sehen und zu bedenken gilt und deren wegweisende Kraft noch unausgeschöpft ist.

Nachtrag:

Erst während der Korrektur wurde mir die Neubearbeitung der Dissertation von *Klaus Wengst* über „Christologische Formeln und Lieder des Urchristentums“ (Gütersloh 1972) bekannt. Wengst analysiert auf S. 181 ff Eph 2,14–16 und setzt sich dabei ebenfalls mit Gnilka auseinander. Obwohl er stilkritisch genauer arbeitet als Gnilka und V. 17.18 geschlossen dem Briefverfasser zuweist, kann ich auch in seinem Lösungsvorschlag keinen

[64] Zum Verhältnis der christlichen Versöhnungsbotschaft zur antiken Friedenssehnsucht vgl. jetzt *Hengel, M.:* Gewalt und Gewaltlosigkeit. Calwer Hefte 118 (Stuttgart 1971) S. 46ff.

[65] Gnilka, Komm. (s. Anm. 2) S. 110 zieht exemplarische Konsequenzen, wenn er im Blick auf unseren Text schreibt: „In der Kirche kommt das Handeln Gottes auf die Welt hin zum Zuge. In der Kirche sind die feindseligen Menschheitsgruppen als mit Gott Versöhnte untereinander versöhnt worden. Diese Geltung der Kirche macht ihre Weltverantwortung aus. Sie wird ihre Geltung bewahren, solange sie von dem aus, was an und in ihr geschah, die Welt verantwortet. Diese Aufgabe soll die Kirche wahrnehmen als Repräsentantin Christi in der Welt. Als solche ist sie sein Leib, steht sie für Christus. In ihrem Leib-Sein konkretisiert sich der Friede Christi, der Juden und Heiden zusammenbrachte. Versöhnung, Versöhnungbereitschaft, Versöhnungsaktivität haben ihr Grundgesetz zu sein. Nichts ist dem ihr von Christus eingestifteten Wesen entgegengesetzter als Zerrissenheit, Streit, Haß. Nicht nur sollte sie die εἰρήνη in ihrem eigenen Raum bewahren, sondern auch aktiv gegen das Böse sich wenden.“ Zum protestantischen Bemühen, diese Dimension kirchlichen Friedenshandelns neu zu gewinnen vgl. die Thesenreihe „Der Friedensdienst der Christen“ und das bedeutsame Referat von *Fast, H.:* Christologie und Friedensethik, beide in: Der Friedensdienst der Christen (s. Anm. 1) S. 112–129 und S. 61–78.

echten Fortschritt sehen. Wengst möchte in Eph 2,14–16 nämlich wieder eine gnostisierende Liedvorlage folgender Art finden: αὐτός ἐστιν ἡ εἰρήνη ἡμῶν· / ὁ ποιήσας τὰ ἀμφότερα ἕν / καὶ τὸ μεσότοιχον λύσας, / ἵνα τοὺς δύο κτίσῃ ἐν αὐτῷ εἰς ἕνα καινὸν ἄνθρωπον, ποιῶν εἰρήνην, / καὶ ἀποκαταλλάξῃ τοὺς ἀμφοτέρους τῷ θεῷ διὰ τοῦ σταυροῦ, ἀποκτείνας τὴν ἔχθραν ἐν αὐτῷ.

Diesen Text bezeichnet er als „Versöhnungslied“ und vermutet in ihm eine „heidenchristliche Aufnahme und Weiterbildung des zweiten Teils eines Schöpfungsmittler-Inthronisations-Liedes . . ., wie es Kol 1,15–20 vorliegt“ (S. 186). Dieses Lied soll ursprünglich ohne echte Soteriologie und mit nur chiffrenartiger Anspielung auf das Kreuz Jesu von der Versöhnung der himmlischen Mächte und irdischen Menschen durch den Universalmenschen Christus und von ihrer Befriedung mit Gott gesprochen haben. Erst der autor ad Ephesios hat es dann auf die Vereinigung von Juden und Heiden in Christus und ihre Versöhnung mit Gott bezogen, indem er den Liedtext soteriologisch und ekklesiologisch ergänzte und neu interpretierte.

Mehr als eine neue Hypothesenreihe bietet diese Analyse nicht: Der religionsgeschichtliche Ausgangspunkt bei der Gnosis ist trotz der angeblich unzweifelhaften „Nachweise von Dibelius und Schlier“ (S. 185) spekulativ gewählt, auf die jüdischen Belege aus dem Aristeasbrief geht Wengst nicht ein, der interpretatorische Zusammenhang von Vv. (12).13. 14 und 17 f wird erneut zerrissen und die messianische Exegese von Jes 57,19; 9,5 f und 52,7 wird nicht erkannt. Sie ergibt sich aber selbst dann ganz eindeutig, wenn unser Briefsteller nur vom Text der Septuaginta ausgehen sollte. In Is 9,5 lautet der Name des Messias Μεγάλης βουλῆς ἄγγελος. Von diesem messianischen Sendboten des Gotteswillens – man beachte die Parallelität von ἄγγελος und εὐηγγελίσατο in Eph 2,17 – heißt es weiter, Gott werde ihm zur ewigen Herrschaft verhelfen: ἐγὼ γὰρ ἄξω εἰρήνην ἐπὶ τοὺς ἄρχοντας, εἰρήνην καὶ ὑγίειαν αὐτῷ. (6) μεγάλη ἡ ἀρχὴ αὐτοῦ, καὶ τῆς εἰρήνης αὐτοῦ οὐκ ἔστιν ὅριον ἐπὶ τὸν θρόνον Δαυιδ . . . Dieser Bezug auf die Nathansweissagung von 2 Sam 7,12 ff verträgt sich mit Eph 2,12 hervorragend und macht die Ausdrucksweise von Vv. 18 ff (Gemeinschaft mit Gott dem „Vater“, Kirche als „Bau“ Gottes) erst wirklich verständlich. Der dat. com. der Septuaginta schließlich: εἰρήνην καὶ ὑγίειαν αὐτῷ, ließ sich vom christlichen Versöhnungsdenken her auch instrumental verstehen und auf die durch Christi Kreuz vollbrachte Versöhnung und Friedensstiftung beziehen. Versteht man unseren Briefabschnitt als messianisch-christliche Exegese, werden sein Zusammenhalt und seine Sprache so gut verstehbar, daß ich dieses Verständnis auch gegen Wengst festhalten möchte.

Schriftauslegung in der Confessio Augustana[1]

Überlegungen zu einem erst noch zu führenden Gespräch

Die Confessio Augustana[2] ist seit dem 16. Jahrhundert das eigentliche Hauptbekenntnis des Luthertums. An ihm bemißt sich bis heute, welche Grundsätze des Glaubens die lutherischen Kirchen tragen und in ihrer Amtsführung bestimmen. Die herausragende Bedeutung der Confessio steht damit fest. Wer sich mit diesem Dokument beschäftigt, sieht sich vor einen „eminenten Text" (Gadamer) der lutherischen Tradition gestellt, der zu einem ernsthaften Dialog herausfordert.

Wenn irgend etwas für die reformatorischen Kirchen und in ihrem Zentrum das Luthertum charakteristisch war und bleiben sollte, dann ist das ihre Wertschätzung der Bibel als dem bis zum jüngsten Tage unüberbietbaren Zeugnis von Gottes Offenbarung in seinem Sohn Jesus Christus. Sich mit dem Schriftgebrauch und Schriftverständnis des Augsburger Bekenntnisses zu beschäftigen, heißt deshalb, sich mit einer Grundfrage des lutherischen Bekenntnisses zu befassen.

Versucht man, sich mit Hilfe der einschlägigen Fachliteratur über unser Thema zu informieren, stößt man freilich alsbald auf einen höchst seltsamen Befund: Die Frage, die wir stellen, ist nur ganz selten behandelt worden. Es mangelt an fast allen hermeneutischen Vorarbeiten. Die neuzeitliche kritische Exegese hat sich dem Dialog mit der Confessio noch so gut wie gar nicht gestellt. Wir finden zwar wertvolle Hinweise zum Schriftverständnis der Confessio in den Theologien der lutherischen Bekenntnisschriften von E. Schlink[3] und H. Fagerberg[4], in den Kommentaren zur CA von L. Grane[5] und W. Mau-

---

[1] Mein Kollege H. A. Oberman und ich haben im Wintersemester 1979/80 gemeinsam ein Oberseminar zum Thema: „Schriftgebrauch und Schriftauslegung in der Confessio Augustana" veranstaltet. Ich danke Herrn Oberman sehr für die wertvollen Anregungen und Informationen, die ich von ihm während des Seminars erhalten habe! Ich möchte aber auch nicht unerwähnt lassen, daß ich aus den Referaten und Beiträgen der Seminarteilnehmer erheblichen Gewinn ziehen konnte.

[2] Zitate aus der Confessio Augustana (= CA), Melanchthons Apologie (= Apol) und der Konkordienformel (= FC) gebe ich nach BSLK = Die Bekenntnisschriften der evangelisch-lutherischen Kirche, ²1952. Um der besseren Auffindbarkeit willen zitiere ich jeweils Artikelnummer, Seite und Zeilen dieser Ausgabe.

[3] Theologie der lutherischen Bekenntnisschriften, 1940 (³1948), 23–55.

[4] Die Theologie der lutherischen Bekenntnisschriften von 1529 bis 1537, 1965, 14–63.

[5] Die Confessio Augustana. Einführung in die Hauptgedanken der lutherischen Reformation, 1970.

rer[6] sowie in dem von evangelischen und katholischen Autoren gemeinsam bearbeiteten neuen Band „Confessio Augustana – Bekenntnis des einen Glaubens“[7]. Aber es fehlt z.B. bislang jede präzise Studie über die Bibeltexte und Übersetzungen, von denen Melanchthon und seine Mitarbeiter in Augsburg ausgegangen sind[8]. Der Beitrag der biblischen Fachexegeten beschränkt sich bis zur Stunde auf verschwindend wenige tastende Aufsätze und Referate[9].

Dieser befremdliche Stand der Debatte entschuldigt sich nicht einfach dadurch, daß die CA keinen eigenen Artikel über Autorität und Inspiration der Hl. Schrift kennt. Er zeigt vielmehr ein symptomatisches Defizit unserer gegenwärtigen theologischen Diskussion an. Die Exegeten überlassen es den Historikern und Dogmatikern, sich mit den lutherischen Bekenntnissen zu befassen, und diese wiederum scheinen die moderne Exegese in diesem Themenbereich als keinen ernstzunehmenden Gesprächspartner zu empfinden. Auch die Euphorie eines Augusta-Jubiläums darf nicht darüber hinwegtäuschen, daß die Theologie den Kirchen zum Thema „Bekenntnis“ wenig Gemeinsames zu sagen hat.

Die Frage, vor der wir stehen, wird deshalb nicht uninteressant. Aber wir müssen uns im klaren darüber sein, daß wir in der skizzierten Gesprächslage mit unserer eigenen Antwort nur ein Stück weit vordringen können und vieles offenlassen müssen. Es muß uns genug sein, den Versuch zu machen, einen geschichtlich reflektierten Dialog zwischen der Confessio und der gegenwärtigen biblischen Exegese zu eröffnen, und zwar so, daß dabei beide Seiten zu ihrem Recht kommen.

---

[6] Historischer Kommentar zur Confessio Augustana, 2 Bde, I ²1979, II 1978.

[7] Confessio Augustana – Bekenntnis des einen Glaubens, Gemeinsame Untersuchung lutherischer und katholischer Theologen, hrsg. von *H. Meyer* und *H. Schütte*, 1980, 6–10.

[8] Meine eigenen Tabellen erlauben mir nur folgende Feststellungen: Die Anspielungen und Zitate im lateinischen Text gehen von der Vulgata aus, wobei nicht selten aus dem Gedächtnis heraus zitiert zu werden scheint. Im deutschen Text finden sich sowohl freie Übersetzungen aus der Vulgata als auch Stellen, die Luthers Septembertestament und den nachfolgenden Revisionen dieser Erstlingsübersetzung folgen. Man kann also nicht davon ausgehen, daß die Lutherübersetzung 1530 bereits zum deutschen Standardtext der protestantischen Seite aufgerückt war; sie scheint bei der Abfassung der deutschen Textversion nur gelegentlich aufgeschlagen worden zu sein.

[9] Mir sind nur fünf (!) Beiträge bekanntgeworden: *J. Roloff*, Apologie IV als Schriftauslegung, LR 11, 1961, 56–73; *J. Becker*, Zum Schriftgebrauch der Bekenntnisschriften, in: Volkskirche – Kirche der Zukunft? Leitlinien der Augsburgischen Konfession für das Kirchenverständnis heute, hrsg. von *W. Lohff* und *L. Mohaupt*, 1977, 92–103; *H. Günther*, Schriftauslegung und lutherisches Bekenntnis, Lutherische Theologie und Kirche 2, 1978, 1–16; ein noch ungedrucktes großes Referat von *J. Reumann*, Philadelphia, über: The Augsburg Confession in Light of Biblical Interpretation (1979), das mir der Verfasser großzügigerweise zur Einsichtnahme überlassen hat (eine gekürzte Fassung soll 1980 im LWF-Report erscheinen) und schließlich *G. Hausmann*, Biblische Theologie und kirchliches Bekenntnis, in: Lebendiger Umgang mit Schrift und Bekenntnis, hrsg. von *J. Track*, 1980, 41–61.

I.

Auf einen eigenen Artikel über die Bedeutung der hl. Schrift haben die Verfasser der CA in Augsburg verzichtet. Ein Blick in die sog. Confutatio[10] – d.i. die am 3. August in Augsburg verlesene kritische Antwort auf die CA von seiten des Kaisers und der altgläubigen Stände – zeigt, daß sich die streitenden Parteien damals noch gleichermaßen auf die Schrift beriefen und das Schriftzeugnis beiderseits für ihren Standpunkt zu reklamieren versuchten. Die Frage nach dem hermeneutischen Rang der Hl. Schrift trat deshalb auf dem Augsburger Reichstag noch zurück hinter dem Bemühen, die inhaltliche Mitte der Schrift aufzuweisen und diese Mitte kirchlich zur Geltung zu bringen. Beide Seiten trieben „kirchliche Bibelauslegung“[11], d.h. eine Auslegung der Schrift im Lichte der kirchlichen Tradition und zum Zwecke kirchlicher Lebensgestaltung. Einen naiven Biblizismus finden wir weder in der CA noch in der Confutatio, und auch in Melanchthons Apologie der Augsburgischen Konfession nicht! Die Kontroversparteien hatten aber bereits höchst unterschiedliche Vorstellungen vom Gewicht des biblischen Zeugnisses.

Während in der CA wiederholt betont wird, Glaube und Leben der Kirche müßten ganz an der Schrift orientiert sein und im Zweifelsfalle von der Schrift her überprüft und geläutert werden[12], lassen die Confutatoren Schrift- und Traditionszeugnis zumeist organisch ineinander übergehen und beschwören immer wieder den seit Jahrhunderten angestammten Traditionsbestand, von dem man nicht abweichen dürfe[13]. Die nach dem Tridentinum (1545–1563) dann klar profilierten Differenzen in der Verhältnisbestimmung von Schrift und Tradition, Schriftauslegung und kirchlicher Lehrautorität, sind auch in Augsburg schon zutagegetreten. Endgültig fixiert wurden sie aber erst, als eine Einigung der streitenden Religionsparteien aussichtslos geworden war.

---

[10] Ich zitiere nach der neuen Ausgabe von *H. Immenkötter,* Die Confutatio der Confessio Augustana vom 3. August 1530, CCath 33, 1979 (= Conf). Seiten- und Zeilenangaben beziehen sich auf diese Edition.

[11] Mit diesem Stichwort charakterisiert *H. Fagerberg* in seinem oben (Anm. 4) genannten Buch das Verständnis legitimer Tradition in den lutherischen Bekenntnisschriften aus den Jahren zwischen 1529 und 1537; vgl. a.a.O., 61.

[12] Vgl. CA, Vorrede, 45,29ff.: „... uberreichen und ubergeben wir unserer Pfarrner, Prediger und ihrer Lehren, auch unsers Glaubens Bekenntnus, was und welchergestalt sie, aus Grund gottlicher heiligen Schrift, in unseren Landen ... predigen, lehren, halten und Unterricht tun“; oder CA XXI, 83b, 14ff.: „... Durch Schrift aber mag man nicht beweisen, daß man die Heiligen anrufen oder Hilf bei ihnen suchen soll“; oder CA XXVI, 104,2ff.: „ ... Dann das Evangelium zwingt, daß man die Lehre vom Glauben soll und müsse in der Kirche treiben, welche doch nicht mag verstanden werden, so man vermeint, durch eigene gewählte Werke Gnad zu verdienen“.

[13] Vgl. z.B. Conf XI, 103,5ff: „Quod articulo undecimo fatentur absolutionem privatam in ecclesia retinendam esse cum confessione tamquam catholicum et fidei nostrae conveniens acceptatur, quoniam firmatur verbo Christi absolutio. Cum dicit Johannes 20 apostolis: Quorum remiseritis peccata, remittuntur eis.“ = „Das in dem ailften articl bekennt wird, wie das die sonderlich und priesterlich absolution sambt der haimlichen priesterbeicht in der kirchen zu erhalten sey, diesen articl soll man billich, wie sich bezimbt, annemen, dann sich solchs alles dem gemeinen christlichen glauben vergleicht. Dann die absolution wirdt bestettigt durch Christus wort und befelch, do er

Für uns bedeutet dieser Tatbestand, daß wir die hermeneutische Ausgangsposition der CA zwar systematisch richtig mit den zu Beginn der Konkordienformel von 1580 unter der Überschrift „Von dem summarischen Begriff, Regel und Richtschnur, nach welcher alle Lehr geurteilet ... werden sollen" niedergelegten Bekenntnissätzen beschreiben dürfen, aber gleichzeitig darauf zu achten haben, daß die CA selbst noch hofft, sich mit den altgläubigen Ständen auch über diese Grundsätze noch einigen zu können. Die Konkordienformel stellt fest: „... allein die Heilige Schrift (bleibt) der einig Richter, Regel und Richtschnur, nach welcher als dem einigen Probierstein sollen und müssen alle Lehren erkannt und geurteilt werden, ob sie gut oder bös, recht oder unrecht sein"; die großen Bekenntnisse der altkirchlichen Tradition bis hin zu den Bekenntnisschriften der Reformationszeit „sind nicht Richter wie die Heilige Schrift, sondern allein Zeugnis und Erklärung des Glaubens, wie jderzeit die Heilige Schrift in streitigen Artikuln in der Kirchen Gottes von den damals Lebenden vorstanden und ausgeleget, und derselben widerwärtige Lehr vorworfen und vordambt worden" [14]. Diese Grundsätze gelten auch für die CA, wenn wir hinzusetzen: ‚... und es besteht die Erwartung, daß in der Christenheit über diese Einschätzung von Bibel und Tradition noch Einverständnis erzielt werden kann!' Die Hermeneutik der CA ist offen für die ganze Kirche. Diese erste Einsicht ist für das trotz der jüngsten enttäuschenden Signale aus Rom [15] fortzusetzende Gespräch zwischen den Konfessionen nicht weniger wichtig als für den von uns anzustrengenden Dialog zwischen der CA und der biblischen Exegese der Gegenwart.

II.

Versucht man, in die biblische Hermeneutik näher einzudringen, die in der CA praktiziert wird, stößt man auf drei Grundsätze: (1) Das Evangelium von der Gnade Gottes in Jesus Christus ist die perspektivische Mitte der ganzen Schrift [16]. (2) Dieses Evangelium und die Verheißungen Gottes sind durch die

---

seinen zwelfbotten saget, Joannis am zwainzigsten: Welchen ir die sundt nachlassen werdet, denen werden sie nachgelassen sein" (102,5 ff); oder Conf XVI, 115,6 ff: „Decimus sextus articulus de magistratibus civilibus libenter acceptatur tamquam consentaneus non solum iuri civili, verum etiam iuri canonico, evangelio, sacris litteris et universae normae fidei. Quoniam apostolus praecipit, ut omnis anima potestatibus sublimioribus subdita sit ... Rom 13." = „Der sechtzehent artickel von der weltlichen oberkait wirt billich angenomen, als der nit allain den kayserlichen, sonder auch gaistlichen rechten, dem evangelio, der hailigen schrift und gantzen regel unsers heiligen glaubens gemeß ist. Deshalb der apostel Paulus gebotten hat: Es soll ein yglich mensch der obern gewalt underthenig sein, ... zun Romern am dreyzehenten" (114,8 ff.). Vgl. ferner Anm. 69.

[14] BSLK 769,22–35.

[15] Gemeint sind (1) der Entzug der kirchlichen Lehrerlaubnis (missio canonica) für Hans Küng, (2) die Maßregelung der holländischen Reformbischöfe und (3) die Freigabe des zweiten Pfingstfeiertages als Marienfest zunächst für die Kirchen in Polen und Kroatien. Zur Auswirkung dieser Maßnahmen auf den ökumenischen Dialog vgl. *G. Maron,* Der Evangelische Bund und die ökumenische Situation, in: JEB 23, 1980, 5–8.

[16] Vgl. CA XX, 76,18 f „ ... die Lehre vom Glauben, die das Hauptstuck ist in christlichem Wesen ..."; Art. XXIV, 93, 26 ff.: „ ... daß kein Opfer fur Erbsunde und andere Sunde sei dann der

ganze Bibel hindurch sauber vom Gesetz und den Gerichtsdrohungen Gottes zu unterscheiden[17]. (3) Niemand in der Welt hat das Recht, in der Kirche „etwas wider das Evangelium zu setzen und aufzurichten" (CA XXVIII, 126, 5 f.). – An diesen drei Grundsätzen hängt die Schriftauslegung in der Confessio, und in ihnen sind die theologischen Argumentationen der achtundzwanzig Artikel der CA verankert.

Bei diesen Grundsätzen lassen sich Melanchthon und seine Mitarbeiter vor allem von Paulus leiten, ohne jedoch einem exklusiven oder auch eklektischen Paulinismus zu verfallen. Paulus ist für sie der Schlüssel zur hl. Schrift, sie lesen die Paulusbriefe aber stets im Rahmen aller anderen alt- und neutestamentlichen Bücher. Die zu den genannten drei Sätzen angeführten biblischen Belege zeigen dies ganz eindeutig. Das Evangelium von der Gnade Gottes in Christus für alle Glaubenden wird nach CA XX zwar „offentlich und klar im Paulo an vielen Orten gehandelt" (77,10ff.), beleget aber wird es schon in diesem Artikel nicht mit Paulusstellen allein, sondern auch mit Joh 14,6 („Ich bin der Weg, die Wahrheit und das Leben" vgl. 77,8f). Nach Artikel XXI ergibt sich das Evangelium von der alleinigen Heilsmittlerschaft des „Versuhners" Jesus Christus gleichzeitig aus 1 Tim 2,5; Röm 8,34 und 1 Joh 2,1[18]. Nicht anders steht es bei der Unterscheidung von Gesetz und Evangelium. Der Grundansatz stammt nach Art XXVI (101,14ff.) aus den Paulusbriefen. Nach der berühmten Stelle aus Apol IV, 159,30ff. gilt: „Universa scriptura in hos duos locos distribui debet: in legem et promissiones". Aber diese Unterscheidung verhilft dann dazu, in der gesamten Schrift und der Heilsgeschichte von Adam an die Stimme des die Sünde verurteilenden, die Gewissen aufrüttelnden Gesetzes Gottes und das Trostwort der in Christus aller Welt zugesprochenen Gnade desselben Gottes hörbar zu machen[19]. Auch für den Vorrang des Evangeliums

einige Tod Christi, zeiget die Schrift an viel Orten an ..."; Art. XXVI, 104,2ff.: „... Dann das Evangelium zwingt, daß man die Lehre vom Glauben soll und müsse in der Kirchen treiben ..."; Art. XXVIII, 129,4ff.: „Dann es muß je der furnehme Artikel des Evangeliums erhalten werden, daß wir die Gnad Gotts durch den Glauben an Christum ohn unser Verdienst erlangen und nicht durch Gottsdienst, von Menschen eingesetzt, verdienen" u. a. Stellen.

[17] Vgl. CA XXVI, 101,10ff.: „... das Evangelium ... treibet hart darauf, daß man den Verdienst Christi hoch und teuer achte und wisse, daß Glauben an Christum hoch und weit uber alle Werk zu setzen sei. Derhalben hat Sankt Paulus heftig wider das Gesetz Moysi und menschliche Tradition gefochten, daß wir lernen sollen, daß wir fur Gott nicht fromb werden aus unseren Werken, sondern allein durch den Glauben an Christum, daß wir umb Christus willen Gnade erlangen." In der Apologie findet sich die Unterscheidung von Gesetz und Evangelium (Verheißung) dann ganz programmatisch, vgl. Apol IV, 159,30ff.; 181,22.ff.; 197,4ff.; XII, 261,43 – 262, 54 mit einem Durchgang durch die ganze Schrift von Gen 3 bis zu Lk 7,37f. Auf die Bedeutung dieser Stelle macht *M. Roensch* in seiner Studie: Grundzüge der Theologie der lutherischen Bekenntnisschriften, Oberurseler Hefte 7, 1976, 11f. mit Recht besonders aufmerksam.

[18] BSLK 83b, 16–83c, 6.

[19] *Roensch* schreibt a.a.O. (Anm. 17) 14f.: „... Die Unterscheidung von Gesetz und Evangelium gehört zu den wesentlichen Grundlagen des Schriftverständnisses der lutherischen Bekenntnisschriften. Die gesamte Schrift des Alten und Neuen Testamentes wird unter diesem Aspekt gesehen. Man kann das auch so formulieren: Die Schrift wird von ihrer Funktion auf den Menschen hin gesehen; denn Gesetz wie Evangelium sind nach der Überzeugung der Bekenntnisschriften von Gott

vor aller menschlichen Lehre und kirchlichen Tradition beruft sich die CA in Artikel XXVIII vor allem auf Paulus, um dem Apostel dann freilich sofort mit Zitaten aus den Synoptikern, der Apostelgeschichte und aus dem 1. Petrusbrief zu sekundieren. Die CA sieht den Glauben der hinter ihr stehenden Reichsstände also in der ganzen Schrift gegründet und nicht nur in den Paulusbriefen allein.

Für die gegenwärtige Exegese stellen die drei hermeneutischen Grundsätze der CA eine ganz erhebliche Herausforderung dar. Nicht nur, daß sie im Dialog mit der CA zu einer kirchlich verantworteten Schriftauslegung genötigt wird, der sie sich unter Verweis auf ihre historische Aufgabe und die Pflicht zur wissenschaftlichen Differenzierung leicht entzieht. Vielmehr ist sie auch zu einem Urteil herausgefordert, ob die CA mit ihrer Bestimmung der Mitte der Schrift sachlich im Recht ist, ob die Unterscheidung von Gesetz und Evangelium hermeneutisch leistet, was sich die Reformatoren von ihr versprechen, und ob man wirklich von einem Vorrang des Evangeliums vor aller kirchlichen Lehre und Tradition ausgehen darf.

Die Antwort auf diese Fragen führt zu letzten theologischen Entscheidungen, die das Spezialgeschäft des Exegeten weit übersteigen. Aber immerhin läßt sich von exegetischer Warte aus sagen, daß die Reformatoren biblisch-theologisch wohlberaten waren, die Mitte der Schrift in dem Evangelium von der Versöhnung in Christus zu sehen[20]. Es ist auch kaum zu bestreiten, daß die

---

dazu gegeben, daß der Mensch einmal durch das Gesetz zur Erkenntnis seiner Schuld, Sünde und Verlorenheit geführt und zum andern durch das Evangelium zum rechtfertigenden Glauben an Christus gebracht wird und so die Vergebung seiner Sünden und Tröstung seines angefochtenen Gewissens, Leben und Seligkeit empfängt. Das Ziel aller Offenbarung Gottes im Alten wie im Neuen Testament ist also die Rettung des durch seine Sünde dem ewigen Tode verfallenen Menschen."

[20] Von dieser Mitte spricht die gegenwärtige Exegese in profilierter Weise. Ich verweise in diesem Zusammenhang besonders auf den noch immer wegweisenden Aufsatz von *W. G. Kümmel:* Notwendigkeit und Grenze des Neutestamentlichen Kanons (1950), jetzt in: *ders.*, Heilsgeschehen und Geschichte, Ges. Aufsätze 1933–1964, hrsg. von *E. Gräßer, O. Merk* und *A. Fritz,* 1965, 230–259, und auf die Studie von *W. Schrage:* Die Frage nach der Mitte und dem Kanon im Kanon des Neuen Testaments in der neueren Diskussion, in: Rechtfertigung, FS für E. Käsemann zum 70. Geburtstag, hrsg. von *J. Friedrich, W. Pöhlmann* und *P. Stuhlmacher,* 1976, 415–442. Daß man von einer Mitte der Schrift auch dann sprechen kann und muß, wenn man die Bibel als ganze ins Auge faßt und die mißverständliche Formel vom „Kanon im Kanon" vermeidet, habe ich in meiner kleinen Schrift: *P. Stuhlmacher – H. Claß,* Das Evangelium von der Versöhnung in Christus, 1979, 13–54 zu zeigen versucht. Die Rede der Reformatoren von der Mitte der Schrift weist auf einen bleibend gültigen biblisch-theologischen Sachverhalt hin und erschöpft sich keineswegs in der kontroverstheologischen Debatte. Wenn *G. Maier* in seiner Schrift: Wie legen wir die Schrift aus?, 1978, meine Bemühungen mit dem Satz charakterisiert: „Der Kanon im Kanon wird von Stuhlmacher unverändert beansprucht und fast im Sinne von Herbert Braun durch die drei Blöcke Jesus, Paulus und Johannes markiert" (14); und wenn er weiter „auch in Stuhlmachers Bekenntnis zu einer ‚Kerntradition', die Jesus, Paulus und Johannes umfaßt und der gegenüber Jakobus-, Hebräer-, 2. Thessalonicherbrief und teilweise Matthäus abgewertet werden" den Versuch sieht, „eine historische Schale aus zeitgebundenen Aussagen von einem Kern verbindlicher, ewiger Wahrheit zu trennen" (36), halte ich dies für eine die evangelikalen Leser Maiers ganz irreführende Darstellung dessen, was man bei mir seit langem anders lesen kann.

paulinische Unterscheidung zwischen Christusevangelium, Verheißung und mosaischem Gesetz das Besondere an Jesu eigenem Werk der Versöhnung und das eigene Recht der freien Gnade Gottes im Evangelium schärfer konturiert als alle anderen biblischen Distinktionen. Schließlich scheint es mir im Blick auf die alttestamentliche Bezeugung des einen Gottes und das neutestamentliche Evangelium historisch wohlbegründet und theologisch sachgerecht zu sein, von einem uneinholbaren Vorsprung und Vorrang der Selbsterschließung Gottes in Jesus Christus vor aller kirchlichen Auslegungstradition zu sprechen. Die in der CA praktizierten hermeneutischen Grundsätze haben also ihr gutes biblisches und geschichtliches Recht.

Ist dies nicht nur beiläufig sondern mit allem Nachdruck zugestanden, dann muß es dem Exegeten freilich auch erlaubt sein, aus seiner exegetischen Erfahrung und von den biblischen Texten her eine Frage an die genannten hermeneutischen Grundsätze der CA zu stellen. Die im Auftrag der Kirche stehende biblische Exegese hat das Ursprungszeugnis der biblischen Schriften offenzulegen, und zwar als ein der Kirche zur theologischen Verantwortung anvertrautes Überlieferungsgut. Von dieser Aufgabenstellung her erscheint mir die in der Confessio und Apologie propagierte, das Luthertum bis heute bestimmende Unterscheidung von Gesetz und Evangelium (Verheißung) ebenso leistungsfähig wie problematisch zu sein. Von der Leistungskraft dieser Differenzierung und ihrer theologischen Nützlichkeit haben wir eben gesprochen. Nun aber ist darauf hinzuweisen, daß eben diese in der Gefahr der Schematisierung stehende Unterscheidung nicht nur dem geschichtlich eigenständigen Gotteszeugnis des Alten Testaments Gewalt anzutun geeignet ist, sondern auch die Differenzierungen einzuebnen droht, die im Neuen Testament selbst gerade innerhalb des Gesetzesbegriffes und der Gesetzeserfahrung vorgenommen werden[21]. Die Verkündigung der neuen Gerechtigkeit in Mt 5,17–48 und der Bergpredigt insgesamt, das von Jesus seinen Jüngern eröffnete „neue Gebot" der Liebe in Joh 13,34 f und das von Paulus dem Gesetz vom Sinai wiederholt gegenübergestellte, der christlichen Gemeinde zur Praxis anvertraute „Gesetz des Christus" (Gal 6,2; 1 Kor 9,19–23; Röm 8,1 ff.) sind in der fraglichen Unterscheidung von Gesetz und Evangelium schon terminologisch schwer unterzubringen und drohen ihr sogar zum Opfer zu fallen. Das aber sollte nicht geschehen. Denn diese Differenzierungen aus dem theologischen Denken der Kirche auszublenden, heißt, sowohl das biblische Evangelium als auch die christliche Ethik an entscheidender Stelle zu verändern!

III.

Gehen wir von den im Hintergrund der CA stehenden hermeneutischen Grundsätzen über zu der aktuellen Schriftauslegung in der CA, darf man sich durch zwei Tatbestände nicht an der Feststellung hindern lassen, daß die Con-

[21] Vgl. dazu *H. Gese,* Das Gesetz, in: ders., Zur biblischen Theologie, Alttestamentliche Vorträge, 1977, 55–84, und meinen Aufsatz: Das Gesetz als Thema biblischer Theologie, ZThK 75, 1978, 251–280.

fessio tatsächlich versucht, die Mitte der Schrift in Gestalt des Rechtfertigungsevangeliums durch alle 28 Einzelartikel hindurch zu verantworten. Erster Tatbestand: Im ersten Teil der CA, d.h. in den Artikeln I–XXI, finden sich nur verhältnismäßig wenige Bibelzitate; erst im zweiten Teil, d.h. in den Artikeln XXII–XXVIII, wird immer wieder auf die Schrift verwiesen. Zweiter Tatbestand: Trotz der protestantischen Ansicht, daß die Hl. Schrift „die einige Regel und Richtschnur" sei, „nach welcher zugleich alle Lehren und Lehrer gerichtet und geurteilet werden sollen"[22], kann man immer wieder beobachten, daß sich Melanchthon in der CA auf Schrift und Tradition beruft. Beide Tatbestände scheinen sowohl dem hermeneutischen Ansatz als auch unserer eben geäußerten These zu widersprechen.

Sie tun dies aber nur zum Schein. Die Berufung auf das Zeugnis der Hl. Schrift und die altkirchliche Bekenntnistradition, die Stimme der Väter und im Maße des Möglichen auch die hergebrachte kirchliche Tradition[23] erklärt sich historisch aus dem Bestreben der CA, eine Spaltung der Kirche in zwei Konfessionen möglichst noch zu vermeiden. Gleichzeitig dokumentiert sie, daß es den Bearbeitern keineswegs um die Durchführung eines biblizistischen Formalprinzips ging, sondern wirklich um aktuell verantwortete Auslegung der Bibel in der Entscheidungssituation des Augsburger Reichstages. Hier liegt dann auch die Erklärung für die unterschiedliche Häufung der Schriftzitate. Daß diese in den sog. „spänigen" Artikeln besonders hervortreten, liegt einfach am heiß umstrittenen Gegenstand dieser Artikel. Die protestierenden Stände mußten ihre Einführung des Laienkelchs beim Abendmahl, die Zulassung der Priesterehe, ihre Kritik an der Meßopferlehre usw. vor dem Kaiser und den Ständen „des anderen Teils" eingehend als in der Schrift begründete Maßnahmen rechtfertigen. Im ersten Teil der CA ging es mehr um theologische Grundfragen, für die man sich zum Zweck gegenseitiger Verständigung so weit als möglich der herkömmlichen theologischen Begriffs- und Formelsprache bediente. Daß trotzdem die Gewichtungen keineswegs fehlen und daß sie tatsächlich im Blick auf die Hl. Schrift vorgenommen wurden, erkennt man in dem Augenblick, da man den Weg der Abfassung der einzelnen Artikel von den sog. „Schwabacher Artikeln" über die „Marburger Artikel", Luthers Bekenntnis in seiner Schrift „Vom Abendmahl Christi" von 1528 und schließlich die „Torgauer Artikel" verfolgt[24]. Melanchthons Gegenantwort auf die Confutatio in der Apologie macht vollends deutlich, wie sehr der protestantische Standpunkt

[22] FC, Von dem summarischen Begriff, Regel und Richtschnur, 767, 15f.

[23] Vgl. z.B. Artikel I, III, VI, XVIII und den charakteristischen Satz im Beschluß des 1. Teils (83c,7–83d,7): „Dies ist fast die Summa der Lehre, welche in unseren Kirchen zu rechtem christlichen Unterricht und Trost der Gewissen, auch zu Besserung der Glaubigen gepredigt und gelehret ist ... So dann dieselbige in heiliger Schrift klar gegrundet und darzu gemeiner christlichen, ja auch romischer Kirchen, so viel aus der Väter Schriften zu vermerken, nicht zuwider noch entgegen ist, so achten wir auch, unsere Widersacher konnen in obangezeigten Artikeln nicht uneinig mit uns sein."

[24] Vgl. zum Werdegang der CA die Einleitung in BSLK XVff. und Maurers Kommentar (vgl. Anm. 6) I 18–51.

in der Schrift begründet war. Im ersten Teil der CA wird aktuelle kirchliche Schriftauslegung in dem Sinne betrieben, daß die angestammte kirchliche Lehr- und Glaubenstradition im Lichte der Schrift anerkannt, erweitert, neuakzentuiert und, wo es unvermeidlich ist, auch kritisiert wird. Im zweiten geht es um eine neue kirchliche Praxis angesichts der Schrift.

Ist dies gesehen, darf man im Blick auf die CA insgesamt sagen: Hier wird die Mitte der Schrift in Gestalt des Evangeliums von der Rechtfertigung „aus Gnaden umb Christus willen durch den Glauben“ [25] so verantwortet und zur Geltung gebracht, daß ein gesamtkirchliches Leben auf der Basis dieses Evangeliums möglich wurde.

Wenn der Exeget zweierlei im Auge hat, die Weite und Vielschichtigkeit der neutestamentlichen Heilsverkündigung und die faktische Konzentration des Heilswirkens Jesu, der uns erhaltenen urkirchlichen Formeln und Bekenntnisse aus vorpaulinischer Zeit, der Briefe des Paulus und seiner Schüler, sowie des Johannesevangeliums und der Johannesbriefe auf das ganzheitliche Werk von Versöhnung und Rechtfertigung, kann er m.E. die hermeneutische Hauptabsicht der CA nur bejahen. Sofern es eine perspektivische Mitte der Schrift gibt und diese mit den Stichworten Versöhnung und Rechtfertigung in Christus zureichend umschrieben werden kann, ist die Confessio in ihrer Stoßrichtung biblisch im Recht!

IV.

Die inhaltliche Bedeutung des Rechtfertigungsevangeliums für die CA lädt dazu ein, noch genauer nachzufragen, wie Rechtfertigung hier verstanden wird und ob diese Sicht von der Schrift her als haltbar erscheint.

Die Rechtfertigung wird in den Artikeln I, II, III und IV im schöpferischen Heilshandeln des dreieinigen Gottes und speziell im Sühnopfer Jesu Christi, seiner Auferweckung und der aus beidem resultierenden Mittlerschaft des auferstandenen Christus begründet. Für dieses Verständnis spricht der heilsgeschichtliche Aufbau: Artikel I „Von Gott“, Artikel II „Von der Erbsünde“, Artikel III „Von dem Sohne Gottes“ und IV „Von der Rechtfertigung“ und außerdem die ausdrückliche Betonung in Artikel III, „ ... Gott der Sohn sei Mensch worden ... daß er ein Opfer wäre nicht allein fur die Erbsund, sunder auch fur alle andere Sunde und Gottes Zorn versohnet“ [26]. Mit dieser Formulierung wird das „propter Christum“ aus Artikel IV inhaltlich gefüllt. Wenn

---

[25] CA IV, 56,7f. In der Sache folgt unsere These L. Grane, a.a.O. (s. Anm. 5), 46: „In einem gewissen Sinne kann man sagen, daß die ganze CA von der Rechtfertigung handelt“; *W. Maurer*, a.a.O. (s. Anm. 6), II 67f. und *G. Müller – V. Pfnür* in dem Anm. 7 genannten Kommentar 110: „CA 4 wird aufgrund seiner Stellung geradezu zur inneren Mitte und Klammer des Bekenntnisses“.

[26] 54,1–12. Im lateinischen Text steht für „Opfer“ das in der Vulgata z.B. in Eph 5,2 oder Hebr 9,26; 10,12 für griechisch THYSIA eintretende Stichwort „hostia“: „ ... ut reconciliaret nobis patrem et hostia esset non tantum pro culpa originis, sed etiam pro omnibus actualibus hominum peccatis“ (54,10–13). Daß Melanchthon bei dieser Formulierung die Satisfaktion im Auge hat, ergibt sich eindeutig aus Apol XII, 282,5ff. (s. dazu unten).

Artikel III weiter das Werk des von den Toten auferstandenen Gottessohnes darauf abzielen läßt, „daß er alle, so an ihne glauben, durch den heiligen Geist heilige, reinige, stärke und troste, ... wider den Teufel und wider die Sunde schutze und beschirme“ [27], darf man diese Aussagen im Lichte von Artikel XXI ebenfalls auf das durch den Auferstandenen fortgeführte Werk der Rechtfertigung beziehen [28]. In Apol IV, 193, 31–49 hat Melanchthon dies in die großartigen Sätze gefaßt: „... Christus non desinit esse mediator, postquam renovati sumus ... Manet mediator Christus, et semper statuere debemus, quod propter ipsum habeamus placatum Deum, etiamsi nos indigni simus“ [29].

Für diese Begründung und das umfassende Verständnis der Rechtfertigung beruft sich die CA natürlich vor allem auf Paulus. Verfolgt man den Werdegang der Artikel III und IV von den Schwabacher Artikeln an, erkennt man im Hintergrund des (im endgültigen Text der CA ohne ausdrücklichen Verweis auf die Schrift erscheinenden) Artikels III folgende Belege: Joh 1,14; Gal 4,4; Röm 8,32; 1Kor 2,8. In Artikel IV wird pauschal auf „zun Romern am 3. und 4.“, d.h. auf Röm 3,21–4,5 verwiesen; im Hintergrund stehen zusätzlich Röm 10,10;4,5; Joh 3,16 und Gal 3,14 [30]. Auch hinter Melanchthons Formel von der bleibenden Mittlerschaft Christi aus Apol IV (s.o.) stehen 1 Kor 4,4; Röm 4,7 u.a. paulinische Belege.

Versucht man sich dieser Beweisführung biblisch-theologisch zu versichern, wird man gerade von Paulus her zunächst nur zustimmen können. Durch Röm 3,21 ff.; 5,12 ff.; 7,7–8,11; 8,31 ff. ist die CA in ihrer heilsgeschichtlichen Linienführung, ihrer sühnetheologischen Begründung und in der Auffassung von der zur Rechtfertigung führenden Fürsprache des auferstandenen Christus vor Gottes Richterthron exegetisch voll gerechtfertigt.

Es ergibt sich freilich auch hier wieder ein gravierendes exegetisches Problem. Folgt man Melanchthons Formulierung, Christus sei den Glaubenden zum „einigen Versuhner und Mittler“ gesetzt, genauer und spürt seiner vor allem in der Apologie ganz klar hervortretenden Sühnechristologie weiter nach [31], zeigt sich, daß er durchweg dem mittelalterlich angestammten Satis-

---

[27] 54,18–22.

[28] Es heißt dort: „Durch Schrift ... mag man nicht beweisen, daß man die Heiligen anrufen oder Hilf bei ihnen suchen soll. ‚Dann es ist allein ein einiger Versuhner und Mittler gesetzt zwischen Gott und Menschen, Jesus Christus,‘ 1. Timoth. 2, welcher ist der einige Heiland, der einig oberst Priester, Gnadenstuhl und Fursprech fur Gott, Rom. 8. Und der hat allein zugesagt, daß er unser Gebet erhoren welle. Das ist auch der hochste Gottesdienst nach der Schrift, daß man denselbigen Jesum Christum in allen Noten und Anliegen von Herzen suche und anrufe: ‚So jemand sundiget, haben wir einen Fursprecher bei Gott, der gerecht ist, Jesum etc.‘“ (83b, 14–83c, 6).

[29] Die deutsche Übersetzung lautet: „... Christus bleibt ... für als nach der einige Mittler und Versühner, wenn wir in ihm also neu geboren sein ... Denn er bleibt der einige Mittler, und wir sollen des gewiß sein, daß wir um seinetwillen allein ein gnädigen Gott haben; ob wir es auch gleich unwürdig sein ...“ (193,31–43).

[30] Bei den Stellenangaben folge ich dem Register und den Randbemerkungen in BSLK.

[31] Röm 3,25 f. wird von ihm Apol IV, 177, 1 ff. satisfaktorisch interpretiert. Charakteristisch sind weiter folgende Belege: Apol XII, 268,57–269,5; 282,5 ff.; XXIV, 355,15–356,13. Aus der CA selbst ist Art. XXIV, 93,26–94,19 zu vergleichen.

faktionsmodell folgt und den Sühnetod Jesu als „Versühnung" des Zornes Gottes versteht, oder terminologisch genau als „satisfactio", und zwar „non ... solum ... pro culpa, sed etiam pro aeterna morte"[32]. Wenn sich Melanchthon für dieses Verständnis exegetisch auf den Begriff āšām aus Jes 53,10 stützt und diesen Fachausdruck mit „hostia pro delicto" = „Schuldopfer" wiedergibt[33], ist er exegetisch durchaus im Recht. Jes 53 steht in der Tat auch hinter einigen christologischen Sühnetexten des Neuen Testaments, z.B. hinter Röm 4,25 (das weder in der CA noch in der Apologie angeführt wird), 2 Kor 5,21[34] (in Apol IV, 219,49ff. zitiert) oder 1 Petr 2,21 ff. (weder in der CA noch in der Apologie herangezogen). Schon in Mk 10,45 (Mt 20,28)[35] und in der Abendmahlstradition bildet Jes 53 aber nur ein Teilelement der Gesamtaussage, und in den Formeln von Röm 3,25f.[36]; 8,3; 2 Kor 5,21 und z.B. Joh 3,16 sind Sühne und Versöhnung durch Christus ebenso wie in Kol 1,19f. und Eph 2,14ff. vor allem Gottes eigenes Heilswerk zur Stiftung von Frieden und neuem Sein für die Glaubenden. Der Gedanke der satisfactio tritt hier überall, wenn er überhaupt mitgedacht wird, in den Hintergrund. In 1. Tim 2,4ff. steht es nicht anders. Auch bei der von Melanchthon in CA XXIV (93,29f.) und in Apol XXIV (355,18ff.) herangezogen Belegstelle Hebr 10,10f. ist zu bedenken, daß die Darstellung des Opfers Jesu in Hebr 9 und 10 auf dem Hintergrund von Lev 16 erfolgt und von einer „Versühnung" des Zornes Gottes gerade nicht spricht!

Die Sühnechristologie der CA und Apologie bringt also nur einen Teilaspekt der biblischen Texte zum Tragen, und nicht einmal den wichtigsten. Sühne ist biblisch weit mehr als stellvertretende Genugtuung; sie ist ein Akt der Stiftung von neuem Leben aus dem Tode. Neutestamentlich geht es deshalb in den christologischen Sühnetexten vor allem um Gottes schöpferische Gnade für die Sünder und nicht um die Beschwichtigung des Zornes Gottes mittels des Blutes Jesu!

V.

Wenden wir uns der anthropologisch-soteriologischen Seite der in der CA vertretenen Rechtfertigungsanschauung zu, ergibt sich erneut die Möglichkeit und Notwendigkeit eines exegetischen Dialogs.

---

[32] Apol XII, 282,5–9; fast genau dieselbe Formulierung schon in CA III, 54,11ff. (s.o.) und XXIV, 93,26ff.

[33] Apol XXIV, 355,30.

[34] Zum Zusammenhang von 2. Kor 5,21 und Jes 53 vgl. jetzt *O. Hofius*, Erwägungen zur Gestalt und Herkunft des paulinischen Versöhnungsgedankens, ZThK 77, 1980, 186–199.

[35] Über diesen wichtigen Text, seine Verankerung in Jes 43,3f.; 53,11f. und seine Authentizität habe ich in meinem Aufsatz: Existenzstellvertretung für die Vielen, in: Werden und Wirken des Alten Testaments, FS für C. Westermann zum 70. Geburtstag, hrsg. von *R. Albertz, H.-P. Müller, H. W. Wolff* und *W. Zimmerli*, 1980, 412–427, gehandelt.

[36] Zur Interpretation dieses von Paulus übernommenen Traditionstextes vgl. meinen Aufsatz: Zur neueren Exegese von Röm 3,24–26, in: Jesus und Paulus, FS für W. G. Kümmel zum 70. Geburtstag, hrsg. von *E. E. Ellis* und *E. Gräßer*, 1975, 315–333, und *U. Wilckens*, Der Brief an die Römer, EKK VI, 1, 1978, 189ff. und 233–243.

Liest man die Artikel II „Von der Erbsünde", IV „Von der Rechtfertigung", V „Vom Predigtamt", VI „Vom neuen Gehorsam", XVIII „Vom freien Willen", XIX „Von Ursache der Sünden", XXV „Von der Beicht" und XXVII „Von Klostergelübden" nacheinander im Zusammenhang, dann ergibt sich folgende Gesamtsicht: Der anthropologische „Gewinn" der Rechtfertigung „umb Christus willen" liegt in der Stiftung des Glaubens durch das Evangelium kraft des Hl. Geistes. Durch den Glauben wird die Macht der Erbsünde gebrochen und „eine herzliche Zuversicht ..., auch Vertrauen" gefaßt, „daß wir umb Christus willen ein gnädigen, barmherzigen Gott haben, daß wir mugen und sollen von Gott bitten und begehren, was uns not ist, und Hilfe von ihm in allen Trubsalen gewißlich, nach eins jeden Beruf und Stand, gewarten, daß wir auch indes sollen mit Fleiß äußerlich gute Werk tun und unsers Berufes warten" (Art XXVII, 117,35–118,4).

Man darf diese Sicht der Rechtfertigung mit guten Gründen als eine legitime und wegweisende Verantwortung der auf Jesu eigenem Heilswerk basierenden Verkündigung des Paulus und der Johannesschriften ansprechen. Ebenso klar aber muß man sich über folgendes sein: Im Alten und Neuen Testament gibt es noch keine ausgeprägte Erbsündenlehre. Es ist etwas anderes, mit Röm 5,10. 12–21; 8,7. 18–30 u.a. Belegen von der im Gericht hervortretenden „Feindschaft" der Sünder gegen Gott, von dem seit Adams Sündenfall über alle Kreatur liegenden Todesgeschick und dem auch den Christen bis zum jüngsten Tag beschiedenen Leiden zu sprechen als von der bis zu diesem Tage auf ihnen und allen Menschen lastenden „Erbsünde". Paulus verbindet mit der Rechtfertigung aus Glauben die Erfahrung der Neuschöpfung, und zwar in 2.Kor 5,17ff. ebenso wie in Röm 3,24ff. Von ihr spricht die CA überhaupt nicht, und die Apologie nur in einer hinter der Schrift zurückbleibenden, deutlich verinnerlichten Art und Weise[37].

Im Blick auf CA II, XIX und XXV muß man ferner wissen und sehen, daß die im Streit um die Erbsünde hervortretende reformatorische Sicht des Menschen als eines von seiner Taufe an bis zum Tode unter der Rechtfertigung stehenden Sünders wohl die christliche Erfahrung von Jahrhunderten für sich hat und von so wichtigen Texten wie Phil 3 her auch biblisch verantwortet werden kann. Gleichwohl gilt, daß eben diese anthropologische Sicht im Neuen Testament erst zögernd aufbricht, und zwar vor allem in 1.Joh 2,1 f.; 3,19f.; 1.Kor 3,14f.; 4,4 usw. Oder anders formuliert: Die These der Confutatoren, „das die erbsund ein begirde sey und das dieselbig sunde aufhore durch

[37] Vgl. z.B. Apol VII, 236,45ff. Wenn Melanchthon hier schreibt: „At sic discernit Paulus ecclesiam a populo legis, quod ecclesia sit populus spiritualis, hoc est, non civilibus ritibus distinctus a gentibus, sed verus populus Dei, renatus per spiritum sanctum", widerspricht das 1. Kor 6,1–11 ebenso wie der Lebenssituation der Paulusgemeinden anderswo. – Auf unser Problem hat unter Hinweis auf die Verschiedenheit des melanchthonischen und biblischen Gerechtigkeitsbegriffes und auf das Fehlen der johanneischen Seinsbestimmungen in Apologie IV auch schon *J. Roloff*, a.a.O. (Anm. 9), 60ff. aufmerksam gemacht; auf S. 73 resümiert er: „Vielleicht muß man es ... als Folge der durch die Gegner aufgezwungenen Fragestellung verstehen, wenn neben den juridischen Aussagen die seinshaften Aussagen in Apologie IV zurücktreten."

den tauf"[38], ist exegetisch nicht ohne weiteres von der Hand zu weisen; zu widerlegen ist sie nur, wenn man es wagt, paulinische und johanneische Ansätze gleichsam kirchengeschichtlich über das Neue Testament hinaus fortzuschreiben.

Schließlich fällt dem Exegeten auf, daß die im Neuen Testament bei Paulus, in den Johannesschriften, im 1.Petrusbrief, aber z.B. auch im Hebräerbrief deutlich betonte Differenz zwischen gerechtfertigten und getauften Christen hier und ungläubigen Juden und Heiden dort, zwischen christlicher Gemeinde und „Welt", in der CA (fast) ganz zurücktritt[39]. Für die Confessio besteht die Rechtfertigung der Sünder vor allem im Zuspruch des Trostes und der Sündenvergebung gegenüber den angefochtenen Gewissen[40]. Neutestamentlich wird im selben Zusammenhang viel stärker die Wende betont, die im Leben der aus Heiden und Juden zum neuen Gottesvolk versammelten Christen eintritt (vgl. z.B. 1.Kor 6,9–11; Röm 6,17ff.; Kol 1,21ff.; Eph 2,11–18; 1.Petr 1,13–21 usw.).

Die ganz forensisch gedachte Rechtfertigungsanschauung der CA ist von der Schrift her wohlbegründet; aber die Rechtfertigungstexte des Neuen Testaments gehen in den Artikeln der CA nicht auf. Von daher besteht die Möglichkeit, in einem neuen kirchlichen Lebenskontext gerade dann über die CA hinauszugehen, wenn man mit ihr die Schrift zur alleinigen Richtschnur des Glaubens erhebt und in ihr Versöhnung und Rechtfertigung als formgebende Mitte erkennt.

VI.

Die Confessio betont in den Artikeln VI „Vom neuen Gehorsam", XVIII „Vom freien Willen", XX „Vom Glauben und guten Werken" u.ö. nachdrücklich, daß der rechtfertigende Glaube als „nova oboedientia" gute Werke hervorbringt, daß die Lehre vom Glauben zu solchen Werken aufruft und verhilft, und daß diese guten Werke zum Lobe Gottes und zum Nutzen des Nächsten getan werden müssen. Sie bestreitet aber ebenso energisch, daß diese guten Werke rechtfertigende Qualität haben[41].

---

[38] Conf II 82,1f.; im lateinischen Text: „... vitium originis dicerent concupiscentiam, quae in baptismo peccatum esse desinat" (83,1f).

[39] Zu der Unterscheidung von geistlichem und weltlichem Regiment vgl. unten Abschnitt X.

[40] Auf das Phänomen dieser Fortschreibung hat *K. Stendahl* in seinem Aufsatz aufmerksam gemacht: The Apostle Paul and the Introspective Conscience of the West (1961/63), jetzt in: ders., Paul among Jews and Gentiles, Philadelphia 1976, 78–96. Im Gegensatz zu Stendahl möchte ich die Fortschreibung als legitime Verantwortung paulinischer Texte im 16. Jahrhundert beurteilen. Gleichwohl bleibt es sachlich richtig, wenn Stendahl feststellt, daß Paulus nirgends von Gewissensängsten wegen seiner Sünde spricht und „we look in vain for a statement in which Paul would speak about himself as an actual sinner" (91).

[41] Es ist ausgesprochen schade, daß in die Endgestalt von CA XX die in der Formulierung sehr glückliche und biblisch wohlfundierte Aussage aus den Torgauer Artikeln (?) keine Aufnahme gefunden hat: „So nu der Mensch durch Glauben ein gnädigen Gott hat, ist er schuldig, auch gute Werk zu tun, nicht daß er damit Vergebung seiner Sund verdiene, sonder das ist schon lang verdie-

Diese Sicht des Gehorsams der Christen unter dem Evangelium läßt sich exegetisch vor allem von Paulus und dem 1. Petrusbrief her bestätigen (vgl. nur Röm 6,12–23; Eph 2,10; 5,8ff. und die mit Mt 5,16 eng verwandte Stelle 1.Petr 2,12). Während Paulus (in Röm 8,31–38; 1.Kor 3,15 und 5,5) klar hervorhebt, daß die getauften Christen auch im Endgericht durch Christus allein freigesprochen und gerettet werden und im 1.Johannesbrief eine ganz ähnliche Argumentation vorgetragen wird (vgl. 1.Joh 2,1f.; 3,19ff.), verficht der Jakobusbrief in Jak 2,20–26 eine andere Position. Hier gilt die These: „Ihr seht, daß der Mensch aufgrund seiner Werke gerecht wird, nicht durch den Glauben allein“ [42]. Ob man das Matthäusevangelium im gleichen Sinne lesen muß, hängt davon ab, wie hoch man hier die Aussagen bewerten darf, daß Christus der messianische Immanuel ist, der „sein Volk von seinen Sünden erlösen (wird)“ (Mt 1,21), und daß Jesu Blut „vergossen wird zur Vergebung der Sünden“ und sich die Gemeinde im Abendmahl immer neu unter diese Vergebung stellen darf (Mt 26,28). Die Confutatoren haben sich in ihrer Antwort auf CA VI im 6. Artikel der Confutatio diese Mehrstimmigkeit der Schrift exegetisch sehr geschickt zu eigen gemacht und unter Berufung auf Jak 2,20ff. und viele andere Schriftstellen festgestellt: „Als sy (= die Evangelischen) aber in demselbigen artickl die gerechtmachung allain zugeben dem ainigen glauben, diser artickl und tail mag nit zuegelassen werden. In ansehung, das sollichs on mittl wider die warheit des evangeli ist, welches evangelium an keinem ort die werck ausschleust“ [43]. Melanchthon hat auf diesen Einspruch hin in Apol IV Jak 2,24 für den reformatorischen Standpunkt zu reklamieren versucht, aber leider mit einer höchst unglücklichen Exegese! Er übersieht die eschatologische Perspektive des Jakobustextes und behauptet, es ginge Jakobus nur um die Werke, die dem Glauben folgen: „Und ob er (= Jakobus) sagte, daß wir durch den Glauben und Werke gerecht werden, so sagt er doch nicht, daß wir durch die Werke neu geboren werden, so sagt er auch nicht, daß Christus halb der Versühner sei, halb unser Werke, sondern er redet von Christen, wie sie sein sollen, nachdem sie nu neu geboren sind durch das Evangelium. Denn er redet von Werken, die nach dem Glauben folgen sollen, da ists recht geredt. Wer Glauben und gute Werk hat, der ist gerecht. Ja, nicht um der

---

net durch Christum und durch den Glauben geschenkt, sonder die guten Werk sollen geschehen Gott zu Lob, denn Gott foddert sie, so sollen wir auch durch solch gute Werk ander reizen, daß sie Lust und Lieb zum Euangelio gewinnen, lernen auch Gott kennen und ihm glauben, daß sie auch selig werden.“ (BSLK 80,30–35). Eben dies ist der zeichenhafte Gehorsam, den das Neue Testament fordert!

[42] Ich zitiere Jak 2,24 und die zwei folgenden biblischen Belegstellen bewußt nach der „Einheitsübersetzung der Heiligen Schrift“, an der protestantische und katholische Autoren gleichermaßen beteiligt waren.

[43] Lateinisch: „Quod vero in eodem articulo iustificationem soli fidei tribuunt, ex diametro pugnat cum evangelica veritate opera non excludente“ (Conf VI, 91, 11f; die oben zitierte deutsche Übersetzung auf S. 90,18–21).

Werke willen, sondern um Christus willen durch den Glauben"[44]. Luther war hier mit seiner Kritik an der Rechtfertigungsanschauung des Jakobus exegetisch konsequenter und theologisch besser beraten.

Jedenfalls muß man aus der Perspektive heutiger Exegese feststellen, daß in der Frage nach der Heilsnotwendigkeit der guten Werke tatsächlich Schriftaussage gegen Schriftausssage steht. An die Stelle einer bloß formalen Berufung auf die Schrift muß in diesem soteriologisch eminent wichtigen Zusammenhang eine sachkritische Durchführung der von Jesu Sendung zu den Verlorenen und seinem Opfertod für die Sünder her wohlbegründeten paulinischen Sicht treten[45].

VII.

Was die Frage nach den sog. „Gnadenmitteln" anbetrifft, sind die Aussagen der CA in den Artikeln V „Vom Predigtamt", VII „Von der Kirche", XIII „Vom Gebrauch der Sakramente", XXIV „Von der Messe" und XXVIII „Von der Bischofen Gewalt" biblisch wohlfundiert. Um „Glauben zu erlangen, hat Gott das Predigtamt eingesetzt, Evangelium und Sakrament geben, dadurch er als durch Mittel den heiligen Geist gibt, welcher den Glauben, wo und wenn er will, in denen, so das Evangelium hören, wirket" (CA V, 58,2–7). Im Hintergrund dieser Aussagen stehen vor allem Röm 10,17 und die im Fortgang (des lateinischen Textes) von CA V ausdrücklich zitierte Belegstelle Gal 3,14. Auf johanneische Belegstellen wird verzichtet, obgleich sie sich in großer Zahl würden anführen lassen. Vgl. nur Joh 5,24 oder 6,68 f.

Vom Glauben spricht die Confessio dementsprechend in Anlehnung an Röm 10,17 immer wieder als von der „fides ex auditu", d.h. als dem vom schöpferischen Heilswort des Evangeliums begründeten und gehaltenen Glauben an Gottes vergebende Liebe in Jesus Christus[46].

[44] Die gewundene Ausdrucksweise der deutschen Übersetzung (= Apol IV, 209,39–52) ist auch am lateinischen Originaltext ablesbar, der exegetisch höchst problematische Wendungen gebraucht: „Quod autem dicit nos iustificari fide et operibus, certe non dicit nos per opera renasci. Neque hoc dicit, quod partim Christus sit propitiator, partim opera nostra sint propitiatio. Nec describit hic modum iustificationis, sed describit, quales sint iusti, postquam iam sunt iustificati et renati. Et iustificari significat hic non ex impio iustum effici, sed usu forensi iustum pronuntiari. Sicut hic: Factores legis iustificabuntur. Sicut igitur haec verba nihil habent incommodi: Factores legis iustificabuntur, ita de Iacobi verbis sentimus: Iustificatur homo non solum ex fide, sed etiam ex operibus, quia certe iusti pronuntiantur homines habentes fidem et bona opera. Nam bona opera in sanctis, ut diximus, sunt iustitiae et placent propter fidem" (Apol IV, 209, 24–43). Zu Melanchthons Begriff von iustificari vgl. *G. Müller–V. Pfnür*, a.a.O. (Anm. 7), 122–126.

[45] *J. Roloff* hatte 1961 a.a.O. (Anm. 9), 69 noch gemeint, daß man Jakobus und seinen Gesetzesbegriff „weder als Zeugen für noch als Zeugen gegen die paulinisch-reformatorische Theologie anführen" könne. Ob er diese Sicht heute noch festhält, ist mir angesichts seiner Äußerungen in seinem Arbeitsbuch: Neues Testament, 1977, 165 f. fraglich. Dagegen muß sich *G. Maier*, der a.a.O. (Anm. 20), 14 meine theologische Sachkritik an der Position von Jak 2,24 zurückweist und um der „Heilsgewißheit" willen auf „innerbiblische Sachkritik" verzichten will (a.a.O. 40 f.) fragen lassen, ob Heilsgewißheit im evangelischen Raum wirklich mit der von Maier nur postulierten „letzten Einheit" der biblischen „Botschaften und Ziele" begründet werden kann, oder nicht vielmehr nur mit dem Zuspruch des Evangeliums: Dir sind in Christus deine Sünden vergeben!

[46] Vgl. z.B. CA IV, 56,8 ff.; XI, 67,5 f.; XIII, 68,7 ff.; XVIII, 73,8 ff.; XX, 76,26 ff. usw.

Wenn sich Melanchthon aber in der Nachfolge Luthers und im Anschluß an die vorbereitenden Torgauer Artikel für dieses Glaubensverständnis in CA XX schwerpunktartig auch auf Hebr 11,1 bezieht, entsteht für die Exegese von heute ein Problem. Luther hatte Hebr 11,1 auf den Glauben als „fiducia" (= Vertrauen) gedeutet und dementsprechend schon im Septembertestament übersetzt: „Es ist aber der glawbe/eyn gewisse zuvorsicht des/das zu hoffen ist/und richtet sich nach dem/das nicht scheynet". In der Vollbibel letzter Hand von 1544/45 heißt es dann: „Es ist aber der Glaube/eine gewisse Zuversicht/des/das man hoffet/Vnd nicht zweiveln an dem/das man nicht sihet." Ganz entsprechend heißt es in CA XX (79,16–80,6): „Und der nu weiß, daß er ein gnädigen Gott durch Christum hat, kennet also Gott, rufet ihn an und ist nicht ohn Gott wie die Heiden. Dann Teufel und Gottlosen glauben diesen Artikel, Vergebung der Sunde, nicht; darum seind sie Gott feind, konnen ihne nicht anrufen, nichts Guts von ihme hoffen. Und also, wie jetzt angezeigt ist, redet die Schrift vom Glauben, und heißet nicht Glauben ein solches Wissen, das Teufel und gottlose Menschen haben. Dann also wird vom Glauben gelehret ad Hebraeos am 11., daß Glauben sei nicht allein die Historien wissen, sonder Zuversicht haben zu Gott, seine Zusag zu empfahen ...". Wenn demgegenüber in der neuen „Einheitsübersetzung" in Hebr 11,1 übersetzt wird: „Glaube aber ist: Feststehen in dem, was man erhofft, Überzeugtsein von Dingen, die man nicht sieht", ist dies dem biblischen Urtext schon angemessener. Das zugrundeliegende griechische Stichwort HYPOSTASIS meint nirgends in der Gräzität „Vertrauen" und ist im Hebräerbrief (Hebr 1,3; 3,14 und 11,1) am allerbesten mit „Wirklichkeit" wiederzugeben. Gemeint ist also, daß „der Glaube die Wirklichkeit des Erhofften (ist)"[47] und der „Beweis" für die Dinge, die man irdisch noch nicht sehen kann. In Hebr 11 wird also der Glaube denkbar hoch bewertet, aber unter einem anderen Gesichtspunkt als in CA XX.

VIII.

Die CA erkennt nur zwei Sakramente, nämlich Taufe und Abendmahl, als schriftgemäß an. In Artikel IX plädiert sie mitsamt der katholischen Tradition für die Kindertaufe: „Von der Tauf wird gelehret, daß sie notig sei, und daß dadurch Gnad angeboten werde; daß man auch die Kinder taufen soll, welche durch solche Tauf Gott uberantwort und gefällig werden"[48]. Das Abendmahl steht für die CA nach Artikel X ganz im Zeichen der Realpräsenz, während in Artikel XXIV (Von der Messe) gegen die Lehre vom Meßopfer festgehalten wird, „das heilige Sakrament (ist) eingesatzt, nicht damit für die Sunde ein Opfer anzurichten – dann das Opfer ist zuvor geschehen –, sondern daß unser Glaub dadurch erweckt und die Gewissen getrostet werden, welche durchs

---

[47] So die Übersetzung von *H. Köster* in ThW VIII, 586,6f. Zur Auseinandersetzung mit der Wiedergabe der Reformatoren vgl. *Köster*, a.a.O., 584–587.

[48] 63,2–6.

Sakrament vernehmen, daß ihnen Gnad und Vergebung der Sunde von Christo zugesagt ist"[49]. Beide Sakramente gelten der Confessio als „Zeichen und Zeugnus... gottlichs Willens gegen uns, unseren Glauben dadurch zu erwecken und zu stärken"[50].

Die damit in ganz groben Strichen gekennzeichnete Sakramentslehre der CA stellt den biblischen Exegeten vor einige Probleme. Die Konzentration auf nur zwei sakramentale „göttliche Wortzeichen" (J. Brenz) entspricht ganz dem biblisch-neutestamentlichen Tatbestand. Dasselbe gilt m.E. von der Abweisung des Meßopfergedankens und der eben angeführten glücklichen Definition der Sakramente als glaubenweckende und -stärkende Zeichen des gnädigen Willens Gottes in Jesus Christus. Probleme ergeben sich nur im Blick auf die Lehre von der Kindertaufe und die Fixierung des Artikels X auf die Frage der wahrhaften Präsenz von Leib und Blut Jesu Christi in den Elementen von Brot und Wein.

Was zunächst die Frage der Kindertaufe anbetrifft, ist es mittlerweise fast überflüssig darauf hinzuweisen, daß das Neue Testament noch keine Kindertaufe kennt und sich der kirchliche Brauch, schon die Kinder zu taufen, allenfalls von Belegen wie Mk 10,13–16 Par. her verantworten läßt. In solcher Verantwortung können die Reflexion auf das Gewicht der nach dem Alten Testament (Gen 3!) und Paulus stets Schuld und Schicksal umfassenden Sünde (vgl. nur Röm 5,12ff.; 8,18ff.) und die Beobachtung bestärken, daß bei Paulus, im 1. Johannesbrief und im 1. Petrusbrief Taufe und Rechtfertigung aus Gottes gnädigem Willen allein denkbar eng zusammengerückt werden (vgl. Röm 6,3ff.; Eph 2,1ff.; Kol 2,11ff.; 1. Joh 5,6; 1. Petr 3,21f.). Es wäre und ist m.E. widersinnig, die Kinder aus diesem Schuld- und Rechtfertigungszusammenhang gleichsam ausklammern zu wollen. Im Blick auf das Neue Testament kann man sich aber die Möglichkeit der Erwachsenentaufe durch CA IX nicht verstellen lassen und darf in diesem Zusammenhang auch darauf verweisen, daß der Artikel vor allem eine Abgrenzung gegen die sog. „Wiedertäufer" vollzieht, die kirchlich nicht jederzeit gleich akut ist.

Auch bei CA X ist die geschichtliche Entstehungssituation des Artikels wohl zu beachten. Wenn es hier heißt: „Von dem Abendmahl des Herren wird also gelehrt, daß wahrer Leib und Blut Christi wahrhaftiglich unter der Gestalt des Brots und Weins im Abendmahl gegenwärtig sei und da ausgeteilt und genommen werde. Derhalben wird auch die Gegenlehr verworfen"[51], ist sorgsam zu bedenken, daß als „Gegenlehr" vor allem die Abendmahlslehre Zwinglis (und der Spiritualisten) im Blick steht. Wenn Melanchthon demgegenüber auf der Realpräsenz insistiert, ist dies von Joh 6,52–58 und 1. Kor 10,3f. 16f.; 11,27ff. sowie 12,13 her sehr wohl zu begründen[52]. Problematisch aber ist es, wenn hinter der Frage der wahrhaftigen Geistes-Gegenwart Christi in den Elementen die dem Neuen Testament noch wichtigere Eigenart des Abend-

[49] 94, 20–27. [50] CA XIII, 68, 6–8. [51] 64, 2–8.

[52] Daß der Ausdruck „Realpräsenz" biblisch von der paulinischen (und johanneischen) Abendmahlslehre her durchaus haltbar ist, haben *E. Käsemann*, Anliegen und Eigenart der paulinischen

mahls als einer Versöhnung und Gemeinschaft stiftenden Mahlfeier ganz zurücktritt. Die urchristliche Abendmahlsfeier hat ihre Bedeutungsfülle dadurch erlangt, daß sie das Gedächtnis an und die Erfahrung aus Jesu Tischgemeinschaften mit den Entrechteten, dem Abschiedspassah in Jerusalem, den sog. „Erscheinungsmahlen" (von Lk 24,30f. 41ff.; Joh 21,12f.; Apg 10,41) und den Ausblick auf das Mahl der Seligen in der kommenden Gottesherrschaft im Zeichen der Geistesgegenwart Jesu zusammenschließt. Deshalb wird die Feier des Herrenmahls in Jerusalem und bei Paulus zum Kristallisationskern der „Leib Christi" genannten Gemeinde Christi (Apg 2,42ff.; 1.Kor 10,16ff.) und lassen sich Sündenvergebung im Abendmahl und Versöhnung der Gemeindeglieder untereinander unmöglich trennen. All diese Komponenten des Herrenmahles bleiben in der CA unbetont. Der Exeget kann daher nur raten, das die CA bestimmende Verkündigungsinteresse zu wahren, in den konkreten Äußerungen zum Abendmahl aber über die Confessio hinauszugehen.

IX.

Auch die Lehre der CA von der Kirche bedarf der sorgsam differenzierten Bewertung. Wenn die CA in Artikel VII als die zwei wichtigsten Kennzeichen christlicher Kirche die reine Predigt des Evangeliums und die schriftgemäße Darreichung der Sakramente nennt und die Frage einheitlicher gottesdienstlicher Zeremonien demgegenüber als minder wichtig erklärt, kann es biblisch nur Zustimmung geben. Auf einheitliche Gottesdienstformulare sind die neutestamentlichen Missionsgemeinden nicht festlegbar, aber sie hingen wesenhaft davon ab, daß sie von der Lehre des von den Aposteln insgesamt verkündigten Evangeliums[53], von Taufe und gemeinsamer Herrenmahlsfeier her zusammengehalten und immer wieder neu aufgerichtet wurden. Wenn dann weiterhin in CA VIII von der empirischen Kirche als einer Schar von „Christen und Heuchler(n), auch offentlicher Sünder unter den Frommen" gesprochen wird[54], gibt es im Blick auf die Korintherbriefe oder die beiden ekklesiologisch bedeutsamen Gleichnisse vom Unkraut unter dem Weizen (Mt 13,24–30 + 13,36–43) und vom Fischnetz (Mt 13,47–50) keine biblischen Einwände. Sie bestehen auch dann nicht, wenn in den genannten beiden Artikeln u.ö. zwischen der sichtbaren und der wesentlichen, unsichtbaren Kirche unterschieden wird. Eben diese Unterscheidung drängte sich schon den neutestamentlichen Auto-

---

Abendmahlslehre (1947/48), jetzt in: ders., Exegetische Versuche und Besinnungen I, 1960, 11–34, und *G. Bornkamm,* Herrenmahl und Kirche bei Paulus (1956), jetzt in: ders., Studien zu Antike und Urchristentum, 1959, 138–176, schon längst aufgewiesen. Auch *R. Pesch,* Wie Jesus das Abendmahl hielt, 1977, 93ff. 105ff. zielt in vergleichbare Richtung.

[53] Ich denke bei dieser Formulierung an 1. Kor 15,11 oder auch Röm 6,17, ohne verschleiern zu wollen, daß es zwischen Paulus, Petrus, dem Herrenbruder Jakobus, Barnabas, oder auch zwischen den Synoptikern und dem 4. Evangelium auch erhebliche Lehrdifferenzen gegeben hat, vgl. nur Gal 2,11ff.

[54] 62,6f.

ren auf, und zwar von Paulus an bis hin zur Johannesoffenbarung. Schließlich entspricht es der Verkündigung Jesu und der nachösterlichen Zeugnisse des Neuen Testaments zutiefst, wenn die CA in Artikel XXVIII (Von der Bischofen Gewalt) festhält, daß in der christlichen Gemeinde Sünde vergeben, Christus verkündigt und Irrlehre verworfen werden solle „ohn menschlichen Gewalt, sonder allein durch Gottes Wort“[55]. Irdische Machtmittel standen keiner neutestamentlichen Christusgemeinde zur Verfügung. Entscheidungen wurden in ihr nur so getroffen, wie die CA es beschreibt. Mt 18,17 und 1.Kor 5,1–5 zeigen freilich, daß es dabei durchaus auch zum Ausschluß aus der Gemeinde kommen konnte.

Fragen an das in der CA vertretene Kirchenverständnis drängen sich dem Exegeten erst von folgenden Seiten her auf. Die für die Missionszeit des Anfangs so charakteristische Unterscheidung von Kirche und „Welt“, getauften glaubenden Christen und ungläubigen Heiden und Juden tritt in der CA völlig in den Hintergrund. Während es für die urchristlichen Missionsgemeinden theologisch wesentlich und missionarisch unabdingbar war, sich durch den zeichenhaften Gehorsam ihrer Glieder von den Ungläubigen zu unterscheiden und gleichzeitig der Kritik dieser Nichtchristen standzuhalten (vgl. dazu klassisch 1.Kor 6,1–11; Phil 2,14f.; 1.Petr 2,11f. und Jak 2,1–7), wagt die CA es nicht mehr, den zeichenhaften christlichen Gehorsam als Kennzeichen der Gemeinde zu reklamieren. Aus der kirchlichen und geschichtlichen Situation des Jahres 1530 heraus wird dieses Schweigen erklärbar, aber es kann im Blick auf die ausgedehnte neutestamentliche Gemeindeparaklese nicht auf Dauer zum Vorbild genommen werden. Schließlich scheint es mir wichtig zu sein, die Rede der CA vom „Predigtamt“ in Artikel V und von der für die Pfarrer erforderlichen ordentlichen Berufung in Artikel XIV vom Neuen Testament her vor einem naheliegenden klerikalen Mißverständnis zu schützen. Die Apostel waren von Jesus bei Lebzeiten berufen und kraft der Ostererscheinungen in ihrem Sendungsauftrag bestätigt worden; auch Paulus sah sich vom auferstandenen Christus berufen. Aber ihre „Lehrer“, „Vorsteher“, „Ältesten“, „Diakone“ und „Gemeindeapostel“, ihre „Diakonissen“ und die im Dienst der Mission und Verkündigung tätigen Frauen haben sich die urchristlichen Gemeinden in der Regel selbst gewählt. Ihre Selbständigkeit gegenüber der Gemeinde gewannen diese gewählten sog. „Amtsträger“ erst dann und dadurch, daß sie das Evangelium vor der Gemeinde zu vertreten und zu praktizieren hatten! Zur Ordination von Gemeindeleitern kam es in den Pastoralbriefen, um die reine Lehre des Evangeliums institutionell im Maße des Möglichen abzusichern[56], nicht, um ein der Gemeinde als solches gegenüberstehendes „Amt“ zu etablieren. Die Tatsache, daß Melanchthon den altgläubigen Ständen in Hinsicht auf das Kirchenverständnis in Augsburg so weit wie irgend möglich entgegengekommen ist, daß er vom Priestertum aller Gläubigen nach

[55] 124,4f.

[56] Vgl. dazu jetzt umfassend: *H. v. Lips*, Glaube – Gemeinde – Amt. Zum Verständnis der Ordination in den Pastoralbriefen, 1979.

Röm 12,1f. und 1.Petr 2,5 ebensowenig sprach wie er von Luthers sehr differenzierter Sicht der Kirche[57] schwieg, darf keinesfalls dazu führen, daß diese Fragen auf Dauer in unseren Kirchentümern unerörtert bleiben. Dasselbe gilt für den vom Neuen Testament her ganz unhaltbaren und von Melanchthon in der CA bewußt nicht erörterten Fragenkreis der alleinigen kirchlichen Lehrautorität des römischen Bischofsamtes.

X.

Höchst umstrittenes Gelände erreichen wir mit den Artikeln XVI „Von der Polizei und weltlichem Regiment", XVIII „Vom freien Willen" und XXVIII „Von der Bischofen Gewalt". Melanchthon skizziert hier die reformatorische Lehre von den zwei Regimenten, grenzt Kirche und weltliches Regiment voneinander ab und zeichnet den neuen Gehorsam der Christen in die zwei Regimente ein.

Für den Artikel XVI haben ihm die Confutatoren uneingeschränkten Beifall gezollt. Im Hintergrund der Ausführungen stehen von den Schwabacher Artikeln her die beiden klassischen neutestamentlichen Regeltexte für das Verhältnis von christlicher Gemeinde und staatlicher Gewalt, Röm 13,1–7 und 1.Petr 2,13–17. Auf Röm 13,1f. verweisen auch die Confutatoren[58]. Angesichts dieser geschlossenen spätmittelalterlichen Frontstellung gerät ein von der Bergpredigt herkommender Exeget, der dazu noch feststellen muß, daß Röm 13,1–7 und 1.Petr 2,13–17 die Last einer ganzen Lehre von Christ und Staat ebensowenig tragen können wie Jesu Wort vom Zinsgroschen aus Mk 12,13–17 Par[59], in die größten Schwierigkeiten. Die Bergpredigt war z.Z. des Matthäusevangeliums ein der Gemeinde zur Praxis anempfohlener, aus Jesu Worten zusammengestellter Gemeindekatechismus, und sie wird als solcher jeder Generation von Christen vom Neuen Testament her neu zugemutet! CA XVI liest sich demgegenüber wie eine Domestizierung des Gebotes Jesu von der neuen Gerechtigkeit: „Von Polizei und weltlichem Regiment wird gelehret, daß alle Obrigkeit in der Welt und geordente Regiment und Gesetze gute Ordnung, von Gott geschaffen und eingesetzt seind, und daß Christen mögen in Oberkeit, Fürsten- und Richter-Amt ohne Sunde sein, nach kaiserlichen und anderen ublichen Rechten Urteil und Recht sprechen, Ubeltäter mit dem Schwert strafen, rechte Kriege fuhren, streiten, kaufen und verkaufen, aufgelegte Eide tun, Eigens haben, ehelich sein etc. – Hie werden verdammt die Wiedertaufer, so lehren, daß der obangezeigten keines christlich sei" [60]. So unterschiedlich und problematisch die Lehre und Praxis der Täufergruppen zu

[57] Vgl. nur aus Luthers Vorrede zur Deutschen Messe von 1526 den Abschnitt WA 19, 73, 32–75, 30 = BoA 3, 296,1–297,25.

[58] Vgl. ihre oben in Anm. 13 zitierte Zustimmungsäußerung.

[59] Dies hat stellvertretend für viele Exegeten W. *Schrage* herausgestellt in seiner Studie: Die Christen und der Staat nach dem Neuen Testament, 1971. Vgl. bes. 77ff.

[60] 70,9–71,4.

unserem Thema in der ersten Hälfte des 16. Jahrhunderts auch gewesen sein mag[61], so wenig kann es für alle christlichen Zeiten bei der hier in CA XVI erfolgten Eindämmung des Gebotes der Bergpredigt bleiben. Die christliche Gemeinde ist nach dem Neuen Testament nicht nur zur nüchternen Einordnung in die bestehenden Weltverhältnisse aufgerufen, sondern vor allem zur zeichenhaften Praxis der Liebe und Versöhnung, die auch den persönlichen, den religiösen oder politischen Gegner mitumschließt. CA XVI schließt mit einer z.Z. der reformatorischen Bekenntnisbildung nur auf den Fall unchristlicher Lehrzumutungen angewandten Klausel: „Dann so der Oberkeit Gebot ohn Sund nicht geschehen mag, soll man Gott mehr gehorsam sein dann den Menschen. Actuum 5 (= Apg 5,29)“[62]. Vom Neuen Testament her ist diese Klausel nicht nur auf den Fall von zugelassener oder zugemuteter Irrlehre zu begrenzen. Vor allem aber gilt es, von der Bergpredigt, von Joh 13,34f. und den breiten ethischen Passagen in den Apostelbriefen her Front zu machen gegen die auch heute noch übliche und unter Berufung auf den reformatorischen Ansatz z.B. in CA XVI legitimierte Reduktion christlicher Gemeindeethik auf die sog. zwei Grundmotive von „Liebe“ und „Rationalität“!

In dem Artikel „Vom freien Willen“, d.h. CA XVIII, tritt die auf Luthers berühmter Schrift „De servo arbitrio“ (= „Vom unfreien Willen“, 1525) fußende reformatorische Anthropologie klassisch zutage. Sie wird von Melanchthon nur unter knappem Hinweis auf 1.Kor 2,14 biblisch verankert, hat aber faktisch ihren Wurzelboden sowohl in der Verkündigung Jesu (vgl. nur Mt 11,25f.[63]), als auch im johanneischen Schrifttum (Joh 3,3; 1.Joh 4,7–10), in den Paulusbriefen (Röm 7,7–8,11; 1.Kor 2,6ff.; 2.Kor 4,1–6) und im 1.Petrusbrief (1.Petr 1,13–25). Wenn es in dem Artikel heißt: „Vom freien Willen wird also gelehrt, daß der Mensch etlichermaß ein freien Willen hat, äußerlich ehrbar zu leben und zu wählen unter denen Dingen, so die Vernunft begreift; aber ohn Gnad, Hilfe und Wirkung des heiligen Geists vermag der Mensch nicht Gott gefällig zu werden, Gott herzlich zu furchten, oder zu glauben, oder die angeborene böse Lüste aus dem Herzen zu werfen. Sondern solchs geschieht durch den heiligen Geist, welcher durch Gotts Wort geben wird“[64], ist unter Berufung auf Röm 12,1f. und Luthers Traktat „Von der Freiheit eines Christenmenschen“ (1520) hinzuzufügen, daß erst die „Vernunft“ wirklich frei, sachlich und gerecht zu urteilen vermag, die kraft des Glaubens der Liebe zugewandt ist. Die reformatorische Unterscheidung von freiem und unfreiem Willen hat also ein festes biblisches Fundament.

Dies gilt auch von dem in Artikel XXVIII angestrengten Versuch, geistliches und weltliches Regiment zu entflechten und die Kirche mit ihren Bischofen

---

[61] Vgl. dazu *K. Holl*, Luther und die Schwärmer, in: Ges. Aufs. zur Kirchengeschichte, I Luther, 1932, (420–467) bes. 450ff.

[62] 71,23ff. Die Konkretion dieser Klausel finden wir in Art. XXVIII, 124,9ff. und 132,25ff.

[63] Zur Einbettung dieser berühmten Stelle in die Verkündigung Jesu vgl. *M. Hengel*, Jesus als messianischer Lehrer der Weisheit und die Anfänge der Christologie, in: Sagesse et Religion, Colloque de Strasbourg (octobre 1976), 1979, (147–188) 152ff.

[64] 73, 2–13.

ganz auf die Verantwortung des Evangeliums und der Sakramente zu stellen, wohlgemerkt auf die Verantwortung „sine vi humana, sed verbo“[65]. Wenn sich die CA in diesem Zusammenhang u.a. auf Joh 18,36; Lk 12,14; Phil 3,20 und vor allem Gal 5,1 beruft, ist sie durchaus im Recht. In einer kirchengeschichtlichen Situation, die der neutestamentlichen Ausgangslage nicht mehr vergleichbar war, war die hier in der CA praktizierte Unterscheidung von kirchlicher und weltlicher Gewalt eine durchaus legitime Art und Weise, die neutestamentliche Unterscheidung von christlicher Gemeinde und ungläubiger Welt neu zum Zuge zu bringen.

Die reformatorische Lehre von den zwei Regimenten ist vom Neuen Testament und der Bibel insgesamt her also nicht deshalb zu schelten, weil sie Vernunft und Glaube, weltliches und geistliches Regiment unterscheidet und doch beides in den Händen Gottes, des Schöpfers, ruhen sieht[66]. In dieser Hinsicht hat die CA vielmehr ihr gutes Recht. Fraglich ist nur, ob sich das nach dem Neuen Testament unterscheidend Christliche, die Gottesgerechtigkeit in Christus, der Glaube, die Liebe, die missionarische Tatverantwortung des Glaubens und die Hoffnung auf die Vollendung der im Glauben schon verborgen gegenwärtigen Neuschöpfung des einzelnen Menschen und der Welt insgesamt mit Hilfe und angesichts der Zwei-Regimente-Lehre auf den Bereich des Herzens und den Gehorsam im weltlichen Regiment beschränken läßt[67]. In einer Zeit, in der die das 16. Jahrhundert beherrschende christliche Weltsicht zerfällt und sich sogar unter so friedlichen Verhältnissen wie den unseren in der Bundesrepublik Staat und Kirche vollends voneinander zu lösen beginnen und die Konturen einer Freiwilligkeitskirche sichtbar werden, ist es nötig, sich dieser Frage mit allem Ernst zu stellen.

XI.

In der kirchengeschichtlichen und systematischen Diskussion zur Confessio gilt der Artikel XVII „Von der Wiederkunft Christi zum Gericht“ als zwischen den Religionsparteien inhaltlich unumstrittene Abrundung der mit Artikel III einsetzenden christologischen Linienführung[68]. So richtig das ist, und so uneingeschränkt die Confutatoren den Artikel auch anerkennen[69], in biblisch-

---

[65] CA XXVIII, 124,9. Zum aktuellen Hintergrund der den Artikel bestimmenden Diskussion vgl. *Maurer,* a.a.O. (Anm. 6), I, 84ff.

[66] Vgl. dazu klassisch Apol XVIII, 312,37–51.

[67] Nach CA XVI, 71,9–23 gilt als „allein rechte Vollkommenheit“ folgendes: „...rechte Furcht Gottes und rechter Glaube an Gott. Dann das Evangelium lehrt nicht ein äußerlich, zeitlich, sondern innerlich, ewig Wesen und Gerechtigkeit des Herzen und stoßet nicht um weltlich Regiment, Polizei und Ehestand, sonder will, daß man solchs alles halte als wahrhaftige Gottesordnung, und in solchen Ständen christliche Liebe und rechte gute Werk, ein jeder nach seinem Beruf, beweise. Derhalben seind die Christen schuldig der Oberkeit untertan und ihren Geboten und Gesetzen gehorsam zu sein in allem, so ohn Sunde geschehen mag.“

[68] So zuletzt *K. Lehmann – H. G. Pöhlmann,* a.a.O. (Anm. 7), 69ff.

[69] Vgl. Conf XVII, 116,1–4 (lateinisch 117,1–3): „Die bekantnus des siebenzehenden artickels ist auch recht. Dan aus der apostel glauben, dergleichen aus der heiligen schrift bekennen die gantz

theologischer Perspektive gewinnt der Abschnitt noch eine interessante zusätzliche (?) Bedeutung.

Unter Aufnahme der Schlußwendungen des zweiten Glaubensartikels betont CA XVII, „daß unser Herr Jesus Christus am jungsten Tag kummen wird, zu richten, und alle Toten auferwecken, den Glaubigen und Auserwählten ewigs Leben und ewige Freude geben, die gottlosen Menschen aber und die Teufel in die Helle und ewige Straf verdammen“ [70]. Er verwirft dann die Lehre von der Allversöhnung und betont abschließend: „Item, werden hie verworfen auch etlich judisch Lehren, die sich auch itzund eräugen, daß vor der Auferstehung der Toten eitel Heilige, Fromme ein weltlich Reich haben und alle Gottlosen vertilgen werden“ [71]. Verworfen wird m. a. W. der sog. Chiliasmus der Täufer, für die der aus Apk 20,1–6 stammende Abschnitt vom tausendjährigen messianischen Zwischenreich ekklesiologische und ethische Modellfunktion gewonnen hatte. Nimmt man Anfang und Beschluß des Artikels zusammen, kann man formulieren: In CA XVII wird zum Ausdruck gebracht, daß es jenseits der von Gott in Christus dem Glauben angebotenen rechtfertigenden Gnade keine Möglichkeit endzeitlicher Rettung gibt und daß die Glaubensgerechtigkeit nicht in eigenmächtige apokalyptische Regie übernommen werden darf. Sache der Gerechtfertigten ist wohl das Glaubenszeugnis, aber nicht die geschichtlich vorzeitige, gesetzliche Aufrichtung der messianischen Gottesherrschaft.

Bedenkt man, daß den Verfassern der CA der Vorwurf der altgläubigen Stände vor Augen stand, die reformatorische Seite verderbe mit ihrer Rechtfertigungsverkündigung die angestammte Lehre von den guten Werken (und damit die christlich-kirchliche Ethik insgesamt) [72], fühlt sich der Exeget spontan an den Verteidigungskampf erinnert, den Paulus selbst zeit seines Lebens um dasselbe Problem hat führen müssen. Bis in den Römerbrief hinein wird Paulus von der These seiner judenchristlichen Gegner aus Galatien und anderswo verfolgt, er mache mit seinem Rechtfertigungsevangelium das jüngste Gericht zu einer Farce und vertrete de facto die Ansicht: „Laßt uns bei der Sünde bleiben, damit die Gnade überschwänglich zur Wirkung kommen kann“ (vgl. Röm 6,1). Diesen Anwürfen gegenüber betont der angegriffene Apostel gerade im Römerbrief, daß Christus auch nach seinem Evangelium der Richter des jüngsten Tages bleibe (2,16), daß seine „Verlästerer“ das Gottesgericht treffen möge (3,8), daß Christus vor Gottes Richterstuhl nur für die Glaubenden eintrete (8,3ff.), daß es auch für Israel keine Rettung an dem wieder-

---

gemein christlich kirch, das Christus am jungsten tag widerkomen wirdt, zu richten lebendig und thoden.“ = „Articuli decimi septimi confessio acceptatur, quoniam ex symbolo apostolorum et ex sacris scripturis tota novit ecclesia catholica Christum venturum in novissima die ad iudicandum vivos et mortuos.“

[70] 72,3–9.

[71] Zum zeitgeschichtlichen Hintergrund dieser Verwerfung vgl. *K. Lehmann – H. G. Pöhlmann*, a. a. O. (Anm. 7), 70–72.

[72] Vgl. den Eingang von CA XX, 75,13f.: „Den Unseren wird mit Unwahrheit aufgelegt, daß sie gute Werke verbieten“; zur Entstehungsgeschichte des Artikels vgl. Maurer, a. a. O. (Anm. 6), II, 70f.

kehrenden Messias und Erlöser Christus vorbei geben werde (11,25 ff.) und daß die ganze Glaubensgemeinde vor dem Richtstuhl Gottes versammelt werde (14,10f.). Die Parallelität dieser Argumentation des Paulus mit den faktischen Aussagen von CA XVII springt in die Augen und ist vermutlich kein Zufall. Die Verkündigung der Rechtfertigung „propter Christum per fidem“ [73] wird durch die ausdrücklich wiederholte Lehre von der Wiederkunft Jesu Christi zum jüngsten Gericht vor dem Mißverständnis geschützt, dem Abbau christlich ethischer Verantwortung Vorschub zu leisten.

Mit der Absage an den Chiliasmus ist die CA theologisch im Recht. Bei Apk 20,1–6 handelt es sich um eine biblische Randtradition, die sich aus jüdischen Apokalypsen speist [74]. Mit dem tausendjährigen messianischen Zwischenreich und der dieses eröffnenden „ersten Auferstehung“ für die gerechten Märtyrer des Glaubens wird ein Ausgleich für die Leiden geschaffen, die diese Märtyrer irdisch durchzustehen hatten. Nach Abschluß der sie gerecht belohnenden messianischen „Ausgleichsperiode“ folgt dann in Apk 20,7ff. der messianische Kampf gegen Gog und Magog, d.h. die satanischen Scharen, und das unbestechliche Endgericht über alle Toten und Lebenden, und zwar als Endgericht nach den Werken. Als „Vorspann“ zu Apk 20,7ff. will die Ansage des messianischen Zwischenreiches die Größe der das Endgericht kennzeichnenden Gottesgerechtigkeit herausstellen. Mit einer ethischen Handlungsanweisung haben die sechs Verse aus Apk 20,1–6 nichts zu tun. So problematisch die in der CA vollzogene, schneidend scharfe Verwerfung der Täuferkreise bleibt [75], so wenig ist gegen die Verurteilung des Chiliasmus in CA XVII vom rechtfertigungstheologischen Zentrum der Bibel her etwas einzuwenden.

Nachdem es uns bei dem gegenwärtigen Forschungsstand zum Bibelverständnis der Confessio nur darum gehen kann, einige Beobachtungen und Überlegungen für ein theologisches Gespräch zu sammeln, das noch geführt werden muß, brechen wir hier ab. Trotz zahlreicher Gegenbeispiele in Vergangenheit und Gegenwart sollte es im Rahmen wissenschaftlich verantworteter reformatorischer Schriftauslegung zweierlei Position nicht geben: Weder eine konfessionalistische Haltung, die die wesentliche Glaubenslehre der Schrift als in den reformatorischen Bekenntnissen zur Vollendung gekommen erklärt und sich dementsprechend an die in der CA repräsentierte lutherische Lehre stärker gebunden sieht als an die Schrift; aber auch nicht die Position eines unreflektierten oder historisch-kritisch geschulten Biblizismus, der die Schrift an der kirchlichen Bekenntnisbildung vorbei liest und stets in der Gefahr steht, Zustände und Verhaltensweisen aus biblischen Zeiten subjektivistisch und ungeschichtlich kopieren zu wollen. Nach der in der CA praktizierten und zu Beginn der Konkordienformel ausdrücklich ausformulierten Hermeneutik der Reformation sind Schrift und Bekenntnistradition mit geschichtlichem und

---

[73] CA IV, 56,5.

[74] Vgl. äthHen 91,12–13; syrBar 29,3–8; 4. Esra 7,28f.

[75] Das betont auch *Maurer,* a.a.O. (Anm. 6), I, 64.

theologischem Sachverstand ins Verhältnis zu setzen, und zwar mit dem Ziele einer von Epoche zu Epoche neuen echten Verantwortung des Evangeliums.

Mißt man die Confessio Augustana mit ihrem Schriftgebrauch mit diesem Maßstab, dann ergeben sich nach unseren Durchgängen drei Ergebnissätze: 1. Die 28 Artikel der CA sind biblisch wohlbegründet und lassen sich sämtlich als wegweisende Verantwortung des im Zentrum der Schrift stehenden Rechtfertigungsevangeliums begreifen. 2. Dennoch gehen die Aussagen der Schrift in den Artikeln der CA nicht auf, sondern weisen über die im Jahre 1530 gewählten Aussagen hinaus, und zwar gerade dann, wenn man mit der Confessio Rechtfertigung und Versöhnung als Mitte der Schrift zu bezeichnen wagt. 3. Unter diesen Umständen bedarf es heute nicht nur der kirchengeschichtlichen Erinnerung an die Confessio und ihrer dogmatischen Wertschätzung, sondern auch des kritischen biblisch-theologischen Gespräches mit der CA. Dieses Gespräch kann für die Verkündigung des Evangeliums in den bis heute von der CA ausgehenden Kirchen nur von Nutzen sein!

Adolf Schlatter als Bibelausleger[1]

Hans Stroh zum siebzigsten Geburtstag

I

Vor vier Jahren hat Paul Ricoeur in Tübingen einen Vortrag über »Philosophische und theologische Hermeneutik« gehalten und besonders uns Theologen geraten, unsere bisherige Praxis und Lehre vom Verstehen der biblischen Texte zu überdenken[2]. Wirkliches Verstehen von Texten heißt nach Ricoeur »Sich-Verstehen vor dem Text. Es heißt nicht, dem Text die eigene begrenzte Fähigkeit des Verstehens aufzuzwingen, sondern sich dem Text auszusetzen und von ihm ein erweitertes Selbst zu gewinnen, einen Existenzentwurf als wirklich angeeignete Entsprechung des Weltentwurfs. Nicht das Subjekt konstituiert also das Verstehen, sondern – so wäre wohl richtiger zu sagen – das Selbst

---

[1] Wesentliche Teile des nachstehenden Manuskriptes habe ich am 15. Juni 1977 im Rahmen der vom Fachbereich Evangelische Theologie anläßlich des 500jährigen Jubiläums der Universität Tübingen veranstalteten Vortragsreihe über »Tübinger Theologie im 20. Jahrhundert« und am 24. August 1977 auf der in Tübingen stattfindenden 32. Jahrestagung der Societas Studiorum Novi Testamenti öffentlich vorgetragen. Ich widme die Studie meinem väterlichen Freunde, Kirchenrat D. Hans Stroh, in Dankbarkeit zum 70. Geburtstag am 6. August 1978. Stroh hat selbst im DtPfrBl 52, 1952, 515–516. 542–543 über seine Begegnung mit Adolf Schlatter unter der Überschrift »Aus Adolf Schlatters letzten Lebensjahren« berichtet und mir in einer gemeinsam während des Wintersemesters 1976/77 veranstalteten Seminarsozietät über Schlatters hermeneutischen Ansatz zu Einsichten in Schlatters Denken verholfen, die für einen Jüngeren aus der Literatur über Schlatter und aus der Lektüre seiner Werke allein nicht zu erheben, vielmehr nur aus dem langjährigen persönlichen Kontakt mit dem großen alten Gelehrten, in dem Stroh stand, erwachsen sind. Da wir noch immer keine eigentliche Schlatterbiographie von Rang besitzen, können solche Einsichten bisher nur persönlich weitervermittelt werden. – In diesem Zusammenhang erinnere ich mich ebenfalls dankbar eines langen Gesprächs mit Pfarrer Oskar Weitbrecht (†), Tübingen, der Schlatter (und K. Holl) zu Beginn dieses Jahrhunderts als junger Tübinger Stiftler gehört hat und interessante Impressionen aus Schlatters Vorlesung und Seminar zu berichten wußte.

[2] Der Vortrag ist veröffentlicht in dem Sonderheft der EvTh: P. Ricoeur-E. Jüngel, Metapher. Zur Hermeneutik religiöser Sprache, 1974, 24–45.

wird durch die ›Sache‹ des Textes konstituiert.«[3] Folgt man Ricoeur und versucht man, eine solche Form des biblischen Textverständnisses zu praktizieren, gerät man in der heutigen theologisch-kirchlichen Situation nur allzu schnell und allzu leicht in ein Dilemma. Die wissenschaftlich glanzvolle, in Tübingen vor allem von F. Chr. Baur begründete Tradition der modernen Bibelkritik scheint Ricoeurs Vorschlag zu widerstreiten. Wie soll man, eingeübt und hingegeben an die historisch-kritische Hinterfragung und Analyse der biblischen Texte, wieder zu jener Bereitschaft und Fähigkeit kommen, sich den Texten auszusetzen und sich vor ihnen, d. h. vor dem Forum der Bibel, neu zu verstehen? Würde das nicht heißen, gerade das wissenschaftlich-emanzipative Ethos aufzugeben, dem sich die Bibelwissenschaften verpflichtet sehen? Die Frage geht tief, und sie macht bekanntlich manchem Not. Diese Not wird verstärkt, wenn wir heute nicht wenige Christen ein entschiedenes Nein zu aller wissenschaftlichen Bibelkritik sprechen hören. Für sie ist ein »Sich-Verstehen vor dem Text« der Bibel nur dann möglich, wenn zuvor alle historischen Einsichten, die wir über die Bibel besitzen, verworfen werden. In einem Studiendokument der Lutherischen Missouri-Synode heißt es: »We reject the doctrine, which under the name of science has gained wide popularity in the church of our day, that Holy Scripture is not in all its parts the Word of God, but in part the Word of God and in part the word of man and hence does, or at least might, contain error. We reject this erroneous doctrine as horrible and blasphemous, since it flatly contradicts Christ and His holy apostles, sets up men as judges over the Word of God, and thus overthrows the foundation of the Christian church and its faith.« = »Wir verwerfen die Lehre, die unter dem Decknamen der Wissenschaft in der Kirche unserer Tage weite Verbreitung gefunden hat, daß nämlich die Heilige Schrift nicht in all ihren Teilen das Wort Gottes sei, sondern teilweise Wort Gottes, teilweise aber auch Menschenwort, und daß sie eben deshalb Irrtümer enthält oder wenigstens enthalten könnte. Wir verwerfen diese irrige Lehre als schrecklich und lästerlich, da sie Christus und seinen heiligen Aposteln offenkundig widerspricht, Menschen zu Richtern über das Wort Gottes einsetzt und auf diese Weise das Fundament der christlichen Kirche und ihres Glaubens untergräbt.«[4] Zwingt uns also Ricoeurs Ratschlag zwischen Bibelkritik und Bekenntnis zur Bibel als inspiriertem Gotteswort zu wählen? Ich glaube nicht. Ricoeur will einen Ausweg weisen, der aus der Sprach-

[3] AaO 33.

[4] A Statement of Scriptural and Confessional Principles, St. Louis, Missouri, 1972, 19 (unter Aufnahme von bereits in einem anderen »Brief Statement on Holy Scripture« festgelegten Sätzen).

losigkeit einer um der Kritik willen betriebenen wissenschaftlichen Bibelauslegung ebenso hinausführt wie aus dem Ghetto eines im Gegenschlag zu dieser Kritik antikritisch fixierten Bibelbekenntnisses.

So recht Ricoeur mit seinem Ratschlag hat, so wenig dürfte er sich bewußt gewesen sein, zu einem Text- und Bibelverständnis aufzurufen, zu dem schon Adolf Schlatter in seinem Buch »Hülfe in Bibelnot«[5] gemahnt hat. Angesichts der Bibel war und ist die Kirche nach Schlatter von der Not eines zweifachen Bibelmißbrauchs bedroht. Die eine Gruppe von Christen ist nach Schlatter »in Not, weil ihr die Bibel fehlt; darum muß sie darben ... Hier wird die Bibel vergessen, und soweit sie nicht vergessen werden kann, wird sie kritisiert, bekämpft und widerlegt.« Aber auch der Kreis der Bibelgläubigen »gerät mit der Bibel in Not. Indem er versucht, sich ihr anzupassen und vielleicht mit kunstvoller Dressur sein Denken und sein Verhalten so zu formen, wie es die Bibel verlangt, paßt er sie sich selber an und biegt sie um, bis sie ihm erträglich wird. Er füllt sie mit seinen Gedanken und verarbeitet sie in sein System.«[6] Hilfe in dieser doppelten Bibelnot gibt es nach Schlatter nur dann, wenn wir einander zeigen, wie die Bibel wirklich ist und Gottes Geist uns in ihr nicht nur den fordernden, sondern auch den gebenden Gott zeigt. Geschieht dies, dann wird uns die Bibel die Helferin zum Glauben. Glaube aber ist bei Schlatter stets ein ganzheitlicher, das Leben in dieser Welt verantwortlich erfassender Lebensakt und als solcher durchaus mit dem philosophischen Stichwort »Existenzentwurf« bei Ricoeur vergleichbar.

Im Lichte der uns nach wie vor beschäftigenden Frage nach dem der Bibel angemessenen und uns heute weiterhelfenden Bibelverständnis erscheint nicht nur Ricoeurs Aufruf, sondern auch Schlatters Position von ganz elementarem Interesse. Nicht Nostalgie oder gar ein etwaiger Traditionsstolz der evangelisch-theologischen Fakultät der Universität Tübingen führen uns zur Besinnung auf Schlatters Bibelauslegung, sondern die hermeneutische Problematik der Gegenwart, die man auch mit Schlatter unmißverständlich als unsere gegenwärtige »Bibelnot« bezeichnen könnte.

II

Doch wer war und ist Adolf Schlatter? Zunächst müssen wir antworten: Adolf Schlatter, zeit seines Lebens Neutestamentler und Dogmatiker zu-

[5] Die 1. Auflage des Sammelbandes ist 1926 erschienen. Ich zitiere nach der 2. erweiterten Auflage von 1928.

[6] AaO 9.

gleich, war die theologisch bedeutsamste Figur der evangelisch-theologischen Fakultät der Tübinger Universität im ersten Drittel dieses Jahrhunderts. In der Tat trifft dies zu. Aber dieses historische Urteil verrät noch viel zu wenig von der Dynamik und Wirkung der Schlatterschen Persönlichkeit. Diese Wirkung wird bis heute spürbar im Urteil der Schlatter-Studenten, seiner Freunde und Feinde von einst. Man kann noch heute Äußerungen voller Dankbarkeit hören: »Dieser Mann hat uns für's Leben geprägt«; »in seinen Vorlesungen erwachten die biblischen Texte endlich zu geschichtlichem Leben«; »wir sind immer gern zu ihm in die Stiftskirche gegangen, auf der Kanzel glühte der kleingewachsene Mann förmlich von Geist und Leben«; »bei Schlatter haben wir ›gesunde‹ Bibelkritik erlebt und gelernt«; »als geistliche Persönlichkeit war Schlatter von den Studenten in den zwanziger Jahren unumstritten anerkannt«. Während mir noch vor einiger Zeit ein alter Herr in Tübingen, von Empörung geschüttelt, zurief: »Weil Schlatter in seinen Vorlesungen mit äußerster Schärfe und immer wieder die Meinung der meisten seiner Kollegen als bloßes ›Blech‹ aburteilte, habe ich das Theologiestudium aufgegeben«, berichtet E. Fuchs von sich genau den umgekehrten Vorgang: Gerade Schlatters Vorlesungen hätten ihn bewogen, von der Jurisprudenz auf das Studium der Theologie umzusatteln. Nach dem Bericht von W. Trillhaas soll K. Barth den alten Schlatter sarkastisch »halb Menschenfresser, halb Urchrist« tituliert haben[7], während ihm G. Kittel, der Begründer des Theologischen Wörterbuches zum Neuen Testament, eine akademische Totengedenkrede hielt, die von Schlatter als von einem Mann und Gelehrten sprach, »der vielen ein Vater und ein Wagen Israels geworden war«[8]. Wer war der Mann, von dem man so verschieden sprach und bis heute spricht?

Adolf Schlatter wurde am 16. August 1852 in St. Gallen (Schweiz) geboren. Sein Vater war ein vom Geist der Erweckung ergriffener Baptist und Jesus-Prediger, seine Mutter dagegen ein treues Glied der städtischen, reformierten Kirche. Die Eltern trafen und einigten sich in einer das Leben der Familie bestimmenden, entschiedenen Jesus-Frömmigkeit. In der Schule von naturwissenschaftlichem und philologischem Interesse erfüllt, entschloß sich Schlatter erst dann zum Studium der Theologie, als er der Sorge Herr geworden war, dies Studium könne ihn im Glauben erschüttern. »Ich sehe in meinem Leben keinen zweiten Moment, in

---

[7] W. Trillhaas, Aufgehobene Vergangenheit, 1976, 150.

[8] G. Kittel, Gedenkrede bei der akademischen (Trauer-)Feier am Nachmittag des 23. Mai 1938 im Festsaal der Universität Tübingen (in: Ein Lehrer der Kirche. Worte des Gedenkens an D. Adolf Schlatter, 1938, 19–33), 19. Kittel stellte seiner Gedenkrede das Zitat von 2Kön 2,12 voran.

den in derselben Weise eine Wahl fiel, die über mein inneres Leben entschied, wie in jenen Augenblick, als ich den Verzicht auf das Studium der Theologie zur angeblichen Sicherung des Glaubens als Heuchelei wegwarf. Denen, die mich nach dem Tag meiner Bekehrung fragen, bin ich geneigt zu antworten, daß mein Entschluß, Theologie zu studieren, meine Bekehrung war«, schreibt Schlatter in seinem »Rückblick auf seine Lebensarbeit«[9]. Er studierte von 1871–1875 in Basel und Tübingen evangelische Theologie und war anschließend fünf Jahre lang Pfarrer. Auf Bitten und mit Unterstützung frommer Kreise, der sog. Schweizer »Positiven«, habilitierte er sich 1880 in Bern. Während der acht Jahre, die Schlatter als Privatdozent und schließlich 1888, nach Ablehnung von Rufen nach Kiel und Halle, zum außerordentlichen Professor ernannt, in Bern lehrte, las er zuerst Altes Testament, dann vor allem Neues Testament, aber auch schon Dogmatik. Schon damals stand er in einer ihn bis zum Beschluß seines Lebens begleitenden doppelten Frontstellung. Ein Teil der Positiven, die seine Habilitation gewünscht hatten, schalten Schlatter, als sie ihn näher kennenlernten, einen unfrommen Bibelkritiker, während ihn die vom liberalen Geist beherrschte Berner Fakultät, wie Schlatter selbst berichtet, »für einen Pietisten erklärte, den sein Bibelglaube für die wissenschaftliche Arbeit untüchtig mache«[10]. Beiden Gruppen gegenüber stützte sich Schlatter auf die Schrift, die den Leser seiner Meinung nach gerade dann durch Christus zu Gott führt, wenn er sie als Zeugnis der Geschichte ernst nimmt. »Trotz der Urteile, die mich gleichzeitig zum kritiklosen Biblizisten und zum glaubenslosen Kritiker machten, schien mir mein Verhältnis zur Bibel einheitlich und durchsichtig zu sein. Was mich an sie band, war die Geschichte, an der sie uns beteiligt und durch die sie uns unseren eigenen Anteil an Gott verleiht. Darum entstand mir an der Schrift Glaube und Gehorsam. Die Geschichte wird aber nur von demjenigen Auge richtig aufgefaßt, das kritisch geschult ist. Um das von der Schrift Erzählte richtig zu sehen, müssen wir auch auf die Grenzen achten, die die Geltung ihrer Aussagen beschränken. Für mich schieden sich deshalb die beiden Betätigun-

[9] »Adolf Schlatters Rückblick auf seine Lebensarbeit« ist 1952 von seinem Sohn, Theodor Schlatter, in einem Sonderband der (von Schlatter begründeten) BFChTh erstmals herausgegeben worden. Er war rasch vergriffen. Der ausgesprochen lesenswerte Lebensbericht ist jetzt wieder zugänglich in einer vom Calwer Verlag in Stuttgart aus Anlaß des 125. Geburtstages von Schlatter herausgebrachten Neuausgabe, die den Titel trägt: Adolf Schlatter, Rückblick auf meine Lebensarbeit. Zu dieser Neuausgabe hat K. H. Rengstorf ein Nachwort geschrieben. Ich zitiere nach dieser Neuausgabe; sie ist im Hauptteil mit der Edition von 1952 seitengleich; das Zitat: 36 f.

[10] Rückblick, 79.

gen – der Glaube und die Kritik – nie in einen Gegensatz, so daß ich das eine Mal bibelgläubig, das andere Mal kritisch gedacht hätte, sondern ich dachte deshalb kritisch, weil ich an die Bibel gläubig war, und war deshalb an sie gläubig, weil ich sie kritisch las.«[11] Da die Berner Fakultät nur klein war – sie umfaßte während Schlatters Tätigkeit zeitenweise nur 30 Studenten – und ihm kein Ordinariat bot, folgte Schlatter 1888 einem Ruf nach Greifswald. Aus der ihn dort beglückenden Arbeitsgemeinschaft mit dem lutherischen Dogmatiker Hermann Cremer mußte sich Schlatter lösen, als ihn der zuständige preußische Minister 1893 drängte, den nach dem sogenannten Apostolikumsstreit in Berlin neu errichteten Lehrstuhl für eine der Kirche zugewandte Theologie zu übernehmen. Schlatter sah sich auf diese Weise der damals weltberühmten, vor allem durch Adolf von Harnack dem theologischen Liberalismus verpflichteten Berliner Fakultät als eine Art von kirchlichem »Strafprofessor« aufgedrängt. Vor Annahme der neuen Position hatte er sich nur ausbedungen, zusätzlich zu der ihm hauptsächlich übertragenen Dogmatik und Ethik auch weiterhin Neues Testament lesen zu dürfen. Schlatter stellte sich der ungemein schwierigen, auch kirchenpolitisch exponierten Aufgabe nach Kräften. Er fand in A. v. Harnack alsbald einen fairen, kritischen Gesprächspartner, während ihm Bernhard Weiß, der Berliner Neutestamentler, mit äußerster Reserve gegenübertrat: »Weiß betrachtete sich als den staatlich bestellten Vertreter der neutestamentlichen Wissenschaft in Berlin und als das staatlich beglaubigte Vorbild der richtigen Positivität, weshalb ihm meine Ernennung, wenn sie auch sein Arbeitsfeld berührte, als eine Verletzung seiner ihm zustehenden Amtsgewalt erschien.«[12] Insgesamt entfaltete Schlatter in Berlin eine weit über die Stadt hinausgreifende, theologisch-kirchliche Tätigkeit.

Inzwischen hatte der »Fall Schrempf« die evangelische Landeskirche in Württemberg erregt. Christoph Schrempf, Pfarrer im württembergischen Leuzendorf, hatte sich geweigert, bei Taufen das Apostolische Glaubensbekenntnis zu gebrauchen, und war 1892 aus diesem und anderen Gründen aus dem Dienst der evangelischen Landeskirche entlassen worden. Seit seiner Entlassung führte er einen heftigen freigeistigen Kampf gegen die Landeskirche. Eine Folge dieses während Schlatters Berliner Wirksamkeit aufflammenden Bekenntnisstreites war eine Petition zahlreicher Pietisten an die Stuttgarter Landesregierung, man möchte (auch) in Tübingen eine neue theologische Professur einrichten und bei

---

[11] Rückblick, 82 f.
[12] Rückblick, 165 f.

ihrer Besetzung auf die kirchlichen Überzeugungen Rücksicht nehmen. Die Petition drang durch, und wieder war es Schlatter, der im Herbst 1897 gebeten wurde, die neue Position auszufüllen. Er löste sich auf diesen Ruf hin nicht ungern aus der schwierigen Berliner Situation und nahm das württembergische Angebot an. »Um der neuen Professur eine geordnete Stelle in der Fakultät von Tübingen zu sichern, gab ich ihr den Titel ›Neutestamentliche Professur‹, da die Fakultät noch keine solche hatte, weil die Dogmatiker und die Kirchenhistoriker den neutestamentlichen Unterricht bisher unter sich verteilt hatten. Das Recht, auch Dogmatik zu lesen, sicherte mir der württembergische Minister zu.«[13] Schlatter nahm seine Vorlesungen mit dem Sommersemester 1898 auf und fand nun hier in Tübingen seine bleibende Wirkungsstätte. Freilich verliefen seine Anfangsjahre an unserer Universität und Fakultät alles andere als strahlend. Wie schon in Bern und später in Berlin stießen seine Theologie und Glaubensauffassung erneut auf große Skepsis.

Schlatter stand befremdet vor dem konfessionell fest geordneten, staatskirchlichen Christentum der württembergischen Kirche. Von der damals den gesamten Vorlesungsbetrieb der Fakultät reglementierenden Studienordnung des Evangelischen Stifts, in dessen beiden Hörsälen alle theologischen Vorlesungen stattfanden, war er vollends abgestoßen. Die Studenten ihrerseits fanden Schlatter mit seinem harten, nur mühsam verständlichen Schweizer Akzent, seinem freien Vorlesungsstil und seiner Glaubenstheologie schwer erträglich. Sie vermuteten anfänglich, Schlatter wolle ihnen statt wissenschaftlicher Vorlesungen bloß Bibelstunden halten[14]. Die alte Doppelfront wurde so auch in Württemberg wieder spürbar. – Der Bann gegenüber den Stiftsstudenten brach erst, als der frühere Stiftsrepetent Karl Holl, der von 1900–1906 in Tübingen Extraordinarius für Kirchengeschichte war und Schlatter von Berlin her (flüchtig) kannte, regelmäßig Schlatters Vorlesungen über Dogmatik und den Ertrag der philosophischen Arbeit seit Cartesius hörte[15]

---

[13] Rückblick, 194.

[14] Vgl. Rückblick, 212.

[15] Vgl. R. Stupperich, Briefe Karl Holls an Adolf Schlatter (1897–1925) (ZThK 64, 1967, 169–240), 170: »Holl hat bei Schlatter die Vorlesungen über den ›Philosophischen Ertrag‹ und vor allem über Dogmatik regelmäßig besucht und viele Anregungen gewonnen.« – Schlatters philosophiegeschichtliche Vorlesungen vom Wintersemester 1905/06 über »Die philosophische Arbeit seit Cartesius nach ihrem ethischen und religiösen Ertrag« sind unter eben diesem Titel seit 1906 in drei Auflagen erschienen. 1959 haben Th. Schlatter und H. Thielicke eine Neubearbeitung herausgebracht, die nunmehr folgenden Titel trägt: Die philosophische Arbeit seit Descartes. Ihr ethischer und religiöser Ertrag, 1959[4]. Ich zitiere nach dieser Neuedition.

und sich einzelne interessierte Stiftler von den zu Schlatter eilenden zahlreichen Norddeutschen in den großen Stiftshörsaal mitnehmen ließen. In der Landeskirche faßte Schlatter schließlich Fuß über seine intensive Predigttätigkeit in der Tübinger Stiftskirche, über den Nachhall seiner populären Schriften, seine christliche Konferenzarbeit und nicht zuletzt über die Erschütterungen, denen das staatlich festgefügte Kirchenregiment mit dem Ende des 1. Weltkrieges auch hierzulande ausgesetzt war. – Für Schlatter persönlich wurde der überraschende Tod seiner Frau im Jahre 1907 zum Anlaß, eine erste Summe seiner bisherigen theologischen Arbeit zu ziehen. Er ließ deshalb seit 1909 in rascher Folge zuerst in zwei Bänden »Die Theologie des Neuen Testaments«[16], dann seine Dogmatik »Das christliche Dogma« und schließlich auch »Die christliche Ethik« erscheinen. Trotz des Vorliegens dieser Werke fällt die eigentlich tiefgreifende, kirchliche und universitäre Wirkungszeit Schlatters erst in die zwanziger Jahre mit ihrem neuerwachten, elementaren Bedürfnis nach wirklich substantieller Theologie und Frömmigkeit. Schlatter wurde zwar anläßlich seines siebzigsten Geburtstages am 16. August 1922 emeritiert, führte aber seine Vorlesungsarbeit vor wachsenden Hörerzahlen freiwillig bis zum Wintersemester 1929/30 fort, weil er in die exegetische Arbeit seines der religionsgeschichtlichen Schule zugehörigen, kritischen Amtsnachfolgers Wilhelm Heitmüller kein Vertrauen hegte.

Neben dem akademischen Unterricht war er rüstig und fleißig genug, um seine Forschungsarbeit in der Neuauflage der schon genannten drei Hauptwerke, in der Neubearbeitung (= 4. Auflage) seines berühmten Erstlingswerkes von 1885 »Der Glaube im Neuen Testament« und mit der 1926 neu vorgelegten »Geschichte der ersten Christenheit« zum Ziel zu führen. Als diese Arbeit vollendet war, ging Schlatter auf Anraten Gerhard Kittels, der Nachfolger des bereits 1926 verstorbenen Heitmüller auf Schlatters ehemaligem Lehrstuhl geworden war, daran, seine bisherigen Kollegaufzeichnungen und die in verborgener Gelehrtenarbeit

---

[16] Der erste Band des Werkes trug 1909 den Titel: »Die Theologie des Neuen Testaments. Erster Teil: Das Wort Jesu«. Der zweite erschien 1910 unter der Bezeichnung: »Die Theologie des Neuen Testaments. Zweiter Teil: Die Lehre der Apostel«. Bei der Neubearbeitung nannte Schlatter 1921 den ersten Band nunmehr »Die Geschichte des Christus«, während er für den zweiten die Bezeichnung »Die Theologie der Apostel«, 1922², beibehielt. Schlatter hat »Die Geschichte des Christus« für die zweite Auflage von 1923 noch einmal durchgesehen, aber kaum mehr verändert. Ein Nachdruck beider Bände des Werkes in der definitiven Form von 1922 und 1923 ist 1977 als dritte Auflage erschienen. Ich zitiere nach dieser dritten Auflage, zu der HANS STROH und ich ein Vorwort geschrieben haben.

angesammelten, historisch-philologischen Vergleichsmaterialien zur Sprache des Neuen Testaments aus der jüdischen Literatur zunächst zu dem 1929 erschienenen, großen wissenschaftlichen Matthäuskommentar zusammenzuschmelzen. Diesem bedeutenden Werk ließ er von 1930 an noch weitere Kommentare folgen, darunter 1935 den unter den wegweisenden Titel »Gottes Gerechtigkeit« gestellten Römerbriefkommentar. Ihn hat er für sein bestes Buch gehalten. – Als Schlatter am 19. Mai 1938, kurz vor Vollendung seines 86. Lebensjahres starb, hatte er gerade noch die zweite Auflage seines Andachtsbuches bearbeiten können, das uns mit seinem fragenden Titel »Kennen wir Jesus?« auf den exegetischen und dogmatischen Lebensnerv des großen alten Mannes verweist.

III

Wenden wir uns von hier aus nunmehr der Schriftauslegung Schlatters zu, ist zuallererst noch einmal zu betonen, daß sich für Schlatter selbst sein christlicher Glaube, seine biblisch-historische Arbeit und seine dogmatische Bemühung um das für die Gegenwart angemessene Christus- und Glaubensverständnis nicht trennen lassen. Schlatter treibt historische Bibelauslegung, er predigt, und er nimmt dogmatisch Stellung zur Lebens- und Denkproblematik der Gegenwart als ein durch Jesus auf Gott vertrauender Christ. In seinem »Rückblick« heißt es: »Wo fand ich den Grund meines Glaubens? Wie Luther nicht in der Kirche, sondern in Christus allein, nicht in mir und meinem Werk, sondern in der Gnade Jesu allein. Was gab mir auf der Kanzel die Vollmacht, zum geistlichen Amt zu rüsten? Das Wort, einzig das Wort, nicht Kunst, nicht Wissenschaft, nicht Gesetz, sondern Jesu Wort.«[17] Eben diese ganzheitliche Position machte Schlatter wirksam, gewann ihm im Hörsaal und in der Kirche Vertrauen, machte ihm aber auch in der theologischen Zunft und unter den Studenten Feinde.

Das zweite, was man betonen muß, wenn es um Schlatters Bibelauslegung geht, ist die aus Schlatters Schrifttum und dem Katalog seiner Vorlesungen heraus leicht belegbare Tatsache, daß er aus einer profunden Kenntnis des Ganzen heraus über die Bibel urteilt und die Einzeltexte zur Sprache bringt. Schlatter hat nicht nur eine Altes und Neues Testament gemeinsam behandelnde »Einleitung in die Bibel« geschrieben und dieses 1889 erstmals erschienene Buch bis zur 5. Auflage von 1933 wiederholt neubearbeitet, sondern er hat auch – und meines Wissens als einziger der großen Exegeten des ausgehenden 19. und 20. Jahrhunderts – das Neue Testament als Ganzes kommentiert. Seine seit 1887

[17] AaO 201.

erscheinenden und immer wieder neu aufgelegten »Erläuterungen zum Neuen Testament« umfassen alle neutestamentlichen Bücher. Sie sind in ihrer für andächtige Bibelleser gedachten, allein dem Textwortlaut hingegebenen Durchdringung des biblischen Zeugnisses m. E. bis heute eine klassische Schule für historisch und dogmatisch reflektierte Textmeditation. Nachdem die zwischen 1920 und 1923 in ihre (für Schlatter) endgültige Form gebrachte Theologie des Neuen Testaments erneut das Ganze des neutestamentlichen Schrifttums behandelt, hat Schlatter in den sein exegetisches Lebenswerk krönenden, ausführlichen wissenschaftlichen Kommentaren nacheinander noch das Matthäusevangelium, das Johannesevangelium, das Evangelium nach Lukas, den Jakobusbrief, die Korintherbriefe, das Markusevangelium, den Römerbrief, die Briefe des Paulus an Timotheus und Titus und schließlich den 1. Petrusbrief kommentiert. Bedenkt man vollends, daß diese Kommentare von der bereits erwähnten Geschichte des Urchristentums und zusätzlich noch von mehreren Werken über die Geschichte und Theologie des Judentums der neutestamentlichen Zeit flankiert werden, stehen wir vor einem Gesamtwerk, das Schlatter als profunden (und zugleich höchst eigenwilligen) Kenner des Neuen Testaments, der neutestamentlichen Zeitgeschichte und der Bibel als ganzer ausweist.

Schlatter betrachtet denn auch die Bibel als ein zusammengehöriges Ganzes. Er tut dies aber nicht so, daß er von einem heiligen Schriftenkanon spräche, in dem jedes Wort und jedes biblische Buch von gleichem Rang und paralleler Wichtigkeit wäre. Diese aus der altprotestantischen Orthodoxie stammende Anschauung von der Bibel weist Schlatter ausdrücklich zurück. Er will und kann die Bibel deshalb als ein geschichtlich differenziertes Ganzes verstehen, weil sie von einer durch Gott gewirkten Geschichte der Offenbarung und des Glaubens spricht, die in Christus ihre Einheit und Mitte hat. »Der reformatorische Schriftgebrauch hat die Neigung nicht überwunden, die alles in der Bibel auf dieselbe Fläche legt und jedes Schriftwort das Gleiche wie jedes andere sagen und bedeuten läßt. Da ja alles die absolute Autorität Gottes hat, scheint eine Gliederung hier ausgeschlossen zu sein. Daß sich aber dieser Gebrauch der Schrift an ihr vergreift, wurde dadurch offenbar, daß er durch seine gewaltsamen Gleichungen die Aneignung ihres Worts schwächte und hinderte. – Die Einheit der Schrift ergibt sich daraus, daß die Geschichte, die sie schuf und die sich in ihr bezeugt, im Christus ihre Einheit hat. Mit dem Christusnamen Jesu ist die Unterordnung der Propheten und Apostel unter ihn ausgesprochen. Der Mittelpunkt der Schrift, der aus ihr eine Einheit macht, läßt sich somit mit Luther so formulieren: was Christum treibe, sei kanonisch. Das ergibt nicht nur die Grenze zwischen der Schrift und anderen Stimmen, sondern gibt auch innerhalb der Schrift ihren einzelnen Teilen ihren Platz und ordnet ihre Wichtigkeit und Wirksamkeit.«[18] Statt die hl. Schrift mit Hilfe einer Gott, seine irdische Schöpfung und die Geschichte auseinanderreißenden Lehre von der Verbalinspiration zu einem überirdisch-fehllosen Buch emporzustilisieren, will Schlatter die Bibel gelesen und ernst genommen wissen, wie sie geschichtlich wirklich war, d. h. als ein von Gott zeugendes Ganzes biblischer Schriften, unter denen den neutestamentlichen Büchern der Vorrang gebührt. Alle Teile der Bibel wurden nach Schlatter von Menschen in bestimmter geschichtlicher Zeit und Sprache verfaßt, und sie besitzen angesichts der Erscheinung Jesu als des Christus Gottes unterschiedliches Gewicht und Aussagengefälle. Gott hat die biblischen Autoren als Menschen mit geschichtlich begrenzten Fähigkeiten erwählt, damit die Kirche durch das Wort dieser erwählten menschlichen Zeugen zu Gott finde. Die biblische Exegese hat darum die Pflicht, das geschichtlich eigentümlich profilierte und zugleich begrenzte, stets aber auf Gott verweisende Wort der biblischen Zeugen aufzudekken. So aber erweist sich dann auch die Schrift als Werk des Geistes! Gerade im Verlauf seiner historischen Entdeckungsarbeit wird der Bibelexeget nach Schlatter auf Gott aufmerksam. »Es gibt Kollegen, die einen doppelten Verkehr mit der Schrift pflegen und sie das eine Mal ›geschichtlich‹, das andere Mal ›geistlich‹ auslegen. Die oft gehörte Klage geht ihnen zu Herzen, daß der Eifer, mit dem wir die geschichtlichen Vorgänge erforschen, uns religiös lähme und die Bibel für uns unfruchtbar mache. Meine Erfahrung widersprach diesem Gedankengang. Da mich mein akademisches Amt zur Feststellung der geschichtlichen Tatbestände verpflichtete, gehörte freilich der größere Teil meiner Arbeit dem menschlichen Gewand des Neuen Testaments. Wie der Erklärer des Alten Testaments die Pflicht hat, auch in Ninive und Babylon, in Memphis und Theben heimisch zu sein, so war es meine Pflicht, mich mit der Judenschaft Jerusalems in Verbindung zu bringen, aus der die erste Christenheit entstanden ist. Das läßt sich nicht ohne Arbeit erhaschen und brachte das mit sich, was im Kreise unserer Geistlichen gelegentlich als ›Pedanterie‹, als ›Verirrung in philologische Kleinarbeit‹ bedauert wurde. Ich habe aber meinerseits diesen Teil meiner Arbeit nie als hemmend und lästig empfunden, weil mich jeder Schritt, der mich in die Geschichte einführte, aus der die Schrift entstand, in verstärktem Maß auch mit ihrer geistlichen und göttlichen Kraft in Berührung gebracht hat. Ich kann darum die, die gern eine Bibel hätten, ›die

[18] Das christliche Dogma, 1977³ (mit einem Vorwort von W. Joest), 369 f.

sie weise zur Seligkeit macht‹, Laien und Geistliche, nur bitten, sich nicht weichlich vor der Anstrengung zu scheuen, durch die wir uns ein möglichst deutliches Bild von den geschichtlichen Vorgängen verschaffen, mit denen die Bibel zusammenhängt. Die Gleichgültigkeit gegen die menschliche Art der biblischen Worte hat die Christenheit beim Empfang ihrer geistlichen Gaben nicht unterstützt, sondern gefährlich gehemmt.«[19]

Dabei weiß Schlatter ganz genau, daß die historische Detailarbeit nur erst ein Teil jener Arbeit ist, die das Bibelwort zum Verständnis bringt. Zum historischen Verständnis muß das dogmatische hinzutreten, und beide, das historische und das dogmatische Urteil, werden erst dann richtig gefällt, wenn sie auf wirklich kritischer Wahrnehmung und Denkanstrengung beruhen. Gerade der Schlatter, dem Studenten und Kollegen Kritiklosigkeit vorwarfen und der in seinen Seminaren, wie man glaubwürdig erzählt, nicht viel von spekulativen Fragen hielt, wendet sich in seiner Dogmatik pointiert gegen ein Bibelverständnis, das sich aus Ehrfurcht vor dem biblischen Wort am liebsten nur mit dem bloßen Nachsprechen biblischer Sprüche begnügen möchte: »Aus der quietistischen Richtung des Glaubens entsteht die Unfähigkeit zur kritischen Arbeit, die immer und notwendig ein Widerspruch gegen die Autorität der Schrift sein soll. Die Kritik der Bibel wird aber auf zwei Stufen zu unserem Beruf, als historische und als dogmatische Kritik. Die historische Kritik stellt das Verhältnis der biblischen Aussagen zu dem sie formenden Geschichtslauf fest. Indem wir uns ihren Ort in der Geschichte verdeutlichen, machen wir uns klar, wie weit ihre Wahrheit reicht und wo sie endet, welche Geltung der uns beschäftigenden Aussage zukommt und welche ihr nicht zukommt. Wir brauchen aber auch dann ein messendes Urteil, wenn wir das Schriftwort auf uns selbst beziehen; da muß wieder festgestellt werden, was es im Verhältnis zu der uns selbst gestaltenden Geschichte bedeutet, und das Urteil ist auch hier nach seinen beiden Zweigen zu entfalten, so daß wir uns sowohl verdeutlichen, wann und warum das Schriftwort für uns gilt, als wann und weshalb es nicht für uns gilt.«[20] Schlatter hat sich also nicht nur nicht gegen die Bibelkritik gestemmt, sondern ausdrücklich zu ihr aufgerufen, obwohl er aus bitterer Erfahrung mit der kritischen Exegese seiner Zeit heraus nur zu gut wußte, wie rasch solche Bibelkritik in kritische Willkür umschlagen kann. Dennoch hat Schlatter die Doppelfront, in der er stand und die ihm gleichzeitig den Vorwurf des ungläubigen Kritizismus und einer kri-

[19] Hülfe in Bibelnot[2], 254 f.

[20] Christl. Dogma[3], 373 f. Vgl. auch: Die christliche Ethik, 1961[4], 304–306.

tiklosen Unterwerfung unter die Schrift eintrug, nur als historischer und dogmatischer Kritiker der hl. Schrift durchhalten wollen (und können). Gerade als historisch, philosophisch und dogmatisch geschulter Bibeltheologe hat er sich gegen das ihm entgegenschlagende Urteil gestemmt, seine Kritik entbehre des Glaubens, oder er sei ein unkritischer Biblizist.

Wie konnte er diese Position durchhalten und gleichzeitig mit den Positiven in der Schweiz und den Pietisten in Deutschland um das Recht der Bibelkritik ringen, seinen kritischen Kollegen aber (sehr zu deren teilweise bis heute nachwirkendem Verdruß) vorhalten, das Neue Testament sei von Jesus her als Einheit zu sehen und mit Polemik gegen die Schrift habe seine historische Schriftforschung nichts zu tun[21]? Die Antwort auf diese Frage ist nur zu geben, wenn wir Schlatters Methoden- und Christusverständnis gleichzeitig ins Auge fassen.

IV

Im Blick auf den berühmten und folgenreichen Aufsatz von Ernst Troeltsch »Über historische und dogmatische Methode in der Theologie« (1898), auf Adolf von Harnacks Vorlesungen über »Das Wesen des Christentums« (1900) und den Gegenschlag der dialektischen Theologie gegen den theologischen Liberalismus nach dem 1. Weltkrieg hat man bisher weitgehend übersehen, daß gerade Schlatter diesen Gegenschlag auf seine Weise schon vorbereitet hatte, ehe K. Barth, R. Bultmann und ihre Freunde neu zur Sache des Glaubens riefen und das Eigenrecht der Theologie betonten. Schlatters im Wintersemester 1905/06 gehaltene Vorlesung über »Die philosophische Arbeit seit Cartesius in ihrem ethischen und religiösen Ertrag« endet mit der Einsicht, daß sich die Christenheit auf ihre »Selbständigkeit« gegenüber der Philosophie besinnen muß. Die Philosophie des ausgehenden 19. Jahrhunderts hat sich nach Schlatter im Kritizismus, im Agnostizismus und in dem von der Naturwissenschaft abgeborgten Versuch einer monistischen Welterklärung verloren. Die Folge muß sein, »daß sich die Christenheit auf ihre *Selbständigkeit* besinnt. Sie muß es, nachdem der Kantianismus in den Pessimismus auslief, die griechische Logik in den Agnostizismus umschlug und von der Naturforschung her der Monismus ihr gegenübersteht. Dadurch wird endlich in unserer Christenheit das Wissen um ihre intellektuelle Pflicht erweckt, daß sie ihren Wahrheitsbesitz selbständig zu erwerben

[21] Im Gegensatz zu einer »Polemik gegen die Schrift, die dazu nach den Grenzen ihrer Aussagen sucht, um sie zu entkräften«, stellt Schlatter fest: »Mit Polemik war meine Schriftforschung nicht verwoben; denn sie begehrte nichts als den wahrheitstreuen Vollzug der Beobachtung« (Rückblick, 83).

und zu verwerten hat, daß es ein unmögliches Beginnen ist, gleichzeitig zweier Meister Jünger zu sein, daß die ihr gegebene Gewißheit Gottes, die Sendung des Christus und der seiner Gemeinde verliehene Bestand Tatsachen sind, deren reine Beobachtung und unverfälschte Darstellung eine Pflicht für sich ist, wozu sie keiner Erlaubnis vom Philosophen bedarf. Ist die Philosophie längst nicht mehr die Dienerin der Theologie, so ist nun auch das umgekehrte Verhältnis beendet.«[22] Angesichts dieser geistigen Situation hält Schlatter wenig davon, die historisch-kritische Methode mitsamt ihren hohen philosophischen Implikationen unbesehen in die (historische) Theologie zu übernehmen und die Wissenschaftlichkeit der Theologie an eben dieser Übernahme zu bemessen. Eine kritische Methode, die geeignet ist, den Blick für Gottes Offenbarungswerk in der Geschichte kritisch zu verriegeln, ist für Schlatter unannehmbar. Er hat zusammen mit seinem Freunde, dem Dogmatiker Wilhelm Lütgert (1867 bis 1938), aufs deutlichste erkannt, daß in jeder historischen Methode eine Dogmatik steckt. Schon 1905 fordert er die Theologen auf, sich dies klarzumachen und, um mit Barths Vorwort zur 2. Auflage seines berühmten »Römerbrief« zu sprechen, in Hinsicht auf ihre Methode und ihren Verstehenswillen »kritischer« als »die Historisch-Kritischen« zu sein[23]. Die eigentlich wissenschaftliche Pflicht des Theologen besteht nach Schlatter in der unbestechlichen Wahrnehmung des ihm in den biblischen Texten und in der kirchlichen Glaubenserfahrung vorgegebenen Objekts, und die wissenschaftliche Methode, die in der Theologie gehandhabt wird, muß dieses Objekt in Gestalt des geschichtlichen Gotteshandelns und der geschichtlich bezeugten Gotteserfahrung sichtbar machen können. In Schlatters 1905 publiziertem Aufsatz über »Atheistische Methoden in der Theologie« heißt es: Was uns Theologen »als Mitgliedern der universitas litterarum als unzerreißbare Pflicht obliegt, ist, daß wir in dem uns zugewiesenen Arbeitsbereich zum Sehen, zur keuschen, sauberen Beobachtung, zum Erfassen des wirklichen Vorgangs, sei er ein geschehener, sei er ein jetzt geschehender, gelangen. Das ist das ceterum censeo für jede Universitätsarbeit. Wissenschaft ist erstens Sehen und zweitens Sehen und drittens Sehen und immer und immer wieder Sehen. Von diesem Beruf entbindet uns nichts, was immer auch auf den übrigen wissenschaftlichen Arbeitsfeldern geschehen mag. Gesetzt die atheistische Stimmung des Naturforschers entstände an der Naturforschung mit zwingender Notwendigkeit, oder der Kulturhistoriker erzeugte an seiner Beobachtungsreihe völlig legitim und unvermeidlich eine

[22] AaO (vgl. Anm. 15) 237, Hervorhebung im Original.

[23] K. Barth, Der Römerbrief, 22.–23. Tausend (Neunter Abdruck der neuen Bearbeitung), 1954, XII.

Skepsis, etwa in Montaignes Art: niemals wäre dadurch schon der atheistische Theologe legitimiert, niemals uns die Pflicht abgenommen, vor unserm eignen Arbeitsgebiet mit offener Beobachtung zu stehen. Die Arbeitserträge der Kollegen mögen für uns die größte Bedeutung haben; vielleicht schaffen sie Probleme von schwerster, ja unlöslicher Dunkelheit: der Theologe bleibt verpflichtet, den ihm anvertrauten Bereich des Geschehens mit entschlossener Hingabe an sein eigenes Objekt aufzufassen. Zum Atheismus kann er nur kommen an der Beobachtung des religiösen Geschehens selbst. Borgt er denselben aus der allgemeinen Stimmung oder der Naturwissenschaft, so schändet ihn sein Atheismus. Wäre die Theologie eine Allerweltswissenschaft, wie die ältere Philosophie, so müßte sie freilich borgen und betteln gehen. Es gibt aber ganz bestimmte Ereignisse, die sowohl für die Menschheit als im Einzelleben die Gewißheit Gottes erzeugen, mit denen sie verbunden ist und in denen sie ihre Wirkung tut. Diesen Ereignissen schulden wir als Theologen ein Auge, das nicht durch ein erborgtes Leitmotiv gefälscht ist, sondern mit runder Hingabe an sein Objekt dieses selbst zu fassen sucht. Wäre es so, daß der Naturforscher nirgends Anlaß hätte, den Gottesgedanken zu bilden; wäre es so, daß der Historiker nirgends auf Vorgänge stieße, die über den Menschen hinausweisen, nirgends auf ein Gesetz, das größer ist als des Menschen Wille, nirgends auf ein Gericht, das menschliches Wollen als Sünde zerbricht; wäre es so, daß auch im theologischen Beobachtungsbereich nirgends ein begründetes Gottesbewußtsein entstünde, nirgends als – sagen wir einmal: in der Weise, wie Jesus in Gott lebte, hier aber entstände es als unleugbare Wirklichkeit mit einer vom Theologen die Zustimmung fordernden Macht: so wäre zwar die Basis und der Inhalt der Theologie klein, aber die atheistische Theologie zerstört.«[24] Der Kampf um die Theologie als Wissenschaft und um die Sache der Theologie beginnt nach Schlatter also schon bei der historischen Beobachtung und auf dem hermeneutischen Terrain der Methode. Der über die Wahrheit und das Recht der Theologie zu eigenständigen Aussagen eigentlich entscheidende Sachverhalt aber ist die historische Person Jesu als Messias oder, wie Schlatter sich ausdrückt, als »Christus« Gottes.

Schlatter hat über vieles historisch und dogmatisch mit sich reden lassen. Er hat nach dem Bericht seiner Hörer seine Jesusdarstellung im Kolleg nie mit den Geburtsgeschichten der Evangelien begonnen, weil er diese von urchristlicher »Poesie« durchwoben sah. Er hat die Früh- und Spätdatierung der alttestamentlichen Geschichtswerke erwogen. Er

[24] Der Aufsatz ist aufgenommen in die von U. Luck besorgte Sammlung kleiner Schriften A. Schlatters »Zur Theologie des Neuen Testaments und zur Dogmatik« (TB 41), 1969, 134–150; das Zitat dort 142 f.

wußte, daß die von ihm konsequent durchgehaltene These von der Priorität des Matthäusevangeliums ihre Schwierigkeiten hatte, und er hat proto- und deuteroapostolische Briefe voneinander unterschieden. Aber auf einem hat er trotz aller sich um ihn her verbreitenden Einsamkeit des Standpunkts beharrt, daß nämlich Jesus schon irdisch der Sohn Gottes und Christus war und nicht erst nachträglich auf Grund der Osterereignisse als solcher Christus beschrieben und bekannt worden sei. Den liberalen Exegeten seiner Zeit, William Wrede voran, die in dieser Frage ganz anderer Meinung waren und in Jesus eine jüdische Prophetengestalt sahen, die der christlichen Gemeinde erst im österlichen Lichte als Messias erschien, ist Schlatter massiv entgegengetreten. Im »Christlichen Dogma« meint er einmal sarkastisch, bei genauem historischen Zusehen brauche man keineswegs an den Anfang der Christenheit »einen leeren Juden« zu setzen, »über dessen Armseligkeit sich die Kirche allmählich erhebe«[25]. Pointiert stellt er fest: »Der Zweifel, ob sich Jesus als den Christus bezeugte, kann sich nur durch die Vernichtung seines ganzen Worts halten und geht am besten gleich zur Verneinung der Existenz Jesu vorwärts. Das ist offenkundiger Rationalismus, ein Schluß aus der angeblichen ›Unmöglichkeit‹ mit Vernichtung der Sehfähigkeit.«[26]

Schlatters Gegenthese lautet in dreifacher Staffelung: 1. Das die vier Evangelien gemeinsam beherrschende Christusbild erscheint gerade dann von ganz eigentümlichem Gewicht und Profil, wenn man es historisch mit dem im 1. Jahrhundert bezeugten jüdischen Messiasbild vergleicht. 2. Diese religionshistorisch auffallende Eigenständigkeit des Christusbildes der Evangelien[27] kann nicht einfach als nachträgliche Glaubensdarstellung der Urchristenheit gewertet werden, sondern erklärt sich geschichtlich dadurch, daß hier wirklich die Bezeugung des messianisch eigenständigen und historisch einzigartigen Anspruches Jesu vorliegt. Die Evangelien weisen m. a. W. als Christuserzählungen auf den irdischen Jesus als den Christus Gottes zurück, und sie erklären sich in ihrem geschichtlichen Profil nach Schlatter dann am besten, wenn man sie als Zeugnis von jenem Jesus ernst nimmt, der selbst als Gottessohn und Christus gewirkt und gelitten hat. – Schlatter sieht dabei durchaus und betont es bis in seine populären Schriften hinein, daß in den Evangelien nicht einfach nur ein authentischer Bericht von Jesu Weg, Wort und Wil-

---

[25] Christl. Dogma², 360.

[26] Christl. Dogma², 282.

[27] Man muß im Sinne Schlatters von *den* Evangelien sprechen, weil er im johanneischen Christusbild keine Korrektur, sondern eine Ergänzung der synoptischen Christusdarstellung sieht.

len vorliegt. Die Evangelien bieten vielmehr ein von der Erinnerung getragenes und vom Glauben der Jesusjünger bestimmtes Christuszeugnis, wobei es die mehrfache Darbietung und unterschiedliche Plazierung der Jesuslogien in den vier Evangelien dem Historiker verwehrt, überall auf den ursprünglichen Wortlaut des Jesusgutes durchzustoßen[28]. Gleichwohl sieht Schlatter nirgends in der Evangelienliteratur einfach die freie Glaubensphantasie walten, sondern ist der Meinung, daß die Evangelien, die sich wie andere jüdische Werke der Frühzeit aus Sentenzen und Anekdoten aufbauen und dementsprechend nach den Maßstäben der jüdischen Traditionsliteratur beurteilt werden müssen[29], auf die ge-

---

[28] Vgl. z. B. Hülfe in Bibelnot², 30: »Gewiß, was der Herr selbst gesagt und getan hat, ist der Beginn und Inhalt des Evangeliums. Aber zu diesem Beginn gehört weiter, wie er in der Erinnerung seiner Jünger weiterlebt, was ihr Christusbild in sich aufnahm und wiederstrahlt. Das Werden der Evangelien gehört wesentlich zu jener Geschichte, durch die Gott der Welt seinen Christus gab.« Ebd. 273 f heißt es in Ergänzung dieser Ausführungen: »... wenn wir über dem, was zur menschlichen Schwachheit der biblischen Männer zu rechnen ist, übersehen, wie Großes ihnen gegeben war, so ist das unsere Schuld ... Die Sprüche Jesu sind in der evangelischen Überlieferung mehrfach gruppiert und *wir können in keiner Weise überall ihren ursprünglichen Wortlaut verbürgen.* – Aber was ändert das an dem großen Wunder, daß ein so helles und reines Bild Jesu in der Seele der Apostel entstand und in der Gemeinde sich forterhielt?« (Hervorhebung im Original) Vgl. auch die folgende Anm.

[29] Schlatter beginnt seine »Geschichte des Christus« mit folgenden Sätzen (3. Aufl. 7): »Als die Jünger ihre Erinnerungen an Jesus zum bleibenden Eigentum der Kirche machten, arbeiteten sie nach der Methode der palästinensischen Schule, die die Erinnerung an die Väter dadurch bei sich lebendig erhielt, daß sie ›Sprüche‹ und ›Werke‹ von ihnen überlieferte. Daher bestehen die Evangelien aus Sentenzen und Anekdoten, die uns jedesmal vor einen einzelnen, konkreten Vorgang aus dem Leben Jesu stellen. Die Sentenz spricht aus, wie er seine Jünger in einem bestimmten Fall an seinen Willen band, und die Anekdote zeigt, wie ihm eine besondere Lage den Anlaß zum Handeln gab. Das gibt dem evangelischen Bericht einen Wert, der durch nichts ersetzt oder überboten werden kann. Auch darin verfuhren die Jünger, wie es in der Schule üblich war, daß sie nicht an die Bewahrung der chronologischen Ordnung dachten, wie die Verschiedenheit der Texte zeigt. Am vergeblichen Versuch, eine chronologische Reihe der Worte und Handlungen Jesu herzustellen, beteilige ich mich nicht, weil wir uns mit der Erörterung der Frage, ob ein Spruch Jesu der früheren oder der späteren Zeit angehöre, sofort von den Quellen entfernen, damit aber über die Grenze der Geschichte hinausfahren und nur Dichtungen schaffen. Denn die Quellen teilen uns die Sprüche Jesu deshalb mit, weil sie in ihnen seinen bleibenden, ihn beständig bestimmenden Willen erkannten. Dadurch aber, daß sie uns vor eine Fülle einzelner deutlich erfaßbarer Vorgänge stellen, berufen sie uns zu einer wissenschaftlichen Arbeit, die Frucht bringen kann, nämlich dazu, daß wir die vielen einzelnen Sprüche

schichtlich einheitliche und zugleich einzigartig profilierte Gestalt Jesu von Nazareth als des Christus Gottes verweisen. 3. Nachdem sich bis zum heutigen Tage in jeder Jesusdarstellung historisches und dogmatisches Urteil schon deshalb verbinden, weil die Darstellung auf kritischer Rekonstruktion und Kombination beruht, ist es zu begrüßen, daß Schlatter uns auch zu erkennen gibt, weshalb er dogmatisch auf dem uns geschichtlich schon in Jesus selbst vorgegebenen Offenbarungs- und Christusanspruch insistiert. Schlatter geht es bei seiner Christusdarstellung letztlich um die Frage, wann und wie der Glaube Gottes in Christus gewiß sein darf, und wann er dies nicht sein kann. »Eine Christologie, bei der wir Jesus Gottheit durch unseren Glauben beilegen, oder eine Rechtfertigungslehre, bei der wir in der Schöpfermacht unseres Glaubens uns für gerechtfertigt erklären, sind Superstitionen«, heißt es im Christlichen Dogma[30]. Oder positiv gewendet: ». . . die Gewißheit Gottes (wird) nur durch den in uns begründet, der die reale Beziehung zwischen Gott und dem Menschen herzustellen vermag, d. h. einzig durch Gott selbst. – Für den Christus ergibt sich daraus, daß er uns nur dann das uns in Gott einigende Wort geben kann, wenn er in einer Verbundenheit mit Gott steht, die Gott selbst in ihm wirksam macht.«[31] Würde man also in der biblischen Exegese wirklich zu dem Urteil gelangen müssen, Jesus sei erst nachträglich, d. h. kraft des nach Jesu Tod auf Grund der Ostereignisse erwachten Glaubens der ehemaligen Jesusjünger, als Gottessohn, Herr und Christus bezeichnet worden, dann würde dies nach Schlatter die Erkenntnis der Selbsterlösung der Christen kraft ihres Glaubens bedeuten. Das den Glauben nach christlicher Überzeugung begründende und tragende Bild des rettenden Christus wäre dann nämlich als eine bloße Projektion dieses Glaubens durchschaut, als ein Wunschbild, mit dessen Hilfe der Glaube sich selbst aus seiner Existenzangst und Verlassenheit durch Jesus befreit. Solche Selbsterlösung durch ein erst nachträglich vom Glauben erschaffenes Christusbild ist nach Schlatter urchristlich nur dann nicht am Werke, wenn uns das Neue Testament vor einen Christus stellt, der schon als irdische, geschichtliche Person der Glauben weckende und Glauben fordernde Gottessohn, Christus und Versöhner war. Es geht Schlatter in seiner Christologie um Jesus als das uns gewiß machende, weil uns vor allem Glauben geschichtlich vorgegebene Offenbarungs- und Erlösungswort Gottes in Person.

---

und Handlungen Jesu so durchdenken, daß der sie erzeugende Grund uns sichtbar wird.«

[30] Christl. Dogma², 122.

[31] Christl. Dogma², 100 f.

Man darf diese modern klingende Formulierung auf Schlatters Christusverständnis anwenden, weil die Kategorie des Wortes nach Schlatter für das Verständnis Jesu als des Christus Gottes in zweifacher Hinsicht konstitutiv ist. Die erste Hinsicht ist die historische. Jesus ist eben darin der nicht nach eigener Größe und Herrlichkeit ausschauende, sondern Gott allein gehorsame Sohn und Christus, daß er aus Gottes Willen und Wort heraus lebt und »im Wort das zureichende Mittel für seine Wirksamkeit (sah)«. Für Jesus hat das ihm aufgetragene Wort der Vergebung und das Wort, mit dem er zur Buße ruft, »absoluten Wert. Er scheidet Gott nicht von seinem Wort. Gott ist bei diesem, erfüllt es und macht das wahr, was er sagt. Weil das Wort das Eigentum Gottes ist, darum ist die Ankündigung der Vergebung die empfangene Vergebung, die Aussprache der Verurteilung das vollzogene Gericht, die Berufung zu Gott die Versetzung in seine Gemeinschaft und Liebe. Was soll der Mensch noch anderes bedürfen als Gottes Wort? Mit ihm ist ihm alles gegeben. Hier ist das Wort eins mit der Tat, der Wille eins mit der Macht. Darum ist dadurch Gottes Reich empfangen, daß uns sein Wort zu ihm beruft. – Dadurch, daß Jesus sein königliches Wirken in die Spendung des Worts gesetzt hat, hat er sichergestellt und sichtbar gemacht, daß er den Christusgedanken religiös verstand. Weil es ihm an Gott liegt, nur an ihm, ganz an ihm, darum braucht er nicht mehr als das Wort, denn dieses macht den Menschen Gottes gewiß, und das gibt ihm nach seinem Urteil die eine wahrhaft begründete Freude, den einen echten und bleibenden Schatz.«[32] Zu der historischen Einsicht, daß Jesus selbst im Wort Gottes gelebt hat, tritt dann bei Schlatter die dogmatische Wertschätzung des Wortes Jesu als seiner entscheidenden Gabe an die Kirche und den einzelnen Christen. Die Begegnung mit dem Wort Jesu läutert die Religiosität des Menschen zur wahren Gotteserkenntnis, d. h. zum Glauben an Gott den Schöpfer. An Jesu Wort wird deutlich, wer Gott für die Menschen sein will und daß er die Menschen inmitten ihrer Geschichte trägt und führt. Jesu Wort führt deshalb nach Schlatter nie und nirgends zu einem weltflüchtigen, rein spirituellen oder intellektuellen Christentum, sondern stets zur Tatverantwortung des Glaubens und zu einer selbst Freunde Schlatters staunen machenden Bejahung der Welt als Schöpfung Gottes und der Geschichte als dem menschlichen Lebenszusammenhang, in dem der Glaube konkret wird. Historisch und dogmatisch ist Jesus nach Schlatter der Christus Gottes, der im Wort Gottes lebt und mit seinem Wort den christlichen Glauben bestimmt.

---

[32] Der Zweifel an der Messianität Jesu (in: Lucks Sammlung TB 41 [s. Anm. 24], 151–202), 186.

Schlatters Bibelauslegung lebt in ihrem Kern von diesem Christusverständnis. Sie hat ihren entscheidenden Impuls darin, daß sich Schlatter inmitten all seiner historischen Arbeit und Mühe gewürdigt sieht, in der Bibel auf Jesus und sein uns Gottes gewißmachendes Wort zu stoßen. Auf den theologischen und geschichtlichen Zusammenhalt des Neuen Testaments befragt, antwortet er unter Verweis auf die Grundkonzeption seiner Theologie des Neuen Testaments: »Mein Versuch, meiner Theologie eine für die Kirche deutliche Fassung zu geben, war darin begründet, daß ich die Geschichte Jesu als Einheit vor mir sah. Ich hatte nicht neben einem synoptischen einen johanneischen Christus, neben einem Propheten, der die Bergpredigt hielt, einen Christus, der das Kreuz getragen hat, und zerlegte sein Bewußtsein nicht in verschiedene ›Kreise‹, die sich in seinem Bewußtsein wechselseitig durchkreuzten und ein mehrfaches Evangelium ergaben. Ich sah ihn vor mir mit *einem* Ziel und *einer* Sendung, die den ganzen Reichtum seines Worts und Werks erzeugt, und diese Einheit stand vor mir nicht als ein Kunststück meiner Harmonistik, die sich die Bestimmtheit der einzelnen Worte und Vorgänge verschleierte, sondern als die Folge der möglichst konkreten Auffassung ihrer zeitgeschichtlichen Art. Es schien mir, ich sei zu dem Versuch berechtigt, ihn auch anderen so zu zeigen. – Ich sah auch keinen Riß zwischen der Arbeit Jesu und der seiner Boten, zwischen der Berufung Israels zur Buße und der Begründung der christlichen Kirche, zwischen der Arbeit des Petrus in Jerusalem und der des Paulus unter den Griechen, sondern besaß ein einheitliches Neues Testament, wieder nicht deshalb, weil ihm meine Kunst und Apologetik die Einheit erst gegeben hätte, sondern weil eine fest verbundene Geschichte, die überall von denselben Kräften geschaffen war, vom Ausgang Jesu her die von den Jüngern gesammelte Gemeinde und ihre Dokumente hervorgebracht hat. Darum stellte ich neben die anderen Beschreibungen der neutestamentlichen Gemeinde, die von tausend Widersprüchen zerrissen sind, die meinige.«[33]

Diese z. T. als Beleg für Schlatters unkritische, ja unwissenschaftliche Arbeits- und Denkweise zitierten Sätze sind in Wahrheit die zusammenfassende Dokumentation jener »zu Christus hin gewandten Einfalt« (2Kor 11,3), zu der sich Schlatter selbst als Forscher und Theologe erzogen hat[34]. Das Stichwort kennzeichnet treffend die Grundabsicht, die Schlat-

[33] Rückblick, 233 f; Hervorhebungen im Original.

[34] Als Schlatters 1889 erschienene »Einleitung in die Bibel« mit ihren kritischen historischen Perspektiven bei seinen früheren Berner Freunden Anstoß erregte, »fand, als ich im Frühjahr 1890 zum Besuch nach Bern kam, im Pfarrhaus von Arnold Bovet eine Versammlung statt, in der ich die Lehre von der

ters exegetische und dogmatische Arbeit prägt. Es ist eine kritische, wissenschaftlich reflektierte und doch im Glauben gegründete »Einfalt«, die uns bei Schlatter entgegentritt. Er hat als Bibelausleger und Dogmatiker stets das Neue Testament und sein von Christus sprechendes Wort höher geschätzt als die Theologie, die Kirche und sich selbst, so daß er seine Erfahrung mit der Bibel nach seiner Emeritierung folgendermaßen zusammenfassen kann: »Ich blieb und bleibe deshalb beim Neuen Testament, weil mir seine kritische Kraft gegenüber allem, was die Kirche leistet, sichtbar ist. Ich nehme sie zuerst an meinem eigenen Denken und Verhalten wahr, sehe sie aber auch im Verhältnis des neutestamentlichen Worts zu allem, was die Kirche schuf, zu ihrer Theologie, zu ihrem Kultus, zu der von ihr zwischen uns hergestellten Gemeinschaft. *Das letzte Wort über Gottes Willen steht nicht der Kirche zu, sondern gehört dem Neuen Testament.* – Damit zeigt sich uns das Höchste, was uns die

---

Heiligen Schrift zu besprechen hatte. Das ergab einen der Momente, in denen mir Bibelverse so leuchtend in die Seele traten, daß ich sie nicht mehr vergaß. Da auch Gegner meiner Auffassung der Bibel in der Versammlung anwesend waren, war ich über ihren Verlauf besorgt. Da trat mir das Wort des Paulus: ›zu Christus hin gewandte Einfalt‹ entgegen, zog meinen Blick von den Anwesenden weg und ließ mich einzig meinen Gegenstand sehen. Was meine Zuhörer aus jener Verhandlung für sich mitnahmen, weiß ich nicht; mich aber hat sie reich beschenkt.« (Rückblick, 137) – In welchem Maße das Stichwort der »zu Christus hin gewandten Einfalt« für Schlatters theologische Auslegungsarbeit insgesamt charakteristisch geblieben ist, lehrt folgende von K. Fezer in dem Gedenkheft »Ein Lehrer der Kirche« (s. Anm. 8), 47 berichtete Episode: »Ein Mediziner schickte mir einen Brief, in dem er schrieb, er säße ziemlich auf dem Trockenen; ich möchte ihm ein Buch schicken, das ihm helfen könnte, in theologischen Dingen weiter zu sehen. Nach längerer Überlegung habe ich ihm schließlich Schlatters ›Ethik‹ eingepackt. Nach zehn Tagen kam das Buch zurück: ›So etwas wagen Sie mir zu schicken? So naiv bin ich nicht mehr‹. Ich schrieb zurück, er habe das Buch zu schnell gelesen; das sei nicht ›Naivität I‹, sondern ›Naivität II‹. Daraus wurde dann ein persönliches Gespräch über die einzelnen Abschnitte der Ethik, und auf einmal sind ihm die Augen aufgegangen für das, was Schlatter sehen lehren möchte, und nun bildete sich um ihn ein Kreis von Menschen aus den verschiedensten Berufen, die gemeinsam miteinander Schlatter lesen. – Das Erlebnis ist typisch für viele andere. Der erste Eindruck, den nicht wenige aus der Berührung mit Schlatters Schrifttum haben, ist der einer naiven Erbaulichkeit. Erst langsam kommen sie dahinter, daß hier keine abgegriffenen Münzen weitergegeben werden, sondern das Gold scharf geprägter biblischer Begriffe. Zu solchem Verstehen muß man sich erst durchfinden. Darum ist es eine Dankespflicht, die wir alle Schlatter gegenüber haben, daß wir den andern einen Weg zeigen, wie sie Schlatter benützen und verstehen können, und wie sie das, was in diesem Bergwerk drin ist, holen müssen.« – In dieselbe Richtung wie Fezer weisen die Bemerkungen von Trillhaas (s. Anm. 7), 150–152 über seine Begegnung mit Schlatter in Bad Boll und Tübingen.

wissenschaftliche Arbeit an der Bibel gewährt. Ihr Ziel, das Verständnis des Neuen Testaments, beschenkt uns sofort noch mit Größerem als nur mit Gedanken. Das verstandene Wort gibt uns den Willen und wird zum wirksamen Grund unseres Lebens. Durch seine Gegenwart entsteht in uns das Wunder, vor dem wir alle, die wir es kennen, anbetend die Hände falten: Gründung unseres Lebens in Gott, die Ermächtigung, ihm zu glauben, die Befreiung von der Notwendigkeit, für uns selbst zu leben, das Vermögen, seinen gnädigen Willen zu tun. Weil dies der Ausgang unseres Verkehrs mit dem Neuen Testament ist, darf der Fleiß der Kirche, der sich um sein Verständnis müht, nicht erlahmen. Er ist ein kleiner Teil des Dankes, den sie dem schuldet, der in Jesus ›sein Angesicht über uns leuchten ließ‹.«[35]

V

Paul Ricoeur hat uns Theologen aufgerufen, zu einem neuen Textverständnis vorzustoßen, und wir haben uns auf Schlatters Bibelverständnis besonnen, in dem die Position und Denkweise, zu der Ricoeur uns rät, schon präformiert erscheint. Kann uns Schlatter in unserer heutigen Problematik wirklich eine Hilfe sein? Die Antwort auf diese Frage wird entscheidend davon abhängen, wohin wir uns in der Situation unserer – wie Schlatter sagt – »Bibelnot« stellen.

Wer die wissenschaftliche Kritik an der uns kirchlich und menschlich tragenden und zugleich begrenzenden geschichtlichen Überlieferung zu seinem Hauptziel gemacht hat, wird Schlatter leicht als Hemmnis auf diesem Wege empfinden und ihn gern als überholt betrachten. Jenen Exegeten, die von diesem Willen erfüllt waren und damit die nach Schlatters Meinung säkulare Dogmatik der modernen Wissenschaft zu ihrem Lebensgesetz erhoben hatten, hat schon Schlatter selbst geantwortet, sie und ihn trenne ein »Willensgegensatz«[36]. – Einen Abstand zu

[35] Hülfe in Bibelnot², 258 f.

[36] Schlatter erzählt zunächst von der ihm in Bern entgegenschlagenden Doppelkritik: Der Berner Gymnasialdirektor Theodor Lerber wollte ihn anfänglich nicht als Religions- und Hebräischlehrer in seinem freien Gymnasium anstellen (und damit die finanzielle Basis für Schlatters Habilitation absichern), »da ich der Bibelkritik Raum gewähre« (Rückblick, 75), und der in der Berner Fakultät führende, liberale Kirchenhistoriker Friedrich Nippold sah in ihm einen zur wissenschaftlichen Arbeit untauglichen Pietisten und forderte ihn auf, sich das Habilitationsexamen aus dem Kopf zu schlagen und »sofort wieder abzureisen« (aaO 78); dann fährt er fort (aaO 80): »Der Unterschied in dem Verhältnis zu den beiden Gegnern, die mir gegenüberstanden, veränderte sich später nie, da ich jeden, der die Freiheit meiner biblischen Forschung schalt, fragen konnte: Sind wir nicht im Glauben verbunden? und jedem Kol-

Schlatter werden aber auch die empfinden, die sich mit dem eingangs zitierten Votum der Missouri-Synode solidarisch erklären. Wenn sie Schlatter wirklich ganz und nicht nur in Auswahl lesen, wird ihnen sein Plädoyer für den wissenschaftlichen Sinn in der Theologie und für die historische und dogmatische Kritik gegenüber der Bibel als schwer verständlich, ja vielleicht sogar als eine Halbheit erscheinen, die man heute hinter sich lassen muß.

Schlatter ist den zum Fundamentalismus neigenden Frommen seiner Zeit bewußt im Glauben und in kritischer Freundschaft gewogen geblieben. Er hat sich aber von ihnen die Pflicht der Theologie zur historischen, wissenschaftlichen Arbeit ebensowenig bestreiten lassen wie die Freiheit des dogmatischen und ethischen Urteils in der Gegenwart. In dieser Haltung ist Schlatter m. E. heute für all diejenigen besonders interessant, die als Theologen und Laien in den Riß treten wollen, der sich auch gegenwärtig wieder zwischen wissenschaftlicher Christentumskritik und Fundamentalismus auftut. Lassen Sie mich die Gründe für dieses Interesse nennen.

Da ist zunächst einmal die noch immer andauernde geistliche Ausstrahlungskraft des Menschen Adolf Schlatter. Von ihr wird jeder erfaßt, der auch nur Schlatters im Verlaufe unserer Überlegungen mehrfach zitierten »Rückblick auf meine Lebensarbeit« liest. Schon diese persönliche Ausstrahlungskraft hat ihre unmittelbaren Auswirkungen auf unsere gegenwärtige »Bibelnot«, weil Schlatter uns ausdrücklich ermutigt, zwischen dem sich auf ein nur scheinbar tragfähiges Bibelbekenntnis zurückziehenden Fundamentalismus und der in einer Teil- oder sogar Ganzabsage an die Bibel endenden wissenschaftlichen Christentumskritik auf eine eigenständige Position des Bibelverständnisses und der christlichen Weltverantwortung zu dringen. Im Blick auf Schlatters theologische und seelsorgerliche Arbeit scheint es mir besonders bemerkenswert zu sein, daß er seinen Studenten, seinen Hörern und Lesern m. W. niemals ihren Glauben und ihre Treue zur Kirche verleidet hat. Er hat sie vielmehr stets ermutigt, beim Glauben und bei ihrer Liebe zur Kirche zu bleiben. Schlatter berührt sich noch einmal auffällig mit dem wesentlich jüngeren Barth[37], wenn er schon in der Einleitung zu seinem er-

---

legen oder Geistlichen, der meinen ›Biblizismus‹ schalt, antwortete: Uns trennt ein Willensgegensatz.«

[37] Die Parallelität des hermeneutischen Ansatzes wird besonders deutlich, wenn man Schlatters »zu Christus hin gewandte Einfalt« und seine These vom Glauben als einer Verstehenshilfe (nicht: Verstehensbedingung!) für die biblische Exegese, die ihre Texte mit den Mittel der historischen Kritik als Zeugnisse von Gottes Handeln in der Geschichte zu lesen und notfalls gegen den

sten großen wissenschaftlichen Werk, der 1885 in Leiden im Druck erschienenen Preisschrift der Haager Gesellschaft zur Verteidigung der christlichen Religion mit dem Titel: »Der Glaube im Neuen Testament«,

---

Widerstand einer »atheistischen« Historie als solche Gotteszeugnisse zur Geltung zu bringen hat, vergleicht mit BARTHS kurzer Skizze von der Aufgabe der biblischen Exegese in seiner »Einführung in die evangelische Theologie« betitelten Abschiedsvorlesung aus dem Wintersemester 1961/62 (1963², 191–194). Nach BARTH arbeitet die biblische Exegese unter einer doppelten Voraussetzung: Sie muß erstens ihre Texte nach allen Regeln der historischen Forschung zu erhellen trachten und zweitens darauf bestehen, »daß es neben anderen auch solche Texte gebe, die nach der Intention ihrer Autoren und in ihrer faktischen Eigenart nur als Bezeugung und Verkündigung eines inmitten der sonstigen Geschichte angeblich oder wirklich stattgefundenen göttlichen Handelns und Redens gelesen und erklärt werden können, an deren Aussage man, will man sie nicht in diesem Charakter würdigen, nur vorbeilesen kann«. BARTH fährt fort: »Warum sollte es nicht nach nüchtern historisch-kritischem Urteil auch solche rein *kerygmatische* und also sachgemäß nur als solche zu interpretierende Texte geben? Die biblisch-theologische Wissenschaft setzt voraus, daß es solche gebe und daß sie es im Besonderen im Alten und Neuen Testament eben mit solchen Texten zu tun habe: mit Texten, deren Aussagen wohl wie die aller anderen Texte objektiv zur *Kenntnis* genommen, die aber nur entweder mit dem Nein des Unglaubens oder mit dem Ja des Glaubens ihrem Sinn entsprechend *verstanden* werden können, die also nur in ständiger Berücksichtigung dieses ihres kerygmatischen Charakters sachgemäß zu erklären sind. Biblisch-theologische Wissenschaft arbeitet ja nicht im leeren Raum, sondern im Dienst der Gemeinde Jesu Christi, die durch das prophetisch-apostolische Zeugnis begründet ist. Eben von daher tritt sie in der *Erwartung* – mehr ist nicht zu sagen, aber auch nicht weniger! – an diese Texte heran: daß ihr dieses Zeugnis in ihnen begegnen werde – wobei sie sich nun doch (eben darum geht es in dem sog. ›hermeneutischen Zirkel‹) für die Frage rückhaltlos offen hält: ob, inwiefern, in welcher Gestalt und in welchen konkreten Aussagen sich diese ihre Erwartung *erfüllen*, die Auszeichnung, die diese Texte für die Gemeinde besitzen, sich also *bestätigen* möchte. *›Dogmatische‹* Exegese? Sie ist das nur insofern, als sie ein Dogma ablehnt, das ihr diese Erwartung zum vornherein verbieten, deren Erfüllung zum vornherein als unmöglich erklären möchte. *›Pneumatische‹* Exegese? Sicher nicht, sofern sie etwa aus irgendeinem ihr vermeintlich eigenen Geistbesitz heraus über die Schrift zu verfügen zu können meinte. Sie mag aber so genannt werden, sofern sie sich die doch aus der Schrift selbst zu begründende Freiheit nimmt, ernstlich, letztlich und entscheidend nur eben die Frage nach dem in ihr vernehmbaren Selbstzeugnis des Geistes an sie zu richten.« (Hervorhebungen im Original) – Das Verhältnis BARTHS zu Schlatter bedürfte einer eigenen Untersuchung. Es reicht in der Sache tiefer als die vom Studenten BARTH Schlatters Interpretationsstil gegenüber in Tübingen 1907 empfundene »heftigste Renitenz« und sein Spott über Schlatters »Talent, über Schwierigkeiten elegant hinwegzuturnen, ohne sie gründlich anzupacken« (vgl. E. BUSCH, Karl Barths Lebenslauf, 1976², 55), aber auch tiefer als die von BARTH im Vorwort zur dritten Auflage betont, ihm habe sich die neutestamentliche Sicht des Glaubens »nur im engsten Zusammenhang mit dem, was ich selbst durch die Gnade Gottes und Christi an Glauben empfangen habe«, erschlossen, und im Vorgriff auf die von ihm erwartete Kritik dieser Äußerung hinzufügt: »Es wäre ein grund- und rechtloses Urteil, wenn diese dienende Mitwirkung der eignen Glaubensstellung an sich schon unter die Anklage gestellt würde, Alteration des historischen Charakters der Untersuchung zu sein, als wäre es Förderung und nicht vielmehr Verhinderung der historischen Einsicht, wenn die aufzufassenden Ereignisse der eignen Erfahrung schlechthin entzogen sind. Im eignen Erleben des Glaubens an Jesus liegt vielmehr die Möglichkeit, der Antrieb und die Ausrüstung zu wahrhaft geschichtstreuem Verständnis des neuen Testaments, wie denn alle unsere Gedankenbildung und Urteilsfällung an eine empirische Basis gebunden ist und sich von ihr nicht lösen kann.«[38] Schlatter hat diese Position bis in seine Alterswerke hinein konsequent festgehalten[39]. Auf diese Weise ermutigt er uns zu einer theologischen und hermeneutischen Arbeit, die die uns vorgegebene Geschichte und Überlieferung, die uns als Christen tragende Glaubenserfahrung und die uns beheimatende Kirche gleichzeitig ernst zu nehmen und zu bejahen sucht. Die biblisch fundierte

---

seines »Römerbrief« notierte Merkwürdigkeit, daß sein Buch »von Bultmann in der Hauptsache freundlich begrüßt und von Schlatter in der Hauptsache ebenso freundlich abgelehnt worden ist« (aaO [s. Anm. 23] XIX). BARTH hat nicht nur zusammen mit Schlatter im September 1924 auf einer theologischen Woche in Bethel zusammengearbeitet (vgl. zu diesem von BUSCH, aaO 169 f nicht erwähnten Treffen: K. Barth – R. Bultmann, Briefwechsel 1922–1966, 1971, 28), sondern auch im Verlauf seiner dogmatischen Arbeit insgesamt Schlatters entscheidenden Einwand gegen seine Römerbriefauslegung von 1921 aufgenommen und überholt, daß nämlich der von Paulus im Römerbrief bezeugte Gott nicht einfach der der Welt mit seinem Nein gegenüberstehende ganz Andere, sondern gleichzeitig und zuvor noch der die Welt in der Person und Gegenwart Jesu bejahende Gott sei. Nach Schlatter erhält der Glaube bei Paulus seinen entscheidenden Inhalt »durch Christus. Das ist der von Paulus stammende Satz. Dennoch bleibt bei Barth der Glaube ›ein Sprung ins Leere‹, und damit öffnet sich zwischen der Auslegung und dem Römerbrief eine tiefe Kluft. Paulus sprang nicht in das Leere, sondern schloß sich Jesus an.« (A. Schlatter: Karl Barths »Römerbrief« [in: Anfänge der dialektischen Theologie I, hg. v. J. MOLTMANN (TB 17), 1966², 142–147], 146) – Als Schlatter sich (nach Auskunft seiner Schüler) im Jahre 1926 erneut um Kontakt mit BARTH bemühte, kam ein Treffen wegen des von BARTH in dieser Zeit erlittenen schweren Reitunfalls (BUSCH, aaO 184) nicht zustande.

[38] 9 f.

[39] Vgl. Hülfe in Bibelnot², 237 ff. 250 f. 255 f.

Theologie hat nach Schlatter ihr eigenständiges Recht zwischen Fundamentalismus und – wie er sich auszudrücken pflegte – Rationalismus.

Die Situation der »Bibelnot«, in der die einen die Bibel vergessen oder sich durch historische Kritik ihrer entledigen, die anderen aber sich der Bibel künstlich unterwerfen, ist nach Schlatter nun aber keineswegs durch Theologieverzicht, sondern vielmehr nur durch theologische Arbeit und Anstrengung zu überwinden. Diese theologische Anstrengung umfaßt besonders jene drei Arbeitsweisen, die sich in der kirchlichen Bibelauslegung vereinigen: die historisch-philologische Text- und Geschichtserhellung, die im offenen Dialog mit der Philosophie anzustrengende Bemühung um die der Bibel angemessene Interpretationsmethode und Auslegungsweise, d. h. die biblische Hermeneutik, und schließlich Dogmatik und Ethik, die sich nach Schlatter der Frage zu stellen haben, inwiefern die biblischen Grundaussagen heute als Wahrheit verstanden und als Lebensordnung zugemutet werden können. Nach Schlatter hat weder die mit der Bibel beschäftigte Theologie einen Grund, sich aus der Universität zurückzuziehen, noch hat die Kirche Anlaß, der Universitätstheologie vom Ansatz her zu mißtrauen. Die Bibel als Dokument der Geschichte impliziert nach Schlatter vielmehr die Pflicht zur wissenschaftlichen Arbeit an der Geschichte. Der von der Bibel bezeugte und in der Person Jesu gipfelnde Eingang Gottes in die Geschichte ist nach Schlatter als Wahrheit stark und durchsetzungskräftig genug, um sich gegenüber allen menschlichen Zweifeln und menschlichen Irrtümern durchzusetzen. Schlatter hätte zu seiner Zeit wahrscheinlich Grund genug gehabt, an der Einsicht und Korrekturfähigkeit der Theologie zu resignieren. Er hat dies nicht getan, sondern den Theologien und Meinungen der anderen seine eigene Textauslegung, seine Hermeneutik, seine Dogmatik und seine Ethik in der Hoffnung gegenübergestellt, daß die Wahrheit sich durchsetzt. In seiner 1931 gehaltenen Rede an die evangelisch-theologische Fachschaft in Tübingen über »Erfolg und Mißerfolg im theologischen Studium« heißt es zum Beschluß: »Mit unseren theologischen Fakultäten ist uns etwas Großes geschenkt. Wir haben allen Grund, für die Arbeit, die sie leisten, dankbar zu sein. Die Schulung, die diese uns verschafft, ist eine wirksame Anleitung zur Wachsamkeit gegenüber unserer begehrlich dichtenden Phantasie und unseren aus ihren Erzeugnissen gewobenen Schlüssen. Unter allem, was uns zur Verfügung steht, sind verständig gebrauchte theologische Semester das heilsamste Mittel, das uns zum Erwerb der Fähigkeit hilft, die unterscheiden kann, was uns gegeben ist und deshalb feststeht und den Theologen überdauert und was Theorie, Postulat und Wunschbild ist und deshalb mit dem Theologen vergeht. Mit dem zur Wirklichkeit hingewandten und für sie geschärften Blick empfängt unsere Jugend auch die begründete Hoffnung auf ein gelingendes Lebenswerk, auf ein fruchtbares Amt mitten in der strudelnden Gegenwart.«[40]

Was uns weiterhin veranlassen sollte, Schlatter bei unseren gegenwärtigen Bemühungen um eine biblisch fundierte Theologie nicht außer Acht zu lassen, ist folgende ihn in seinem theologischen Grundansatz bestätigende Beobachtung. Die exegetische Theologie hat in unserem Jahrhundert Schlatters Feststellung, Jesus sei der Christus Gottes gewesen, und wäre er es nicht, so wäre der christliche Glaube eitel Selbsterlösung, zunächst sehr skeptisch gegenübergestanden und William Wredes These von dem unmessianischen Leben des Menschen, Propheten und Rabbi Jesus von Nazareth eine Generation lang erprobt. Dann aber haben die ehemaligen Tübinger Schlatter-Hörer und Bultmann-Schüler Ernst Käsemann und Ernst Fuchs gemeinsam mit G. Bornkamm in den fünfziger Jahren den Blick der Exegese auf den messianischen Vollmachtsanspruch des irdischen Jesus zurückgelenkt. Der Blick in die in den vergangenen acht Jahren neu erschienenen Theologien des Neuen Testaments von W. G. Kümmel, J. Jeremias und L. Goppelt lehrt vollends, daß die neutestamentliche Wissenschaft im Begriff ist, zu Schlatters scheinbarem historisch-dogmatischen Postulat von Jesus, der der Christus Gottes war, auf ihre (Schlatter gegenüber historisch wesentlich differenzierte) Weise zurückzukehren. Unterstützt von einer von Schlatter selbst noch schmerzlich vermißten, traditionsgeschichtlich bis ins Neue Testament hinein durchgeführten biblischen Theologie des Alten Testaments[41] und bestärkt durch einige erstaunliche jüdische Textfunde, können wir heute klarer als früher sehen, daß schon der irdische Jesus aus Gott heraus

---

[40] Die Rede ist abgedruckt in LUCKS Sammelband (s. Anm. 24), 256–272; das Zitat 272.

[41] In Hinsicht auf eine solche Theologie des Neuen Testaments erstattet Schlatter ausdrücklich und mit Bedauern Fehlanzeige. In seiner Abhandlung von 1909 über »Die Theologie des Neuen Testaments und die Dogmatik« schreibt er: »Wenn wir eine vom Standort des ersten Jahrhunderts aus entworfene alttestamentliche Theologie hätten, die uns verdeutlichte, was für die damalige jüdische und christliche Gemeinde der Inhalt des Kanons war, so ergäbe dies eine wertvolle Verdeutlichung und Sicherung der neutestamentlich-theologischen Darstellung. Freilich ist die Möglichkeit einer solchen Arbeit durch den Zustand der Quellen stark beschränkt; aber auch das, was die Quellen uns sichtbar machen, ist noch nicht gesammelt und bearbeitet.« Auch diese Abhandlung bei LUCK, aaO (s. Anm. 24) 203–255; das Zitat 233. Zu einer Traditionsgeschichte des Messiasgedankens in dem von Schlatter vermißten Stil vgl. jetzt H. GESE, Der Messias (in: DERS., Zur biblischen Theologie, 1977, 128–151).

gelebt und als messianischer Versöhner und Menschensohn gewirkt hat. Schlatters christologisches Hauptinteresse war also keineswegs fehlgelenkt, sondern es war richtig und hat uns den richtigen Weg gewiesen.

Ein Letztes. Wir sehen heute auf vielen Gebieten, daß sich die protestantische Theologie nach den bitteren Erfahrungen des deutschen Kirchenkampfes mit einer Bejahung von Welt und Geschichte sehr schwer tut. Auch in der biblischen Exegese ist dieses Ringen spürbar und bislang unentschieden. Mir scheint, daß Schlatter auch in dieser letzten Hinsicht hilfreiche Perspektiven eröffnen könnte. Nicht nur, daß er mit K. Heim eine höchst interessante Auseinandersetzung darüber geführt hat, ob man wirklich eine Theologie des Glaubens auf die vorgängige Verzweiflung des Ich an der Welt und seinen Möglichkeiten in der Welt gründen dürfe. Schlatter wollte von solchem Versuch theologischer Grundlegung wenig wissen. Er plädierte in der ihm eigenen Leidenschaft dafür, daß man die Menschen doch lieber im Blick auf Jesu Verhalten lehren möge, Gott in der Welt und Geschichte zu erfahren und zu erkennen, statt sie in gefährlicher Weise vor das Nichts zu stellen[42]. Luther hat gelegentlich

---

[42] Vgl. zu dieser Auseinandersetzung A. KÖBERLE, Karl Heim. Denker und Verkündiger aus evangelischem Glauben, 1973, 91. 107 Anm. 25. Daß Schlatter, wie KÖBERLE schreibt, ein »überzeugter Anhänger einer natürlichen Theologie« gewesen sei, ist der Formulierung nach nicht ganz zutreffend. In seinen »Briefen über das Christliche Dogma«, 1912, 10–12 bestreitet Schlatter die »Behauptung«, er »begründe den Glauben an Jesus auf eine natürliche Theologie und habe die als Propädeutik gedachte theologia naturalis der Alten erneuert«, als »Unverstand«. Abgesehen davon bleibt die Kontroverse Schlatter–Heim höchst bedenkenswert. Da Schlatter in der Tat, wie KÖBERLE feststellt, »philosophisch in einem naiven Realismus (beheimatet)« war, dem »schon der Kantianismus fremd und unwillkommen« erschien; oder präziser mit IRMGARD KINDTS Zürcher Dissertation: »Der Gedanke der Einheit. Eine Untersuchung zur Theologie Adolf Schlatters und ihren historischen Voraussetzungen« (1977, Masch.) formuliert: da Schlatter erkenntnistheoretisch und ontologisch in einer theistischen Weltschau verwurzelt blieb, die auf B. F. X. Baader (1765 bis 1841) zurückgeht, und sich die Sicht der Welt in den vierzig Jahren nach Schlatters Tod im Jahre 1938 z. T. tiefgreifend gewandelt hat, ist einer einfachen (heute gelegentlich vorschwebenden) Rückkehr zur Schlatterschen Schau von Geschichte und Natur zu widerraten. Wenn heute von einer Theologie der Schöpfung gesprochen werden soll, dann muß sie aus dem Horizont der von Gott in Kreuz und Auferweckung Jesu bezeugten Liebe zum Menschen und zur Welt heraus gedacht werden (vgl. E. JÜNGEL, Gott als Geheimnis der Welt, 1977, 48). Da sich, wie H. STROH berichtet, Schlatter in den dreißiger Jahren die von ihm zuvor stets bestrittene Realität des Atheismus doch noch aufgedrängt hat, sollte man auch auf eine Erneuerung des von Schlatter in seiner Dogmatik noch einmal angestrengten ontologischen Gottesbeweises (vgl. Christl. Dogma^2, 13. 22–29) verzichten. Die Auswirkungen dieser Kritik auf

geäußert, ein Schöpfungsglaube, der alles Gegenwärtige und Geschehende aus Gottes Hand entgegennehmen und auf Gott beziehen könne, sei die irdisch höchste Form des Gottvertrauens, die nur von wenigen erreicht werde[43]. Wenn ich recht sehe, hat Schlatter auf seine eigene Weise und in seiner eigenen Zeit (und das heißt natürlich auch: als Kind seiner Zeit) in solchem Gottvertrauen gelebt[44]. G. Kittel zitiert in seiner Gedenkrede Äußerungen Schlatters, die, recht verarbeitet, unsere Theologie wieder ein gut Stück natürlicher machen könnten, als sie gegenwärtig ist. Schlatter schreibt (in einem Brief an den Mediziner Otfried Müller): »Für mich ist es Kernsatz der Religiosität und darum auch der Theologie, daß die Bejahung Gottes auch die Bejahung jeglicher Wirklichkeit in sich schließt, da mit jener der eine Wirker alles Wirklichen bejaht ist. Der Versuch, irgend eine mir sichtbar gemachte Tatsächlichkeit auszulöschen, hat für mich das Merkmal des unfrommen Verhaltens ... Wenn das, was mir bei meiner Arbeit ein großes Anliegen war, einigermaßen gelänge, nämlich, daß die entschlossene, vollständige Anerkennung jeder Tatsächlichkeit sowohl im seelischen wie im physischen Gebiet zum Merkmal

---

Schlatters Geschichtsbild und Methodenlehre wären anhand der Arbeit von G. Egg, A. Schlatters kritische Position, 1968, 36 f. 42 ff u. ö. zu diskutieren.

[43] »Denn das ist one zweiffel der höchste Artickel des glaubens, darynne wir sprechen: Ich gleube an Gott vater almechtigen, schöpffer hymels und der erden, Und wilcher das rechtschaffen gleubt, dem ist schön geholffen und ist widder zu recht bracht und dahyn komen, da Adam von gefallen ist. Aber wenig sind yhr, die so weit komen, das sie völliglich gleuben, das er der Gott sey, der alle ding schafft und macht, Denn ein solch mensch mus allen dingen gestorben seyn, dem guten und bösen, dem tod und leben, der hell und dem hymel und von hertzen bekennen, das er aus eygnen krefften nichts vermag.« Vorrede zu Luthers Predigten über das erste Buch Mose, WA 24, 18, 26–31.

[44] Das schon oben S. 89 angeführte Zitat aus Schlatters Rückblick lautet im weiteren Zusammenhang: »Mit dem, was in unserer Kirche lutherisch ist, wußte ich mich völlig eins. War ich nicht durch meinen Verkehr mit dem Neuen Testament in viel tieferem Sinn Lutheraner geworden als die, die im gegebenen kirchlichen Typus blieben? Wo fand ich den Grund meines Glaubens? Wie Luther nicht in der Kirche, sondern in Christus allein, nicht in mir und meinem Werk, sondern in der Gnade Jesu allein. Was gab mir auf der Kanzel die Vollmacht, aus unserer Zusammenkunft einen Gottesdienst zu machen, und auf dem Katheder die Vollmacht, zum geistlichen Amt zu rüsten? Das Wort, einzig das Wort, nicht Kunst, nicht Wissenschaft, nicht Gesetz, sondern Jesu Wort. War ich nicht ernsthaft der Knecht der Dinge, ernsthaft entschlossen, das zu sehen, das zu denken, das zu wollen, das zu tun, was die Lage mir zeigte und forderte? Und war ich nicht eben dadurch frei, nun wirklich entschlossen, das zu tun, was die Lage gebot ...? Damit war freilich gegeben, daß das Maß des Luther gegebenen Glaubens und der Luther geschenkten Liebe nicht das Maß unserer Kirche bleiben kann.« (Rückblick, 201 f)

jeder Religiosität würde, so wäre damit eine wesentliche Besserung unserer Lage erreicht und manches, was jetzt auseinanderstrebt, würde sich finden.«[45] In der Tat!

Damit sind Gründe genug vorhanden und genannt, die uns zur erneuten Lektüre und Auseinandersetzung[46] mit Schlatter führen können.

---

[45] Ein Lehrer der Kirche (s. Anm. 8), 31.

[46] Es ist nicht die Aufgabe dieser Studie, die zur Neubeschäftigung mit Schlatters hermeneutischem Ansatz, seiner Exegese und Dogmatik rät, sogleich auch noch eine abgerundete Schlatter-Kritik vorzutragen, die seine Arbeit wieder in die theologiegeschichtliche Vergangenheit zurückstellt. Ich möchte deshalb nur andeuten, wie ich mir die Auseinandersetzung mit Schlatter denke und wo ich sie für unabdingbar halte. Für die Kritik scheint mir zweierlei bedenkenswert zu sein: erstens, daß Schlatters hermeneutischer Gesamtansatz über seine eigenen Auslegungen hinausweist, und zweitens, daß die neutestamentliche Forschung in unserem Jahrhundert nicht ohne Grund literarkritisch und überlieferungsgeschichtlich weiter vorgestoßen ist, als Schlatter es für möglich hielt. Wenn R. Bultmann in seiner (positiven!) Würdigung der neutestamentlichen Theologie Schlatters davon spricht, »daß Schlatter in allen Fragen der historischen Kritik, zumal der literarhistorischen Erforschung der Evangelien, eigentümlichen Hemmungen unterliegt« (Theologie des Neuen Testaments, 1965^5, 598), P. Althaus für die Schlatter-Hörer von einst feststellt: »Wir standen schon damals und stehen vollends heute kritisch zu mancher seiner literarischen und historischen Meinungen zum Neuen Testamente« (Adolf Schlatters Wort an die heutige Theologie [ZSTh 21, 1950/52, 95–109], 97), und W. G. Kümmel darauf hinweist, daß Schlatter im Verlauf seiner wissenschaftlichen Arbeit am Neuen Testament »immer mehr von dem Zugeständnis von Unterschieden innerhalb des Neuen Testaments abgerückt (ist), das er in seinem Erstlingswerk [= Der Glaube im Neuen Testament, Leiden 1885] noch gemacht hatte« (Das Neue Testament. Geschichte der Erforschung seiner Probleme, 1970^2, 243), werden Hinweise und Fragen vorgetragen, die wir nicht einfach überhören dürfen. Nach meiner Erfahrung folgt Schlatter bei seinen Einzelexegesen einem ausgesprochen konstruktiven Schema: Der biblische Text wird primär gelesen als Geschichtszeugnis. Die Fragerichtung geht deshalb vom Text aus zu dem von ihm bezeugten geschichtlichen Geschehen zurück. Dieses Geschehen wird möglichst deutlich erfaßt, wobei immer wieder zeitgeschichtliche Informationen und neutestamentliche Zusatztexte zur Erhellung beigezogen werden. Von dieser Basis aus wird dann wieder der Wortlaut des Textes als Bericht und Glaubenszeugnis erhellt, wobei Schlatter nur ganz selten von einer Diskrepanz zwischen bezeugtem Geschehen und Textzeugnis spricht. In der Regel werden die biblischen Texte von Schlatter für geschichtlich glaubwürdig gehalten und wird ihnen ein z. T. absoluter Wahrheitsvorsprung vor aller gegenwärtigen Erfahrung des Interpreten zugestanden. Dieses exegetische Verfahren ist höchst reizvoll, aber auch gefährlich zugleich, und es bedarf auf jeden Fall der kritischen Überprüfung. Wer heute Schlatters Auslegungen rezipiert, sollte sich darum stets fragen, ob Schlatters hermeneutische Absicht, vom Text aus zu der Gottes Handeln bekundenden Geschichte vorzudringen, den Texten angemessen ist, ob Schlatter lange genug bei dem Wortlaut der Texte verweilt und ihn zur Geltung bringt, ob eine historische Re-

Wer in Tübingen weilt, sollte es nicht versäumen, drüben auf dem Stadtfriedhof Schlatters Grab zu besuchen. Am 16. August 1977 war es 125 Jahre her, daß Schlatter in St. Gallen geboren wurde. Am 19. Mai 1938 ist er hier in Tübingen gestorben, und am 23. Mai 1938 hat man ihn unter großer Anteilnahme der Öffentlichkeit zu Grabe getragen. Wer aber vor Schlatters Grab steht, hat Grund, sich zu freuen und nachzudenken. Nicht nur darüber, daß dieser Mann unter uns gelebt und vielen bis heute den Weg gewiesen hat, sondern auch über die tiefsinnige Doppelsinnigkeit des auf dem Marmorkreuz eingemeißelten Grabspruches. Da steht zunächst Jesu Wort aus Joh 7,37 zu lesen: »Wen da dürstet, der komme zu mir und trinke!« Als biblische Belegstelle dafür aber ist (irrtümlich) angegeben: Joh 8,37. Dort heißt es: »Ich weiß wohl, daß ihr Abrahams Kinder seid; aber ihr sucht mich zu töten, denn mein Wort findet bei euch keinen Raum.« Nun, meine Damen und Herren, bei der Angabe dieses Bibelspruches scheint sich Schlatter wirklich geirrt zu haben; denn seine Arbeit ist unter uns lebendig und sein Wort hat Raum in unserem Denken bis zur Stunde.

---

konstruktion des vom Text bezeugten Geschehens wirklich möglich ist, auf welcher Wahrheitsebene die jeweiligen Textaussagen liegen und wie sie insgesamt aufzufassen sind. Wird bei der Exegese Schlatter gegenüber in dieser Weise differenziert, ist die Lektüre seiner Werke reizvoll auch dort, wo man ihm widersprechen muß. Da Schlatters Stärke bei der Durchdringung der biblischen Texte liegt und er sie stets als Zeugnis von der Wahrheit würdigt, die in Jesus Christus geschichtlich in Erscheinung getreten ist, sollte man allerdings bei der Schlatter-Kritik nicht eher innehalten, als bis man ihm in dieser Interpretationsabsicht gleichgekommen ist.

Autorenregister

(zitiert werden Seite und Anmerkung = A)

Bibelstellenregister

(zitiert werden Seite und Anmerkung = A)

A. Altes Testament

B. Neues Testament

C) Sonstige Schriften

I. Apokryphen und Pseudepigraphen des Alten Testaments

II. Hellenistisch-jüdische Autoren

III. Apostolische Väter

Nachweis der Erstveröffentlichungen

Jesus als Versöhner. Überlegungen zum Problem der Darstellung Jesu im Rahmen einer Biblischen Theologie des Neuen Testaments
in: Jesus Christus in Historie und Theologie, Neutestamentliche Festschrift für Hans Conzelmann zum 60. Geburtstag, hrsg. von Georg Strecker, 1975, 87–104.

Existenzstellvertretung für die Vielen: Mk 10,45 (Mt 20,28)
in: Werden und Wirken des Alten Testaments, Festschrift für Claus Westermann zum 70. Geburtstag, hrsg. von Rainer Albertz, Hans-Peter Müller, Hans Walter Wolff und Walther Zimmerli, 1980, 412–427.

Zur neueren Exegese von Röm 3,24–26
in: Jesus und Paulus, Festschrift für Werner Georg Kümmel zum 70. Geburtstag, hrsg. von E. Earle Ellis und Erich Gräßer, 1975, 315–333.

Das Gesetz als Thema biblischer Theologie
in: ZThK 75, 1978, 251–280.

„Das Ende des Gesetzes". Über Ursprung und Ansatz der paulinischen Theologie
in: ZThK 67, 1970, 14–39.

Achtzehn Thesen zur paulinischen Kreuzestheologie
in: Rechtfertigung, Festschrift für Ernst Käsemann zum 70. Geburtstag, hrsg. von Johannes Friedrich, Wolfgang Pöhlmann und Peter Stuhlmacher, 1976, 509–525.

Zur paulinischen Christologie
in: ZThK 74, 1977, 449–463.

„Er ist unser Friede" (Eph 2,14). Zur Exegese und Bedeutung von Eph 2,14–18
in: Neues Testament und Kirche, Für Rudolf Schnackenburg, hrsg. von Joachim Gnilka, 1974, 337–358.

Schriftauslegung in der Confessio Augustana. Überlegungen zu einem erst noch zu führenden Gespräch
in: KuD 26, 1980, 188–212.

Adolf Schlatter als Bibelausleger
in: ZThK, Beiheft 4: Tübinger Theologie im 20. Jahrhundert, 1978, 81–111.